RUFF

VERLIEFDE ZIELEN

Van Matt Ruff verscheen eerder:

Oog om oog

Matt Ruff

Verliefde zielen

Vertaald door Mieke Lindenburg

2010
Uitgeverij Contact
Amsterdam/Antwerpen

Oorspronkelijke titel *Set This House In Order*
Oorspronkelijke uitgever Harper Collins
Auteursfoto Michael Hilliard
Omslagontwerp Suzan Beijer
Omslagillustratie Joseph Ruff
Typografie binnenwerk Zeno
Drukker Wöhrmann, Zutphen
ISBN 978 90 254 2535 7
D/2010/0108/916
NUR 302

Voor Michael, Daniel, J.B., Scooter en de rest van het stel

'k Ben al de dochters van mijn vaders huis,
En ook de broers...

William Shakespeare, *Driekoningenavond*

Mijn vader heeft me naar buiten geroepen.

Ik was zesentwintig toen ik uit het meer kwam, en sommige mensen vinden dat vreemd, ze vragen zich af hoe ik een leeftijd kon hebben zonder dat ik een verleden had. Maar ik kom ook vreemde dingen tegen: de meeste mensen die ik ken kunnen zich hun geboorte niet herinneren, en sterker nog: daar maken ze zich niet druk om. Julie Sivik, een goede vriendin van me, heeft me ooit verteld dat haar vroegste herinnering bestond uit een tafereel tijdens het partijtje voor haar tweede verjaardag: ze stond op een stoel om de kaarsjes op de taart uit te blazen. Alles daarvoor was een zwart gat, zei ze, maar dat zat haar blijkbaar niet dwars. Alsof het de gewoonste zaak van de wereld was dat ze twee jaar van haar leven kwijt was.

Ik herinner me alles, vanaf het eerste ogenblik: het geluid van mijn naam in het donker, het schokeffect van het water, de verwarde plantenmassa op de bodem toen ik mijn ogen opendeed. Het water is daar beneden zwart, maar ik kon zonlicht zien op het oppervlak hoog boven me en ik liet me die kant op drijven, naar boven getrokken door mijn vaders stem.

Aan de oever van het meer stond mijn vader me op te wachten, samen met Adam en Jake en tante Sam. Achter hen lag het huis; Seferis hield vanaf het spreekgestoelte het lichaam in het oog. En verder voelde ik hoe de anderen, te verlegen om zich te vertonen, vanuit de ramen die uitzagen op het meer en vanaf de rand van het bos ook naar me keken. Ook Gideon moet vanaf Coventry hebben toegekeken, maar dat hij bestond wist ik toen nog niet.

Volgens mij moet ik nu uitleggen hoe het zit met dat huis. Tante

Sam zegt dat een goede verteller belangrijke dingen stukje bij beetje onthult, om zo de aandacht van het publiek vast te houden, maar ik ben bang dat als ik de hele zaak niet nu meteen uit de doeken doe, de lezer er niets meer van begrijpt, en dat is erger dan dat hij er zijn aandacht niet meer bij kan houden. Dus heel even geduld graag, ik beloof dat ik mijn best zal doen u niet te vervelen.

Het huis, het meer, het bos en Coventry, dat alles zit in het hoofd van Andy Gage, of liever gezegd, in wat Andy Gage' hoofd zou zijn geweest als hij in leven was gebleven. Andy Gage is geboren in 1965 en niet lang daarna vermoord door zijn stiefvader, een bijzonder kwaadaardige man die Horace Rollins heette. Het was geen gewone moord: de kwellingen en het misbruik waardoor hij aan zijn eind kwam waren echt, maar Andy Gage' dood niet. Alleen zijn ziel stierf daadwerkelijk, en vervolgens brak die aan stukken. De stukken werden zelfstandige zielen, een verzameling erfgenamen van Andy Gage' leven.

Destijds was er nog geen huis in Andy Gage' hoofd, alleen een donkere ruimte waar de zielen met z'n allen in woonden. Midden in die ruimte had je een zuil van helder licht, en iedere ziel die dat licht binnenging of erin getrokken werd, bevond zich opeens in de buitenwereld, in Andy Gage' lichaam, zonder zich te herinneren hoe hij daar terecht was gekomen of wat er was gebeurd sinds de vorige keer dat hij buiten was geweest. De lezer kan zich wel voorstellen dat dat een eng en vreselijk bestaan was, nog dubbel zo vreselijk als gevolg van de niet-aflatende, fnuikende praktijken van de stiefvader. Van de zeven oorspronkelijke zielen die van Andy Gage afstamden werden er vijf later zelf ook vermoord; ze braken in nog meer stukken, en zelfs de twee die in leven bleven moesten zich opsplitsen om er niet aan onderdoor te gaan. Toen ze zich eindelijk aan Horace Rollins hadden ontworsteld, woonden er meer dan honderd zielen in Andy Gage' hoofd.

Dat was het begin van de echte strijd. In de loop van vele jaren wisten de twee oorspronkelijke zielen die het hadden overleefd – Aaron, mijn vader, en Gideon, mijn vaders broer – iets van een besef van heden en verleden te kweken, zodat ze konden uitpuzzelen wat hun was overkomen. Geholpen door een goede dokter, Danielle Grey genaamd, heeft mijn vader zich ingespannen om orde op zaken te stellen. De donkere ruimte in Andy Gage' hoofd doekte hij op, en hij ontwierp daar iets nieuws: een zonovergoten landschap waarin de zielen elkaar konden zien en met elkaar praten. Hij bouwde het huis, zodat ze ergens konden wonen; hij creëerde het bos, zodat ze ergens alleen konden zijn; en verder legde hij de pompoenenakker aan, zodat de doden fatsoenlijk begraven konden worden. Gideon, een zelfzuchtig type, wilde er niets mee te maken hebben, en stelde alles in het werk om dit gebied naar de knoppen te helpen, totdat mijn vader zich gedwongen zag om hem te verbannen naar Coventry.

Het had mijn vader zoveel inspanning gekost om het huis te voltooien dat hij daarna volkomen uitgeput was en niet meer stond te trappelen om zich bezig te houden met de buitenwereld. Maar íémand moest het lichaam runnen; vandaar dat mijn vader, op de dag dat de laatste dakpan werd vastgenageld, naar het meer ging en mijn naam riep.

Nog iets dat ik vreemd vind aan een hoop andere mensen is dat ze niet weten wat hun doel is in het leven. Meestal zit dat hun wél dwars – in ieder geval erger dan dat ze zich hun geboorte niet meer herinneren –, maar ik kan me dat in de verste verte niet voorstellen. Dat ik weet wie ik ben, hangt samen met het feit dat ik weet waarom ik ben, en ik heb altijd geweten wie ik ben, vanaf het allereerste ogenblik.

Ik heet Andrew Gage. Ik was zesentwintig jaar toen ik uit het meer kwam. Ik ben geboren uit mijn vaders kracht, maar met zijn vermoeidheid; met zijn doorzettingsvermogen, maar niet met zijn verdriet. Ik ben opgeroepen om de taak af te maken waaraan mijn vader was begonnen; een taak waarvoor hij had gekozen, maar waarvoor ik geschapen was.

I

EVENWICHT

BOEK EEN

Andrew

1

Penny Driver ontmoette ik twee maanden nadat ik achtentwintig was geworden – of twee maanden nadat ik twee was geworden, het is maar hoe je de jaren wilt tellen.

Net als meestal was Jake die ochtend het eerst op; bij het krieken van de dag vloog hij zijn kamer uit en denderde hij de trap af naar de gemeenschappelijke ruimte. De herrie waarmee hij zich voortbewoog bracht een kettingreactie teweeg bij de andere zielen in het huis, die nu de een na de ander wakker schoten. Jake is vijf jaar, en dat is hij sinds 1973, toen hij geboren werd uit de overblijfselen van een dode ziel die Jacob heette; hij is wijs voor zijn vijf jaar, maar eigenlijk is hij nog een klein jochie, en andermans behoefte aan stilte zegt hem niet zo veel.

Jakes geklos wekte tante Sam, die tierend opstoof; en tante Sams getier wekte Adam, die in de kamer naast haar zit; en Adam, die wel oud genoeg is om andermans behoefte aan stilte te respecteren, liet een reeks indianenkreten horen, totdat mijn vader op de muur bonkte en zei dat hij daarmee moest uitscheiden. Tegen die tijd was iedereen wakker.

Ik had wel kunnen proberen me er niet aan te storen. In tegenstelling tot de anderen slaap ik niet in het huis; ik slaap in het lichaam, en als je in het lichaam bent, zijn ook de luidruchtigste huisgeluiden niet meer dan echo's in Andy Gage' hoofd, die je naar believen kunt uitschakelen – behalve als ze vanaf het spreekgestoelte komen. Maar Adam weet dat natuurlijk, en als ik probeer nog wat langer te slapen, vliegt hij steevast als de bliksem naar het spreekgestoelte en gaat daar als een haan staan kraaien, totdat ik me de wenk aantrek. Soms laat ik hem kraaien tot hij helemaal schor is, gewoon om hem te laten voelen wie er de baas is; maar die ochtend stond Jake nog niet op de trap, of ik had mijn ogen al open.

De kamer waarin ik sliep – waarin het lichaam sliep – bevond zich in een opgeknapt victoriaans huis in Autumn Creek, in de staat Washington, veertig kilometer ten oosten van Seattle. Het huis was het eigendom van mevrouw Alice Winslow, die in 1992 eerst een kamer had verhuurd aan mijn vader, toen ik nog niet bestond.

We huurden een gedeelte op de begane grond. Het was een flinke ruimte, maar het was er vergeven van de troep, want een hoop troep is een onvermijdelijk bijverschijnsel van een bestaan als meervoudige persoonlijkheid, ook al doe je je best om je bezittingen in de echte wereld tot een minimum te beperken. Vanuit mijn bed kon ik, zonder mijn hoofd zelfs maar te draaien, het volgende zien: tante Sams ezel, penselen en tubes verf en twee blanco doeken; Adams skateboard; Jakes panda; Seferis' kendozwaard; mijn boeken, mijn vaders boeken; Jakes plankje met boeken; Adams stapel *Playboys*; een kleurentelevisie met afstandsbediening die vroeger van mijn vader was geweest maar nu van mij was, een videoapparaat dat voor drie vijfde gedeelte van mij was, voor drie tiende van Adam en voor een tiende van Jake (lang verhaal); een cd-speler die voor de helft van mij was, voor een kwart van mijn vader, voor een achtste gedeelte van tante Sam en een zestiende van Adam en Jake elk (nog langer verhaal); een rek cd's en video's van verschillende eigenaren; en een wasmand op wieltjes met vuile kleren die niemand zijn bezit wenste te noemen, maar die voornamelijk van mij was.

Dat alles kon ik zien zonder zelfs maar een blik om me heen te werpen; en behalve de slaapkamer waren er nog een huiskamer, een grote garderobekast, een volledige badkamer, ook mudjevol, en verder de keuken, die we deelden met mevrouw Winslow. Maar de keuken was niet zo volgestouwd met van alles en nog wat. Mevrouw Winslow kookte meestal voor ons, en de ruimte voor onze levensmiddelenvoorraad hield ze strikt beperkt tot één rek in de ijskast en twee planken in de provisiekast.

Ik dirigeerde ons uit bed en naar de badkamer om een begin te maken met het ochtendritueel. Eerst het gebit. Om de een of andere reden vindt Jake het vreselijk leuk om tanden te poetsen, dus liet ik dat door hem doen. Ik trok me terug op het spreekgestoelte en stond hem het lichaam af. Ik bleef wel een oogje in het zeil houden. Jake is een kind, zoals ik al zei; maar Andy Gage' lichaam is een meter zeventig lang, en slobbert om Jakes ziel als een vele malen te groot pak kleren. Hij beweegt zich er onhandig in, en vaak schat hij de afstand tussen zijn armen en benen en de rest van de wereld niet helemaal goed in; we hebben met z'n allen maar één schedel, en als hij zich bukt om het dopje van de tube tandpasta op te rapen dat hij heeft laten vallen en dan keihard zijn hoofd stoot tegen de hoek van de wastafel, is dat dus een groepstragedie. Vandaar dat ik hem nauwlettend in de gaten hield.

Die ochtend gebeurden er geen ongelukken. Hij pakte het karwei als altijd degelijk aan: hij poetste heen en weer en op en neer, en gaf alle tanden en kiezen een beurt, zelfs de lastige achterin. Ik zou wel willen dat het flossen hem ook zo goed afging, maar dat vergt wat al te veel behendigheid van hem.

Ik nam het lichaam weer over en ging even kakken. De meeste ochtenden neem ik die klus zelf voor mijn rekening, maar af en toe vraagt mijn vader of hij het mag doen – de voldoening van een soepele kakpartij, zegt hij, is een van de weinige dingen uit de buitenwereld die hij mist. Adam biedt ook weleens zijn diensten aan, meestal vlak nadat er een nieuwe *Playboy* is gekomen, maar in de regel geef ik hem niet meer dan een of twee keer per maand zijn zin, anders raken de anderen van slag.

Na de wc kwam de gymnastiek. Ik ging op de mat naast het bad liggen en liet Seferis zijn vaste gang gaan: tweehonderd sit-ups, gevolgd door tweehonderd keer opdrukken, waarvan de laatste honderd keer afwisselend alleen met de rechter- en alleen met de linkerarm. Bij mijn terugkeer uit het spreekgestoelte moest ik spierpijn en stromen zweet incasseren, maar ik klaagde niet. De buik van het lichaam is een wasbord, en ik kan zware dingen tillen.

Vervolgens geef ik Adam en tante Sam elk twee minuten onder de douche, te beginnen met tante Sam. Vroeger gingen ze om de beurt als eerste, maar voor tante Sam moet het water veel warmer zijn dan voor Adam, en Adam 'vergat' steevast de temperatuurknop bij te stellen voordat hij het lichaam weer afstond, dus nu is de volgorde elke dag tante Sam, dan Adam en dan ik – en Adam weet dat als hij me op ijskoud water of zeepsop in mijn ogen trakteert, hij een week lang zijn doucheprivileges kwijt is.

Toen ik aan de beurt kwam, waste ik me vlug (de anderen nemen maar zelden de moeite om de boel serieus onder handen te nemen), spoelde de zeep af en wreef me droog, waarna ik terugging naar de slaapkamer om me me aan te kleden. Mijn vader kwam naar het spreekgestoelte om me te helpen bij het kiezen van de kleren. Buitenshuis heb ik het voortdurend voor het zeggen in het lichaam, dus eigenlijk zou de garderobe voor overdag enkel en alleen mijn eigen verantwoordelijkheid moeten zijn, maar volgens tante Sam ben ik geboren zonder enig benul van mode, en ik denk dat mijn vader zich daar schuldig over voelt.

'Nee, dat overhemd maar niet,' opperde hij toen ik mijn selectie op het bed had gelegd.

'Staat dat niet bij die broek?' vroeg ik, en ik probeerde me de regel weer voor de geest te halen. 'Ik dacht dat een spijkerbroek met alles te combineren viel.'

'Dat is ook zo,' zei mijn vader. 'Maar sommige kleren staan nergens bij, zelfs niet bij een spijkerbroek.'

'Vind je dit lelijk?' Ik hield het overhemd in de hoogte en bekeek het eens kritisch. Het was een knalgeel geval, met een rood-groene Schotse ruit. Ik had het samen met een stel andere koopjes op de kop getikt in een winkel die voorjaarsopruiming hield, en ik vond het vrolijk.

'Het is lélijk,' zei mijn vader. 'Als je er echt op gesteld bent, dan kun je er hier wel in rondlopen, maar ik zou je niet aanraden er de rest van de wereld mee te confronteren.'

Ik aarzelde. Ik was inderdaad gesteld op dat hemd, en ik vind het vreselijk om enkel vanwege het eventuele oordeel van andere mensen ergens van af te zien. Maar tegelijkertijd wil ik ontzettend graag dat andere mensen een gunstig oordeel over me vellen.

'De keus is aan jou,' zei mijn vader geduldig.

'Nou, goed,' zei ik, nog steeds weifelend. 'Dan doe ik wel iets anders aan.'

We waren klaar met aankleden. Ik deed mijn horloge nog om en vergeleek het met de klok op het nachtkastje naast mijn bed. 7:07 vermeldde de klok, ma 21 april. Mijn horloge gaf dezelfde weekdag en datum aan, maar niet dezelfde tijd.

'Twee minuten achter,' merkte mijn vader op.

Ik schokschouderde. 'Het loopt nu eenmaal iets te langzaam,' bracht ik hem in herinnering.

'Dan moet je het laten repareren.'

'Dat hoeft niet. Het doet het verder prima.'

'En aan de klok in het videoapparaat moet je ook iets doen.'

Dit was al tijdenlang een twistpunt tussen ons tweeën. Mijn vader had er altijd een stuk of twintig klokken op na gehouden om beter gespitst te zijn op stukken ontbrekende tijd. Maar ik maakte me daar veel minder druk om, want voor zover ik wist was ik nog nooit ook maar een seconde kwijtgeraakt; vandaar dat ik het aantal klokken had teruggebracht tot één per kamer. We hadden het met elkaar aan de stok gehad over die beslissing, en ook over het feit dat ik geen moeite deed om de klokken precies gelijk te laten lopen. Vooral van mijn nonchalante houding tegenover de videoklok werd mijn vader niet goed: als de stroom was uitgevallen, of als de stekker toevallig uit het stopcontact was gehaald, kon er dagen achter elkaar 12:00:00 aan- en uitflitsen op het schermpje voordat ik de moeite nam het mechanisme bij te stellen.

'Zo belangrijk is dat echt niet, hoor,' zei ik, op een norsere toon dan ik bedoeld had. Ik was nog teleurgesteld vanwege dat overhemd. 'Maar goed, ik kom er wel een keer aan toe.'

Mijn vader gaf geen antwoord, maar ik had wel in de gaten dat hij zich ergerde: ik vertikte het om rechtstreeks naar de videospeler te kijken, en voelde dat hij pogingen deed om het perifere gezichtsveld van het lichaam te gebruiken.

'Ik kom er heus nog wel een keer aan toe,' zei ik met nadruk, en ik ging de slaapkamer uit. Ik liep door de huiskamer – waar de klok schandalig genoeg één minuut voorliep op die op mijn nachtkastje – en ging via de zijgang naar de keuken, waar mevrouw Winslow het ontbijt al had klaarstaan.

'Goeiemorgen, Andrew,' zei mevrouw Winslow, nog voordat ik een woord had gezegd. Altijd wist ze het. De meeste ochtenden was ik de eerste die verscheen, maar ook al had ik het lichaam aan iemand anders afgestaan, dan zou mevrouw Winslow dat nog in de gaten hebben gehad zonder dat haar iets was verteld. In dat opzicht was ze net als Adam: gezegend met een fabelachtig talent om mensen te doorzien. 'Goed geslapen?'

'Ja, dank u.' In de regel eist de beleefdheid dat je die vraag ook aan de ander stelt, maar mevrouw Winslow leed aan slapeloosheid. Ze sliep slechter dan iedereen die ik kende, behalve dan Seferis, die helemaal nooit slaapt.

Al minstens sinds vijf uur was ze op, en toen ze de douche had gehoord, was ze gaan kokkerellen. Het was echt een teken van haar vriendelijke instelling én van haar genegenheid voor ons dat ze daartoe bereid was; net als al die andere zaken op de vroege ochtend is het ontbijt een collectieve aangelegenheid, en er komt heel wat bij kijken om het klaar te maken. Ik zette me niet aan één maaltijd, maar aan een combinatie van een heel aantal; alle porties waren zorgvuldig afgemeten, en het geheel begon met een half bord roerei en een beker koffie voor mij. Ik deed me tegoed en vervolgens liet ik de anderen het lichaam in bezit nemen. Iedere ziel begroette mevrouw Winslow afzonderlijk.

'Goeiemorgen, mijn beste,' zei tante Sam vormelijk. Tante Sams portie bestond uit een kop kruidenthee en een snee geroosterd brood met muntgelei; vroeger had ze ook een halve sigaret gerookt, maar mijn vader had haar zover gekregen die gewoonte op te geven in ruil voor wat extra tijd in het lichaam. Ze dronk met kleine teugjes van de thee en knabbelde damesachtig aan haar geroosterde brood, totdat Adam ongeduldig werd en op het spreekgestoelte zijn keel begon te schrapen.

'Goeiemorgen, schoonheid,' zei Adam op een quasiflirterig toontje. Adam mag zich graag voordoen als een geweldige ladykiller. In werkelijkheid wordt hij zenuwachtig van vrouwen tussen de twaalf en de zestig, en als mevrouw Winslow niet grijs was geweest, dan betwijfel ik of hij de moed had gehad om zo'n sjanstoon tegen haar aan te slaan. Terwijl hij zijn ontbijt verzwolg – een halve muffin en een plakje spek – trakteerde hij haar op zijn idee van een lonkende knipoog; maar toen mevrouw Winsow hem een knipoogje teruggaf, schrok Adam zo dat er hem een stukje spek in het verkeerde keelgat schoot en hij een hoestbui kreeg.

'Goeiemorgen, mevrouw Winslow,' zei Jake; zijn hoge stemmetje was hees van Adams verslikpartij. Onhandig begon hij aan het kommetje cornflakes dat ze hem had voorgezet. Ze schonk hem ook een glaasje sinaasappelsap in, en hij greep er te haastig naar. Het glas (dat trouwens van plastic was; dit was niet de eerste keer) tuimelde om.

Jake verstarde. Als dit hem was overkomen bij iemand anders dan mevrouw Winslow, zou hij het lichaam uit zijn gevlucht. Nu dook hij in elkaar, met zijn vuisten gebald en al zijn spieren gespannen: hij zette zich schrap voor een harde mep op de vingers of een dreun in zijn gezicht. Mevrouw Winslow reageerde weloverwogen niet te snel. Ze deed net alsof ze er eerst niet eens erg in had, en vervolgens zei ze achteloos: 'O jee, ik had dat glas blijkbaar te dicht bij de tafelrand gezet.' Ze stond zonder enige haast op, liep naar de gootsteen en hield een doekje onder de kraan om het zaakje op te nemen.

'Het spijt me, mevrouw Winslow!' hakkelde Jake. 'Ik...'

'Jake, lieverd,' zei mevrouw Winslow terwijl ze het tafelblad afwiste, 'je weet toch dat Florida een enorme staat is, hè? Ze hebben daar slóten sinaasappelsap, hele zeeën.' Ze schonk zijn glaasje nog eens vol en deze keer gaf ze het hem rechtstreeks; heel voorzichtig nam hij het met twee handen aan. 'Zo,' zei mevrouw Winslow. 'Geen man overboord. Het ziet er alleen maar úít als goud, hoor.' Jake giechelde, maar hij werd pas echt weer rustig toen hij terug was in het huis.

Seferis knikte alleen goedemorgen. Zijn ontbijt was het simpelst: een bordje radijsjes met zout, die hij een voor een in zijn mond stak en vermaalde alsof het snoepjes waren. Inmiddels was mevrouw Winslow aan haar eigen ontbijt begonnen: opgewarmde crackers met marmelade. Toen het deksel van de pot marmelade er niet af wilde, had ze hem Seferis toegestoken.

Seferis' lengte in verhouding tot het lichaam is precies omgekeerd evenredig aan die van Jake: zijn ziel is twee meter zeventig lang, en als hij zich in Andy Gage' bescheiden postuur heeft geperst straalt hij louter energie en kracht uit. Hij kreeg het deksel eraf door er even met duim en wijsvinger aan te draaien, een trucje dat mij nooit zou zijn gelukt, ook al had ik dezelfde spieren gebruikt.

'*Efcharisto*,' zei mevrouw Winslow toen Seferis haar de pot met een zwierig gebaar teruggaf.

'*Parakalo*,' antwoordde Seferis, en hij vermaalde nog een radijsje.

Toen alles op was zette mevrouw Winslow het zwart-witte televisietoestelletje op het aanrecht aan en schonk een beker koffie in voor mijn vader, die nu tevoorschijn kwam om haar een bezoekje te brengen. Ze vonden het prettig om samen naar het nieuws te kijken. Vroeger had mevrouw Winslow dat altijd met haar man gedaan, en volgens mij deed mijn vaders gezelschap haar weer enigszins aan de goede, oude tijd denken; en mijn vader proefde, als hij bij mevrouw Winslow zat, iets van het normale gezinsleven waar hij altijd zo naar had verlangd. Maar die ochtend werd het minder gezellig dan anders meestal het geval was. Het belangrijkste nieuwsitem aan het begin van het uur bestond uit een met nieuwe gegevens aangevuld overzicht van de kampeertragedie van de Lodges; mijn vader werd er nog beroerder van dan van de videoklok, en ook mevrouw Winslows stemming werd erdoor bedorven.

Misschien dat de lezer zich de zaak-Lodge nog herinnert; die heeft nooit de nationale publiciteit gekregen die eraan besteed zou zijn als er zich in diezelfde tijd niet een soortgelijk geval had voorgedaan, maar iedereen heeft er wel van gehoord. Warren Lodge was een terreinknecht uit Tacoma die in Olympic National Park was gaan kamperen met zijn twee dochtertjes. Twee dagen nadat de kampeerexpeditie van start was gegaan, zag de staatspolitie de jeep van Lodge op de 101 van de ene strook naar de andere schieten, en ze dwongen hem om te stoppen. Lodge, die een heel verwarde indruk maakte en een lange, diepe schram in zijn hoofdhuid had, beweerde dat er een poema het kampeerterrein op was geslopen en hem had besprongen, en dat hij daarbij buiten westen was geraakt. Toen hij weer tot zijn positieven was gekomen, had hij de aan flarden gerukte tent van zijn dochtertjes en hun gescheurde en met bloed bevlekte slaapzakken ontdekt; van de meisjes zelf – Amy van twaalf en Elizabeth van tien – was geen spoor te bekennen geweest, hoewel hij urenlang naar hen had gezocht.

Het kón waar zijn. Agressieve poema's zijn geen ongewoon verschijnsel in het noordwestelijke kustgebied, en Lodge was zo te zien sterk genoeg om een worsteling met zo'n beest levend te doorstaan, zeker met een beetje geluk. Maar toen ik hem op tv zag – de dag nadat de politie hem naar de kant van de weg had gedirigeerd had hij een persconferentie belegd, waarop hij vrijwilligers opriep om te komen helpen zoeken naar zijn dochtertjes – ging ik me steeds onbehaaglijker voelen. Het verhaal van Lodge kón waar zijn, maar er was iets niet pluis aan de manier waarop hij het vertelde. Adam was degene die, toen hij vanaf het spreekgestoelte het betraande gezicht van Lodge in ogenschouw nam, als eerste mijn intuïtieve idee onder woorden bracht: 'Híj is de poema.'

Sindsdien hadden we – al bijna een hele week – almaar in afwachting verkeerd van het ogenblik dat de politie tot dezelfde conclusie zou komen. Tot dusver was er geen sprake geweest van ook maar een zweempje argwaan, al zei Adam dat het niet anders kon of de politie dacht ook in die richting – anders waren ze toch zeker volslagen incompetent. Mijn vader had intussen een dure eed gezworen dat als Lodge niet binnenkort gearresteerd werd, hij het parket van Mason County zou bellen, óf dat hij het mij zou laten doen.

'Denk je echt dat hij ze vermoord heeft?' vroeg mevrouw Winslow terwijl Lodge' oproep om vrijwilligers nog eens werd vertoond. Dit nieuwste overzicht van het geval was louter oude kost: een verzameling oude rapporten waar nu de opmerking aan toe werd gevoegd dat de zoekers vrijwel alle hoop hadden opgegeven dat ze de meisjes nog levend zouden terugvinden.

Mijn vader knikte. 'Hij heeft ze zéker vermoord. En hij heeft nog wel meer met ze uitgehaald ook.'

Mevrouw Winslow zweeg even. Toen zei ze: 'Denk je dat hij krankzinnig is? Iemand die zijn eigen kinderen vermoordt?'

'Gekken doen niet hun best om hun misdaden te verbergen,' zei mijn vader. 'Hij weet dat het verkeerd is wat hij heeft gedaan, maar hij wil niet voor de gevolgen opdraaien. Dat is niet krankzinnig. Dat is zelfzuchtig.'

Zelfzuchtig: mijn vaders negatiefste kwalificatie. Mevrouw Winslow stelde niet de vraag die nu voor de hand lag, de vraag waar ik steeds over piekerde: waarom? Zelfs als je ervan uitging dat iemand zich nooit ook maar iets gelegen liet liggen aan het welzijn van anderen, dan nog: wat bracht hem er dan toe om een ander mens te willen aandoen wat Lodge zijn eigen dochtertjes had aangedaan? Dat mevrouw Winslow die vraag niet stelde was omdat ze wel wist dat mijn vader daar geen antwoord op had, ook al was hij er al zijn leven lang naar op zoek. Ook elke andere vraag liet ze achterwege; ze zat er alleen maar in boos stilzwijgen gehuld bij terwijl mijn vader zijn koffie opdronk en het nieuws overschakelde op andere onderwerpen. Even later was het tijd om naar ons werk te vertrekken. Mijn vader kuste mevrouw Winslow op de wang en gaf mij het lichaam weer terug.

In de vestibule hing een familieportret: een jongere mevrouw Winslow met donkerder haar, haar overleden man en hun twee zoons, die met z'n allen op het gazon voor het toen nog niet opgeknapte huis stonden. Sinds mijn vader me had verteld wat er met hen was gebeurd, hield ik altijd even mijn pas in als ik langs die foto kwam. Die dag bleef ik zelfs staan, totdat mevrouw Winslow van achteren op me toe liep en me met zachte hand de voordeur uit loodste.

Buiten was de hemel voor het seizoen merkwaardig wolkeloos; de enige zichtbare wolkjes hingen op een kluitje om Mount Winter, verder naar het oosten. Mevrouw Winslow overhandigde me een lunchpakket (één maaltijd; de middagboterham deel ik met niemand). Ze wenste me een prettige dag en installeerde zich in de schommelstoel op de veranda, in afwachting van de post. De postbode zou pas over een paar uur komen, maar desondanks ging ze zitten wachten, net als altijd; als het te koud werd sloeg ze een oude lappendeken om zich heen.

'Alles naar wens, mevrouw Winslow?' vroeg ik voordat ik wegging. 'Hebt u nog iets nodig?'

'Ik ben helemaal tevreden, Andrew. Zorg jij nou maar dat je weer veilig thuiskomt, meer verlang ik niet.'

'Maakt u zich geen zorgen,' zei ik. 'Mocht iemand proberen iets met me uit te halen, dan ben ik altijd met een heel stel tegen één.' Dat is een standaardgrapje van een meervoudige persoonlijkheid, dat meestal op z'n minst een beleefd lachje oplevert, maar die dag klopte mevrouw Winslow me alleen even op de arm en zei: 'Goed, ga nu maar. Anders komen jullie nog te laat.'

Ik liep het tuinpad af. Op het trottoir draaide ik me om; mevrouw Winslow had een tijdschrift gepakt en zat te lezen, of deed althans alsof. Ze zag er heel nietig uit, zo aan de zijkant van haar huis, heel nietig en heel alleen – écht alleen, op een manier waar ik me maar vaag iets bij kon voorstellen. Ik vroeg me af hoe dat zou zijn, en of je het gemakkelijker of moeilijker had dan wanneer je altijd andere zielen bij je had die je gezelschap hielden.

'Maak je over haar maar geen zorgen,' zei Adam vanaf het spreekgestoelte. 'Ze redt zich prima, hoor.'

'Volgens mij zit dat nieuwsverhaal haar nog verschrikkelijk dwars.'

'Dat zit haar niet dwárs,' bauwde Adam me na. 'Daar heeft ze de pest over in. En dat is ook logisch. Mensen die niet woest worden als ze over zoiets horen, daar mag je je echt wel zorgen over maken.'

Ik zwaaide nog een laatste keer naar mevrouw Winslow en dwong mezelf om te gaan. Toen we een eind verderop liepen en het huis niet meer in zicht was, vroeg ik: 'Denk je dat hij gepakt wordt? Warren Lodge, bedoel ik.'

'Ik hoop het,' zei Adam. 'Ik hoop van harte dat hij zijn straf niet ontloopt, of hij nu gepakt wordt of niet.'

'Wat bedoel je?'

'Soms gebeuren zulke dingen gewoon. Soms denken mensen dat ze ergens mee wegkomen, denken ze dat ze iedereen bij de neus kunnen nemen, maar dan loopt het toch anders. Dan worden ze toch nog gestraft.'

'Hoe dan?' vroeg ik. 'Door wie?'

Maar Adam had geen zin om er nog langer over te praten. 'Laten we nou maar hopen dat hij gepakt wordt door iemand van de politie,' zei hij. Toen ging hij het huis weer in, en hij kwam pas weer tevoorschijn toen we bijna bij de fabriek waren.

2

Ik had een baan bij de Werkelijkheidsfabriek in East Bridge Street. Mijn baas, Julie Sivik, was tegelijkertijd de eerste persoon met wie ik op eigen kracht echt bevriend was geraakt.

Toen mijn vader me naar buiten riep, werkte hij als vakkenvuller bij groothandel Bit, een grote computerzaak vlak aan de 90, tussen Autumn Creek en Seattle. Oorspronkelijk was het plan dat ik het daar van hem zou overnemen, net zoals ik alle andere dingen overnam die hoorden bij het runnen van het lichaam, maar daar kwam niets van terecht. Als je een deskundige vakkenvuller bent, houdt dat in dat je weet waar alles komt te liggen, dat je weet waar je alles weer kunt vinden als je het op zijn plaats hebt gelegd en dat je weet – bij Bit luidt ten opzichte van de klant namelijk de volgende stelregel: wij zijn er om u te helpen – waar al die dingen voor zijn als je ze hebt gevonden. Nadat hij drie jaar lang dat werk had gedaan, beschikte mijn vader inderdaad over al die kennis, maar ik niet.

Dit is een van de vele supersubtiele kwesties waar mensen zonder meervoudige persoonlijkheid niet goed bij kunnen. Toen hij mij creeerde had mijn vader me een hoop praktische kennis meegegeven, zoveel is duidelijk. Toen ik uit het meer kwam kon ik praten. Ik kon me een voorstelling maken van de wereld en van althans een deel van wat daar zoal te vinden was. Ik wist wat honden, sneeuwvlokken en veerboten waren voordat ik ooit een echte hond, sneeuwvlok of veerboot had gezien. Daarom zou je het misschien niet meer dan logisch vinden om te vragen: als mijn vader me dat alles had kunnen meegeven, waarom had hij me dan niet ook het soort technische kennis kunnen meegeven waardoor ik een eersteklas vakkenvuller had kunnen worden? En nu we het daar toch over hebben: waarom had hij me niet tante Sams kennis van het Frans kunnen meegeven, en Seferis' geweldige beheersing van allerlei vechtsporten, en Adams zesde zintuig voor leugenpraat?

Ik wou dat ik het wist, want er zijn ogenblikken dat al dat soort kennis me goed van pas zou komen. Natuurlijk kan ik tante Sam altijd als tolk laten optreden, Seferis staat in een oogwenk klaar om het lichaam te verdedigen, en Adam leunt over de rand van het spreekgestoelte en roept over mensen dat ze lullen, of ik hem daar nu om vraag of niet, maar het zou stukken beter zijn als ik dat alles zelf kon. Ten eerste krijg je die hulp van andere zielen niet voor niks – ze verwachten er allerlei pleziertjes voor terug, en niet al hun wensen zijn gemakkelijk te vervullen. Het zou veel gemakkelijker zijn, en ook goedkoper, als ik hun talenten gewoon op de een of andere manier kon lenen.

Dat zoiets niet kan, heeft volgens mijn vader iets te maken met het verschil tussen informatie en ervaring. Als je mij op de dag van mijn geboorte had gevraagd te zeggen wat regen is, was ik met een woordenboekomschrijving komen aanzetten. Vraag het me nu en ik kom nog steeds met die omschrijving aanzetten maar tegelijkertijd denk ik dan aan het ogenblik op een bewolkte ochtend waarop je moet bedenken of het beter is om en paraplu mee te nemen (in deze contreien luidt het antwoord meestal ja). Of dan denk ik aan plassen waarin je de wereld op zijn kop ziet, of aan het afschuwelijk plakkerige gevoel van een kletsnatte wollen trui, of aan de geur van natte bladeren in het Lake Sammamish State Park. De vorm van mijn antwoord is nauwelijks veranderd door mijn ervaring, maar de betekenis is volslagen anders geworden.

Het verschil zit 'm in het geheugen. Er zijn feiten die iedereen weet, maar herinneringen, en de gevoelens die erdoor worden opgeroepen, zijn uniek voor alle individuele zielen. Herinneringen kun je wel beschrijven, maar je kunt ze nooit echt met anderen delen; en kennis die opgeslagen ligt in enorm krachtige herinneringen kun je evenmin met anderen delen. Neem nu tante Sams kennis van het Frans: daar komt meer aan te pas dan louter grammatica en woordjes; die is ook verbonden met de herinnering aan meneer Canivet, haar leraar op de middelbare school, de eerste volwassene die ze tegenkwam, die haar nooit een gemene streek leverde, die haar altijd aardig behandelde en nooit haar gevoelens kwetste. Ik heb meneer Canivet nooit ontmoet, en ik kan dus niet de genegenheid voor hem voelen die tante Sam voor hem koestert. Elk gevoel van mij ten opzichte van hem is louter iets uit de tweede hand, en zo zullen alle dingen die tante Sam van hem heeft geleerd ook altijd weetjes uit de tweede hand voor me blijven.

Met de werkervaring van mijn vader was het net zo gesteld. Die viel niet met mij te delen; die moest ik me helemaal zelf eigen maken. Een paar weken probeerden we het met een coachingmethode – mijn vader kauwde me vanaf het spreekgestoelte elke stap voor, beantwoordde honderden vragen over RAM-chips, SCSI-ports en null-modemkabels –, maar ik moest gewoon te veel leren in te korte tijd. Als we zes maanden hadden gekregen, dan hadden we het misschien gered, maar aan het eind van de derde week was mijn vaders productiviteitsmeting – *mijn* productiviteitsmeting – zo gekelderd dat we gevaar liepen ontslagen te worden.

Dat mijn vader zijn collega's niets over mij had verteld, maakte de zaak er natuurlijk ook niet beter op; ik ben nog steeds van mening dat hij er beter aan had gedaan om open kaart te spelen en te zeggen dat hij bezig was een opvolger wegwijs te maken. Maar doordat hij twee keer een tijdje onvrijwillig opgenomen was geweest, voelde hij er niets voor om tegenover anderen iets los te laten over zijn meervoudige persoonlijkheid. Hij had het er wel op gewaagd mevrouw Winslow in vertrouwen te nemen, maar bij Bit wist niemand iets. En doordat ze niets wisten, stonden ze voor een raadsel toen Andy Gage zich ging gedragen als een volslagen ander iemand – als iemand die voortdurend in de bonen was en moeite had met de simpelste klusjes. Vooral Weeks, mijn baas, maakte zich zorgen. Nadat ik per ongeluk de harde schijf had geformatteerd van de belangrijkste computer die de voorraden bij Bit bijhield, vroeg hij zich hardop af of ik misschien drugs gebruikte.

'Is het niet een idee om hem de waarheid te vertellen?' stelde ik voor. 'Om iedereen de waarheid te vertellen?'

'Niet iedereen zou het begrijpen,' antwoordde mijn vader. 'Het is een gecompliceerde waarheid, en mensen houden niet van complicaties. Vooral mensen in machtsposities niet. Daar kom je nog wel achter.'

Daar kom je nog wel achter. Dat was mijn vaders stereotiepe reactie als ik een vraag stelde waarop het antwoord alleen geleverd kon worden door mijn eigen ervaring. Ik kreeg die reactie vaak te horen in die tijd, en elke keer was dat een afknapper, voor hem én voor mij. Hij had gedacht dat het ergste achter de rug was toen hij het huis af had; de boel aan mij overdragen zou vast niet moeilijk zijn. Maar hij was ook nog bezig ervaring op te doen en daarvan te leren.

Eén ding dat we allebei hadden geleerd, was dat ik niet gewoon zomaar mijn vaders oude leven kon binnenstappen. Ik moest mijn eigen leven creëren: een eigen baan zoeken, mijn eigen vrienden kiezen – en zelf beslissen wie ik kon vertrouwen.

Ik zocht Weeks op in zijn kamer en zei dat ik ermee ophield. Hij knikte, alsof hij dat al had verwacht, en zei dat hij hoopte dat ik deskundige therapie voor drugsverslaafden zou overwegen. Ik zei dat ik erover na zou denken – nog zo'n stereotiep antwoord dat ik van mijn vader had overgenomen – en ging weer terug naar de werkvloer om de laatste uren vol te maken. Even daarna heb ik Julie Sivik ontmoet.

Toen ze mij vond, stond ik op een ladder in gangpad nummer 7, waar ik dozen op de planken voor de reservevoorraad opnieuw op elkaar stapelde. Hoewel ik mijn werk had opgezegd, vond ik het nog steeds interessant iets op te steken over computers, en mijn vader en ik voerden een redelijk ingewikkeld gesprek over interfaces voor het gebruik van allerlei grafische mogelijkheden, zodat Julie een paar keer moest roepen om mijn aandacht te trekken.

'Hallo,' zei ik, toen ik haar eindelijk opmerkte. Ik daalde vlug de ladder af en veegde mijn handen af aan mijn overhemd. 'Kan ik u helpen?'

Op het eerste gezicht zag ze er ietwat eng uit. Ze was wel vijf centimeter langer dan ik en had bredere schouders. Ze droeg een bruinleren jasje over een zwart T-shirt en een donkere spijkerbroek; haar schouderlange haar was ook donker, heel sluik en deed streng aan. En er lag een geërgerde uitdrukking op haar gezicht, alsof ze al tot de conclusie was gekomen dat ik een stompzinnige knakker was. Ik had die uitdrukking al wel vaker gezien op het gezicht van klanten, maar Julie was er beter in haar ergernis te laten blijken dan de meeste mensen, alsof haar gezichtsspieren er op de een of andere manier op gebouwd waren om luid en duidelijk kond te doen van haar ongeduld.

'Ik ben op zoek naar software om mijn belastingbiljet in te vullen,' zei ze, en ze hield een stapeltje in krimpfolie verpakte doosjes in de hoogte. 'Ik vroeg me af welke hiervan u me kunt aanraden.'

'Vraag haar waar ze het voor wil gebruiken,' zei mijn vader, en ik gaf de vraag door: 'Waar wilt u het voor gebruiken?'

Julie keek me aan alsof ik echt volslagen achterlijk was. 'Voor mijn belastingaangifte dus,' zei ze. 'Waarvoor anders?'

'Particuliere inkomstenbelasting of ondernemingsbelasting?' vroeg mijn vader.

'Particuliere inkomstenbelasting of ondernemingsbelasting?' vroeg ik.

'O...' Julies gezichtsuitdrukking werd iets milder. 'Maakt dat iets uit?'

'Nou...' begon ik, waarna ik even zweeg om me door mijn vader te laten instrueren. 'Nou,' vervolgde ik, 'als u enkel op zoek bent naar een programma waarmee je een 1040 kunt invullen, dan zou ik dat aanraden, dunkt me.' Ik wees naar het bovenste doosje. 'Want... Want dat daar is het voordeligst, heel elementair maar met een degelijke handleiding, als u tenminste niet met speciale formulieren te maken hebt... Maar als u kleine zelfstandige bent of aan het hoofd staat van een bedrijfje, dan hebt u waarschijnlijk iets uitgebreiders nodig... U hebt zeker geen boerenbedrijf?' Terwijl ik die vraag stelde, gesouffleerd door mijn vader, vroeg ik me af wat er zo bijzonder was aan de belasting voor boeren. Maar Julie zat niet in de landbouwsector, vandaar dat ik niet de gelegenheid kreeg om dat aan de weet te komen.

'Maar ik ben wél bezig een eigen bedrijf op te zetten,' zei ze. 'En ik moet ook een 1040 invullen over vorig jaar, dus volgens mij moet ik...'

'Wacht even,' onderbrak ik haar, en ik hield een vinger in de hoogte. Mijn vader vertelde nu iets anders.

'Wacht even?' vroeg Julie.

'Twee seconden maar...'

De geërgerde uitdrukking verscheen weer op Julies gezicht. 'Waar sta ik hier in jezusnaam op te wachten?' wilde ze weten.

'Op mijn vader,' zei ik.

'Je vader?'

'O, geweldig,' zei Adam, die bij mijn vader op het spreekgestoelte was komen staan. 'Dit kan nog een leuke grap worden.'

'Je vader?' herhaalde Julie.

'Ja, mijn vader.'

Ze deed net alsof ze omstandig keek of er iemand achter me stond: eerst boog ze zich opzij en toen ging ze op haar tenen staan en tuurde over mijn hoofd heen. 'Waar dan?' vroeg ze ten slotte.

'Op het spreekgestoelte,' zei ik, nadat ik zelf ook even een blik achterom had geworpen.

'Een spreekgestoelte?'

'Dat is een soort balkonnetje aan de voorkant van het huis. In mijn hoofd.'

'Ben je schizofreen of zo?' vroeg Julie.

'Nee, ik heb een meervoudige persoonlijkheid. Schizofrenie is iets anders.'

'Een meervoudige persoonlijkheid. Dus er zitten nog meer persoonlijkheden in je lichaam.'

'Andere zielen.' Ik moest denken aan wat mijn vader had gezegd en voegde eraan toe: 'Het zit wat gecompliceerd in elkaar.'

'Dat geloof ik graag.' Dat was het ogenblik, heeft Julie me later toevertrouwd, dat ze tot het oordeel kwam dat ik het oprecht meende, óf dat ik de beste leugenaar was die ze ooit had ontmoet – en in beide gevallen was ik een interessante gast. 'Wat zei je daar over een huis?'

Het draaide erop uit dat ze me vroeg om na het werk iets met haar te gaan drinken, en dat vond ik zo opwindend dat ik ja zei zonder eerst ruggenspraak te houden met mijn vader. Maar hij was blij te zien dat ik iets op eigen initiatief deed, en Adam verklaarde Julie officieel tot veilig persoon: 'Ze is tenminste geen lustmoordenaar... al zal ze zich wel afvragen of jij er niet eentje bent.'

Om kwart over acht die avond trof ik Julie dus op het parkeerterrein voor de computerwinkel. Meestal nam ik de bus om ergens te komen, maar Julie had een auto en had aangeboden me op te halen. Toen ze hoorde dat ik in Autumn Creek woonde, stelde ze een café in Bridge Street voor, maar een paar straten bij mevrouw Winslows huis vandaan. 'Zelf woon ik daar vlak om de hoek,' voegde Julie eraan toe.

De auto was een Cadillac Sedan de Ville uit 1957, 'een oudje maar nog niet stokoud', zoals Julie zei. Ze had hem overgenomen van haar oom en hoopte hem met winst te verkopen als ze hem had opgelapt.

'Wat mankeert er dan aan?'

'Alles zo'n beetje.' Julie lepelde een waslijst op van de mankementen aan de auto, en Adam wees op nog een paar die ze niet had vermeld. Toen we het parkeerterrein af reden, bonkte er iets wat onder het chassis hing telkens tegen het plaveisel, zodat de auto een regen van vonken in zijn kielzog achterliet. 'Er zal nog serieus aan gesleuteld moeten worden.'

'Gaat dat niet een hoop kosten?'

'Sommige nieuwe onderdelen wel, ja. Maar ik heb zo'n idee dat ik de meeste klussen zelf wel aankan... Kun je je raampje even opendoen? We moeten hier aangeven dat we rechts afslaan.'

Misschien om van het chapiter autoreparaties af te stappen, begon Julie nu iets over zichzelf te vertellen. Ze was vierentwintig en kwam oorspronkelijk uit Rhode Island, al had ze in alle mogelijke verschillende steden gewoond sinds ze op haar zestiende het huis uit was gegaan. Ze had een paar jaar aan de universiteit van Boston gestudeerd, waar ze achtereenvolgens natuurkunde, techniek en computerwetenschappen had gedaan, waarna ze ermee was opgehouden zonder een diploma te hebben gehaald; daarna was ze amanuensis op een laboratorium geweest, vervolgens mecanicien; ze had bij een benzinestation gewerkt, rondleidingen gegeven in een museum, decors ontworpen voor een goedkoop geproduceerde griezelfilm, ze was brandwacht geweest, had achter het fornuis gestaan in een eenvoudige eettent, was blackjackdealer geweest, had verkeersborden geschilderd bij Publieke Werken in Eugene, Oregon, en tot voor kort was ze assistente geweest van een fysiotherapeut in Seattle. 'Maar boeren, daar heb ik nooit aan gedaan,' zei ze lachend.

Maar goed, vervolgde ze, bij die fysiotherapeut was de toestand verzuurd, en daarom was ze tot de conclusie gekomen dat het tijd werd om niet langer met iedereen het nest in te duiken, orde op zaken te stellen in haar leven en zich serieus toe te leggen op een carrière. Geholpen door dezelfde oom die haar de Cadillac had verkocht, had ze een lening in de wacht gesleept voor het opstarten van een bedrijfje, en nu had ze een pand gehuurd in Autumn Creek, want ze was van plan een bedrijf op te zetten voor het ontwerpen van computersoftware.

'Wat voor soort software ga je ontwerpen?'

'Software om met virtuele werkelijkheid te werken,' zei Julie. Ze keek me aan alsof ik hoorde te weten wat dat inhield, maar ik had daar nog nooit van gehoord.

'Wat is dat, virtuele werkelijkheid?'

'Jij werkt bij Bit en je weet niet wat virtuele werkelijkheid is?'

'Ik werk daar nog niet zo lang.'

'Jemig, nee, dat zal dan wel niet.'

'Maar wat is dat dan?'

In plaats van dat ze me antwoord gaf, veranderde ze weer van onderwerp – dat dacht ik tenminste: 'Vertel eens iets over dat huis in je hoofd.'

Inmiddels zaten we in dat café in Bridge Street, aan een tafel vlak bij de jukebox. Julie had een Saturday Night Special besteld; te laat kwam ik erachter dat dat een megajoekel van een kan donker bier was. Alcohol drinken ging in tegen mijn vaders regels, en ik had om een glas fris willen vragen, maar in plaats van mijn vergissing toe te geven, liet ik Julie mijn glas volschenken, waarna ik het onaangeroerd liet staan terwijl we ons gesprek voortzetten.

Ik vertelde haar over het huis: over de donkere kamer in Andy Gage' hoofd, en over het huis en het terrein eromheen dat mijn vader daar met veel moeite tot stand had gebracht. Ik drukte me niet zo helder uit als ik had gewild; dit was de eerste keer dat ik iemand een verhaal vertelde, en ik was zenuwachtig, want ik wist niet goed welke details ik erbij moest halen en in welke volgorde ik ze moest brengen. Dat ik er een criticus bij had, deed de zaak ook geen goed. Mijn vader was weggegaan uit het spreekgestoelte omdat hij me mijn privacy gunde, maar Adam stond er nog. Hij vond dat ik veel te veel losliet tegen dat vreemde mens.

'Maar waarom niet? Je zei zelf dat ze niet gevaarlijk is.'

'Ik zei dat ze geen lustmoordenaar is. Dat wil niet zeggen dat er niks mis mee is om haar zomaar van alles te vertellen over ons.'

'Ik vertél haar niet...'

'Dus Horace Rollins is je vader?' vroeg Julie, zonder te beseffen dat ze ons in de rede viel.

Die vraag bracht me van mijn stuk. 'Niet míjn vader,' zei ik. 'Andy Gage' vader. Andy Gage' stíéfvader. Hij is echt geen familie van mij. En eigenlijk ook niet van Andy Gage.'

'Je echte vader leeft niet meer?'

'Andy Gage' vader,' verbeterde ik. 'Silas Gage. Nee, die is verdronken.'

'Andy Gage' vader... Dus als jij het over jóúw vader hebt, dan bedoel je niet Silas Gage, en ook niet Horace Rollins, dan bedoel je een andere persoonlijkheid. Een andere "ziel".'

'Aaron, ja,' knikte ik. 'Mijn vader.'

'Degene die je uit het meer heeft geroepen... die jou heeft gecreeerd.'

'Ja.'

'En wanneer is dat precies geweest?' wilde Julie weten. 'Dat je naar buiten werd geroepen?'

Ik had eigenlijk gehoopt dat ze dat niet zou vragen. In tegenstelling tot wat Adam me voor de voeten had geworpen, was er een aantal zaken die ik Julie welbewust níét aan haar neus had gehangen. In de meeste gevallen was dat een intuïtieve beslissing; ik had toen niet kunnen uitleggen wat daarachter zat. Maar ik wist wel heel goed waarom ik vaag was gebleven over mijn geboortedatum: daar geneerde ik me voor. Julie had zoveel levenservaring en ik maar zo weinig; ik was bang dat ze niet langer bevriend met me wilde blijven als ze in de gaten kreeg hoe onvolwassen ik eigenlijk was. Maar nu kon ik er niet meer onderuit.

'Een maand geleden,' bekende ik. 'Ik ben een maand geleden uit het meer gekomen. Ik snap wel dat ik waarschijnlijk een ontzettend naïeve indruk maak...'

'Wacht even,' zei Julie. 'Je bent een máánd oud?'

'Nee,' zei ik verbouwereerd. 'Ik ben zesentwintig. Maar ik ben een maand geleden gebóren.'

Julie schudde haar hoofd. 'Hoe kunnen die dingen allebei tegelijk waar zijn?'

'Gewoon,' zei ik. 'Wat is daar zo moeilijk aan?'

'Dus jouw fysieke lichaam is zesentwintig?'

'Nee, het lichaam is negenentwintig.'

'Welk gedeelte van je is dan zesentwintig?'

'Mijn ziel.'

Julie schudde haar hoofd weer. Ik deed een beroep op Adam.

'Goed... Adam zegt dat doordat jouw lichaam en je ziel altijd met elkaar verbonden zijn geweest, ze min of meer elkaars spiegelbeeld zijn. Ze zijn net een tweeling.'

'Je bedoelt dat ze er hetzelfde uitzien? Zielen hebben een verschijningsvorm?'

'Ja, nauurlijk.'

Julie lachte. 'Dus mijn ziel heeft scheve tanden?'

'Dat zal wel,' zei ik, met een blik op haar mond. 'Als je lichaam die heeft. En jouw ziel heeft dezelfde kleur ogen en hetzelfde postuur en dezelfde stem – en dezelfde leeftijd. Maar voor ons zit het anders. Geen van ons zit voortdurend in het lichaam, dus bij ons is er geen sprake van zo'n verband. Volgens Adam...'

'Wie is Adam?'

'Mijn neef.'

'Is dat ook weer een ziel? Net als je vader?'

'Ja.'

'En hoe oud is Adam?'

'Adam is vijftien.'

'Is hij altijd al vijftien geweest, of is hij ouder geworden?'

'Hij is een beetje ouder geworden,' zei ik.

'Hoeveel is dat, een beetje?'

'Tja, dat is moeilijk precies te zeggen. Het hangt ervan af hoe lang hij telkens buiten is geweest. Adam heeft vaak stukken tijd in het lichaam gestolen, net als de anderen; als je al die gestolen tijd bij elkaar zou optellen, plus de tijd dat hij af en toe naar buiten mocht sinds mijn vader de touwtjes in handen nam en het huis is gaan bouwen, dan zou je een idee krijgen hoeveel ouder hij is geworden. Volgens mijn vader is dat ongeveer een jaar, maar Adam wil er niets over zeggen.'

'Hij wil niet dat je vader te weten komt hoeveel tijd hij eigenlijk heeft gestolen,' begreep Julie.

'Hij heeft gewoon geen zin om uit de doeken te doen wat hij ermee heeft gedaan,' zei ik.

'Zielen worden dus alleen ouder als ze de baas zijn over het lichaam?'

'Ja, natuurlijk.'

'Hoe zit dat?'

'Dat weet ik niet. Zo werkt dat gewoon.'

'Wat zegt Adam daarover?'

'Adam zegt... Adam zegt dat dat door hetzelfde komt als dat je niet beter wordt in pokeren als je niet om echt geld speelt. Sorry, ik snap niet wat dat betekent.'

'Aha,' zei Julie. 'Ik geloof dat ik dat wél snap.'

Ze pakte de kan om zich weer bier in te schenken en merkte nu dat mijn glas nog vol was. 'Wat is er?' vroeg ze. 'Hou je niet van donker bier?'

'Ik drink eigenlijk niet,' bekende ik met een betrapt gevoel. 'Huisregel.'

'Echt niet?' Ze hield de kan, waar nog meer dan de helft in zat, in de hoogte. 'Als ik dit allemaal in m'n eentje wegwerk, dan zul je me waarschijnlijk naar buiten moeten dragen.'

'Sorry. Dat had ik moeten zeggen.'

'Welnee, niks aan de hand. Ik had het eerst moeten vragen.' Julie maakte een gebaar in de richting van de bar. 'Wil je dan iets anders?'

'Nee hoor, dank je.'

'Zoals je wilt...' Ze schonk haar eigen glas weer vol en zei: 'Goed, vertel me nu eens over jóúw ziel.'

'Wat wil je weten?'

'Nou, hoe zie je er eigenlijk uit? Als ik je ziel kon zien en hem kon vergelijken met wat ik nu voor me zie, wat zou er dan anders aan zijn?'

'O,' zei ik. 'Niet zoveel, hoor. Ik lijk nogal op mijn vader, en mijn vader lijkt van alle zielen het meest op Andy Gage, behalve dan... Afijn, we lijken heel erg op elkaar.'

'Maar er zíjn verschillen?'

'Een paar, ja. Mijn haar is donkerder en mijn gezicht is magerder – het zit ook een beetje anders in elkaar.'

'Wat nog meer?'

'Nou, littekens.' Ik wees naar een kartelstreepje boven Andy Gage' rechteroog. 'Dit is me op een keer bezorgd door Jake – hij is ook een neefje van me – toen hij het lichaam had. Hij struikelde en belandde op de rand van een glazen tafeltje. Jakes ziel heeft hetzelfde litteken, maar die van mij niet, omdat...'

'Omdat het jou niet is overkomen.'

'Precies.'

'En dit dan?' Julie raakte even een plekje aan op de linkerhand van het lichaam, vlak boven de muis. Haar vingers waren koel en vochtig van het bierglas en voelden heerlijk aan, iets wat me nooit eerder was overkomen. Maar toen ik besefte waar ze het over had, trok ik die hand terug.

'Dat is allen maar iets wat mijn vader ooit heeft opgelopen,' zei ik. 'Hij kreeg zo'n rekeningenprikker door zijn hand.' Volgens mij had Julie wel in de gaten dat dat niet het hele verhaal was, maar ze drong niet aan op nadere bijzonderheden.

'Nog andere verschillen?' vroeg ze.

'Een paar kleine dingetjes maar. Niks opzienbarends.'

Vanaf het spreekgestoelte liet Adam een gesnuif horen. 'Nee hoor, niks opzienbarends. Alleen maar...'

'Adam!' waarschuwde ik.

'Wat is er?' vroeg Julie.

'O, niks,' zei ik. 'Adam zei alleen iets heel bots, dat is alles.'

Nieuwsgierig boog ze zich naar me over. 'Wat zei hij dan?'

'O, niks, echt niet. Hij moest me zo nodig even pesten.'

'Heeft hij al die tijd naar ons geluisterd?'

Ik knikte. 'Geluisterd en commentaar geleverd. Dat is zo zijn gewoonte.'

'Mag ik eens met hem praten?'

Het was een puur onschuldig en, zoals ik naderhand zou inzien, heel gewoon verzoek. Maar zoals zo vaak wanneer Julie me iets vroeg, werd ik erdoor overrompeld; ik had moeten inzien dat ze gewoon nieuwsgierig was naar Adam, maar mijn eerste gedachte was dat ze niet meer met *mij* wilde praten.

'Heb ik een of andere schuiver gemaakt?' vroeg ik Adam.

'Nee, helemaal niet. Ze is niet boos – ze wil alleen maar een truc zien.'

'Een truc?'

'Een goocheltruc, ja.'

'Wil je een goocheltruc zien?' vroeg ik Julie, alweer van mijn stuk gebracht.

'Hè?' vroeg Julie.

'Kijk maar,' bood Adam aan, 'ik laat je wel even zien wat ik bedoel. Geef me het lichaam eens, twee seconden maar...'

Ik had moeten weigeren; ook al was ik pas een maand het meer uit, ik wist heel goed dat een hulpvaardige Adam niet te vertrouwen was. Maar hij klonk zo zelfverzekerd, en ik was zo in de war, dat ik me terugtrok op het spreekgestoelte en hem het lichaam afstond.

Nu was het Julies beurt voor wat consternatie. Mensen die nooit eerder een identiteitswisseling hebben gezien, verwachten vaak een of andere radicale fysieke verandering, zoiets als een weerwolf met een ruige pels en slagtanden, die met volle maan opeens voor ze staat. In werkelijkheid gaat het er heel wat subtieler aan toe – het lichaam verandert niet, maar de lichaamstaal wél, en vaak schrik je daar veel meer van. Ik ben van nature een tikkeltje verlegen, en weliswaar doe ik mijn best om steeds oogcontact te houden, want ik wil geen ongemanierde indruk maken, maar volgens tante Sam hou ik er een 'beleefd-discrete manier van kijken' op na, zoals ze dat noemt. Adam is natuurlijk een allesbehalve discreet type. Het eerste wat hij deed toen hij het lichaam van me overnam, was Julie trakteren op zijn meest onbehouwen geilepuberblik. Ik zag het meteen aan de manier waarop ze reageerde: haar glimach verdween en ze schoof afwerend achteruit. Dat was het eerste duidelijke teken dat ik zojuist een grote fout had begaan.

'Hallo, Julie,' zei Adam op een honingzoete toon, die zelfs ik een beetje eng vond. 'Kijk maar eens goed.' Hij tilde zijn rechterarm op en zwaaide ermee. 'Geen enkele aap in deze mouw...' Hij deed hetzelfde met zijn linkerarm. '... en ook niet in deze.' Hij liet zijn armen weer zakken en greep nu met twee handen de kan bier beet. 'Kijk dan...'

'O nee,' zei ik. 'Adam! Nee!'

Het bier. Natuurlijk: hij had zijn zinnen op het bier gezet. Alcohol is in strijd met de huisregels, maar regels zeggen Adam niks – hij is tenslotte Gideons zoon. En hij is gek op drank, nog gekker dan op de *Playboy*.

Toen hij de kruik naar zijn lippen bracht, probeerde ik het lichaam terug te pakken, maar hij had zich in het hoofd gezet om te blijven zitten waar hij zat totdat hij alles op had. Hij hoefde me niet lang af te weren. Zich als de bliksem vol laten lopen is een van Adams meest verfijnde 'talenten': hij gooide gewoon zijn hoofd achterover, en het bier in de kan gulpte uit het zicht als regenwater in een afvoerpijp, zonder dat er één slikbeweging aan te pas kwam.

'Aaaah...' Met een klap zette Adam de lege kan weer op tafel. Vervolgens maakte hij korte metten met de glazen; hij wierp de inhoud achterover alsof het vingerhoedjes waren en eindigde met een zwierig: 'Ta-daaa!!' Daarop boog hij zich voorover, opende zijn mond en liet een daverende boer, recht in Julies gezicht.

Dat was dat. Hysterisch hinnikend om zijn eigen grap vluchtte Adam het lichaam uit en rende het huis weer in: ik mocht me om de nasleep bekommeren.

Julie zag eruit alsof ze een oorvijg had gehad. Ze zat stokstijf rechtop, met haar handen onbeweeglijk tegen de tafelrand, alsof ze zich had willen afzetten en opeens verstard was. In het huis hoorde ik mijn vader woedend tekeergaan, en door het getier heen klonk het dichtslaan van een deur: Adam die zich, nog nahinnikend, in zijn kamer verschanste. Maar dat alles speelde zich ergens ver weg af. De wereld vlak om me heen bestond uit Julie en haar van schrik wijd opengesperde ogen.

Ik schoof met een ruk naar achteren en mijn handen vlogen voor mijn mond, alsof ik die boer van Adam op de een of andere manier terug wilde proppen. Ik zou er heel wat voor over hebben gehad als ik op dat ogenblik zelf het lichaam had kunnen verlaten, als ik dat lijf en de hele situatie op een andere ziel had kunnen afwentelen; maar dat was niet toegestaan. Ik kon Seferis erbij roepen om iets aan fysieke bedreigingen te doen, maar me uit een gênante situatie redden, dat was mijn eigen taak – ook al had ik die situatie niet op mijn geweten. Huisregel.

'Het spijt me verschrikkelijk...' De woorden kwamen er halsoverkop uit, enigszins gesmoord doordat ik mijn handen nog over mijn mond klampte. 'Het spijt me vréselijk, Julie...'

Julie knipperde met haar ogen en kwam weer tot leven. 'Dat was Adam zeker?' vroeg ze.

Ik knikte. 'Dat was Adam.'

'Je had gelijk,' zei ze. 'Hij is echt een puber.'

Algauw daarna kwam er een eind aan het avondje. Ik verontschuldigde me keer op keer, ook al hield Julie vol dat ze zich niet beledigd voelde. 'Ik ben enkel een beetje van de kaart, dat is alles.' Maar zo te zien was er meer aan de hand; zo te zien was ze nu op haar hoede en kopschuw. Ze stelde me geen vragen meer en het gesprek kwam hortend en stotend tot stilstand.

Ik begon me raar te voelen, licht in het hoofd en misselijk. Adam had zo veel mogelijk van het benevelende effect meegenomen om er in zijn eentje van te genieten, maar er zit zoveel alcohol in ruim anderhalve liter donker bier dat twee zielen er gemakkelijk aangeschoten van kunnen raken. Julie zag mijn ogen wazig worden en zei: 'Volgens mij wordt het tijd dat je naar huis gaat.'

'Nee hoor,' zei ik, mijn hoofd heen en weer bewegend, 'met mij is alles prima, echt, ik heb alleen...' Maar Julie was al opgestaan om te gaan afrekenen. Ik staarde naar een vlokje schuim op de rand van de bierkan tot ze terugkwam. 'Kom mee,' zei ze, en ze porde me in de schouder. 'Ik breng je naar huis.'

Deze keer bezorgden haar vingers me niet zo'n prettig gevoel. Toen ik opkeek stond haar gezicht strak en koud. 'Ik kan best lopend naar huis,' poneerde ik.

'Daar zou ik maar niet zo zeker van zijn.'

'Denk je dat je kunt rijden?'

Julie liet een kort blafje van een lach horen. 'Ja, dat lijkt me wel,' zei ze. 'Ik heb maar één glas op, weet je nog?'

Het was maar een kort ritje, maar toen we bij het huis van mevrouw Winslow arriveerden, zat ik al te knikkebollen. 'Is het hier?' vroeg Julie en schudde me wakker. 'Temple Street 39 zei je toch, hè?'

Ik hief mijn hoofd op. We stonden voor een victoriaans huis, maar het kostte me een ogenblik om vast te stellen dat dit het was. 'Ik geloof dat het hier is, ja,' zei ik. 'Maar het huis ziet er zo gek uit. Alles ziet er zo gek uit...'

'Ga naar binnen,' beval Julie. 'Ga naar bed.'

'Oké...' Maar voordat ik uitstapte, probeerde ik me nog één keer te verontschuldigen. Julie snoerde me de mond: 'Ga nu naar bed, Andrew.'

'Oké,' zei ik. 'Oké.' Ik rukte aan de hendel van het portier; kennelijk klemde er iets, dus ging ik er met kracht tegenaan, en knarsend schampte het portier open over de stoeprand, zodat er een brede strook verf beschadigd raakte.

Julie liet sissend haar adem ontsnappen. Vervolgens begon ik me wéér te verontschuldigen, en ze zei: 'Stap nou maar uit. Stap gewoon uit en laat míj het portier dichtdoen.'

Ik stapte uit. Toen mijn gewicht niet meer op de stoel rustte, veerde de rechterkant van de Cadillac iets omhoog, zodat de rand van het portier niet meer op de stoeprand drukte; maar toen Julie die kant opschoof om het portier dicht te trekken, zakte hij weer iets omlaag. Vloekend probeerde ze haar achterste zo ver mogelijk naar links te werken zonder de hendel los te laten.

'Zal ik dat maar niet doen?' vroeg ik.

'Al klaar!' snauwde Julie. Met een laatste vloek liet ze de voorzichtige aanpak varen en rukte het portier dicht, zodat ze er nog een laag verf af schraapte. Er klonk een duidelijk hoorbare klik toen ze het op slot duwde.

'Welterusten!' riep ik. 'En bedankt dat je me mee uit hebt gevraagd!' Of ze iets terugzei heb ik niet gehoord; toen ik me voorover-boog naar het raampje aan mijn kant om naar haar te zwaaien, liet Julie de motor loeien en trok ze op. Iets verderop reed ze door een kuil, zodat er weer een enorme sproeiregen van vonken ontstond. Deze keer klonk het alsof er echt iets uit het chassis van de auto was gevallen, maar Julie minderde geen ogenblik vaart.

De volgende ochtend werd ik wakker met een barstende hoofdpijn. Een cadeautje van Adam: hij had de helft van de dronkenschap voor zijn rekening genomen, maar mij met de hele kater opgeknapt. Het voelde alsof het huis in brand stond.

Tot overmaat van ramp was mijn vader boos op me: 'Je had Adam nooit het lichaam moeten geven.'

'Nou, dat had ik ook niet gedaan,' zei ik, 'als ik had geweten dat hij zich zo zou misdragen.'

'Hoe hij zich gedragen heeft doet niet ter zake. Jíj bent de baas over het lichaam.'

'Maar Julie vroeg of ze met Adam mocht praten!'

'En dáárom heb je toen de touwtjes uit handen gegeven? Omdat Julie je dat vroeg?'

'Nou ja...'

'Nou?' wilde mijn vader weten.

'Ik was wat in de war... Ik begreep niet goed wat Julie wilde, dus toen...'

'Nee,' zei mijn vader. 'Dat komt niet te pas, Andrew. Jij bent de baas over het lichaam – maar je blijft echt niet de baas als je Adam het idee geeft dat hij telkens naar buiten kan komen als jij even in de war bent. Ik verbied je om voortaan ooit nog, als we ons ergens in het openbaar bevinden, het lichaam af te staan om welke reden dan ook, behalve in een levensbedreigende situatie. Begrepen?'

'Ja,' zei ik. 'Maar...'

'Andrew...'

'Maar als iemand nu vraagt of hij Adam mag spreken, en dat brengt me niet in verwarring, maar ik wil gewoon niet onbeleefd reageren? Wat doe ik dan?'

'Als iemand Adam zo nodig moet spreken, dan kom jij daar eerst met mij over praten. En dan zorg ík ervoor dat Adam zich gedraagt.'

Hij besloot me niet te bestraffen, want hij had het idee dat die kater al straf genoeg was. Die kater, en ook de gevolgen van mijn stomme streek – toen mijn hoofd weer werkte, drong het tot me door dat Julie en ik geen telefoonnummers hadden uitgewisseld, dus nu kon ik op geen enkele manier contact met haar opnemen. Wel wist ze mijn adres, en een paar dagen lang hoopte ik nog dat ze langs zou komen, maar toen ze een week later nog niet was komen opdagen, kwam ik tot de onwelkome conclusie dat Adam haar voorgoed had afgeschrikt.

Iets van een week daarna liep ik door Bridge Street, toen ik door een paar toeristen werd aangeklampt die me de weg vroegen. Het waren Frans-Canadezen die niet al te goed Engels spraken, en op het laatst vroeg ik tante Sam of ze op het spreekgestoelte wilde komen om voor tolk te spelen. Het werd een moeizame bedoening – tante Sam gaf me telkens door wat de toeristen hadden gezegd, en dan zei ik wat ik terug wilde zeggen, dan zei ze me de Franse versie voor en ik probeerde dat dan hardop te herhalen. Toen de toeristen eindelijk wegreden, draaide ik me om en zag Julie Sivik naast me staan, glimlachend en hoofdschuddend.

'Ongelooflijk,' zei ze. 'Net alsof je naar iemand kijkt die een boodschap per satelliet ontvangt. Wie is degene in de familie die Frans spreekt? Ook weer je neef Adam?'

'Nee,' zei ik, 'mijn tante Samantha – eigenlijk is ze een nicht van me, maar we noemen haar tante Sam omdat ze wat ouder is.' Ik vervolgde: 'Adam heeft nog steeds straf voor wat hij heeft uitgehaald in dat café.'

'Straf? Wat dan?'

'Nou, nadat hij dat bier had opgedronken wilde hij een tijdlang niet uit zijn kamer komen, en daarom heeft mijn vader hem daar drie dagen opgesloten. Hij mag nu weer in huis rondlopen, maar het spreekgestoelte is nog een week lang verboden terrein voor hem.'

'Dat klinkt behoorlijk streng,' zei Julie, maar er was een zweem van goedkeuring hoorbaar in haar stem.

'Wat Adam met jou heeft uitgehaald was ontzettend bot,' zei ik. 'En ik heb ook een misstap begaan, door hem zomaar naar buiten te laten komen zonder jou te waarschuwen.'

'Ja, nou ja... Ik was wel even goed van slag,' gaf Julie toe. 'En ik maakte me ook nijdig vanwege de auto...'

'Ik ben graag bereid om de rekening te betalen als je dat portier laat overspuiten,' bood ik aan.

'Och neuh, laat maar zitten... Zoveel stelde die schilderklus ook weer niet voor, om heel eerlijk te zijn.'

'Nee, echt, laat me daar toch voor betalen... Of tenminste, laat me daarvoor betalen als ik met m'n nieuwe baan begin.'

'Een nieuwe baan, hè?' zei Julie. 'Dat is waar ook, ik hoorde dat je op zoek was naar werk.'

'Van wie heb je dat gehoord?'

'Van je oude baas. Ik was laatst bij Bit en vroeg toen naar je, maar hij zei dat je ermee was opgehouden.'

'Heb je naar me gevraagd? Echt waar?'

'Ja, nou ja... Toen ik weer wat kalmer was geworden, gaf het me ergens toch een lullig gevoel dat ik je die avond zomaar voor je huis had gedumpt. Ik moest toch bij Bit zijn om een paar spullen in te slaan, dus toen bedacht ik dat ik dan meteen kon kijken hoe het met je ging. Maar je was er niet meer. En, hoe is die nieuwe baan?'

'Ik heb er nog geen gevonden,' zei ik. 'Ik heb een beetje een probleem met referenties.'

Julie knikte. 'Ja, die gast die ik bij Bit heb gesproken, had het over een drugsprobleem.' Ze trok een wenkbrauw op. 'Is Adam weer bezig geweest?'

'Nee, dat niet... Maar dat is een lang verhaal.'

'Alweer een "gecompliceerd geval"?' Julie lachte. 'Naar wat voor werk ben je op zoek?'

Ik haalde mijn schouders op. 'Eigenlijk is alles wel goed. Zolang het maar iets is wat ik al werkend kan leren.'

'Zou je er bezwaar tegen hebben om weer met computers te werken?'

'Nee hoor... alleen weet ik er nog steeds niet al te veel vanaf. Hoezo?'

'Ik heb een ideetje gehad,' zei Julie. 'Mijn huurcontract gaat vandaag in – dat contract voor het bedrijfje dat ik op poten ga zetten? – en ik was eigenlijk net op weg om eens te gaan rondkijken in dat pand. Ik zou wel een extra paar handen kunnen gebruiken – bij het installeren van van alles en nog wat. En wie weet, misschien zit er zelfs wel een betrekking voor een langere termijn voor je in.'

'Dat lijkt me niet,' zei ik. 'Ik bedoel, ik wil je met alle plezier helpen om je werkruimte in te richten, maar ik weet echt niks af van virtuele werkelijkheid.'

'O, jawel hoor. Ik heb nog nooit iemand ontmoet die daar zoveel vanaf weet.'

'Ik weet daar niks vanaf!' protesteerde ik. 'Ik weet niet eens wat het is. Dat heb je me nooit verteld.'

'Laat ik het dan zo omschrijven: het heeft een hoop weg van wat jij in je hoofd hebt.'

'Je bedoelt het huis? Maar dat kan toch niet? Het huis is niet echt.'

'Nou, virtuele werkelijkheid ook niet.'

'Dat begrijp ik niet.'

'Geeft niks,' zei Julie, met een glimlach vanwege mijn verwarring. 'Je komt er wel achter.' En toen overrompelde ze me nogmaals: ze stak haar arm door de mijne alsof we oude vrienden waren en dat voorval in het café zich nooit had voorgedaan. 'Loop maar met me mee. Dan doe ik je onderweg mijn plannen uit de doeken.'

3

Bridge Street telt twee bruggen. Die aan de westkant, over de kreek waaraan Autumn Creek zijn naam dankt, maakt deel uit van de voornaamste weg die de stad uit leidt. Die aan de oostkant wordt vooral gebruikt door trucks met hout. Deze laatste brug ligt over een geul die Thaw Canal heet, een zijarm van Autumn Creek waar alleen in het voorjaar water doorheen stroomt. Aan de andere kant van de geul ligt East Bridge Street; die straat is alleen de eerste paar honderd meter geasfalteerd, daarna wordt het een grindweg.

Op de ochtend dat ik Penny Driver ontmoette, liep ik via de brug over de geul naar mijn werk, dezelfde route die ik twee jaar tevoren voor het eerst met Julie Sivik had genomen. De Werkelijkheidsfabriek stond op een terrein van zo'n honderd bij honderd meter aan East Bridge Street, aan het laatste, nog geasfalteerde gedeelte. Volgens mijn vader was het oorspronkelijk een vrachtwagenterrein geweest – aan de ene kant stond een stel oude, met roest overdekte dieselpompen –, maar voordat Julie de ruimte huurde was het een paar jaar een opslagplaats geweest. Het hoofdgebouw, het gedeelte dat de Fabriek zou worden, bestond uit een langgerekte schuur met betonnen wanden. Zo noemde Julie het tenminste, een 'schuur', hoewel het een reusachtig geval was, vanbinnen net zo groot als groothandel Bit, met alleen een dubbele rij steunpilaren die de ruimte doorbraken.

Iets over achten arriveerde ik in de Fabriek. Julie was er al; haar auto stond onder een afdak bij de dieselpompen. Het was de Cadillac sedan uit '57 waar ze twee jaar eerder ook al in rondreed; de auto verkeerde nog steeds in de oplapfase. Je zou denken dat ze er niet al te hard aan had gewerkt, maar dat had ze wél, bij vlagen tenminste –

maar telkens als ze een mankement had verholpen ontstond er elders weer een ander, zodat de toestand van de auto als geheel nooit echt vooruitging. Julie hield nog steeds vol dat ze hem ooit zou verkopen, al had ze het er niet langer over dat ze daaraan zou verdienen.

Ik liep naar de zijdeur van de Fabriek en ging naar binnen. Julies stem weergalmde door de loods – ze moest ergens achter in de doolhof van legertenten zitten en ruzie hebben met een van de gebroeders Manciple. Waarschijnlijk met Irwin, de jongste Manciple met zijn zachte stem, want alleen Julies aandeel in de ruzie was te horen, en dat zou niet zo zijn geweest als ze het aan de stok had gehad met Dennis. Voor me uit neuriënd om te voorkomen dat ik iets zou horen wat me niet aanging, liep ik naar de kapiteinstent die als mijn werkkamer fungeerde en nam mijn e-mail door.

Laat ik enige uitleg geven over die tenten.

De eerste keer dat ik de schuur te zien kreeg, was het daar een puinhoop. De stroom was afgesloten en er zaten geen ramen in, vandaar dat Julie met een zaklantaarn om zich heen scheen om me een idee te geven hoe groot het daar binnen was. Goed, het was een enorme ruimte, maar het lag er vol met alle mogelijke troep: de lichtstraal van de zaklantaarn gleed over eindeloze hopen kapotte metalen buizen. Oude stellingen, legde Julie uit, waarop vroeger rekken hadden gestaan met grote kluizen. Toen de opslagruimte zijn deuren had gesloten, waren de kluizen weggehaald en de stellingen waren aan stukken gezaagd om als schroot te worden verkocht; alleen was alles om de een of andere reden gewoon blijven liggen. De eerste stap van ons bedrijf zou erin bestaan een kiepwagen te huren om al dat schroot af te voeren. 'Goed, op dit ogenblik ziet het eruit als een rampgebied, maar volgens mij kun je er van alles mee als we al die rotzooi hebben opgeruimd.'

'O ja... en daar kan ik beslist bij helpen, bij het opruimen. Ik kan prima zware dingen tillen.'

'Dat hoeft niet meer dan een week te kosten, denk ik, als we ons daarop storten. En als dat oude ijzer weg is, dan kunnen we de tenten opzetten, en...'

'Tenten?'

'Een van de probleempjes met dit gebouw.' Julie liet haar zaklamp omhoogwijzen en verlichtte een schuin dak van gebeitste houten planken. 'Het dak lekt. Niet heel vreselijk, ik bedoel, niet dat er hele wolkbreuken naar binnen gutsen, maar ik zou hier toch niet graag computers zomaar open en bloot opstellen.'

'En daarom ga je hier tenten opzetten? Om de computers droog te houden als het regent?'

Julie knikte. 'Gedumpte legertenten. Mijn oom kent een officier bij de intendance in Fort Lewis die ze me zo'n beetje voor niks kan bezorgen – in alle soorten en maten, zoveel als ik er maar wil.'

'Zou het niet praktischer zijn om het dak te repareren?'

'Dat kan ik me niet veroorloven, tenminste niet meteen. Als de Fabriek eenmaal loopt en ik iets van een lening in de wacht kan slepen, of wie weet een subsidie...'

'Maar waarom zou jij daarvoor moeten betalen? Als je het pand toch huurt...'

'Dat staat in de overeenkomst die ik heb gesloten. Dat de huur zo laag is, komt onder andere doordat ik ermee heb ingestemd om bepaalde reparaties aan het gebouw uit te voeren op mijn kosten.'

'Heb je beloofd om zelf het dak op te kalefateren?'

'Onder andere, ja.'

'Maar als je je dat niet kunt veroorloven...'

'Ik kan het me nú even niet veroorloven,' zei Julie. 'Maar dat is best, het hoeft ook niet op stel en sprong te gebeuren; vlak voordat het huurcontract afloopt kan het ook nog wel. Maar intussen zijn er andere, dringender zaken aan de orde, zoals het opruimen van deze troep, en controleren of de elektrische leidingen wel alle apparatuur aankunnen die ik hier straks neerzet... Het dak aanpakken, dat is eerder een project voor de lange termijn. Een project voor jou, misschien,' voegde ze eraan toe, 'want jij hebt iets met bouwkundige zaken.'

'Het huis is door mijn vader gebouwd, hoor,' bracht ik haar onder het oog. 'En het timmerwerk was puur denkbeeldig.'

Maar ze luisterde niet meer. Helemaal verdiept in haar eigen denkbeelden had ze zich van me afgewend, en ze liet de lichtstraal alle kanten op gaan om de afmetingen van de ruimte te schatten. Ik keek naar haar en plotseling besefte ik: Julie was geen praktisch iemand. Ik denk dat de lezer dat al wel had vastgesteld, maar voor mij was dat een nieuwe gedachte. Verder was dat de eerste keer dat ik me helemaal op eigen kracht een oordeel over iemands karakter had gevormd, zonder enige hulp van Adam of mijn vader, en dat bezorgde me het rare gevoel dat ik een geweldige prestatie had geleverd, net alsof ik iets positiefs aan haar had ontdekt. En misschien was het maar goed ook dat ik er zo over dacht – dat Julie er geen slag van had dingen op een simpele manier te doen maakte een hoop mensen hoorndol, maar ik zag altijd kans mijn geduld met haar te bewaren, en ik vond haar onpraktische inslag zelfs wel vertederend, omdat die mijn eigen slimme inzicht bevestigde.

Bovendien waren haar ideeën niet altijd zo onpraktisch als ze aanvankelijk leken. Net als Julies auto is ook het dak van de Fabriek nooit volledig gerepareerd, ook al ben ik er heel wat keren op geklommen om lekplekken te dichten die zo groot waren geworden dat je ze niet langer kon negeren. Vandaar dat de tenten een permanent verschijnsel werden. Maar ook al waren ze niet meer nodig geweest, dan nog hadden we ze waarschijnlijk toch gehouden, en wel vanwege een onverhoopt, bijkomend voordeel: de tenten hielden niet alleen de apparatuur droog, maar ook maakten ze het er stukken gezelliger op in de Fabriek, doordat ze die grote ruimte opdeelden in een heleboel kleinere ruimtes. Zo kreeg je overal een besloten sfeer, en misschien dat je ongeveer hetzelfde had bereikt met behulp van standaardtusschotten, maar achteraf gezien waren die tenten een effectievere oplossing, nog los van het feit dat ze veel vrolijker waren. Als je bij de Werkelijkheidsfabriek werkte was het alsof je bij een zigeunerkamp hoorde, vooral toen Julie een creatieve bevlieging kreeg en ons de tenten in verschillende kleuren liet opschilderen.

Mijn tent werd hemelsblauw, met wolken die ik erop spoot met behulp van sjablonen die tante Sam me had leren maken. Er stond een groot eikenhouten bureau in dat Julie en ik hadden gevonden op de vuilnisbelt waar we het schroot van de stellingen hadden weggegooid, en verder een opgelapte Pentium-computer. Ik had mijn eigen website opgezet om informatie uit te wisselen met andere meervoudige persoonlijkheden. Julie had me aangeboden nog een tweede computer te kopen voor bij me thuis, maar mijn vader en ik hadden eendrachtig ons veto uitgesproken over dat idee – ruzies tussen Adam en Jake over wie er op internet mocht, daar zaten we bepaald niet op te wachten.

Toen ik die ochtend mailtjes probeerde te versturen, kreeg ik steeds foutmeldingen. Dat gebeurde wel vaker; nadat we twee jaar lang mankementen hadden verholpen was de stroomvoorziening in de Fabriek redelijk betrouwbaar, maar onze verbinding met US West was nog altijd ietwat onvoorspelbaar.

Ik riep: 'Dennis?'

Vanuit de tent naast me riep Dennis Manciple: 'De zaak ligt plat.'

'Is het weer het schakelbord?' vroeg ik.

'Irwin zegt van niet,' antwoordde Dennis. 'We hebben nog wel gewone telefoonverbinding, je kunt alleen niet online komen. Het probleem zal wel aan de andere kant liggen. Wacht maar even een paar minuten.'

'Ja hoor,' gnuifde Adam. 'Wacht maar even een paar minuten, dan begeeft de gewone telefoonverbinding het ook.'

'Hou jij je mond.' Ik zette mijn computer in de slaapstand en ging naar Dennis' tent, die bloedrood was geschilderd, met her en der nepkogelgaten; verder waren er portretten op gespoten van Lara Croft en Duke Nukem, die samen de ingang bewaakten. Dennis was zoals altijd bezig softwareprogrammatuur te schrijven, maar tot mijn verbazing was hij ook volledig gekleed.

De broertjes Manciple kwamen uit Alaska. Hun ouders hadden daar een boerderij; Dennis en Irwin waren opgegroeid in een nederzetting ergens in de rimboe aan de rivier de Yukon. Pas als tiener hadden ze voor het eerst een plaats bezocht met meer dan honderd inwoners. Het isolement van hun jeugdjaren – hun lagere school hadden ze via de radio doorlopen – had een duidelijk stempel op hen gedrukt. Het was niet zozeer dat de broers geen omgangsvormen hadden, had Julie Sivik weleens gezegd, als wel dat ze er andere omgangsvormen op na hielden dan de rest van de wereld. (Toen ik opperde dat iets dergelijks ook van mij gezegd kon worden, kwam Julie met een onderscheid op de proppen dat ik nog steeds niet goed begrijp: 'Jij bent alleen maar vreemd,' zei ze. 'De Manciples zijn ráár.')

Dennis had altijd toestanden met kleren. Als gevolg van het klimaat waarin hij was opgegroeid, en ook doordat hij zo'n twintig kilo te zwaar was, had hij het altijd te warm, zelfs bij temperaturen waarbij de meeste andere mensen naar een parka verlangden. Hij vond het niet meer dan vanzelfsprekend om veel te dun gekleed rond te lopen, en zodra hij ergens langer dan een paar minuten zat, knoopte hij de weinige kledingstukken die hij aanhad open en daarna trok hij ze uit. Het was doodnormaal om hem in zijn tent te vinden met niets anders aan dan een onderbroek en zijn medische korset, maar die dag droeg hij een heus overhemd met knoopjes en een korte broek. En schoenen.

'Dennis,' zei ik, 'je hebt kleren aan.' Ik snoof de lucht in de tent eens op; het leek wel of het daar frisser rook dan anders. 'En je bent in bad geweest.' Dat soort dingen kon je rustig zeggen tegen Dennis, die liet zich nooit op de kast jagen. Tegenover Irwin moest je heel wat beter op je tellen passen.

'Orders van de Commodore,' zei Dennis, met wie hij Julie bedoelde. Hij bedacht Julie met zelfverzonnen titels als 'commodore' en 'generaal' en soms ook 'madam Loeder', maar die laatste viel niet zo goed bij haar. 'We verwachten vandaag een nieuwe werkneemster. Een meisje. Ik word geacht haar de eerste week niet mijn borsthaar te laten zien.'

'Een nieuwe werkneemster? Wie is dat dan?'

Dennis haalde zijn schouders op. 'Gewoon, iemand die het Juweel vorige maand tegen het lijf is gelopen in Seattle.'

'Daar heeft Julie me niks van verteld.'

'Waarom zou ze? Zijn jullie getrouwd, of zo?'

'Nee, maar... wat gaat dat nieuwe meisje dan doen? Waarvoor heeft Julie haar aangenomen?'

'Geen idee,' zei Dennis. 'Maar ik vraag me nog altijd af waarvoor ze jóú ooit heeft aangenomen.'

Dennis liet zich niet alleen nooit op de kast jagen, hij zat er al evenmin mee om dat wel bij een ander te doen. Maar ik kon hem geen ongelijk geven dat hij me plaagde met mijn taakomschrijving. Officieel had Julie me aangenomen als 'creatief consultant'. Het was een betrekking waarvoor ik bij uitstek geschikt was omdat ik zoveel rechtstreekse ervaring had met wat virtuele werkelijkheid uiteindelijk hoorde te zijn: een denkbeeldig universum waarin diverse mensen elkaar konden ontmoeten, op elkaar reageren en samen creatief aan de gang gaan.

Nadat ik eenmaal over de voor de hand liggende tegenwerping heen was gestapt – mijn vader had dat huis gebouwd bij wijze van ordemaatregel, niet om zijn creativiteit te ontplooien –, moest ik toegeven dat dat intrigerend klonk. Maar het valt niet mee om als consultant op te treden voor een project dat jaren op zijn tijd vooruitloopt.

Mijn eerste virtuele ervaring was een vreselijke teleurstelling. Het was een diepdroevige videogame, *Metropolis of Doom* genaamd, waarbij je gebruikmaakte van een prullige stereoscopische bril en een knop die je moest indrukken om te schieten. Via die bril zag je een knalrode, driedimensionaal getekende grote stad, of tenminste wat daarvoor door moest gaan. Stukje bij beetje rukte je op een onzichtbare lopende band op door de hoofdstraat van de stad, en intussen vlogen er kleine piramides tussen de 'gebouwen' tevoorschijn die gevechtsvliegtuigen moesten voorstellen die raketten op je afvuurden. Het doel van de game was dat je die gevechtstoestellen uit de lucht schoot; de bril was gevoelig voor bewegingen, en door je hoofd te draaien kon je aanleggen op een dradenkruis dat midden in je gezichtsveld hing. Maar die motorische sensor was een traag geval – je draaide je hoofd, wachtte een seconde en dán bewoog het dradenkruis pas – en toen ik eindelijk mijn eerste vliegtuig uit de lucht schoot, had ik hoofdpijn. Vervolgens besloegen de brillenglazen.

'Neem me niet kwalijk,' zei ik tegen Julie toen ik haar de bril teruggaf en het zweet uit mijn wenkbrauwen veegde, 'maar ik geloof niet dat ik je hiermee verder kan helpen.'

'Ho ho,' zei Julie. 'Dit is mijn prototype niet, hoor. Dit was enkel om je een idee te geven van...'

'Het heeft niks weg van wat jij beschreef – of van wat ik dácht dat je beschreef. En het lijkt al helemaal niet op het huis. Het huis is niet echt, maar het líjkt echt. Terwijl dit... Je kunt er niet eens behoorlijk mee spelen.'

'Ja, dat weet ik wel. Maar het videosysteem waar mijn partners aan werken is veel beter, stukken geavanceerder...' Nadenkend vroeg ze: 'Het líjkt echt, zei je. Hoe echt dan?'

'Hmm?'

'Je zei dat het huis echt lijkt, ook al is het dat niet. Ik wil wat meer aan de weet komen over de aard van die ervaring. Als jij in het huis bent, dan heb je nog alle vijf je zintuigen, ja?'

'O ja. Natuurlijk.'

'Dus het is zoiets als een complete hallucinatie.'

Ik fronste. 'Hallucinatie is niet het goeie woord ervoor, geloof ik.'
'Wat dan wel?'
'Ik weet het niet. Ik weet niet of dat wel bestaat.'
'Een droom dan, misschien?' vroeg Julie. 'Is het zoiets als dromen?'
'Nee. Het is zoiets als wat ik dacht dat jij had gezegd over virtuele werkelijkheid: zoiets als dat je klaarwakker rondloopt in een denkbeeldig oord, waar ook andere mensen zijn. Maar' – en ik wees naar de stereobril – 'dat daar lijkt er in de verste verte niet op, en nu weet ik niet goed hoe ik het moet omschrijven.'
Maar Julie, in het minst niet ontmoedigd, zei: 'Ik zal je eens aan mijn partners voorstellen.'
Hoewel ze waren opgegroeid in de rimboe, waren de broertjes Manciple volkomen vertrouwd met geavanceerde technologie. De boerderij van hun ouders ontving in de zomermaanden stroom via zonnepanelen, en ze hadden al een computer sinds 1975, toen de vader van Dennis en Irwin bij een postorderbedrijf een Altair-bouwpakket had besteld. De broers waren opgegroeid met de Altair en met de reeks steeds modernere pc's die erop waren gevolgd, en heel wat lange winteravonden hadden ze zitten programmeren, of ook wel, in Irwins geval dan, met het ingewand van oudere computers geklooid. Vervolgens had een shareware avonturengame, *The Stone Ship* genaamd, dat de broertjes samen hadden geproduceerd (Irwin had het verhaal bedacht, terwijl Dennis het grootste gedeelte van de programmering voor zijn rekening had genomen) hun zoveel geld in het laatje gebracht dat ze hadden gemeend hier wel hun beroep van te kunnen maken. Ze waren uit Alaska vertrokken en naar het zuiden gekomen om hun geluk te beproeven in de softwaresector; uit angst dat het hun in Californië te warm zou zijn hadden ze niet voor Silicon Valley gekozen, maar voor Seattle.
Julie had hen ontmoet via haar werk bij de fysiotherapeut waar Dennis naartoe ging met zijn rugklachten. Op dat ogenblik, eind 1994, zaten de broertjes al meer dan een jaar in Seattle zonder ook maar iets te hebben bereikt. Ondanks het succes met *The Stone Ship* hadden ze geen kans gezien bij een van de gevestigde softwareproducenten belangstelling te wekken voor hun ambitieuze vervolgproject, en omdat ze bijna door hun geld heen waren, begonnen ze er-

over te denken het bijltje erbij neer te gooien en de aftocht te blazen. Maar Julie, die ook met met de nodige problemen in het leven kampte (de fysiotherapeut en zij hadden een tijdje iets met elkaar gehad, maar nu was het uit, en ze stond op het punt ontslagen te worden en uit haar huis te worden gezet op de koop toe), haalde hen over om in plaats daarvan de Werkelijkheidsfabriek op poten te zetten en haar aan te nemen als verkoopmanager, hoofd Fondsenwerving en onofficieel president-directeur.

Het virtuele-werkelijkheidssysteem van de broertjes heette Eidolon. Net als bij *Metropolis of Doom* maakte je gebruik van een driedimensionale bril, maar de door Irwin speciaal ontworpen Eidolonbril zat veel prettiger en besloeg ook niet zo snel. Verder hoorde er een 'datahandschoen' bij die de Eidolon-software doorgaf wat je rechterhand deed: of je ermee mikte of zwaaide of ergens naar greep.

De zaak was écht beter dan *Metropolis of Doom*. De afbeeldingen waren uitgevoerd in full colour, met massieve vormen die een zeker reliëf vertoonden, in plaats van met louter omtrekken zonder iets erin. Je kwam niet vooruit via een lopende band, maar je had volledige bewegingsvrijheid – je kon je omdraaien, op en neer zweven, voor- en achteruit en naar links of rechts glijden, door telkens met de datahandschoen te gebaren. En je werd door niemand op de korrel genomen: de wereld in de Eidolon-bril bestond niet uit een in puin geschoten stad, maar uit een soort ruimte vol speelgoed, zoals een stuiterbal waarmee je kon gooien, of die je met een knuppel weg kon slaan, en een magische paddenstoel die, als je hem een duwtje gaf, viooltjes en paardenbloemen liet opschieten.

Niettemin was het nog steeds iets heel anders dan het huis. De afbeeldingen waren wel beter, maar nog altijd eerder tekenfilmachtig dan dat ze echt aandeden, en de dingen die je zag, kon je niet echt aanraken: als je een duwtje tegen de magische paddenstoel gaf, gaf je de lucht een duwtje. De bloemen kon je niet ruiken, en van het water in de vijver met rubbereendjes kon je niet drinken. De eerste keer dat ik Eidolon uitprobeerde, kon je de bal zelfs niet horen stuiteren – er zaten wel stereo-oortjes ingebouwd in de bril, maar het was Irwin nog niet gelukt om te zorgen dat die ook werkten. En die 'bewegingsvrijheid' werkte soms ergerlijk traag of spastisch, vooral als je een hoop van de computer vroeg door hem te veel paardenbloemen te laten tekenen.

Bovendien snapte ik niet goed wat nu eigenlijk de grap was van het hele zaakje.

'De grap is alles wat de eindgebruiker wenst dat de grap is,' zei Julie. 'Dat is de grap.'

'Tja, maar... Niet dat het allemaal niet prima in elkaar zit en zo, maar denk je nou echt dat mensen bereid zijn geld op tafel te leggen voor een denkbeeldig potje overgooien?'

'Je begrijpt het niet, Andrew,' zei Julie. 'Eidolon is niet die speelkamer.'

'O nee?'

'Nee. Eidolon is datgene waardoor die speelkamer tot stánd is gekomen.' En ze legde uit dat Eidolon eigenlijk een 'softwaremachine' was, een soort programmeertaal en -tolk. 'Die speelkamer is maar een voorbeeld van wat je ermee kunt. Een demo. Maar je kunt de machine gebruiken om elk soort ruimte te ontwerpen die je maar wilt, om ermee te doen wat je maar wilt. Je bent bijvoorbeeld een projectontwikkelaar en wilt iemand door een gebouw laten lopen dat nog in de tekentafelfase verkeert. Dankzij Eidolon kan dat. Of je wilt bijvoorbeeld inderdaad een potje overgooien, maar dan wel met gebruikmaking van je eigen natuurwetten; dankzij Eidolon kan ook dat.'

'Hmm.' Ik zei het niet hardop, maar die voorbeelden klonken me nog steeds niet erg opwindend in de oren. Mijn gebrek aan geestdrift ontging Julie echter niet, en onmiddellijk kwam ze op de proppen met een toepassing die ik wél interessant vond.

'Of,' zei ze, 'je bent bijvoorbeeld gewond.'

'Gewond? Hoe dan?'

'Laten we zeggen dat je een ongeluk hebt gehad. Stel je voor dat je letsel aan je ruggengraat hebt opgelopen waardoor je gedeeltelijk verlamd bent geraakt, geen gevoel meer in je benen hebt. Misschien ben je wel voor de rest van je leven aan een rolstoel gekluisterd. Maar dankzij dit ding' – ze klopte op de rug van de datahandschoen – 'kun je dan nog steeds opstaan en het op een dansen zetten wanneer je maar wilt.'

'Met die softwaremachine zou dat lukken?'

'Ja.' Ze glimlachte. 'Dus je ziet: het is niet alleen maar een duur speeltje. Als je het op de goeie manier toepast, kan het een hulpmiddel worden om een vollediger leven te leiden.'

Een hulpmiddel voor een vollediger leven...

Die zinswending sprak me aan. 'Dat klinkt goed,' zei ik. 'Maar wie moet die toepassing dan programmeren? Ik bedoel...'

'De eindgebruiker,' zei Julie.

'De man of vrouw in de rolstoel?'

Julie knikte. 'De voltooide versie van de programmeerinterface werkt straks heel intuïtief, is heel makkelijk te gebruiken. Je kunt straks heel nieuwe omgevingen ontwerpen en creëren door gewoon die bril en de handschoen te gebruiken.'

Nu spitste ik mijn oren. In het hoofd van Andy Gage was het alleen mijn vader toegestaan veranderingen aan te brengen aan het huis en het gebied eromheen, maar nu zou ik de kans krijgen om ook zo'n soort macht uit te oefenen.

'Kun je me eens laten zien hoe dat gaat?' Ik wilde de bril en de datahandschoen er alweer bij pakken, maar Julie hield me tegen: 'De voltooide versie, zei ik. Zover zijn we nog niet.'

'O... Wou je zeggen dat er nog niet eens een testversie is die ik kan uitproberen?'

'Nee, joh. Sorry. Dennis knutselt nog steeds aan de Eidolon-machine zelf, dus voorlopig moeten alle toepassingen nog afzonderlijk worden geprogrammeerd. De simpelste versie van de omgevingseditor – de Landschapsarchitect noemen we dat programma – is nog wel een tijdje toekomstmuziek.'

'Blijft dat misschien toekomstmuziek?' Plotseling werd ik bekropen door een knagend vermoeden. 'Wanneer denk je dat Eidolon af is?'

'Als het klaar is,' zei Julie.

Om de paar maanden fabriekte Dennis een nieuwe demo van de nieuwste versie van de nog almaar niet voltooide Eidolon-machine om zo eventuele beleggers lekker te maken. Die demo's kwamen nog het dichtst in de buurt van een daadwerkelijk door de Werkelijkheidsfabriek vervaardigd product. Tegelijkertijd waren ze mijn enige reële kans om voor consultant te spelen: voordat Dennis begon te programmeren, liet Julie ons de koppen bij elkaar steken, en dan moest ik ideeën te berde brengen voor zo'n nieuwe demo. Maar die brainstormsessies waren nooit van erg lange duur, en bij de meeste van mijn ideeën ging het om zaken die Dennis onmogelijk kon realiseren.

'Dit is niet het holodek op het sterrenschip Enterprise!' schreeuwde hij dan op het laatst tegen me, als zijn geduld finaal op was. 'Ik kan de zaak niet zo programmeren dat je dingen kunt rúíken!'

Vandaar dat ik me uiteindelijk meestal nuttig maakte door andere werkzaamheden dan die van consultant: ik hielp Irwin met het in elkaar zetten en uit elkaar halen van hardware, voerde datastrings in voor Dennis, fungeerde als loopjongen voor Julie, lapte het dak van de schuur op en nam nog allerlei andere onderhoudsklussen in en om de Fabriek voor mijn rekening – zoals het legen van de Doos – waar Julie en de Manciples geen trek in hadden. Over het algemeen was ik druk in de weer, zodat ik vond dat ik mijn salaris van zes dollar per uur best verdiende. Maar zoveel reserveklussen waren er nu ook weer niet, en ik had geen idee wat een vijfde medewerker zou moeten uitvoeren.

'Ze weet zogenaamd iets af van het ontwerpen van interfaces,' zei Dennis toen ik hem bleef uitvragen.

'Interfaces? Je bedoelt dat ze programmeur is?'

'De kampcommandant denkt dat, geloof ik.'

'Dus dan gaat ze samenwerken met jou?'

'Of met jou,' zei Dennis. 'Dat hangt af van de vraag of ík denk dat ze programmeur is.'

'Wil dat zeggen dat je nu eindelijk de Landschapsarchitect gaat implementeren?'

'Zou maar zo kunnen.' Toen dacht hij iets serieuzer over die vraag na en voegde eraan toe: 'Dat zou maar beter zijn ook. Ik hoef echt geen hulp bij het werk aan de machine zelf.'

'Welnee, natuurlijk niet,' deed Adam nu vanaf het spreekgestoelte een duit in het zakje. 'Hij is er pas vier jaar aan bezig, dus waarom zou een mens dan denken dat hij het niet alleen af kan?'

'Hou je mond.'

Dennis liet zijn stoel een halve slag draaien om me aan te kijken. 'Wat?'

'O, niks,' zei ik.

'Commentaar vanaf het schellinkje?'

'Adam die ergens over tekeerging, anders niks.'

'Aha.' Dennis wist van het huis, maar ik vraag me af of hij er ooit helemaal in heeft geloofd; als hij mij toevallig tegen Adam hoorde praten, of tegen mijn vader, reageerde hij steevast alsof ik symptomen van krankzinnigheid vertoonde.

Een kwartiertje later maakte Penny Driver haar opwachting in de Fabriek. Ik was teruggegaan naar mijn eigen tent en had nog een paar keer vruchteloos geprobeerd toegang te krijgen tot internet; ik kwam net weer tevoorschijn om op zoek te gaan naar Irwin, toen ik haar zag.

Penny was binnengekomen via de zijdeur. (De schuur had ook een ingang aan de voorkant, een soort garagedeur die zo groot was dat je er met een drietonner doorheen had gekund, maar die ene keer dat we hem open hadden gezet, kostte het ons twee dagen om hem weer dicht te krijgen, dus nu deden we maar net alsof dat een muur was.) Ze drukte zich er vlak tegenaan, met haar ene hand nog op de deurkruk: zo te zien stond ze klaar om halsoverkop weer naar buiten te duiken. Ik denk dat Julie haar niet had verteld wat ze hier kon verwachten.

'Ja, het ís hier, hoor,' riep ik tegen haar.

Ze schrok zich halfdood bij het horen van mijn stem: ze maakte een sprongetje en slaakte een schril gilletje. Haar vrije hand vloog omhoog en drukte zich tegen haar borst alsof ze een hartaanval had gekregen.

'Sorry,' zei ik. Langzaam liep ik naar haar toe, net alsof ze Jake was. 'Sorry dat ik je zo liet schrikken, dat was niet de bedoeling. Maar dit is inderdaad de Werkelijkheidsfabriek, voor het geval je daarnaar op zoek bent.'

Ik stak haar mijn hand toe, maar die nam ze niet aan. Plotseling leek ze niet angstig meer, alleen maar verbaasd; ze staarde me aan zoals je naar een blik bonen staart waarvan je je niet kunt herinneren dat je het in je winkelwagentje hebt gelegd. Ik wist niets anders te doen dan terug te staren.

Ze was heel klein van stuk, maar iets meer dan een meter vijftig, en tenger gebouwd. Ze droeg een verschoten grijze trui die zowat tot op haar knieën hing en een gekreukelde spijkerbroek. Haar kortgeknipte haar zat in de war, alsof ze na een lange nacht zó uit haar bed was gekropen, maar haar ogen waren bloeddoorlopen en er zaten donkere kringen onder.

Plotseling liet ze de deurkruk los en sloeg haar armen over elkaar. Ze deed drie passen naar voren, zo snel dat ik opzij moest springen om haar niet in de weg te staan. Zonder enige aandacht aan me te schenken draaide ze haar hoofd alle kanten op om de hele loods in ogenschouw te nemen: haar blik viel op de tenten, de gebeitste dakplanken, de emmers onder de lekplekken, de bergjes overgeschoten roestig schroot in de hoeken, de kronkelende, met waterdicht isolatieband omwikkelde kabels. Haar mond kreeg een laatdunkende uitdrukking.

'Godsallejezus zeg,' zei ze. 'Wat een lullige kutzooi hier.'

'Pardon?' zei ik.

'Je hebt het best gehoord,' zei Adam. Hij klonk wel geamuseerd. 'Waar heb je moeite mee, met dat "kutzooi" of met "godsallejezus"?'

Penny haalde haar armen van elkaar. Ze knipperde met haar ogen en keek me weer aan, zo te zien nu pas voor het eerst verschrikt tot de ontdekking gekomen dat ik vlak naast haar stond. Een sprongetje en een gilletje bleven deze keer achterwege, maar al net zo abrupt als ze naar voren was gestapt liep ze nu achteruit. Met haar rug weer tegen de deur stak ze even verlegen haar hand op bij wijze van groet.

'Hoi,' zei ze.

'Hoi,' zei ik.

'Halló zeg,' zei Adam. 'Heeft iedereen net die optocht voorbij zien komen?'

Nu dook Julie op tussen twee tenten, met een nors kijkende Irwin in haar kielzog. 'Ha, Penny!' riep ze, en met een knikje in mijn richting voegde ze eraan toe: 'Ik zie dat jullie tweeën al kennis heben gemaakt.'

'Zo'n beetje, ja,' zei ik. Het was duidelijk een ochtend met alom merkwaardig gedrag: toen Julie op ons toe liep had ik er een eed op kunnen doen dat me iets ongewoons opviel aan de uitdrukking op haar gezicht – een zweem van tevredenheid met zichzelf in haar glimlach, iets van een binnenpretje in haar ogen –, maar vervolgens deed ik die ingeving af als iets wat er niet toe deed. Ik dacht dat de ruzie die ze net met Irwin had gehad er wel mee te maken zou hebben. Adam had me een ander verhaal kunnen vertellen, maar hij was nog in Penny verdiept.

'Goed,' zei Julie, en ze kwam bij ons staan, 'dan is hier een officieel kennismakingsritueel geboden, lijkt me. Andrew Gage, dit is Penny Driver. Penny, dit is Andrew.'

'Aangenaam, Penny,' zei ik, en ik stak nogmaals mijn hand uit. Deze keer reikte ze me de hare, al zag ik wel dat ze daar eigenlijk niets voor voelde. Ik schudde haar arm even zachtjes en liet haar los.

'O ja,' zei Julie, 'ze wordt graag Muis genoemd.'

'Nee, daar moet ze juist niets van hebben,' merkte Adam op vanaf het spreekgestoelte. 'Zag je wel hoe ze ineenkromp? Ze vindt het vreselijk om Muis te worden genoemd.'

'Adam,' vroeg ik, er zorgvuldig voor oppassend om me hardop te laten horen, 'wat vind je: doet Julie niet raar vanochtend? Ze kijkt op zo'n bepaalde manier uit haar ogen, net alsof...'

'Ha, Muis!' klonk de bulderende stem van Dennis Manciple. Hij kwam zijn tent uit met de bovenste drie knoopjes van zijn overhemd open, iets wat Julie onmiddellijk een chagrijnige blik ontlokte. 'Dennis!' snauwde ze, en ze trok de revers van haar eigen blouse naar elkaar toe.

Dennis negeerde het seintje. Zijn borsthaar open en bloot aan de wereld vertonend beende hij op Penny af en greep haar hand zo bruusk beet dat hij haar bijna omverrukte. 'Aangenaam, Muis!'

'Hij vindt haar leuk,' gnuifde Adam. 'Ze is sexy, volgens hem... maar zij vindt hem een dik vet, walgelijk varken.'

Ik had zo'n idee dat dat laatste een projectie was van Adam zelf – al was het wel zo dat Penny, toen Dennis haar de hand schudde, een gezicht trok alsof ze in iets smerigs greep. 'Maar wat vind je nu van Julie, Adam?'

'Ik weet het niet,' zei Adam. 'Ze doet altijd een beetje raar, dus misschien is er wel niks aan de hand. Of wie weet heeft ze zich wel een of ander oenig ideetje in het hoofd gehaald, dat ze jullie tweeën aan elkaar gaat koppelen of zo.'

'Ons tweeën – je bedoelt Penny en mij? Als stelletje?'

'Ja.' Nog meer gegniffel. '"Als stelletje". Misschien is dat het... Of zou *zíj* die optocht ook hebben gezien?'

'Welke optocht? Waar heb je het over?'

'Gewoon uit je doppen kijken,' zei Adam. 'Dan zie je het wel.'

Dennis stond nog steeds Penny's hand te schudden; zo te zien was hij graag bereid daar de hele dag mee door te gaan. 'Zeg, zo is het welletjes!' zei Julie. Ze stapte tussen hen in en gebaarde even ongeduldig naar Dennis' openstaande overhemd. 'Wat had ik je gezegd?'

'Duizendmaal excuus, o Hoogverhevene,' zei Dennis. Hij deed de knoopjes weer dicht, maar op zijn dooie gemak.

'Etterbak.' Julie schonk Penny even een verontschuldigende glimlach. 'Sorry,' zei ze. 'We gaan hier redelijk informeel met elkaar om, zoals je ziet – een beetje té informeel soms. Deze naaktloper is Dennis Manciple. En de heer Bokkenpruik daarginds is zijn broer Irwin.'

Irwin, die nog wel zo'n tien passen bij ons vandaan stond, maakte geen aanstalten om Penny een hand te geven; zelfs een knikje kon er niet af. Hij had de pest in.

'Zo, nu ken je iedereen,' vervolgde Julie, 'dus zullen we dan nu met z'n allen naar de Grote Tent gaan en je daar het systeem laten zien? Je zou dan een van onze demo's kunnen uitproberen om een beter idee te krijgen van het soort werk dat je te wachten staat.'

'Oké,' zei Penny. Ze zei het op een toon alsof dat het allerlaatste was wat ze wilde, maar desondanks liet ze zich door Julie bij de elleboog pakken en meetronen, zij het niet dan na nog een weemoedige blik in de richting van de deur waardoor ze was binnengekomen.

Zoals de naam al aangaf, was de Grote Tent de ruimste van de Fabriek. Hij stond opgesteld aan de zuidkant van de loods, diagonaal ten opzichte van de wanden – anders had hij niet tussen de pilaren gepast. Oorspronkelijk was dit een messtent geweest, maar we hadden hem zo geschilderd dat hij eruitzag als een circustent (of liever gezegd, ík had hem geschilderd, nadat Julie en Irwin er een halfslachtig begin mee hadden gemaakt; rode en witte strepen hangen je al snel de keel uit). Hier bevond zich het grootste gedeelte van de apparatuur van de Fabriek, onder andere een reeks aan elkaar gekoppelde, speciaal op grafische mogelijkheden ingestelde werkstations die ooit door Julies oom van de straat waren geraapt nadat ze van een vrachtwagen waren gevallen.

De Grote Tent was net zo'n volgestouwd geheel als mijn slaapkamer, en het was er net zo'n troep als vroeger in de loods zelf. Maar je hebt gradaties van wanorde, en toen we daar binnengingen meende ik de oorzaak te signaleren van Julies bonje met Irwin: van de ene dag op de andere was een van de werkstations binnenstebuiten gehaald, en de diverse onderdelen lagen nu op een werktafel. Dat gebeurde voortdurend – Irwin koppelde aan de lopende band een van de computers los, haalde het ding uit elkaar en configureerde het vervolgens zo dat hij er nog een onsje vermogen uitsleepte –, maar als een van de computers het niet deed, leverde dat problemen op met de rest van het netwerk, vooral als we een demo wilden afspelen. Dus óf Julie had vergeten Irwin te zeggen dat ze die dag het volledige systeem nodig zou hebben, óf – en dat was waarschijnlijker – hij had niet geluisterd.

De aanblik van al die hardware in de tent ontketende weer een vreemde reactie bij Penny. Ze trok haar arm los uit Julies greep, liep naar de werktafel en maakte een deskundige opmerking over de verzameling computeronderdelen. Ik begreep niet echt wat ze zei, want ze gebruikte het techneutentaaltje dat ex-werknemers van groothandel Bit vloeiend horen te beheersen maar dat ik nooit onder de knie had gekregen, maar Irwin was zo onder de indruk dat zijn rotstemming enigszins opklaarde.

'Ja, dat klopt,' zei hij. 'Heb je al eens met zo'n soort pc gewerkt?'

In plaats van antwoord te geven onderwierp Penny nu de andere twee werkstations aan een onderzoek, het tweetal dat niet uit elkaar was gehaald. Ze liet haar duim over een ruw plekje op de plastic-en-metalen kast van een van de twee glijden. 'Heb je de merknaam eraf geschuurd?' vroeg ze.

'Zo hebben we ze gekregen,' bracht Julie in het midden. 'Speciale aanbieding.'

'O ja,' zei Adam. 'Negentig procent korting, met de serienummers verwijderd...'

'Hou je mond.'

Penny gaapte me aan.

'Oeps,' zei ik. 'Sorry, ik had het niet tegen jou, hoor.'

'Andrew hoort stemmen in zijn hoofd,' legde Dennis schamper grijnzend uit. 'Hij heeft familie zitten, daar boven.'

'Familie..?'

'Dat is een gecompliceerd verhaal,' zei Julie. Ze wierp Dennis een waarschuwende blik toe. 'Andrew zal je zelf weleens uitleggen hoe dat zit – tenminste, als hij daarvoor voelt.'

Ik voelde daar zeker niet voor, op dat ogenblik niet, nee. 'Zo,' zei ik, in de hoop van onderwerp te kunnen veranderen, 'welke demo nemen we?'

Dennis ging voor een computer zitten en drukte op een paar toetsen. 'Wat zou je zeggen van *Dansende Mankepoten?*' stelde hij voor. Die vind jij zo leuk.'

Dansende Mankepoten was een demoversie van de toepassing die Julie had verzonnen om mijn belangstelling weer wakker te roepen nadat ik Eidolon voor het eerst had geprobeerd – de toepassing die iemand met verlamde benen zogenaamd zelf zou kunnen programmeren door de Landschapsarchitect-interface te hanteren: de headset en de datahandschoen. De interface was nog steeds niet verwezenlijkt, maar ik had Julie zo vaak naar de toepassing zelf gevraagd dat ze op het laatst Dennis opdracht had gegeven een demo te produceren op de ouderwetse manier – en die was zo in de smaak gevallen bij een vertegenwoordiger van de Veteranenbond (we keken wel uit om de titel *Dansende Mankepoten* te laten vallen in zijn bijzijn), dat hij een onderzoeksstipendium van vijfduizend dollar had verstrekt.

'Oké,' zei ik, 'die dan.'

'Prima,' zei Julie. 'Zeg Andrew, speel jij dan voor de gast in de rolstoel? Dan laten we Penny het datapak dragen.'

Het datapak was een uitvergrote versie van de datahandschoen. De Werkelijkheidsfabriek bezat drie datapakken, alle in een andere maat: eentje voor forse volwassenen, eentje voor kleine volwassenen en eentje voor kinderen. Julie pakte de kindermaat voor Penny.

'Dit zul je moeten uittrekken, Muis,' zei Julie, en ze trok even aan een mouw van Penny's slobbertrui. Penny keek weer verschrikt en maakte geen aanstalten om te doen wat haar werd gezegd. 'Wacht,' zei Julie, 'ik help je wel even...' Ze ging achter Penny staan, pakte de trui met beide handen beet in de taille en begon hem in de hoogte te sjorren.

Een ogenblik verstarde Penny helemaal, en gaf ze niet mee. Er vloog een ongelooflijk snelle opeenvolging van uitdrukkingen over haar gezicht, alsof ze niet kon beslissen of ze angstig moest reageren, verontwaardigd of meegaand. Ik zag zelfs – dat meende ik althans – een opwelling van zo'n intense woede dat je zou verwachten dat Penny zich zou omdraaien en Julie een dreun verkopen vanwege die vrijspostige poging haar uit te kleden. Maar de woede verdween even snel als hij was opgekomen, en Penny nam een passieve houding aan; ze liet het zich aanleunen dat haar armen omhoog werden getild en dat de trui haar werd uitgetrokken.

Daaronder droeg ze niet al te veel. Het enige kledingstuk onder de trui was zelfs een uiterst krap tanktopje dat Penny's schouders en sleutelbeenderen bloot liet en er geen twijfel over liet bestaan dat ze geen bh aanhad. Het topje was knalroze en op de voorkant prijkte het woord FUCK DOLL. Ik zal wel hebben gebloosd toen ik dat las – en toen Penny mij zag blozen en Dennis hoorde fluiten, kruiste ze haar armen over haar borst alsof we haar met een bloot bovenlijf hadden zien staan. Intussen probeerde Julie, die op haar hurken achter Penny zat en niets van dit alles kon zien, haar zover te krijgen om in de pijpen van het datapak te stappen: 'Til je rechtervoet eens op, Muis... Hé, Muis?'

Ik ging de rolstoel halen die ik zou gebruiken voor mijn rol in de demo. De rolstoel zelf was niets bijzonders – ook weer zo'n dumpproduct –, maar de datahandschoen die erbij hoorde was speciaal zo geprogrammeerd dat hij de bewegingen van afzonderlijke vingers interpreteerde als die van armen en benen. Nadat ik me in de rolstoel had geïnstalleerd en, geholpen door Irwin, de datahandschoen met het netwerk had verbonden, drukte Dennis op weer een andere toets, waardoor er een mannetje verscheen op het scherm voor hem. Ik kromde mijn wijsvinger in de handschoen, en het mannetje bracht zijn linkerbeen omhoog en trapte ermee naar achteren; ik kromde mijn middelvinger en het figuurtje tilde zijn rechterbeen op; ik tikte met mijn wijs- en middelvinger op een sensorpaneel op de armleuning van de rolstoel en het figuurtje sloeg zijn hakken tegen elkaar en maakte een luchtsprong; ik bewoog mijn duim en pink tegelijk en het mannetje zwaaide met zijn armen.

'Ziet er prima uit,' zei Dennis. Nu verlegde hij zijn aandacht naar Penny, die eindelijk door Julie met een zoet lijntje was overgehaald om zich het hele datapak te laten aantrekken en het dicht te laten ritsen. Dit gedeelte van de controle van alle verbindingen nam meer tijd in beslag, want als je de werking van het datapak wilt nalopen, moet je degene die het draagt op één been laten staan, op en neer laten springen, met zijn of haar armen laten zwaaien enzovoort, en Penny was intussen ontzettend verlegen geworden – maar uiteindelijk werd de controle, dankzij nog meer bemoedigende duwtjes van Julie, tot een succesvol einde gebracht.

Nu was het ogenblik gekomen om de headsets op te zetten. Zoals ik al zei, had Irwin ze zo ontworpen dat ze prettig zaten, maar in het begin, voordat ze zijn aangezet, bezorgden ze je vaak toch een ietwat claustrofobisch gevoel, alsof je een zware blinddoek draagt met alle mogelijke elektrische draden eraan. Terwijl Irwin het riempje aan de achterkant van mijn headset vastmaakte, hoorde ik Julie koeren: 'Rustig maar, Muis. Dat donker duurt maar heel even.'

Irwin verbond mijn headset met het netwerk en zette hem aan. Er verscheen een driedimensionaal testbeeld voor mijn ogen. Dennis voerde een geluidscontrole uit: een onzichtbare locomotief denderde langs mijn linkeroor, vervolgens langs mijn rechteroor en daarna langs beide oren tegelijk. Ik stak mijn duim op tegen Dennis.

'Goed,' zei Dennis. 'Daar gaan we dan...' Hij drukte nog een laatste stel toetsen in en ik kromde mijn wijs- en middelvinger in de datahandschoen, een imitatie van de gebogen benen van een zittende persoon.

Het testbeeld ging over in de aanblik van het Eidolon-universum, dat in deze demo bestond uit een reusachtige balzaal met een zwartwit geblokte vloer, omringd door blauwmarmeren pilaren. De danszaal had geen wanden of plafond; het geheel zweefde in een leegte die aanvankelijk een matrode tint vertoonde, maar in de loop van de demo steeds lichter zou worden, als een zonsopgang van kleur zou verschieten.

Ik boog mijn hoofd en nam mijn 'ik' in ogenschouw: niet mijn echte ik, maar mijn Eidolon-ik, een mannetje in een getekende rolstoel. De voorstelling was verbazend levensecht, en zou nog overtuigender zijn geweest als ik niet had gevoeld dat de houding van mijn echte benen iets anders was dan die van de benen van het mannetje in de rolstoel. Ik maakte een vlugge beweging met mijn wijsvinger; mijn echte been verroerde zich niet, maar de Eidolon-Andrew bracht energiek zijn linkervoet naar voren, waarmee hij bewees dat hij helemaal niet zo'n mankepoot was.

Ik keek op en zag Eidolon-Penny met haar gezicht naar me toe aan de andere kant van de dansvloer staan. Eidolon-Penny was langer dan de echte Penny: ze had steviger armen en benen, een forser postuur en veel grotere borsten; haar gezicht vormde een reliëfkaart van het gezicht van een of ander badpakkenmodel dat door Dennis was ingescand, met een uitdrukking die nooit veranderde. Ze leek dan wel niet op de echte Penny, maar ze bewoog zich wel net als zij: ze ging schichtig van het ene been op het andere staan, sloeg haar armen over elkaar en liet ze weer hangen, en telkens keek ze achterom alsof ze een monster achter zich verwachtte.

De muziek begon. Het was een nummer van Lyle Lovett, 'The Waltzing Fool', een langzame ballade met piano en gitaar die ik prachtig vond, ook al was hij een tikkeltje droevig. Toen de eerste tonen weerklonken, strekte ik mijn wijs- en middelvinger; in de echte wereld bleef ik in de rolstoel zitten, maar in het Eidolon-universum stond Eidolon-Andrew op twee prima benen. Ik maakte een linksom draaiende beweging met mijn hand en liet mijn wijsvinger opzij wijzen; Eidolon-Andrew draaide een halve slag in de rondte en trapte tegen zijn rolstoel, die in stukken uiteenviel. De brokstukken veranderden in een zwerm duiven die zigzaggend tussen de pilaren in de danszaal rondvloog. Ik maakte een rechtsom draaiende beweging met mijn hand, bracht mijn duim voor mijn wijsvinger en liet mijn hand vooroverkantelen; Eidolon-Andrew draaide zich weer om naar Eidolon-Penny, boog zijn linkerarm voor zijn middel en maakte een reverence.

Eidolon-Andrew lette er zorgvuldig op dat hij steeds een bepaalde afstand tot Eidolon-Penny bewaarde. Als ik naar haar toe was gegaan, was er een subroutine in werking getreden die ons in staat had gesteld om elkaar bij de hand te pakken en samen te dansen, maar als we elkaar niet tegelijkertijd ook aanraakten in de echte wereld, zouden we geen enkel contact bespeuren – en een arm om je heen krijgen die je wel kunt zien maar niet voelen is een bijzonder verwarrende ervaring, eentje waarvan Penny waarschijnlijk volslagen ontregeld was geraakt, dacht ik. Dus bleef ik waar ik was en voerde alleen een luchtdans met haar uit: Eidolon-Andrew strekte zijn rechterarm opzij, hield zijn linkerarm gebogen voor zijn middel en deinde mee op de muziek. Eidolon-Penny deinde ook mee, maar ze hief geen moment haar armen op, en elk ogenblik keek ze angstig omhoog om te zien wat de duiven deden.

Toen bulderde Dennis' stem opeens over de speakers in de headset heen: 'Wat een stómvervelend nummer is dit!' en Lyle Lovetts zachte ballade moest midden in een strofe het veld ruimen voor 'Brown Sugar' van de Rolling Stones. Onwillekeurig maakte ik een wilde beweging met mijn hoofd, en ergens in mijn headset schoot iets los. De bril werd donker, ook al bleven de oortjes doorbrullen.

‘Verrek, Dennis!’ zei ik, en ik rukte mijn headset af.

Dennis had geen aandacht voor mijn klacht. Hij zat naar Penny te gapen, die met haar headset op nog aan het dansen was. Alleen was het niet meer hetzelfde soort dans.

Het was uit met dat ingetogen gedein. Nu was Penny’s hele lijf in beweging; heupen, armen, benen, handen, voeten – alles zwierde rond op de beat, zonder een zweempje verlegenheid. En de manier waarop ze bewoog... Tja, zoals Adam naderhand opmerkte: opeens leek die kreet op haar topje niet meer zo misplaatst.

Dennis staarde gebiologeerd naar haar. Irwin staarde ook. Ik ook. De enige die niet naar Penny staarde was Julie – en dat kwam doordat ze naar mij staarde, met weer dat rare lachje op haar gezicht. Eindelijk merkte ik het, en toen Julie dat zag, boog ze haar hoofd in Penny’s richting en trok haar wenkbrauwen op alsof ze vroeg: nou, wat vind je?

‘Zeg Adam,’ zei ik, ‘wat is hier in jezusnaam aan de hand?’

‘Gossie, Andrew, dat weet ik niet, hoor,’ zei Adam, op een toon waar het sarcasme vanaf droop, ‘maar als ik niet zo’n stomme eikel was, dan zou ik warempel denken dat Penny zich gedraagt als een ander iemand... of misschien wel als een heel stél andere mensen.’ Toen schaterde hij het uit en merkte op: ‘Ik ben gek op optochten, jij niet?’

BOEK TWEE

Muis

4

Muis ligt in een vreemd bed, in een vreemd huis, met haar hand tussen de dijen van een man die ze nooit eerder heeft gezien. Ze weet niet wat voor dag het is, of welke stad dit is; ze heeft geen idee hoe ze hier verzeild is geraakt.

Een ogenblik geleden was het nog zondagavond 20 april en zat ze in de keuken van haar flatje de filmladder in de *Seattle Times* door te nemen. Ze dronk een glas rode wijn – nooit een goed idee, maar ze snakte er met haar hele wezen naar, en iemand had een aangebroken fles laten staan in het kastje boven de gootsteen. Dus had ze zich een glas ingeschonken, een slokje genomen, haar vinger langs de kolom met de tijden laten glijden en zich afgevraagd of het *The English Patient* zou worden of die nieuwe film met Jim Carrey.

– en nu is ze daar niét. Ze heeft niet het idee dat ze bewusteloos is geweest; ze heeft enkel en alleen even met haar ogen geknipperd, en nu is alles opeens anders. Eerst had ze kleren aan en zat ze op een stoel, en nu is ze spiernaakt en ligt ze op haar zij. De frisse smaak van wijn is de verschaalde nasmaak van wodka en sigaretten geworden – ze doet niet aan sterkedrank en aan sigaretten, maar die nasmaak herkent ze alsof ze zich geregeld aan allebei te buiten gaat. De koele, stroeve krantenpagina onder haar vinger is veranderd in warm vlees dat haar hele hand omsluit. En verder ligt een paar centimeter voor haar gezicht opeens het hoofd van een wildvreemde man waar naar jenever riekend gesnurk uit opstijgt.

Ze zet het niet op een gillen. Niet dat ze dat niet zou willen, maar doordat ze haar leven lang al stukken tijd is kwijtgeraakt – en dat feit steeds verdoezelt – is ze er bedreven in geraakt haar reacties in toom te houden. Inwendig gilt ze het uit; in de buitenwereld slaakt ze alleen een schril kreetje, een piepgeluidje dat aandoet als een hik. En zelfs dat klinkt gesmoord, want haar lippen persen zich op elkaar om het geluid binnen te houden voordat het volume kan toenemen.

Deze keer is het goed mis. Stukken tijd kwijtraken is nooit geweldig – het is een symptoom van waanzin, en die waanzin bewijst weer eens wat een waardeloos en verschrikkelijk mens ze is –, maar er zijn gradaties van misheid, en jezelf aantreffen bij een wildvreemde kerel in bed: dieper kun je haast niet zinken. Hoewel het altijd nóg erger kan: deze wildvreemde kerel slaapt tenminste, en haar hand is het enige wat hem aanraakt. Muis is ook weleens, na stukken tijd kwijtgeraakt te zijn, bijgekomen in innige omhelzingen, of midden in vertrouwelijke gesprekken; op een keer vond ze een man boven op zich die bezig was haar benen uit elkaar te duwen, en die keer heeft ze wél keihard gegild.

Dit is minder erg, al is het nog erg genoeg. Maar terwijl ze dat ligt te denken, terwijl ze bedenkt wat een gruwelijk krankzinnig mens ze toch is dat ze geregeld in dit soort situaties belandt, maakt een ander gedeelte van haar geest, dat ze voor zichzelf aanduidt als de Navigator, zich los, stijgt boven haar angst en zelfhaat uit, neemt een koelbloedig analyserende houding aan en probeert haar vermogen te herstellen om zich te oriënteren in tijd en ruimte. Het voelt alsof het ochtend is; via het raam van het piepkleine slaapkamertje dringt dofgrijs licht naar binnen dat op een vroeg uur wijst. Maar welke ochtend het is, valt minder makkelijk vast te stellen. Maandagochtend, hoopt ze; dat zou betekenen dat ze maar één nacht is kwijtgeraakt. Maar subjectief bekeken bestaat er geen verschil tussen het kwijtraken van één enkele nacht en van een hele week – en in het verleden is ze weleens hele weken kwijtgeraakt, hele maanden zelfs. Ooit is ze, toen ze nog jonger was, een heel jaar kwijtgeraakt. Hoe lang zoiets ook duurt, al die stukken kwijtgeraakte tijd bezorgen haar precies hetzelfde gevoel: alsof er helemaal geen tijd is verstreken.

Er zijn echter methodes om de duur vast te stellen. Met haar vrije hand voelt ze aan haar hoofd om erachter te komen of haar haar langer is geworden. Muis houdt haar kapsel graag kort en zo simpel mogelijk, maar tijdens haar black-outs vergeet ze dat; als er plotseling een nieuw kapsel is opgedoken, is dat vaak het eerste teken dat er een aanzienlijk stuk tijd verstreken is. Deze keer lijkt het erop dat haar haar niet langer is geworden. Dan herinnert ze zich dat ze zondag tussen de middag op de binnenkant van haar wang heeft gebeten toen ze iets at. Haar tong glijdt over het plekje en stelt vast dat het wondje er nog zit, het is nog niet dicht.

Goed, maandagmorgen dus. Waarschijnlijk wel. En als er maar één nacht verstreken is, en als ze het grootste gedeelte van die nacht... heeft doorgebracht... met die wildvreemde kerel naast haar, dan kan ze niet heel ver van huis zijn. Dan moet ze nog steeds in Seattle zijn, of in de directe omgeving van de stad. Dat is mooi en vervelend tegelijk: mooi omdat het dan niet al te moeilijk zou moeten zijn om de weg naar huis te vinden, en vervelend omdat ze hem misschien wel aan zijn neus heeft gehangen waar ze woont.

Zachtjes trekt ze haar gevangen hand los. Dat gaat gemakkelijk, maar dan komt haar arm even tegen een rubberachtig geval aan dat op het laken ligt, een gebruikt condoom. Voordat ze het weet ontsnapt haar een kreet van afkeer.

De ogen van de man bewegen onder de nog steeds gesloten oogleden; zijn hand maakt graaiende bewegingen naar zijn mond en neus. Hij snuift. Muis houdt haar adem in, en nu draait hij zich op zijn andere zij, hij gaat met zijn rug naar haar toe liggen. Hij slaapt weer verder, maar zijn gesnurk klinkt nu anders; het wordt oppervlakkiger, alsof het niet lang meer zal duren voordat hij echt wakker wordt.

De Navigator krijgt haar nog net in beweging voordat ze verlamd raakt van angst. Ze weegt niet veel; de springveren van de matras merken het amper als ze zich van de rand van het bed laat glijden. Ten slotte zit ze doodstil in elkaar gedoken op de grond naast het bed met gespitste oren te luisteren, maar deze keer reageert de man niet.

Haar kleren liggen bij de deur. Haar schoenen en spijkerbroek tenminste. De zwarte netkousen en het roze tanktopje herkent ze niet, maar aangezien ze op dezelfde hoop liggen is het niet meer dan redelijk om aan te nemen dat die ook van haar zijn. Heel even ergert het haar dat er geen bh bij is. Weliswaar is ze zo tenger dat ze er eigenlijk geen hoeft te dragen, maar ze vindt het hoerig staan om zonder rond te lopen. Niet dat zij in een positie verkeert om zich te beklagen over een hoerig voorkomen.

Zo vlug en zo geruisloos als ze kan kleedt ze zich aan. Intussen speurt ze de kamer af op andere bezittingen. Als je niet weet wat je bij je had, weet je nooit of je al dan niet iets vergeet, maar ten slotte komt ze tot de conclusie dat er niets meer ligt – en mocht dat wel zo zijn, dan kan ze alleen maar hopen dat het niet iets onvervangbaars is.

Als ze haar kleren aanheeft en klaarstaat om ervandoor te gaan, kijkt ze nog even in de spiegel aan de slaapkamerdeur, en nu pas valt haar oog op de obscene kreet op de voorkant van haar topje. Eerst denk ze dat er iets anders aan de hand is – dat woord staat zeker op de spiegel geschreven of zo, als een soort vervloeking of trap na aan het adres van het soort vrouwen dat in alle vroegte deze kamer uit sluipt. Maar nee – ze kijkt omlaag: het woord staat op haar topje, op háár.

Zo kan ze niet naar buiten. Haar zenuwen spelen weer op tot ze in een strakke spiraal staan, en ze draait zich om en speurt de kamer even rond. Op een ladekast naast het bed ligt een achteloos weggemikte trui. Die is niet van haar, hij is te groot, maar die kan ze tenminste om zich heen hangen tot ze thuis is. Als ze hem vlug pakt, tuimelen er alle mogelijke spullen van de kast; lawaaiig vallen ze op de grond. De man verroert zich, en met de trui in haar hand stuift Muis de kamer uit.

Het smalle gangetje na de slaapkamer doet haar denken aan de gang in een slaapwagen, zo eentje met ramen aan de ene kant en deuren aan de andere. Dat ontketent weer een nieuwe golf van angst: ze vraagt zich af of ze zich misschien inderdaad in een trein bevindt. Maar nee, houdt de Navigator haar voor, in echte treingangen is het nooit zo'n troep; passagiers mogen hun spullen niet in doorgangen neerzetten. En bovendien beweegt er niets.

Wat voor huis doet aan een wagon denken maar is het niet? Een stacaravan. Dat maakt het zoeken naar een uitgang er een stuk gemakkelijker op: als de slaapkamer aan de ene kant van de caravan ligt, moet de uitgang ergens aan de andere kant te vinden zijn.

Ze loopt door het gangetje. Halverwege de caravan komt het uit in een zitkamer met eethoek, voorzien van meubels in de klassieke stacaravanstijl: een doorgezakte bank, een aftands tv-toestel, een elektrische nephaard, een krakkemikkige tafel, volgestapeld met bierblikjes en vuile borden. Een met linoleum bedekt toogje vormt de afscheiding tussen de huiskamer en een piepklein keukentje, waar nog meer voorraden bierblikjes te zien zijn.

Een zielenpoot in een stacaravan. Het is belachelijk, maar Muis schaamt zich voor deze sjofele omgeving; die stemt haar veel ellendiger dan het simpele feit dat ze hier is beland. Zoiets is haar al vele keren eerder gebeurd, maar nog nooit is ze eens tot haar positieven gekomen in een préttig huis. Het lijkt wel alsof de boze geest die constant haar leven ontwricht haar er goed van wil doordringen dat ze dít verdient en niets anders, dat er voor haar niets hogers is weggelegd dan de goot. Ook al doet ze nog zo haar best om haar eigen huis smaakvol in te richten, het netjes en schoon te houden – altijd en eeuwig zal ze weer in zoiets belanden.

Ze moet hier weg. De buitendeur van de stacaravan bevindt zich in de hoek aan de andere kant van de zitkamer, vlak bij de ingang van het keukentje; haastig loopt Muis die kant op. Ze trekt de trui aan – hij hangt eerder als een poncho om haar heen en hij stinkt naar bier en sigarettenrook – en doet de deur open. Een kille ochtendwind waait langs haar heen naar binnen, zodat de bierblikjes op de tafel tegen elkaar aan rammelen.

En Muis denkt: heb ik eigenlijk een jas?

Het was koud gisteravond, dus had ze toen niet een jas aan? Op de valreep draait ze zich om en krijgt twee jassen in het oog, die voor de nephaard op de grond liggen. De ene, een sleets leren jasje, ziet eruit alsof hij haar wel zou passen, ook al herkent ze hem net zomin als de kousen en het topje.

Ze aarzelt. Als het haar jasje is, moet ze het meenemen; ze wil hier vooral niets laten liggen, niets wat hem eventueel in staat stelt haar op te sporen. Aan de andere kant: die trui steelt ze ook al; als dat jasje niet van haar is en ze pikt dat ook mee, dan belt hij de politie misschien wel. Wat moet ze doen?

Nu hoort ze iets bewegen in de slaapkamer, en dat maakt een eind aan haar besluiteloosheid. Ze laat het leren jasje liggen en schiet de deur uit; op hetzelfde ogenblik roept een mannenstem slaperig: 'Hallo?'

Buiten, op het houten stoepje voor de stacaravan, vindt Muis een *Seattle Post-Intelligencer*, nog in doorzichtig plastic verpakt. Ze kijkt naar de datum en komt er zo achter dat ze het bij het rechte eind had: het is vandaag maandag 21 april 1997. Ze is enkel een nacht kwijt. Haar opluchting bij deze vaststelling is onbeschrijflijk.

Muis' auto staat in de straat geparkeerd, vlak tegenover de caravan. Er is geen twijfel over mogelijk dat hij van haar is; het is een Buick Centurion, een zwart bakbeest dat je nooit met een andere auto zou verwarren. Ze heeft hem aangeschaft met een aanbetaling van duizend dollar, waarna er nog achtenveertig maandelijkse termijnen van honderdvijftig dollar volgden; ze is nog steeds bezig met de afbetaling. De auto die ze meende te kopen was een Honda Civic, een veel kleiner en veel zuiniger wagentje, maar op de een of andere manier was het erop uitgedraaid dat ze een koopcontract voor die Buick had getekend.

Degene die gisteravond heeft gereden, mag nog wel een paar lesjes in netjes parkeren nemen. Niet alleen is een van de wielen op de stoeprand beland, de auto staat ook de verkeerde kant op. Maar de bestuurder heeft niet overal met de pet naar gegooid: alle portieren van de Buick zitten op slot, en door het raam kan Muis zien dat de sleutel niet in het contact zit. Ze voelt in de zakken van haar jeans en ontdekt dat de sleutels daar ook niet in zitten.

'Nee,' fluistert Muis. 'Nee, nee, néé...' Nog heel even en ze was ervandoor geweest! Ze doorzoekt haar zakken nog maar eens en trekt ze binnenstebuiten.

'Hé!' roept een stem haar kant op.

Muis slaakt een schril kreetje. Een handvol kleingeld vliegt door de lucht; dubbeltjes en kwartjes komen als platte hagelstenen her en der kletterend neer op het dak van de auto.

De wildvreemde man staat op het stoepje. Zonder zich iets aan te trekken van de kou is hij enkel in zijn T-shirt en een groezelige boxershort naar buiten gekomen. Het leren jasje hangt over zijn arm en zijn linkerhand rammelt met een stel sleutels aan een ring. 'Je zult niet al te ver komen zonder deze dingen,' zegt hij.

Muis slikt moeizaam. Probeert hij haar te treiteren? De Navigator meent van niet; hij klinkt niet kwaadaardig, en zo te zien is hij er alleen op gebrand de slaap uit zijn ogen te knipperen. Maar hij komt niet het stoepje af en maakt ook geen aanstalten om haar de sleutels te overhandigen.

'Zeg, hoor eens,' vervolgt de man, een geeuw onderdrukkend. Hij maakt een lui gebaar naar de caravan achter zijn rug. 'Heb je geen zin om nog even binnen te komen en hier te ontbijten? Of als je een minuutje wacht, kunnen we ook wel ergens heen gaan...'

Muis schudt haar hoofd en doet haar best om niet angstig te kijken. Maar de man bespeurt iets in de uitdrukking op haar gezicht; zijn eigen gezicht krijgt nu opeens iets bezorgds.

'Zeg, hé,' zegt hij. 'Je peert 'm toch niet vanwege vannacht, hè? Ik bedoel, ik weet wel dat we allebei toeterzat waren, maar... Dat weet je toch nog wel, hè? Ik heb het je twéé keer gevraagd, of je met me mee wilde. En je zei van ja. Dat heb je echt gezegd.'

Jazeker, zijn gezicht staat heel bezorgd. Alleen is dat geen bezorgdheid om haar welzijn, beseft ze; het is bezorgdheid voor een rel. 'Dat weet je toch nog wel, hè?'

'Ik moet ervandoor,' zegt Muis.

'Je hebt ja gezegd,' houdt de man vol. 'Ik bedoel, als je daar nu over wilt jammeren, nu het licht is en zo, dan moet je dat goddorie vooral doen, maar vannacht heb je toch echt...'

'Ik moet ervandoor,' herhaalt Muis, wat harder deze keer.

'Oké, je mag zo weg. Ik wil alleen helder hebben dat we allebei begrijpen wat er is gebeurd. Ik wil helder hebben...'

Maledicta de Vuilbekster heeft langzamerhand haar buik vol van dit gelul. Ze duwt Muis aan de kant, beent naar voren en krijst: 'Bek dicht en geef haar die kutsleutels, kloothommel!'

Muis knippert met haar ogen. Via telekinese is ze van de rand van het trottoir onder aan het stoepje beland. Haar handen zijn tot vuisten gebald en haar keel staat strak, alsof ze zojuist heeft staan schreeuwen. De man gaapt haar aan.

'Oké,' zegt hij op verzoenende toon. 'Oké, jezus, kalm maar! Ik probeer heus niet je hier vast te houden, ik wil alleen...'

'... pokkenkutwijf!' Muis staat nu weer op de rand van het trottoir. Ze heeft het leren jasje bij zich en steekt de sleutel in het portier van haar auto. Over haar schouder ziet ze de man, nu onder aan het stoepje, in een kringetje rondstrompelen met zijn ene hand over zijn kruis en de andere tegen de zijkant van zijn gezicht, dat zo te zien bloedt. 'Pokkenkutwijf dat je bent, wat heb je...'

Stilte. Muis zit in haar auto op het parkeerterrein van een bank. De motor is uit, maar het sleuteltje zit in het contact; het leren jasje ligt op de stoel naast haar. De hemel is een stuk lichter geworden.

Met haar handen om het stuur geklemd zit Muis gewoon maar af te wachten of het toneel nog eens verandert. Ze kijkt naar de digitale klok annex thermometer aan de zijkant van het bankgebouw die telkens van de tijd op de datum verspringt, en dan op de temperatuur. De tijd schrijdt langzaam voort en de temperatuur stijgt een graad, maar er is geen sprake van plotselinge sprongen, en de datum blijft steeds dezelfde.

Muis begint zich wat rustiger te voelen, en tegelijkertijd bedenkt ze dat ze weet waar ze is. Het bankgebouw is nieuw, maar ertegenover bevinden zich een paar oudere winkels die ze herkent. Ze zit hier in het University District, nog geen vijf straten van het souterrain waarin ze een kamer huurde toen ze studeerde aan de Universiteit van Washington.

Hiervandaan kan ze wel thuiskomen. Ze wil niets liever, want dan kan ze dat obscene topje uittrekken en weggooien, samen met die stinkende trui. Maar omdat de Navigator er zo op aandringt, kijkt Muis eerst in de auto rond op zoek naar een lijstje.

Het lijstje voor vandaag blijkt in het handschoenenkastje te zijn gefrommeld, bij een halfleeg pakje Winston-sigaretten en een wodkafles die Muis niet wenst op te merken. Het is inderhaast op een gekreukeld caféservetje gekalkt en bestaat uit een stuk of vijf klusjes en afspraken, met daarachter wat ruimte om ze af te vinken als ze achter de rug zijn. Nummer één vermeldt, in twee keer zo grote letters als de rest: WERKELIJKHEIDSFABRIEK – 8:30. IETS NETS AANTREKKEN! OP TIJD KOMEN!!!

In zekere zin hoeft Muis helemaal niet herinnerd te worden aan haar nieuwe baan. Sinds vrijdagavond, toen ze het nieuws heeft gehoord, heeft ze amper aan iets anders gedacht. Eigenlijk was het voornamelijk om een eind te maken aan dat gepieker erover – om dat een paar uur uit haar hoofd te verdrijven – dat ze gisteravond dat idee opvatte om naar de bioscoop te gaan en die fles wijn uit het kastje pakte.

Maar 'gisteravond' voelt alsof dat nog geen uur geleden is, en Muis heeft nog steeds het idee dat haar nieuwe baan morgen begint. Het lijstje laat haar duidelijk weten dat morgen vandaag is geworden. Muis werpt nog een blik op de bankklok en beseft ontzet dat ze geen tijd meer heeft om naar huis te gaan. Als ze nog in haar oude wijk woonde had ze het nog wel gehaald, dan had ze waarschijnlijk zelfs nog vlug onder de douche gekund, maar haar flatje aan Queen Anne

Hill ligt een kwartier rijden de andere kant op. Als ze om halfnegen in Autumn Creek wil zijn, zal ze binnen tien minuten op de snelweg moeten zitten.

'O god...' Muis pakt de boord van de trui die ze aanheeft tussen haar vingers en voelt hoe smerig het ding is. Ze kijkt naar de bankklok. 'O god.' IETS NETS AANTREKKEN, staat er op het lijstje, OP TIJD KOMEN, maar ze kan nu onmogelijk nog aan allebei die geboden voldoen. Ze is nog niet eens aan haar nieuwe baan begonnen en ze heeft er nu al een puinzooi van gemaakt.

'Ach, waardeloos stuk stront,' zegt Muis als haar oog in de achteruitkijkspiegel op zichzelf valt. Ze laat een vuist neersuizen op haar bovenbeen en bonkt er dan ritmisch zo hard op los dat ze zichzelf blauwe plekken bezorgt: 'Waardeloos stuk strónt, waardeloos stuk strónt, waardeloos stuk strónt...'

De bankklok geeft aan dat er weer een minuut verstreken is. Muis houdt op; ze start de motor, geeft een dot gas en rijdt met gierende banden het parkeerterrein af. Twee straten verderop moet ze stoppen voor een verkeerslicht en weer voelt ze de besluiteloosheid knagen. Wat is erger: te laat op je werk verschijnen, maar goed verzorgd, of op tijd verschijnen, maar te vies om met een tang aan te pakken?

Haar gedachtestroom wordt onderbroken door een harde bons. Een forse man in een sweatshirt met het opschrift UW HUSKIES, die vlak voor haar langs oversteekt, heeft een basketbal op de motorkap van de Buick laten stuiteren. Dat was niet per ongeluk; de man zag dat Muis in zichzelf praatte en besloot haar eens goed te laten schrikken. Hij vangt de bal weer en lacht tevreden, want het is hem gelukt.

Dat is te veel. Muis verdwijnt. Malefica verschijnt, Malefica de Rotstrekenkampioen, de tweelingzus van Maledicta. Ze trapt even op het gaspedaal; de Buick schiet een eindje de zebra op en stoot tegen de scheen van de Huskies-supporter. Het is niet meer dan een duwtje, maar het heeft precies de juiste uitwerking: hij laat de bal vallen en tuimelt voorover op de motorkap. Precies genoeg om hem eens goed te laten schrikken.

En heel even schrikt hij zich ook kapot. Malefica ziet de angst in zijn ogen. Maar dan begaat hij een lelijke vergissing: hij denkt bij zichzelf dat Malefica enkel een klein meisje is, een kind dat niet goed weet wat ze doet, wie ze hier de voet dwars zet. Zijn angst slaat om in woede; hij werkt zich al overeind van de motorkap, vast van plan naar het portier aan haar kant te benen en het open te rukken.

Weer trapt Malefica het gaspedaal in, en nu laat ze haar voet daar. De Buick zet zich in beweging met een vaart van zo'n acht, en dan vijftien kilometer per uur, zodat de Huskies-fan naar achteren schuift. Opnieuw wordt hij door angst overmand. 'Hé!' schreeuwt hij, met beide handen op de motorkap slaand. Zijn schoenen slieren over het wegdek. 'Hé! Héé! Hééé!' Zijn angst neemt waanzinnige proporties aan als hij Malefica door de voorruit in het gezicht kijkt en beseft wat ze van plan is; hij laat zich aan de zijkant van de motorkap vallen, terwijl zij nog steeds plankgas geeft.

Aan de andere kant van het kruispunt verder jakkerend kijkt Malefica in de achteruitkijkspiegel; de Huskies-supporter is bezig overeind te krabbelen. Hij schreeuwt haar iets achterna en schudt met zijn vuist, maar het valt niet mee om een dreigende houding uit te stralen als je net in je broek hebt gepist.

Malefica lacht. Ze is een klein meisje, jazeker, maar wel met een joekel van een auto, godverklote, en geen mens moet het in zijn kop halen om te proberen haar een kutgeintje te flikken. Bij de volgende hoek rijdt ze plompverloren door het rode licht en jaagt luid toeterend nog eens drie voetgangers alle kanten op.

– en nu rijdt Muis op de 90 richting Autumn Creek; ze heeft de knoop doorgehakt, al kan ze zich dat niet herinneren. In de auto staat het blauw van de sigarettenrook. Muis veegt met haar ene hand wat gemorste as van de gestolen trui en verliest prompt bijna de macht over het stuur.

'O god...' Muis trekt de auto weer recht en gaat op de langzame strook rijden. Ze doet haar raampje open; de rook trekt weg, maar de golf koude lucht brengt geen verbetering in de toestand van de trui; die stinkt nog steeds een uur in de wind. Ze stinkt zélf nog een uur in de wind.

Misschien moet ze maar zeggen dat ze die nacht beroerd is geweest. Dat haar maag heeft opgespeeld: ze heeft iets verkeerds gegeten en de hele nacht rondgespookt met maagkramp... en toen heeft ze te laat bedacht dat ze was vergeten een was te draaien...

Já, denkt Muis, plotseling helemaal opgetogen. Maar die stemming is niet van lange duur. Ja, misschien geloven ze dat wel – misschien vinden ze het zelfs wel geweldig van haar, dat ze op haar eerste dag op tijd verschijnt, terwijl ze ziek is geweest. Maar Muis weet heel goed dat er nog meer blunders zullen volgen, nog meer miskleunen die alle mogelijke smoezen zullen vergen, en dat ze niet hoeft te hopen dat ze elke keer weer wegkomt met een of ander leugenverhaal. Uiteindelijk zal ze door de mand vallen. Uiteindelijk zullen ze onvermijdelijk de waarheid in de gaten krijgen, snappen wat zij is.

Een wáárdeloos stuk stront...

5

Muis zou niet kunnen zeggen hoe het komt dat ze haar laatste baan is kwijtgeraakt. Drie dagen geleden was het zomaar ineens afgelopen, maar of ze zelf is opgestapt of dat ze ontslagen is, dat is haar een raadsel; ze weet alleen dat Julie Sivik er iets mee te maken heeft gehad.

Het reparatiezaakje waarbij ze werkte, Rudy's Quick Fix, is gevestigd in een smal winkelpandje in het centrum van Seattle, in een zijstraat van Pioneer Square. Rudy Krenzel, de eigenaar, zit daar al vijfenveertig jaar. De eerste dertig jaar repareerde hij vooral typemachines, stereo-installaties en televisietoestellen, maar sinds de jaren tachtig is hij zich hoe langer hoe meer gaan toeleggen op het repareren van computers met toebehoren. Het meeste werk laat hij nu uitvoeren door 'leerlingen' van in de twintig.

In augustus van het vorige jaar heeft Muis gesolliciteerd naar de betrekking van leerling, nadat Rudy's vorige assistent naar Boston was vertrokken om daar voor zijn master te gaan studeren. Het sollicitatiegesprek begon beroerd, want Muis bracht niet al te veel terecht van haar antwoord op Rudy's vraag hoeveel ervaring ze had met het repareren van computers. Ze had wel degelijk veel ervaring, dat kon niet anders. Ze had al vaker baantjes gehad waarvoor ze computers moest nalopen en repareren, en ze had vaak complimentjes gekregen voor haar werk – ze had zelfs te horen gekregen dat ze daar echt een gave voor had. Maar doordat ze zich niets concreets kon herinneren van al die reparaties, kwam de beschrijving die ze van haar vaardigheden gaf enigszins onoprecht over, alsof ze twijfelde aan haar eigen curriculum vitae. Dat was iets wat Rudy niet ontging, en hij kreeg argwaan. 'Als jij zo'n geweldige ster bent,' vroeg hij, 'hoe komt het dan dat je bij míj wilt werken?' En Muis flapte eruit: 'Het stond op het lijstje.'

Prompt wist ze zeker dat hij haar niet zou aannemen. Maar Rudy besloot eerst de proef op de som te nemen voordat hij haar eruit gooide. Hij ging haar voor naar een propvolle werkplaats, waar vier kapotte computers op een tafel stonden. 'Laat me maar eens zien wat je hiermee kunt beginnen,' zei Rudy. Een ogenblik bleef Muis roerloos staan, ze had geen idee wat ze moest doen. Vervolgens schraapte Rudy ongeduldig zijn keel, Muis liep naar de pc die het dichtstbij stond en voordat ze wist wat haar overkwam stonden Rudy en zij weer in het voorste gedeelte van de zaak en gaven elkaar een hand.

'... tot morgen dan,' zei Rudy. 'Ik heb nog een hoop werk, reeksen computers die zijn blijven staan sinds Larry is vertrokken, dus je kunt er meteen tegenaan.'

'Oké,' zei Muis. Rudy hield de deur voor haar open; toen ze naar buiten liep was ze zich er vagelijk van bewust dat ze de baan toch had gekregen. Maar ze geloofde het pas echt toen ze het lijstje voor de volgende dag zag.

Ze werkte bijna acht maanden bij Quick Fix toen Julie Sivik er verscheen. Acht maanden bij een en dezelfde werkgever was voor Muis een record; haar gemiddelde kwam eerder in de buurt van drie maanden. Hiervoor, bij uitzendbureau Cybertemps, had ze het maar drie weken volgehouden. Drie prima weken, had ze gemeend, totdat het allemaal in één keer in de puinpoeier had gelegen. Tot op het laatste ogenblik hadden haar superieuren gezegd dat ze zo'n waardevolle kracht was, dat ze zo hard werkte; alle bedrijven waar ze naartoe was gestuurd zeiden dat; en toen was ze op een dag het hoofdkantoor van Cybertemps binnengestapt om te horen waar ze nu heen moest, waarop de figuur achter de balie van haar had willen weten: 'Jezus zeg, wat doe jíj hier nog?'

'Ik kom horen naar welk bedrijf ik moet...' zei Muis.

'Nou, schrijf dat maar mooi op je buik,' zei de figuur achter de balie. En voordat Muis had kunnen uitvissen wat er was gebeurd, kwam er een beveiligingsmannetje aanzetten om haar naar de uitgang te begeleiden.

Waarom had Cybertemps haar ontslagen? Muis probeerde net te doen alsof ze dat niet wist, maar het was zo klaar als een klontje: omdat ze niet deugde, daarom. Het feit dat ze tegelijkertijd goed werk leverde – of dat ze er tenminste slag van had zo'n façade op te trekken – had aanvankelijk haar rotte kern aan het oog onttrokken, maar uiteindelijk had ze toch een of andere steek laten vallen en haar ware gedaante laten zien, en toen hadden haar werkgevers zich tegen haar gekeerd. Dat was de enige verklaring die hout sneed.

Vandaar dat ze verbaasd stond toen de ene maand na de andere verstreek zonder dat Rudy blijk gaf van tekenen dat hij een hekel aan haar kreeg. Het moest wel iets te maken hebben met de aard van haar nieuwe werkomgeving; Muis had al eerder menen op te merken dat ze het langer volhield in een baan waar maar weinig contact met andere mensen aan te pas kwam. Quick Fix was een klein zaakje, maar Rudy en zij praatten niet veel met elkaar. 's Morgens zeiden ze 'hallo' en 's avonds 'tot ziens', maar het grootste gedeelte van de dag zat Muis in de werkruimte, terwijl Rudy voor bleef. Zij repareerde computers; hij stond klanten te woord. Wanneer er weinig omging, boog Muis zich over het dagelijkse kruiswoordraadsel in de *Seattle Post-Intelligencer* en luisterde naar de radio; Rudy las een van de boeken van James Michener waarvan hij een stapel onder de toonbank had liggen. Ze zaten nog geen drie meter van elkaar, maar hadden voor hetzelfde geld in twee afzonderlijke gebouwen kunnen vertoeven.

Muis was zich eigenlijk alleen van Rudy's aanwezigheid bewust wanneer een van zijn oude dienstkameraden hem opzocht in Quick Fix. In het gezelschap van die mannen – grote, zwaargebouwde kerels met kort grijs haar – werd de anders altijd zachtjes pratende Rudy Krenzel helemaal onstuimig; dan tapte hij schuine moppen en lachte zo hard dat het Muis pijn deed aan de oren. Soms, als zo iemand nog niet eerder langs was geweest, riep Rudy Muis naar voren en stelde haar voor. Dan begroette ze het bezoek en gaf hem een hand, maar zo gauw als ze kon mompelde ze iets verontschuldigends en trok zich weer terug in de werkruimte. Ze deed de deur dicht en zette de radio wat harder.

Op een middag in april hoorde Muis een nieuwe stem in het voorste gedeelte, een vrouwenstem. Dat was niet gebruikelijk; als vrouwen in deze buurt een kapotte computer hadden, gingen ze in de regel naar de PC Doctor aan Third Avenue, die twee keer zoveel berekende, maar niet zo deed denken aan een pandjeshuis. Deze vrouw klonk echter eerder als een van Rudy's dienstkameraden dan als een klant. Nieuwsgierig zette Muis de deur op een kiertje en gluurde de winkel in.

De vrouw boog zich net over de toonbank om een paar kruimels uit Rudy's baardstoppels te vegen. Het was een flirterig gebaar – de boezem van de vrouw kwam tegen Rudy's arm toen ze hem onder handen nam – en Rudy bloosde en zei iets over zijn ex-vrouw waar de vrouw om moest lachen.

Muis deed de deur nog wat verder open, zodat ze alles beter kon horen. Ze hield zichzelf voor dat ze niet echt voor luistervink speelde, dat ze enkel het ogenblik afwachtte dat Rudy haar naar voren zou roepen om haar voor te stellen aan de klant, maar ze hield zich zo stil dat Rudy noch de vrouw er erg in had dat ze daar stond. Ze praatten nog een tijdje met elkaar, en uit het gesprek maakte Muis op dat de vrouw Julie Sivik heette, dat ze het nichtje was van een zekere korporaal Arnold Sivik, die destijds in Korea in Rudy's compagnie had gediend, en dat ze nu bij Quick Fix een pakket kwam ophalen dat 'oom Arnie' daar voor haar had afgeleverd. Muis wist niet wat dat pakket behelsde, maar ze had de indruk dat Rudy het niet prettig vond om het in zijn winkel te bewaren. Hij had zich er misschien zelfs wel boos over gemaakt, als dat geflirt van Julie hem niet had ontwapend.

'Ik heb er geen enkel probleem mee om Arnie een dienst te bewijzen die door de beugel kan,' zei Rudy op een gegeven ogenblik, 'maar ik hou er hier geen opslag voor gestolen spullen op na. Dat soort toestanden blief ik niet.'

'Zeg, hé,' zei Julie Sivik, en ze legde een hand op Rudy's arm. 'Dat spul is niet gestolen, hoor. Of tenminste niet écht...'

'Hmm,' zei Rudy. 'Arnie zei iets waar ik iets anders uit heb begrepen.' Hij trok zijn arm weg, stond op van zijn kruk en draaide zich om in de richting van de werkruimte. Muis dook weg uit de deuropening.

'Het ligt in het souterrain,' zei Rudy. Hij kwam de werkruimte in en liep door naar een trap achterin. 'Arnie zei dat ik het zolang ergens moest neerleggen waar je het niet zag, en dat is toch een merkwaardig verzoek als het om iets niet écht gestolens gaat.'

'Rudy...' zei Julie Sivik. Ze wilde achter hem aan lopen, maar vlak voor de trap hield hij haar tegen.

'Wacht daar maar even,' zei hij. 'Ik ben zo terug.'

Muis boog zich over de werktafel en deed net alsof ze zich concentreerde op de computer die voor haar stond. Ze pakte in het wilde weg een stuk gereedschap – een schroevendraaiertje met een rood plastic handvat – en porde ermee in het inwendige van de opengemaakte pc.

'Hoi,' zei Julie Sivik, van nog geen halve meter afstand. Muis slaakte een schril kreetje en gooide het schroevendraaiertje in de lucht.

'Ho, ho!' zei Julie. 'Kalm maar, hé, niet zo schrikken!'

Muis drukte een hand tegen haar hart. 'Ik ...Ik dacht dat je dáár stond,' zei ze, en ze wees naar de trap.

'Stond ik ook,' zei Julie. Ze stak Muis haar hand toe. 'Ik ben Julie Sivik. En jij bent...?'

'Penny. Penny Driver.'

'Muis,' zei Julie. 'Wat een schattige bijnaam. Past wel bij je. En, wat is er mis mee?'

'Met mijn bijnaam?'

'Met de computer die je daar repareert.'

'O,' zei Muis. 'Die... is kapot.'

'Tja,' zei Julie. 'Volgens mij is dat de verklaring waarom je bezig bent hem te repareren, toch? Maar wát is er dan kapot?'

'Ik... Dat weet ik nog niet. Ik ben er nog maar net aan begonnen.'

'Nee, hè,' zei Julie. Ze wierp een blik in het ingewand van de pc. 'Vertel me eens, Muis: trek je altijd de voedingskabel uit een computer voordat je weet wat ermee aan de hand is?'

'En vertel jij míj eens, bemoeial van een kutwijf,' snauwde Maledicta. 'Is dat een vast klotegeintje van je: mensen gaan staan uithoren als ze het druk hebben met hun werk?'

'De voedingskabel,' stamelde Muis. 'De voedingskabel is... Daar is ook iets mee, maar die moest ik er ook uit halen, om te kijken wat er nog meer aan de hand is. Vandaar dat die nog... Ik weet nog niet helemaal zeker of...' Ze zweeg, want het viel haar op dat alle kleur uit Julies gezicht was weggetrokken. 'Is er iets?'

Rudy kwam de trap op sjouwen met een kartonnen doos; op een van de zijkanten stond US ARMY DUMPGOEDEREN. 'Hier,' zei hij, en hield haar de doos zonder plichtplegingen voor. Ze nam hem vlug over.

'Bedankt, Rudy. Ik waardeer het echt geweldig...'

'Ja, ja... Hebben jullie tweeën al kennisgemaakt?' vroeg Rudy met een hoofdknik naar Muis.

'Eh... ja,' zei Julie. 'We hadden net een praatje aangeknoopt... Muis zegt dat je haar flink laat aanpoten.'

Rudy grinnikte. 'Ze laat zichzélf flink aanpoten. Ik heb nog nooit iemand aangenomen die zo hard werkt.'

'O, meen je dat nou... Doet ze alleen hardware, of kan ze ook code debuggen?'

'Hoezo?'

'Zomaar. Ik vroeg het me gewoon af...'

'Haal je niks in je hoofd, hè,' waarschuwde Rudy. 'Het kost me al moeite genoeg om aan opvolgers te komen voor middelmatige assistenten.'

'Wat zou ik me dan in m'n hoofd halen?' Julie schonk hem een stralende, onschuldige glimlach, maar Rudy had nu genoeg van het geflirt en zijn antwoord was een chagrijnige blik. 'Goed,' zei hij, 'volgens mij wordt het tijd dat jij en je niet-gestolen spullen eens opstappen.'

'Ik ben al weg,' zei Julie. 'Tot kijk, Muis...' Ze ging de werkruimte uit en Rudy liep achter haar aan en deed de deur achter zich dicht. Muis zette de radio wat harder en toog weer aan het werk.

De rest van de middag was in een oogwenk voorbij.

Die dag ging Muis na haar werk niet naar huis; op aanwijzing van haar lijstje ging ze naar de Elliott Bay Book Company. Ze zocht een leeg tafeltje op in het keldercafé van de boekhandel en haalde een kop Earl Grey-thee. Terwijl de thee stond te trekken, installeerde ze een laptop op het tafeltje. Muis had die al een poosje in haar bezit, ook al had ze niet kunnen zeggen hoe lang precies, of waar het ding eigenlijk vandaan kwam. Maar daar zat ze op dat ogenblik niet over in; ze zette hem aan en startte Microsoft Word op.

Terwijl het programma geactiveerd werd, wierp Muis een blik op de klok aan de wand; het was 18:25. Toen ze weer opkeek, vermeldde de klok 19:13, en Julie Sivik stond weer naast haar.

'... is daar iemand?' Julie haalde haar hand voor Muis' ogen langs. 'Muis?'

Haastig klapte Muis de laptop dicht. Ze ving nog net een glimp op van het bestand waarmee ze in de weer was geweest – in de takenbalk las ze nog 'Draad.doc' voordat de zaak uit het zicht verdween. Pas toen de laptop met een klikje dicht was gevallen keek ze Julie in het gezicht.

'Hallo,' zei Muis.

'Hallo,' zei Julie, met een blik op de laptop. 'Nu val ik je alwéér lastig, hè?'

Muis gaf geen antwoord. Ze staarde Julie alleen maar aan en wachtte af totdat die ter zake zou komen. Na een ogenblik zei Julie: 'Zeg, hoor eens, in de eerste plaats wilde ik me verontschuldigen omdat ik vanochtend in de winkel zo bemoeiziek overkwam...'

'Bemoeiziek?'

'Ja... Ik had de indruk dat je van slag raakte van mijn gevraag.'

Muis schudde haar hoofd. Ze herinnerde zich wel dat ze dat niet prettig had gevonden, maar niet dat ze van slag was geweest.

'Nou ja,' zei Julie. 'Hoe dan ook, ik wilde me toch even verontschuldigen, en verder...'

'Hoe heb je me hier gevonden?'

'Mijn auto kreeg panne,' legde Julie uit. 'Hij is naar een garage gesleept, een paar straten hiervandaan. Hij zou om acht uur klaar zijn. Ik ging hier naar binnen om de tijd een beetje dood te slaan; dat ik jou hier zag zitten was puur geluk.' Ze glimlachte.

'Afijn,' vervolgde Julie, 'ik wil je echt niet aan je hoofd zeuren, maar nu ik toch tegen je op ben gelopen: eigenlijk zit ik nog steeds met die laatste vraag die ik daar stelde, bij Rudy.'

'Over de voedingskabel?' Muis beet zenuwachtig op haar lip; ze wist dat ze de reparatie van die kapotte pc niet lang na Julies bezoekje tot een goed einde had gebracht – de eigenaar had hem vlak voor sluitingstijd opgehaald –, maar ze had nog steeds geen idee wat er eigenlijk aan had gemankeerd.

'De voedingskabel?' zei Julie, en schudde haar hoofd. 'Nee. Nee, dat niet. Ik heb het over wat ik Rudy vroeg, of jij je ook weleens bezighoudt met code debuggen.' En toen Muis haar wezenloos aankeek: 'Je weet toch wel, códe? Softwarecode?'

'O,' zei Muis. 'Ik...'

'Kijk, het gaat hierom,' zei Julie. Ze greep naar Muis' laptop; Muis wilde al protesteren, maar Julie schoof hem alleen opzij om ruimte te maken voor haar eigen laptop. Ze pakte een stoel en ging zitten, zo dicht boven op Muis dat hun knieën tegen elkaar aan kwamen. 'Het is namelijk zo,' vervolgde Julie, 'ik heb een softwarebedrijf, en we zijn nu al een paar jaar in de weer met zo'n virtuele-werkelijkheidsproject. En Dennis, mijn hoofdprogrammeur, dat is echt wel een kiene gast, maar de laatste tijd komt er gewoon niet genoeg meer uit zijn handen. Vandaar dat ik sinds een paar maanden rondloop met het idee er nog iemand bij te nemen, om hem op die manier eens een beetje peper in de kont te strooien, zal ik maar zeggen.'

Julie klikte wat op het toetsenbord van haar laptop en opende een venster op het scherm dat volliep met reeksen letters, cijfers en symbolen. Softwarecode, begreep Muis, al had het net zo goed Chinees kunnen zijn. 'Dit is een gedeelte van de broncode voor een van onze programmamodules,' legde Julie uit. 'Of liever gezegd: dat wás het – totdat bleek dat er in deze versie een virus zat. Niks ingewikkelds; het kostte Dennis niet meer dan een paar minuten om het op te sporen en het eruit te werken, toen hij ervoor ging zitten. Maar ik heb dit oorspronkelijke stuk code bewaard om het als test te kunnen gebruiken voor eventuele sollicitanten...' Ze keek Muis verwachtingsvol aan. Muis deed haar mond al open om te zeggen dat het haar speet als ze Julie op de een of andere manier op het verkeerde been had gezet, maar dat ze niet op zoek was naar een baan erbij, en bovendien –

Haar stoel schoof abrupt naar achteren. Julie had daar zo te zien geen erg in: ze zat nu voorovergebogen het scherm van haar laptop te bestuderen.

'Hmm,' zei Julie, zich over de kin wrijvend. 'Volgens mij is dit een andere oplossing dan waar Dennis mee op de proppen kwam...' Ze wroette even in een stapel papieren die op het tafeltje lag, haalde er een blad uit en vergeleek dat met wat er op het scherm stond. 'Nee, dit is niet hetzelfde.' Ze pakte nog een papier uit de stapel. 'Verrek... Volgens mij is jouw methode wel beter... In elk geval is hij simpeler...' Julie legde de papieren terug en keek Muis aan met een blik waaruit kersvers respect sprak. 'Goed, hoe tevreden ben je met je werk bij Rudy?'

Muis haalde haar schouders op, niet goed wetend wat ze daarop moest antwoorden. Ze werkte bij Rudy om haar rekeningen te kunnen betalen, en omdat dat op het lijstje stond; of ze daar al dan niet tevreden mee was, wat had dat ermee te maken?

'Het kan toch niet zó'n interessante baan zijn,' opperde Julie. 'De hele dag daar in die ruimte achterin zitten en almaar kapotte circuitkaarten repareren?'

'Ik vind het wel best.'

'Laat ik je eens wat meer vertellen over mijn bedrijf,' zei Julie. Ze gebaarde naar Muis' lege kopje. 'Zal ik nog een kop thee voor je halen, en als we dan eens wat met elkaar babbelden?'

'Ik hou eigenlijk niet van thee,' zei Muis.

'O-kéé... iets anders dan? Een biertje misschien, of een glas wijn?'

'Wijn,' zei Muis. 'Een glaasje rode wijn, dat lijkt me wel wat.'

– en ze was weer thuis, in haar keuken, en volgens de klok boven het fornuis was het 23:55. Ze had vreselijke hoofdpijn en ze verging van de honger. Na een kort bezoekje aan de ijskast – ze vond een plak gebraden kalkoen en een homp kaas, die ze allebei staande verslond, waarna ze het zaakje wegspoelde met een half pak melk – liet Muis zich in bed vallen, te moe zelfs om op haar lijstje te kijken of ze al haar besognes wel had afgewerkt.

De volgende dag op haar werk begon Rudy haar anders te behandelen. Niet meteen; toen Muis die ochtend binnenkwam, zei hij haar als altijd goedemorgen. Maar toen ze 's middags terugkwam (niet dat ze zich herinnerde dat ze weg was gegaan), maakte Rudy een ietwat gespannen indruk, en die avond gaf hij geen antwoord op haar afscheidsgroet.

Dat was dinsdag; elke dag daarna leek het wel alsof Rudy's humeur verder achteruitging. Woensdagmorgen voer hij voor de allereerste keer tegen haar uit: hij klaagde dat het 'één grote troep' was in de werkruimte en dat hij 'nooit meer iets terug kon vinden, want jij maakt er de laatste tijd een potje van'.

'Wat ben je dan kwijt?' vroeg Muis verschrikt. 'Ik help je wel zoeken.' Maar dat aanbod stemde Rudy blijkbaar alleen maar nog kwaaier; hij gaf haar te verstaan dat ze de werkruimte vrijdag aan het eind van de middag op orde moest hebben en beende naar voren.

Die vrijdag brak dan eindelijk het ogenblik aan dat ze al acht maanden met angst en beven tegemoetzag. Het gebeurde toen Muis aanstalten maakte om te vertrekken. Zoals haar was opgedragen had ze de werkplaats opgeruimd; ook had ze de laatste twee reparatieklussen uitgevoerd die nog af moesten. 'Zo, alles is klaar,' meldde ze toen ze even voor zessen naar voren kwam.

Rudy, die met een stuurs gezicht in *The Drifters* zat te lezen, vertikte het op haar opmerking in te gaan.

'Oké dan,' zei Muis. 'Als je verder geen klussen voor me hebt die vandaag nog af moeten...'

Geen reactie.

'Oké,' zei Muis. 'Dan ga ik maar eens. Tot maandag, Rudy.'

Haar hand lag al op de deurkruk toen Rudy zei: 'Nee, vergeet dat maar.'

Muis draaide zich om. Rudy zat haar woedend aan te kijken boven zijn boek. 'Vergeet dat maar?' vroeg Muis.

'Juist,' zei Rudy. 'Weet je 't niet meer, of zo?' Hij maakte een snuivend geluid. 'Jezus, misschien weet je het echt niet meer. Misschien dat het "afstompende" werk dat je hier doet, ook je geheugen heeft afgestompt.' Hij legde zijn boek neer en haalde diep adem. 'Ik wou je nog iets zeggen voordat je gaat. Als jij geen plezier hebt in dit werk, om wat voor reden dan ook, dan is dat best – ik wil geen mensen om me heen die hier tegen hun zin werken. Maar jij hebt niet het recht om vuil te spuiten over mij persoonlijk. Misschien kun je hier inderdaad "je kont niet keren", maar daarom ben ik nog wel trots op deze zaak – ik heb er keihard voor geknokt, ik heb hem eigenhandig opgebouwd, ik heb de boel jarenlang draaiende gehouden zonder dat iemand me hielp, en jij hebt het récht niet om daar zomaar vuil over te spuiten. Het mag dan niet veel voorstellen, maar het is meer dan jíj hebt, voor zover ik kan zien...'

Muis voelde haar onderlip trillen. Het liefst zou ze in tranen uitbarsten; ze zou Rudy vergiffenis willen vragen voor alles wat ze hem mocht hebben aangedaan. Maar ze was doodsbang dat als ze iets dergelijks deed, als ze ook maar een kik gaf of Rudy op de een of andere manier onderbrak, hij achter de toonbank vandaan zou komen en haar zou aftuigen. Dus bleef ze zonder een woord roerloos bij de deur staan, terwijl Rudy haar de huid volschold. Hij ging nog een hele tijd door.

'... goed, dat is het dan,' besloot hij zijn tirade toen hij zijn woede eindelijk helemaal had gelucht. 'Dat is alles wat ik je te zeggen heb. En maak nu als de bliksem dat je wegkomt.'

'Rudy...' probeerde Muis te zeggen, maar het kwam eruit als een piepje zonder enige betekenis. Rudy schoof zijn kruk keihard schrapend naar achteren en stond op, en Muis ging er als een haas vandoor.

Ze rende zo snel weg dat ze al helemaal bij haar auto was voordat de waterlanders kwamen. Ze glipte naar binnen, drukte de portieren op slot en ging het voorover op het stuur bijna twintig minuten lang liggen uitjanken. Almaar hoopte ze dat ze een flink stuk tijd zou kwijtraken, dat ze dit ogenblik kwijt zou raken, deze dag, dat ze aan de andere kant zou opduiken. Maar de tijd week geen duimbreed, en op het laatst kwam de huilbui tot bedaren. Ze reed naar huis.

Toen ze binnenkwam flikkerde er een rood lampje in het donkere appartement: er was een bericht achtergelaten op haar antwoordapparaat. Nadat ze het licht had aangedaan in de huiskamer, drukte Muis op de afspeelknop en daar hoorde ze de stem van Julie Sivik: 'Hé, Muis! Het is vrijdagmiddag, een uur of vier, en ik bel even om te bevestigen dat we je maandag verwachten...'

Het tafeltje waarop het antwoordapparaat stond had een glazen blad; terwijl het bericht nog verderging – Julie vroeg bezorgd hoe Rudy op het nieuws had gereageerd – kreeg Muis haar spiegelbeeld in het glas in het oog. Ze keek zichzelf in de ogen en vroeg zich af: wat heb je toch úítgehaald?

Maar ook al wist ze allang dat ze gek was, ze durfde die vraag niet hardop te stellen.

6

Op het lijstje van vandaag staat ook de weg naar de Werkelijkheidsfabriek aangegeven, maar hoewel ze er rechtstreeks heen rijdt, zonder eerst bij haar huis aan te gaan, arriveert Muis een paar minuten te laat. Afgeleid door een vrachtwagen die aan haar bumper kleeft rijdt ze de afslag naar Autumn Creek voorbij en ziet zich gedwongen via de volgende afslag terug te keren; en als ze eindelijk in het stadje is aangeland, herkent ze de Fabriek eerst niet. *Tweede brug over, na paar honderd meter links*, luidt de aanwijzing, maar in een telefoongesprekje heeft Julie Sivik de Fabriek beschreven als 'een tikkeltje vervallen', vandaar dat Muis niet op een bouwval bedacht is. Ze rijdt er straal voorbij en is al bijna twee kilometer verderop voordat ze haar vergissing inziet.

'O god,' roept Muis uit nadat ze nogmaals is gekeerd en het terrein van de Fabriek op rijdt. Het complex is niet gewoon maar wat vervallen; het ziet eruit alsof het voorgoed is opgegeven. Maar er staat een oude Cadillac met hier en daar nieuwe stukken in de carrosserie geparkeerd, en Muis herinnert zich dat Julie in dat telefoongesprek ook zei dat haar auto een opgelapte Caddy was. Dus dit moet het dan echt wel zijn: hier werkt ze nu. Muis parkeert haar Buick vlak bij de ingang, met de neus naar voren: dan kan ze 'm eventueel vlug smeren. En hoewel ze te laat is, blijft ze, nadat ze de motor heeft uitgeschakeld, nog even zitten om moed te verzamelen voordat ze uitstapt.

Hoofdgebouw in gaan via zijdeur, staat er op het lijstje. Het hoofdgebouw moet wel de langgerekte, lage, pakhuisachtige loods midden op het terrein zijn. Muis loopt naar de linkerkant van het geval (een berg oude banden met een hek van harmonicagaas eromheen maakt het onmogelijk om naar de rechterkant te lopen); onderweg draait ze zich telkens om om te zien of ze niet vanuit het wild woekerende struikgewas vol hoog opschietend onkruid wordt belaagd door het een of ander. Bij de deur blijft ze even staan om haar trui recht te trekken; ze frunnikt wat aan de boord en aan de onderrand om te zorgen dat het tanktopje volkomen onzichtbaar is.

Uit de aanwijzingen blijkt impliciet dat ze zelf naar binnen moet gaan, maar Muis klopt toch aan. Aarzelend probeert ze de deurknop, die zich soepel laat omdraaien. Ze doet de deur open en stapt naar binnen.

O god. Het gebouw is niet meer dan een omhulsel, een stel betonnen wanden en een overal opgelapt dak dat huisvesting biedt aan een verzameling... ténten?

'Ja, hier is het,' roept een vrouwenstem haar toe. Muis slaakt een schril kreetje. 'Sorry, sorry,' zegt de stem verontschuldigend, en nu ziet Muis dat het toch geen vrouw is: de stem hoort bij een jongensachtig uitziende man met een verwarde bos rossig haar. Met een griezelig vaartje snelt hij op haar af, en angstig drukt Muis zich met haar rug tegen de deur.

Het is Muis een pak van het hart als Julie Sivik verschijnt. Maar haar opluchting is niet van lange duur: Julie zegt tegen de jongensachtige man dat hij Muis met haar bijnaam moet aanspreken, en dan komt er nog een man – een lelijke vetzak, net een volgevreten trol – uit een tent in de buurt tevoorschijn, die 'Hoi, Muis!' tegen haar schreeuwt. Ook hij snelt op haar af, met een vaart die in tegenspraak lijkt met zijn omvang, en hij neemt haar hand in een klamme, weke, tweehandige greep.

Muis voelt zich overweldigd. De ochtend wordt een onsamenhangend geheel waaruit af en toe een stukje tijd wegvalt, zodat de aanvankelijk soepele gang van zaken iets hortends krijgt. 'Laten we het systeem gaan uitproberen,' zegt Julie, en ze lopen naar een grote tent aan de ene kant van de loods: Julie en Muis, de jongensachtige man, de vetzak en dan nog een derde man, een broodmagere gast met een zuur gezicht die geen stom woord zegt. Muis heeft zo'n gevoel dat ze de namen van die mannen langzamerhand hoort te kennen, maar dat is niet zo.

Julie houdt de tentflap voor haar open, nadat ze de trol, die haar dezelfde dienst wilde bewijzen, opzij heeft geduwd. Muis stapt naar binnen; heel even dringt er zich een indruk aan haar op van een muffe, schimmelig ruikende ruimte, volgestouwd met alle mogelijke elektronische apparatuur.

– en dan staat ze midden in de tent, aangestaard door die drie mannen, terwijl Julie probeert haar trui uit te trekken –

– en er wordt een zwaar ding over haar hoofd getrokken, dat tot over haar ogen zakt –

– en ze zit midden in een hallucinatie van een reuzenschaakbord dat in het niets rondzweeft. Over de zwart-witte tegelvloer glijdt een fluorescerende geest haar kant op, en de stem van de trol praat in haar oor, geeft haar opdracht om te gaan dansen.

Te veel. Te veel. Muis verdwijnt. Drone treedt aan, Drone die alles doet wat haar wordt gezegd en niets voelt. 'Dansen, Muis,' zegt de trol, en Drone wiegt gehoorzaam heen en weer. Dan verandert de muziek – niet dat Drone zelfs maar erg heeft in de muziek voordat die verandert – en nu neemt Loins het heft in handen, want ze herkent een song die ze geweldig vindt. Loins vindt dansen héérlijk; zij is degene die vannacht naar Road Dancers, een tent aan de snelweg, is getrokken, waar ze George Lamb, die wildvreemde man, tegen het lijf is gelopen. Ze heeft met hem afgesproken dat ze achter hem aan naar zijn huis zou rijden, en ze had anders ook wel een potje met hem gewipt, maar tegen de tijd dat ze voor George' stacaravan stonden, realiseerde ze zich dat het niet al te opwindend beloofde te worden, en daarom heeft ze dat corvee maar op Drone afgeschoven.

Loins blijft dansen totdat de muziek ophoudt, totdat de droomwereld wordt uitgeschakeld en ze van de headset wordt bevrijd. Dan maakt ze plaats voor het Brein, dat pc's repareert en code schrijft...

Als Muis eindelijk terugkeert, is de ochtend voorbij. Ze komt tot haar positieven in weer een andere, kleinere tent. Ze zit op een houten klapstoel, terwijl Julie tegen haar zit te praten van achter een aftandse schrijftafel. Op een digitale klok op het bureau ziet ze dat het intussen 12:12 is. Muis heeft hoofdpijn maar is niet moe, en de Navigator vermoedt dat het 12:12 's morgens is, niet 's nachts.

'... ga straks na de lunch eens met Dennis om de tafel zitten en spreek dan met hem door waar jullie precies aan gaan werken,' zegt Julie. Muis let niet echt op haar woorden. Zo discreet als ze kan inspecteert ze zichzelf: ze ziet dat ze die trui aan heeft, dat haar tanktopje weer bedekt is, maar wie zal zeggen of het eigenlijk ooit zichtbaar is geweest? Dat er haar nog een flits voor de geest staat van Julie die haar die trui probeerde uit te trekken – misschien was dat ook wel een hallucinatie, net als dat zwevende schaakbord.

Maar als ze werkelijk heeft gehallucineerd, als ze een of andere psychotische aanval heeft gehad, wat heeft ze in die tijd dan eigenlijk gedáán? Hebben de anderen er iets van gemerkt? Muis slaat Julie een ogenblik gade en stelt vast dat de rustige, bedaarde manier waarop Julie tegen haar praat niet de manier is waarop ze zich zou richten tot iemand die ze daarnet nog krankzinnig gedrag tentoon heeft zien spreiden. Niettemin denkt Muis: 12:12, dat is drieënhalf uur nadat ze hier is gearriveerd. Wat is er in die tijd gebéúrd?

'... honger?' vraagt Julie.

'Wat?' vraagt Muis. Julie glimlacht toegeeflijk tegen haar. 'Sorry,' zegt Muis. 'Ik... Ik was heel even weggedoezeld...'

'Geeft niet, hoor,' zegt Julie. 'Ik vroeg of je honger had. Ik dacht zo: laat ik misschien eens een greep in de kleine kas doen, al dat volk bij elkaar trommelen en ze mee uit lunchen nemen op kosten van de zaak. Lijkt je dat wat?'

'Oké,' zegt Muis. Wat Muis eigenlijk het liefst zou doen is naar huis gaan, Rudy Krenzel opbellen en hem smeken of ze haar oude baan terug mag. Maar dat is blijkbaar geen optie – het staat niet op haar lijstje.

Muis blijft bij Julie in de buurt als die de anderen gaat ophalen. Door goed op te letten kan ze twee van de mannen nu met een naam verbinden. De jongensachtige man heet Andrew. De trol – zijn overhemd hangt wijd open als ze hem vinden, wat hem op een vinnige terechtwijzing van de kant van Julie komt te staan – heet Dennis. Muis kan nog steeds niet de naam van de derde man achterhalen, maar hij is zo stil dat ze tot de conclusie komt dat het er niet toe doet. Je hoeft niet te weten hoe je iemand moet aanspreken als hij toch niets tegen je zegt.

Ze gaan naar buiten, waar Julie bezorgd opmerkt dat ze misschien niet allemaal een comfortabel plaatsje zullen vinden in haar auto; dit vanwege niet nader omschreven problemen met de kussens van de achterbank. 'O, dat is geen probleem,' zegt Muis, die deze ontwikkeling beslist geen ramp vindt. 'Ik rij wel achter je aan in m'n eigen auto.'

'Ik heb er niks op tegen om bij Muis in de auto te kruipen!' schreeuwt Dennis, en Muis krimpt ineen. Maar Julie schiet haar te hulp: 'Nee, Dennis,' zegt ze, 'jij gaat met mij mee. Ik wil het even ergens over hebben met je.'

'Wat, nu meteen? Onder het eten kunnen we toch ook met elkaar praten?'

'Nee, Dennis,' herhaalt Julie. 'Zeg, Andrew, rij jij met Muis mee? Dan kun je opletten dat ze niet verdwaalt.'

'Dat ze niet verdwáált?' roept Dennis uit. 'Wat zeik je nou toch, Commodore? Die eettent zit aan Bridge Street. Ze hoeft hier alleen maar rechts af te slaan en dan rechtdoor te rijden.'

'Stap nou verdomme gewoon in, Dennis.' Morrend stampt Dennis naar de Cadillac, waar de stille man al naast het voorportier staat te wachten tot Julie de auto openmaakt. 'Ga jij maar achterin!' loeit Dennis, en hij duwt de stille man opzij.

Ze zitten nog niet in de Caddy, of Julie en Dennis zetten het weer op een hakketakken met elkaar, maar de autoraampjes zijn dicht en Muis kan de woorden niet verstaan. Ze kijkt naar Andrew, die in zichzelf staat te mompelen, kennelijk in gedachten verzonken. Een ogenblik later zet hij er een punt achter, kijkt Muis aan en haalt verontschuldigend zijn schouders op. 'Als Julie zich voorneemt om iets op een bepaalde manier te doen,' zegt hij, 'dan heeft het niet veel zin om daartegen in te gaan.' Hij knikt naar Muis' auto. 'Zullen we dan maar?'

Op weg naar de eettent converseert Andrew beleefd over koetjes en kalfjes. Hij doet zijn best, maar ziet geen kans te verbergen dat hij zich zo in zijn eentje niet op zijn gemak voelt met haar. Muis vraagt zich af of hij iets heeft opgemerkt dat Julie over het hoofd heeft gezien. Wat heb ik vanochtend uitgevoerd tussen negen en twaalf, zou ze hem willen vragen, maar natuurlijk laat ze dat wel uit haar hoofd. Gekrenkt door zijn ongemakkelijke houding stelt Muis vast dat ze Andrew niet mag.

Binnen de kortste keren arriveren ze bij de Harvest Moon, een etablissement in jarenvijftigstijl met een hoop chroom en neon. Achter Julies Cadillac aan rijdt Muis het parkeerterrein aan de achterkant op. Ze heeft de handrem nog niet aangetrokken, of Andrew stapt uit. 'Kankerlul,' gromt Maledicta hem na.

In de eettent probeert Dennis naast Muis te gaan zitten, maar alweer komt Julie Sivik tussenbeide. Zelf installeert ze zich aan Muis' linkerhand en ze staat erop dat Andrew, niet Dennis, rechts van Muis gaat zitten.

'Jezus, doe je opeens aan relatiebemiddeling of zo?' klaagt Dennis luidkeels. 'Waarom poot je hem de hele tijd naast haar?'

'Hier, Dennis,' zegt Julie, en ze geeft hem een menukaart. 'Als er eten voor je neus staat, voel je je wel beter.'

Een serveerster neemt hun bestellingen op en terwijl ze zitten te wachten, doet Julie vruchteloze pogingen om een gesprek op gang te krijgen. Of om preciezer te zijn: ze probeert Andrew en Muis zover te krijgen dat ze een gesprek beginnen, en daartoe stelt ze Andrew de ene van tevoren bedachte vraag na de andere, zoals: 'Zeg Andrew, wist je dat Muis vroeger ook bij Bit heeft gewerkt, net als jij?' Maar Andrew laat zich niet opporren, en zijn duidelijk speurbare onbehagen, gecombineerd met Dennis' schimpscheut over relatiebemiddeling, dwingt Julie algauw om haar pogingen op te geven. Totdat het eten wordt gebracht zegt niemand meer iets.

Wanneer ze zitten te eten, gebeurt er iets waardoor Muis' idee dat ze Andrew niet mag opeens radicaal verandert. In de buurt van hun tafel zit een man met een klein meisje van een jaar of vier, vijf. De man bewerkt mechanisch een grote T-bonesteak en laat de ene vorkvol vlees na de andere in zijn mond verdwijnen. Het meisje heeft geen honger. Er staat een bord puree met doperwtjes voor haar, maar zonder ervan te eten zit ze alleen maar met haar lepel wat met de erwtjes te spelen en strepen te trekken door de jus. Op het laatst krijgt ze daar genoeg van; bij wijze van experiment tikt ze eens met de bolle kant van de lepel op de rand van haar bord. Ingenomen met dat geluid begint ze er nu ritmisch op te slaan, alsof ze met een gong in de weer is.

De man legt zijn vork neer. Hij pakt de lepelhand van het meisje beet en houdt hem tegen; hij zegt niets, maar zijn ogen flikkeren waarschuwend. Het meisje komt heel even tot inkeer en begint weer met de erwtjes te spelen. De man wijdt zich weer aan zijn steak. Dan begint het meisje zich opnieuw te vervelen, en ze laat haar lepel eens tegen een waterglas klingelen.

Deze keer neemt de man niet de moeite om zijn vork neer te leggen; hij haalt gewoon uit en geeft haar met de rug van zijn hand een mep in het gezicht. Het is een harde klap: het meisje tuimelt opzij en het scheelt maar een haar of ze was van de bank gevallen. Haar gezichtje wordt knalrood en zachtjes begint ze te huilen. Een paar gasten kijken om bij dat geluid, en wenden dan hun blik weer af.

Andrew staat op. ('O jezus,' zegt Dennis, 'nu zullen we het hebben', maar Andrew let niet op hem.) Hij loopt naar de andere tafel, gaat aan de kant van het meisje staan en staart de man aan, die weer stukken van zijn steak zit te zagen.

'Neemt u me niet kwalijk,' zegt Andrew.

De man gunt zich een ogenblik om een stukje kraakbeen weg te kauwen. 'Moet u iets van me?' vraagt hij ten slotte.

'Is dit uw dochtertje?' vraagt Andrew.

'Ja, dat is mijn dochter,' zegt de man. 'Wat moet u nou?'

'U had haar wel een gescheurd trommelvlies kunnen bezorgen met zo'n harde klap,' deelt Andrew hem mee. 'Of een gebroken kaak. Of' – hij wijst naar de vork in 's mans hand – 'u had haar een oog kunnen uitsteken.'

De man laat de vork op zijn bord vallen en wrijft zich in de handen. Hij zucht ongeduldig. 'Rot op, klootzak.'

'Zegt u niet klootzak tegen me,' antwoordt Andrew.

De man is zo te zien stomverbaasd als hij die woorden uit Andrews mond hoort komen. Hij is een behoorlijk stuk forser dan Andrew en ziet er veel ordinairder uit; hij heeft weliswaar een pak aan, maar dat is een kreukelig en versleten exemplaar, alsof hij geregeld zware lichamelijke arbeid verricht... of lieden die hem ergeren pakken slaag toedient. 'Wou je soms dat ik jóú een oog uitsteek?' vraagt hij. 'Of je een dreun geef op die kut...'

'Gebruikt u niet zulke dreigende taal,' zegt Andrew. Zijn eigen toon is niet dreigend, maar ferm – de ferme toon van een vader die een kind wil weerhouden van een gevaarlijke handelwijze: niet met die lucifers spelen, lieverd!

En de man aarzelt, in de war gebracht door Andrews gebrek aan angst. Hij bestudeert Andrews gezicht een ogenblik en slaat dan zijn blik neer – om even te kijken, beseft Muis, of Andrew daar soms een wapen heeft. Nee, geen wapen. En hoewel Andrew eruitziet alsof hij een goede conditie heeft, gedraagt hij zich niet als een vechtersbaas. Het is een raadsel.

'Wat heb jij, ben je niet goed snik?' vraagt de man. Andrew laat de vraag in de lucht hangen, en de man vervolgt, op zijn hoede nu: 'Hoe ik mijn kind behandel, daar heb jij niks mee te makken, makker.'

'Als een volwassen man een klein meisje slaat, dan heeft iedereen daarmee te maken,' zegt Andrew; het komt er luidkeels uit, en weer draaien er zich een paar hoofden om. 'U zou zich moeten schamen!'

'Me schámen!' zegt de man, bulderend van het lachen. Hij kijkt om zich heen, op zoek naar een bondgenoot onder de andere gasten, die naar hem zitten te staren. Zijn blik valt op Julie. 'Wat zegt u van zo'n kerel?' vraagt hij. 'Die denkt goddomme dat hij m'n geweten is!'

'Misschien kunt u er ook wel eentje gebruiken,' zegt Julie.

De man knikt even. 'Nou,' zegt hij, nu weer tegen Andrew, 'nou, geweldig, hoor. Eén stem voor jou.'

'Ik hoef geen stemmen,' zegt Andrew.

'Ach nee, natuurlijk niet,' zegt de man. 'Jij wéét gewoon dat je gelijk hebt, hè? Want je bent een expert in kinderverzorging. Maar laat ik je één ding vertellen: als jíj opgescheept zou zitten met dit kloterige mormel...'

'Als ze mijn dochtertje was, zou ik haar niet aanduiden als "kloterig mormel". En dan zou ze niet zitten te huilen terwijl ik me volstopte.'

Heel even lijkt het erop dat de man nu toch op het punt staat hem een dreun te verkopen. Maar Andrew vertrekt geen spier en krimpt niet ineen; hij blijft de man gewoon recht in de ogen kijken, en uiteindelijk waagt de man het er toch maar liever niet op om te onderzoeken hoe het komt dat Andrew niet bang is. 'Nou, mooi,' zegt hij. Hij zit even te draaien op zijn bank en wroet verwoed in een van zijn broekzakken. 'Nou, mooi, weet je wat: bezorg jij jezelf dan vooral een kind, oké? Bezorg jezelf een kind, leef d'r een paar jaar mee samen en kom dan nog eens langs om met me te bespreken hoe dat moet.' Met een klap legt hij een biljet van twintig dollar naast zijn bord. 'Kom mee, Rebecca!' blaft hij, en hij schuift de bank af. Hij duwt Andrew opzij en pakt het kleine meisje op, dat het meningsverschil met veel belangstelling heeft gevolgd en haar tranen vergeten is. Met het kind op de arm beent hij ervandoor; op weg naar de deur blijft hij halverwege staan, draait zich om en priemt met een vinger in Andrews richting: 'Jij mag hopen dat ik je nooit meer onder ogen krijg. Klootzak!'

'Mocht ik horen dat je weer kleine kinderen in elkaar hebt geslagen,' zegt Andrew, 'dan zul je me zeker onder ogen krijgen. En niet alleen mij.'

'Je bent niet goed snik.' De man laat zijn arm zakken en schudt zijn hoofd. Hij vangt de blik van een serveerster en zegt: 'D'r komen hier verknipte types eten, weet u dat wel?'

En hij gaat met het meisje naar buiten. Andrew kijkt hen na tot ze weg zijn en komt dan terug naar de tafel.

'Christene zielen, ik wou dat je dat soort dingen uit je hoofd liet,' zegt Dennis.

Andrew knikt en antwoordt treurig: 'Dat weet ik wel, Dennis.'

'Die gast had je wel kunnen vermoorden. Hij had zomaar een pistool kunnen trekken en je overhoop kunnen schieten. Dat soort dingen gebeurt.'

'Ik geloof niet dat hij een pistool bij zich had, Dennis.'

'Hij had een speciaal steakmes. Hij had een paar vuisten...'

Andrew schudt zijn hoofd. 'Volgens Adam zat het er niet in dat hij zou gaan meppen.'

'Adam...' Dennis slaat zijn blik ten hemel. Met een paar hoorbare leestekens om die naam heen vraagt hij: 'En als "Adam" er nu eens naast had gezeten?'

'Dan had Seferis me verdedigd.'

'Seferis... Jij bent echt gestoord, weet je dat? Die vent had gelijk. En weet je wat nog het ergste is? Dat het allemaal geen moer uitmaakt. Denk je nu heus dat die vent z'n dochtertje nu niet meer zal slaan, omdat jij zei "je moest je schamen"?'

'Daar is meer kans op dan als ik niks had gezegd,' stelt Andrew. Maar hij kijkt er niet al te vrolijk bij, alsof hij bang is dat Dennis weleens gelijk kon hebben.

'Welnee,' zegt Dennis. 'Die man zal nooit veranderen.'

'Dat doet er niet toe!' houdt Andrew vol. 'Ik bedoel... Ik bedoel, het doet er wél toe, maar je kunt toch niet gewoon niks doen? Je kunt toch niet gewoon zitten toekijken als iemand zich misdraagt, zonder dat je hem tot de orde roept?'

'Waarom niet? Als het toch niks uitmaakt... Als die vent straks weer zin krijgt om zijn dochtertje een paar meppen te verkopen, denk je dan dat hij ook maar één ogenblik aan jou terug zal denken?'

'Nee,' zegt Muis, en tot haar eigen verbazing doet zij nu ook een duit in het zakje. 'Maar dat meisje wél.' Andrew en Dennis kijken haar allebei aan en Julie glimlacht.

Na het eten gaan ze terug naar de Werkelijkheidsfabriek, en daar raakt Muis weer een stuk tijd kwijt. Niet dat dat ongewoon is; het doet zich voor als Julie aankondigt dat Muis nu maar eens aan het werk moet gaan. 'Oké,' zegt Julie, 'laten we er met z'n drieën, Dennis, jij en ik, voor gaan zitten om eens...'

– en voordat ze weet wat haar overkomt zit Muis helemaal in haar eentje op haar hurken tussen twee dicht op elkaar staande tenten. Ze vraagt zich af wat ze daar doet en wil al opstaan, maar als ze twee stemmen hoort in de tent aan haar linkerhand, blijft ze zitten. De ene is die van Julie, de andere die van Andrew.

'... typisch voorbeeld van een meervoudigepersoonlijkheidsstoornis,' zegt Julie. 'Ik heb intussen met wel drie, vier verschillende mensen gepraat.'

'De optocht,' zegt Andrew. 'Zo noemt Adam dat.'

'Het gekke is dat ik er misschien wel geen oog voor had gehad als ik jou niet had gekend. Dan had ik misschien enkel gedacht: goh, wat heeft díé het weer op haar heupen! Maar als je eenmaal weet waar je op moet letten... Ik had meteen al zo'n vaag vermoeden, die keer bij Rudy toen ze zomaar tegen me uitvoer. Maar toen ik haar weer tegen het lijf liep, in die boekhandel, toen wist ik het zeker. En toen ze een paar glaasjes op had, was het helemaal duidelijk.'

'Heb je haar dronken gevoerd?'

'Ja, nee, dat was niet m'n bedoeling,' zegt Julie, meteen in het defensief. 'Ik bood aan een glas wijn voor haar te halen, en daarna vroeg ze me om een tweede. En daarna haalde ze er zelf nog eens drie.'

'Julie!'

'Nou, wat had ik dan moeten doen? Ik wist niet eens wie die drie glazen eigenlijk had opgehaald.'

'Je hebt haar hopelijk toch wel met de auto teruggebracht?'

'Dat heb ik geprobeerd, Andrew. Echt waar. Ze gedroeg zich niet alsof ze dronken was, maar ze is maar zo klein van stuk, en met vijf glazen op... Maar ze wilde er niet van horen dat ik haar naar huis bracht. Toen ik bleef aandringen, dook er zo'n nieuwe figuur op, iemand die ik nog niet eerder had meegemaakt, en die zei – het was een hij, zoveel was duidelijk, en zijn stem klok volslagen nuchter –, die zei: "Nee, ze heeft haar auto nodig om morgenochtend naar haar werk te gaan." En ik vroeg: "Weet je wel zeker dat ze achter het stuur moet kruipen, met zoveel wijn op?" En hij zei: "Wees maar niet bang, ik rij. Dit is niet de eerste keer." Maar goed, toen heb ik haar – hem – ook nog niet gewoon maar laten lopen. Ik nam afscheid, deed net alsof ik de andere kant op liep, draaide me even later om en ging achter ze aan. Ik had bedacht dat ik tenminste wilde zien dat ze goed en wel bij hun auto zouden uitkomen. Maar ze gingen niet linea recta naar de auto, ze gingen een koffieshop in. Dus ben ik daar nog zo lang mogelijk blijven staan, totdat ik mijn auto moest gaan halen, maar ze kwamen nog almaar niet naar buiten, dus toen dacht ik: oké, die redden zich wel, ze wachten even tot de dranknevel optrekt... Ik zat ermee in m'n maag, Andrew, maar wat kon ik anders? Het was niet... niet zoals die keer toen jíj dronken was geraakt.'

Andrew slaakt een geluid dat Muis zo door het tentdoek heen niet kan interpreteren. Er volgt een stilte. Dan zegt Andrew: 'Dus je hebt haar een baan aangeboden?'

'Vóórdat ze aan haar tweede glas wijn begon, ja. En ze zei ja.'

'Wie zei dat?'

Julie lacht. 'Tja, die vraag is ook bij mij opgekomen. Ze had me haar telefoonnummer gegeven, dus heb ik haar de volgende ochtend al vroeg gebeld, ten eerste om te controleren of ze echt wel veilig thuis was gekomen, en ten tweede om na te gaan of ze nog wist dat ze mijn aanbod had aangenomen.'

'En wist ze het nog?'

'Iémand wist het nog. Degene die de telefoon opnam, wie dat ook mag zijn geweest. Maar toen ik haar later op de dag nog eens belde, maakte ze een heel wazige indruk, alsof ze opeens van niets meer wist, maar enorm haar best deed om niets te laten merken. Om heel eerlijk te zijn was ik er helemaal niet zo zeker van dat ze vanochtend zou komen opdagen.'

'Waarom heb je haar die baan eigenlijk aangeboden, Julie?' vraagt Andrew.

'Waaróm?' roept Julie uit. Ze zegt dat op een toon alsof er geen twijfel mogelijk is over de reden, maar zelfs door het tentdoek heen kan Muis duidelijk horen dat haar verbazing nep is. 'Omdat ze een natuurtalent heeft voor programmeren, daarom. Of tenminste, een van haar zielen heeft zo'n talent. Je had haar vanmiddag bezig moeten zien, zelfs Dennis was ervan onder de indruk.' Een korte stilte. 'Wat nou, geloof je me niet?'

'Ik geloof best dat ze goed is in programmeren,' zegt Andrew, 'maar volgens Adam is er nog een reden waarom je haar hebt aangenomen, en ik denk dat hij gelijk heeft.'

Weer een stilte.

'Nou ja...' zegt Julie.

'Nou?'

'Oké dan,' zegt Julie. 'Oké. Oké, vooruit dan maar. Dat ze zo goed kan programmeren is echt de voornaamste reden dat ik haar heb aangenomen – ik liep er al een tijdje over te denken om hier een nieuw iemand binnen te halen, op z'n minst parttime, dus vandaar dat ik me echt had voorgenomen om haar te polsen over een eventuele baan, nog voordat ik de koppeling had gemaakt met die meervoudigepersoonlijkheidsstoornis. Dat is de eerlijke waarheid, Andrew, ik zweer het je. Maar toen ik die koppeling op een gegeven ogenblik wél maakte, toen dacht ik...'

'Nou, wat dan?'

'Kijk, het punt is: ze wéét het niet. Ik bedoel, sommige van die figuren in haar hoofd weten het duidelijk wél, zoals dat type dat tegen me zei dat hij haar naar huis zou brengen, maar zij – de vrouw die je vanmorgen hebt ontmoet –, zij heeft geen idee. Dat weet ik zeker. En daarom had ik zo gedacht, misschien dat jij, dat jij op de een of andere manier...'

'O, Julie... dat is geen goed idee.'

'Ik weet nog wel dat je me vertelde hoe het voor je vader was, in de tijd voordat hij het huis had gebouwd. Voordat híj het wist. Alsof hij in een volstrekte chaos leefde, zei je. Nou... dus zoiets moet het ook voor haar zijn, toch? Een leven in chaos.'

'Waarschijnlijk wel. Maar Julie...'

'Dus daarom had ik zo gedacht dat jij, als iemand die dat zelf allemaal heeft meegemaakt, haar vast wel zou willen helpen om...'

'Ik heb dat allemaal niet zelf meegemaakt,' zegt Andrew. 'Dat is mijn vader geweest. En geen van ons tweeën is psychiater, maar zij kan alleen door zo iemand behandeld worden.'

'Oké, prachtig, maar hoe moet het ooit zover komen als ze niet eens weet...'

'Als ze het niet weet, dan komt dat waarschijnlijk doordat ze daar nog niet aan toe is. En als je gaat proberen haar dat besef op te dringen, dan zou dat weleens meer kwaad dan goed kunnen aanrichten.'

'Dus jij wilt zeggen dat het beter voor haar is om niks van haar kwaal af te weten?'

'Wat ik zeg is dat als ze door jouw toedoen ontregeld raakt doordat je haar iets probeert te vertellen over haarzelf wat ze niet wil horen, dat ze dat dan toch niet hoort – dan zal ze een andere ziel oproepen, die haar in bescherming moet nemen tegen die informatie. En als je daarmee doorgaat, zou die beschermer weleens tot de conclusie kunnen komen dat jij gevaarlijk voor haar bent, en zijn best doen haar bij jou uit de buurt te halen. Alleen heeft zíj dan geen idee wat er aan de hand is – ze wordt gewoon op een dag wakker met een nieuwe baan, misschien woont ze zelfs wel opeens in een heel andere stad, en ze zal die veranderingen moeten verwerken zonder te begrijpen hoe dat allemaal is gekomen.'

'Nou ja,' zegt Julie, op een toon alsof ze een uitbrander heeft gehad. 'Ik wou niet... Ik wil niet suggereren dat je er gewoon maar patsboem mee op de proppen moet komen. Ik had me voorgesteld dat je haar eerst wat beter zou leren kennen, en dan bevriend met haar zou raken, en dat je haar dan je eigen voorgeschiedenis zou vertellen. Dat je haar zou vertellen hoe het allemaal was voor je vader en de anderen... voordat het huis bestond...'

'Dat ik de symptomen zou beschrijven?'

'Nou... ja, zoiets. Je zou erover kunnen beginnen dat je vader vaak stukken tijd kwijtraakte, haar vertellen van de lijstjes die hij opstelde... En ik bedoel, je moet natuurlijk niet drammen, maar als zij dan tegen je zegt: "Hé, dat doet me erg denken aan míjn leven", dan kun jij...'

'Nee, ik geloof nog steeds niet dat dat een goed idee is, Julie. En ik had veel liever gewild dat je me hier eerst eens over had gepolst voordat je haar aannam. Ik bedoel, over pats-boem met dingen op de proppen komen gesproken... Jij weet hier al een week van, maar ik heb er vanmorgen pas van gehoord, van Dennis.'

'Weet ik, weet ik... Ik had het je eerder moeten vertellen. Dat had ik ook bijna gedaan, maar toen bedacht ik dat ik je kijk op de zaak niet wilde beïnvloeden.'

'"Mijn kijk op de zaak beïnvloeden"? Wat bedoel je daarmee?'

'Daar bedoel ik mee... Ik wilde kijken wat er zou gebeuren als je haar ontmoette zonder dat er je iets was verteld over die stoornis. Of het je zou opvallen zonder dat ik je erop had gewezen.'

'Maar je zei dat het zo klaar als een klontje was. Dus was je bang dat je er misschien wel naast zat, dat ze toch eigenlijk géén meervoudige persoonlijkheid was?'

'Nee, dat wist ik zeker, ik dacht alleen...'

'Nou? Dat dit een grappige verrassing voor mij zou zijn?'

'Andrew!'

'Het spijt me wel, Julie,' zegt Andrew, 'maar ik ben toch echt... Ik vind het heel vervelend dat je zoiets hebt uitgehaald. Dit is geen spelletje. Dit is geen... niet zo'n virtuele-werkelijkheidsgame.'

'Andrew...'

'Het is gewoon niet eerlijk,' houdt Andrew voet bij stuk. 'Niet tegenover mij en al helemaal niet tegenover haar. Ik snap echt niet hoe je dat in je hoofd hebt kunnen halen, Julie. Echt niet, hoor.'

'Andrew! Andrew, wacht nou even!'

Hij loopt de tent uit. Zich plat tegen het tentdoek aan drukkend om niet op te vallen sluipt Muis naar voren en gluurt om het hoekje, zodat ze nog net ziet hoe hij op hoge poten wegloopt. Ze heeft meteen door dat dit voornamelijk toneelspel is; Andrew gaat er niet met een vaart vandoor, maar blijft een eindje verderop staan wachten tot Julie hem inhaalt. Ze spreidt nu een berouwvolle houding tentoon, maar Muis vraagt zich af of ook dat niet puur theater is.

'Oké, Andrew,' zegt Julie, en ze legt een hand op zijn arm – weer hetzelfde flirterige, verzoenende gebaar dat Muis haar ook al heeft zien toepassen op Rudy Krenzel. 'Oké, ik ben goed fout bezig geweest, ik geef het toe, en ik heb er spijt van. Echt waar. Maar ze werkt hier nu wel, hè. Dat kan ik niet terugdraaien. En ik hoop dat je je ergernis vanwege mijn misstap nu niet op haar gaat botvieren.'

'Nee, natuurlijk niet. Maar Julie...'

Julie geeft een rukje aan zijn arm, zodat die even licht langs haar boezem strijkt. 'Werk nu maar gewoon met haar samen, hè,' zegt ze met klem. 'Als die kwaal nooit de kop opsteekt, dan is dat prima. Als jullie tweeën geen geweldige verstandhouding krijgen, dan is dat ook prima – ik zal nooit meer drammen, dat beloof ik. Maar als mocht blijken – je weet maar nooit – dat ze wél graag hulp wil, dat ze daaraan toe is, dan hoop ik dat...'

'Ik beloof niks, Julie.'

'En ik vraag je niks. We zien wel, we kijken gewoon de kat uit de boom, oké?' Ze lacht en lonkt naar hem, en als hij niet reageert geeft ze zelf maar antwoord op haar vraag: 'Oké dan...' Ze geeft zijn arm nog een laatste rukje en laat hem dan los. 'Ik moest maar eens gaan kijken of ze zich een beetje kan redden. Ik heb Dennis gezegd dat hij haar in de reservetent moest installeren met weer een ander testproject, maar daar zal ze langzamerhand wel klaar mee zijn.'

Julie kust Andrew op zijn wang, een gebaar waar hij zo te zien van schrikt, draait zich om en loopt weg, en hij blijft staan met een getergd en behoorlijk beteuterd gezicht. Hij kijkt haar na en Muis kijkt naar hem.

Muis is helemaal geïntrigeerd door het gesprek dat ze zojuist heeft afgeluisterd, ook al heeft ze hele gedeelten niet begrepen. Het is vandaag de tweede keer dat ze met de gedachte speelt om uit haar schulp te kruipen. Ze stelt zich voor dat ze uit haar verstopplaatsje tevoorschijn komt, Andrew op de schouder tikt en vraagt: 'Wat wás dat allemaal? Hadden jullie het zonet over mij?'

Deze keer is het meer dan een vage gedachte, maar toch doet ze het niet. Ze houdt zich gedeisd, blijft op de loer liggen, en een ogenblik later is ze getuige van nog iets interessants.

Als Julie verdwenen is, verandert Andrews gezicht. Of nee, de uitdrukking erop verandert, zou ze moeten zeggen, maar zo te zien is hier sprake van een transformatie die dieper gaat. Andrews verwarring vervliegt en dat geërgerde wordt iets veel onverbiddelijkers en duisterders: verachting, grenzend aan haat.

'Klotewijf,' zegt Andrew. 'Klotewijf van een bemoeial.'

Dan knippert hij met zijn ogen en opeens is hij weer de jongensachtige, van zijn stuk gebrachte, ietwat geïrriteerde Andrew van daarnet. 'O, Julie,' mompelt hij. Hij houdt zijn hoofd schuin, alsof hij ergens naar luistert, en voegt eraan toe: 'Kop dicht, jij.'

'Muis?' roept Julie ergens in de Fabriek. 'Muis, waar zit je?'

Muis is weer eens van het toneel verdwenen en geeft geen antwoord. Maledica en Malefica trekken zich om beurten terug op een verstopplekje dat ze even tevoren in het vizier hebben gekregen: een met dozen volgestouwde opslagtent. Die dozen kun je namelijk gemakkelijk zo op elkaar stapelen dat je een geïmproviseerde vesting krijgt die afzondering biedt. Daar gaan ze nu naar binnen om zich op te bergen. Malefica pakt er een stevige doos bij om op te zitten en Maledicta steekt een sigaret op.

Tijdenlang houden ze zich in de vesting verschanst. Ze moeten in alle eenzaamheid nadenken.

BOEK DRIE

Andrew

7

De eerste twee mailtjes vond ik dinsdagmorgen op het werk.

Vanwege mijn aanvaring met Julie, de middag daarvoor, had ik al verwacht dat het een weekje zou worden dat in emotioneel opzicht heel wat van me zou vergen. Dat was niet Julies eerste poging verwarring te zaaien in mijn leven zonder me eerst even te vragen of ik dat niet erg vond. Ze had er plezier in om mensen voor haar karretje te spannen, en ook vond ze het leuk om ze te overrompelen. Eerst toestemming vragen vond ze maar niets, of tenminste: ze had blijkbaar niet goed in de gaten of ze al dan niet toestemming hoorde te vragen. En wanneer iemand rekenschap van haar eiste – wanneer iemand er bezwaar tegen had om zonder dat hij dat wilde bij een of ander slim of snood plan te worden betrokken –, reageerde ze steevast hetzelfde, zo consequent dat Adam er een naam voor had bedacht. Hij sprak van de Exclusief door Julie Sivik Ontwikkelde Driefasereactie op een Fikse Uitbrander.

De eerste fase, die ongeveer vierentwintig uur duurde, bestond uit Wroeging. Nadat ze te horen had gekregen dat ze de grenzen van de vriendschap had overschreden, stelde Julie zich deemoedig en verzoenend op, en voelde ze zich zo beroerd over haar vergrijp dat de vriend of vriendin van wie ze misbruik had gemaakt van de weeromstuit last kreeg van schuldgevoelens, alsof hij of zij degene was geweest die over de schreef was gegaan. Maar dan stak de eerste twijfel de kop op, en tegelijk daarmee schakelde Julie abrupt over op fase twee, die door Adam als de Compenseertoer werd betiteld. In die fase, waarvan de duur uiteen kon lopen van twee tot wel vijf dagen, mat Julie zich een superkritische houding aan en schoot ze uit haar slof over onbeduidende foutjes en vergissingen die ze normaal gesproken niet eens zou hebben opgemerkt. Het vervelende was dat je Julie op geen enkele manier aan het verstand kon peuteren dat er een rechtstreeks verband bestond tussen fase een en fase twee. Als Julie me over een paar dagen zou toebijten dat ik mijn veters verkeerd had gestrikt, en ik tegen haar zou zeggen: 'Weet je, Julie, dat jij je boos op me maakt, komt eigenlijk doordat je je schuldig voelt', zou ze het daar niet alleen niet mee eens zijn, ze zou ook niet eens begrijpen waar ik het over had. Dat wist ik, omdat ik het al vaker had meegemaakt.

Fase drie, de Verzoening, was een wat mildere versie van fase een. Op een gegeven ogenblik werd Julie weer aardig en deed ze een dag of twee haar best om het goed te maken, zonder ook maar een ogenblik op wat voor manier dan ook toe te geven dat er iets viel goed te maken. En vervolgens was het voorbij, tot de volgende keer dan – maar als Penny bij de Werkelijkheidsfabriek bleef, zou die volgende keer wel niet lang op zich laten wachten.

Toen Julie er die maandagmiddag zo bij me op had aangedrongen om Penny te helpen, had ik gezegd dat ik niets kon beloven. Maar ik had geen nee gezegd, en ik wist dat Julie zo'n antwoord – geen onomwonden weigering namelijk – zou interpreteren alsof ik het wél had beloofd. Vandaar dat ik er een tijdje over had nagedacht – het grootste gedeelte van die nacht zelfs –, en hoe langer ik erover nadacht, hoe zekerder ik wist dat ik Penny niet zou kunnen helpen.

Ik had Julie al een paar redenen genoemd: ik was geen psychotherapeut; en ook al was ik er eentje geweest, dan nog had dat niets uitgehaald als Penny niet bereid was zich te laten helpen. Maar de belangrijkste reden had ik niet vermeld, want die klonk te rottig om hem hardop uit te spreken: ik mocht Penny niet.

Ik bedoel niet dat ik een hekel aan haar had. Ik bedoel dat mijn gevoelens voor haar neutraal waren: niet warm en niet kwaadaardig, niet positief en niet negatief. Ze was gewoon iemand voor wie ik me, als ik haar toevallig tegen was gekomen, niet speciaal zou hebben geïnteresseerd. Goed, juist dat gebrek aan interesse was natuurlijk wel een tikkeltje negatief, zeker voor mijn doen; over het algemeen vind ik nieuwe mensen interessant. Dat ik neutraal stond tegenover Penny was een soort staking tegen haar – tenminste, zo zou Julie dat wel zien. Maar zo was het nu eenmaal, daar kon ik niets aan doen.

En omdat ik zo tegenover haar stond, kon ik haar niet helpen. Ik was nog niet geboren toen mijn vader aan de bouw van het huis begon, maar ik had er genoeg verhalen over gehoord om te weten dat het een moeilijk, pijnlijk proces was geweest – en niet alleen voor hem. Ik hou van mijn vader, maar volgens tante Sam was hij in die tijd godsgruwelijk onuitstaanbaar, en dan had ze het nog niet eens over de keren dat hij met Gideon vocht om het bezit van het lichaam. Om hem in die ellendige periode niet als een baksteen te laten vallen moest je wel een heel goede vriend zijn, of familie, of een heilige zoals mevrouw Winslow, of iemand die zoiets voor zijn beroep deed, zoals dokter Grey. Een kersverse kennis met neutrale gevoelens had dat nooit gebolwerkt.

'Jezus, wat dondert het?' zei Adam toen ik door het hek van de Fabriek liep en het parkeerterrein overstak naar de loods. 'Penny is jouw probleem niet, hoor. Jij hebt haar hier niet binnengehaald en je hebt niet beloofd om haar te helpen.'

'Weet ik wel, maar Julie...'

'Ach ja, Julie,' zei Adam schamper. 'Dat is waar ook, dat was ik vergeten. Julie teleurstellen, dat kan echt niet.'

'Ze is heel aardig voor ons geweest.'

'Aardig. Juist. En daarom denk je daar nog almaar over na – omdat Julie zo áárdig is.'

In de loods liep ik meteen door naar mijn tent en zette mijn computer aan. Ik had twee mailtjes, allebei van iemand die Draad heette. Ze waren de vorige avond laat verstuurd, na twaalven pas; het onderwerp van het eerste luidde 'geachte meneer Gage' en het tweede vermeldde geen onderwerp. Ik nam aan dat het wel spam zou zijn, klikte op het eerste bericht en las:

Onderwerp: geachte meneer Gage
Datum: di 22 april 1997 24:33:58
Van: Draad<draad@cybernrthwest.net>
Aan: housekeeper@pacbell.net

Geachte meneer Gage,
Hierbij richt ik mij tot u met het volgende verzoek: zou u zo goed willen zijn Penny te helpen naar zichzelf op zoek te gaan? Ik weet wel dat

ik daarmee nogal wat van u vraag – u kent ons helemaal niet –, maar ze is al zo heel lang bang, en het zou beslist goed voor haar zijn als ze begreep wat er met haar aan de hand is. Zou u ons alstublieft willen helpen?

d.

Het volgende berichtje, nog geen drie minuten later verstuurd, luidde:

Onderwerp:
Datum: di 22 april 1997 00:36:22
Van: Draad<draad@cybernrthwest.net>
Aan: housekeeper@pacbell.net

---

nog even iets klootzak als je gemeen tegen haar doet komen we jou toch wel zo loeihard op je smoel slaan dat wil je niet wetten

Het zal vreemd klinken, maar het eerste bericht verontrustte me het meest, omdat het persoonlijker van toon was en mijn naam vermeldde. Hoe komen die aan ons e-mailadres? vroeg ik me af.

'Eén keer raden,' zei Adam, en toen ik dat naliet, vervolgde hij: 'Dank je, Julie, dat je zo aardig voor ons bent...'

'Adam!' zei ik. 'Adam, hou op, ik weet zeker dat Julie niet...'

'Er staat iemand voor de tent,' zei Adam.

Ik spitste mijn oren; misschien dat er iets van een geluidje te horen was, zachtjes schuifelende voeten of zo. 'Hallo?' riep ik. Geen antwoord. Ik stond op, liep op mijn tenen naar de voorkant van de tent, hield mijn oor even tegen de flap voor de ingang, haalde mijn schouders op en deed een stap naar buiten.

Er was niemand, tenminste niet voor zover ik kon zien. 'Hallo?' riep ik weer. Vanuit de tent naast me schreeuwde Dennis: 'Wat is er?' 'Niks,' schreeuwde ik terug. Ik liep een rondje om mijn tent en keek telkens zorgvuldig om de hoek, maar ontdekte geen mens. Ik ging terug naar de voorkant en wilde alweer naar binnen gaan, en op dat ogenblik zei Julie: 'Zeg.'

'Julie!' Razendsnel draaide ik me om; op de een of andere manier was ze vlak achter me opgedoken. 'Hoe... Hoe gaat het?'

'Prima,' zei Julie glimlachend. Ze legde een zachte hand op mijn arm. 'Met jou ook?'

'Met mij... O, gaat wel. Maar...'

'Prima,' zei Julie. 'Moet je horen, Andrew, als je het niet te druk hebt, dan zou ik het heel graag nog eens hebben over...'

De woorden waren er al uit voordat ik er ook maar een fractie van een seconde over had nagedacht: 'Ik kan dat niet, Julie.'

Ze zweeg middenin haar zin. Ik voelde een zenuwtrekking in de hand op mijn arm.

'Wat je me vroeg in verband met Penny,' legde ik uit, ook al wist ik wel zeker dat Julie uitstekend begreep waar ik het over had. 'Ik kan dat niet. Ik weet wel dat je me vroeg om erover na te denken, en dat heb ik gedaan, maar het komt erop neer dat ik dat volgens mij gewoon niet kan. Dus... daarom wou ik open kaart met je spelen, dan weten we allebei waar we aan toe zijn. Ik hoop dat je het begrijpt.'

Julie haalde haar hand van mijn arm. Ze had haar lippen op elkaar geknepen. 'Ze begrijpt het heel best, hoor,' zei Adam.

'Maar goed,' rebbelde ik vlug, 'ik heb een belangrijke klus waar ik me nu eerst op moet storten, dus... dus ik praat straks nog wel met je, oké?' Nog voordat Julie een antwoord over de lippen was gekomen, draaide ik me om en dook mijn tent weer in.

Vlak voor de ingang bleef ik staan wachten. Julie maakte geen aanstalten om me achterna te komen, maar ze liep ook niet meteen weg – ik hoorde haar vlak voor de tentflap luidruchtig door haar mond ademen. Op het laatst zei ze, zacht maar duidelijk: 'Kut', en hard over de betonnen vloer stampend beende ze ervandoor.

'Fase twee,' zei Adam, 'gaat deze keer al vroeg in.'

Ik liep terug naar mijn bureau en las de woorden op het computerscherm nog eens:

nog even iets klootzak als je gemeen tegen haar doet komen we jou toch wel zo loeihard op je smoel slaan dat wil je niet wetten

'Wat moet ik daarmee, Adam?'

'Nou, je kunt ze bijvoorbeeld zeggen dat ze je geen klootzak moeten noemen. Gisteren werkte dat aardig goed.'

'Even serieus. Is dit iets om me ongerust over te maken?'

Daar binnen voelde ik Adam schokschouderen. 'Lijkt me niet – nog niet,' zei hij. 'Dit klinkt alsof het van een lijfwacht komt die waarschijnlijk alleen z'n tanden wou laten zien, die een keiharde toon aanslaat om jou goed duidelijk te maken dat je voorzichtig met haar moet omspringen... Ik bedoel, als ze het niet pikken als je weigert, dan is het wat anders, maar zover is het nog...'

Ik zag opeens een beeld voor me, niet van Penny, maar van een boos wegstampende Julie. 'Misschien moeten we toch maar proberen ze te helpen,' zei ik.

'Praat niet zo stom. Dat is geen goed idee, dat heb je zelf gezegd. Bovendien wil je het eigenlijk helemaal niet.'

Daar ging ik niet tegen in. In plaats daarvan bracht ik de twee berichtjes van Draad over naar mijn bewaarmap.

Ik bedacht dat het een geschikte dag zou zijn om het dak van de loods eens na te lopen. Ik haalde de schuifladder op en speurde vervolgens wel een uur grondig naar loszittende pannen, gaten en rottend houtwerk.

Om een uur of halfelf hoorde ik Julie roepen. Ze klonk zenuwachtig: 'Andrew! Andrew!'

'Wat is er aan de hand?' Ik werkte me vlug naar de rand van het dak, waarbij ik nog net niet mijn evenwicht verloor. 'Wat is er aan de hand? Is er een ongeluk gebeurd?'

Er was geen ongeluk gebeurd. Julie klonk zenuwachtig doordat ze zich nijdig maakte. 'Wat voer je in jezusnaam uit daar boven?' vroeg ze.

'Wat dénk je in jezusnaam dat ik hier uitvoer?' zei Adam. Hij zei het op dezelfde achteloze toon als waarop hij me zo vaak hele zinnen voorzegt, en ik moest me op de tong bijten om te voorkomen dat ik dat herhaalde.

'Kijken of het nergens lekt,' zei ik tegen Julie. Inwendig waarschuwde ik Adam dat hij dat gesouffleer moest laten.

'Had ik je gezegd dat je vandaag moest gaan kijken of het nergens lekt?' vroeg Julie.

'Nou nee,' zei ik, 'maar...' Die vraag sloeg nergens op, want ze zei vrijwel nooit wat ik moest doen. 'Had je me ergens voor nodig?'

'Ja dus! Daarom heb ik je overal lopen zoeken!'

'O... Oké, ik kom eraan... Waar moet ik naartoe?' Maar ze was alweer naar binnen gegaan en had de deur met een klap dichtgegooid.

'Ze is altijd zo aardig voor ons,' zei Adam.

'Hou je kop.'

Ik vond Julie en de anderen in de Grote Tent. Julie zat te overleggen met Dennis, terwijl Irwin, in kleermakerszit op de grond, een paar defecte leidingen in een van de datapakken door nieuwe verving. Penny zat ergens in een hoek verwoed op een laptop te typen. Ik voelde een raar gekriebel in mijn buik toen ik haar in het oog kreeg, maar toen ze toevallig even mijn kant op keek, lag er geen speciaal verwachtingsvolle of erkentelijke uitdrukking in haar ogen. Welke ziel het op dat ogenblik ook voor het zeggen mocht hebben in haar lichaam, het was niet een van degenen die die twee mailtjes hadden geschreven.

Ik liep op Julie toe en ging geduldig staan wachten tot ze me zou opmerken. 'O,' zei ze een paar minuten later vriendelijk. 'We hoeven je eigenlijk toch niet te spreken. Laat maar.'

'O-kéé,' zei ik.

'Maar nu je hier toch bent,' voegde Julie er nog aan toe voordat ik mijn hielen had kunnen lichten, 'zou je Irwin misschien een handje kunnen helpen.'

Irwin keek op toen hij zijn naam hoorde vallen, en aan de onthutste uitdrukking op zijn gezicht zag ik dat hij geen hulp van me nodig had en niet begreep waarom Julie dat had gezegd. Maar ik ging gewoon naast hem zitten en probeerde me nuttig te maken.

Op een gegeven ogenblik voelde ik dat er iemand naar me keek. Ik draaide mijn hoofd om; Penny zat nu onverholen naar me te staren, en het was een nieuwe ziel die door haar ogen de wereld in keek. Draad, dacht ik.

'Draad, ja,' bevestigde Adam. 'Niet die andere, daarvoor kijkt ze niet pissig genoeg.'

Toen loeide Dennis: 'Hé, Muis!', en Draad, of wie het ook mocht zijn, knipperde met de ogen en verdween.

Adam en ik bleven allebei opletten, maar Draad kwam die hele ochtend niet meer terug. Na de lunch ging ik weer het dak op.

Onderwerp: Geachte meneer Gage
Datum: wo 23 april 1997 01:04:17
Van: Draad<draad@cybernrthwest.net>
Aan: housekeeper@pacbell.net

Geachte meneer Gage,
Hopelijk vond u mijn verzoek niet vrijpostig. Misschien had ik u mondeling moeten benaderen, maar ik ben enigszins verlegen, en ik meende ook zoiets bij u te bespeuren... zouden we misschien een tijdstip en plaats kunnen afspreken om elkaar te ontmoeten? Als het u schikt...
d.

'Het lijkt me dat ik de zaak nu niet langer voor me uit kan schuiven,' zei ik. Adam reageerde niet. Ik deed nog een poging: 'Waarschijnlijk had ik gisteren al moeten terugschrijven, hè?'

Weer niets. Het was woensdagmorgen, en Adam bleef Oostindisch doof: hij zette het me betaald dat ik de avond tevoren de kant van tante Sam had gekozen in een ruzie.

'Prima,' zei ik. 'Ik kan het ook wel in mijn eentje af, hoor.'

Er klonk een uiterst kort gniffeltje op uit het spreekgestoelte en daarna was het weer stil. Ik opende een antwoordvenster op mijn computerscherm en mijn vingers zweefden al boven het toetsenbord.

Beste Draad, dacht ik, zonder iets te typen, het spijt me, maar ik kan jou of Penny niet helpen...

Beste Draad, het spreekt vanzelf dat ik je graag zou helpen, alleen ben ik helaas niet de juiste persoon...

Beste Draad, als Penny inderdaad zover is dat ze 'naar zichzelf op zoek wil', dan heeft ze een goede arts nodig, niet...

'Beste Draad,' liet Adam zich nu horen. De verleiding was hem te machtig geworden. 'Laat ik maar ronduit zeggen dat Penny en jij me geen ene reet kunnen schelen. Maar aangezien ik hoogstwaarschijnlijk nog een rattenreet zou kussen als Julie Sivik dat van me vroeg, heb ik besloten om het dan maar gewoon op een klooien te zetten in deze...'

'Hou je kop,' zei ik.

'Wat? Ik dacht dat je mijn advies wou horen.'

'Wou ik ook. Maar als je niks beters weet...'

Ik hoorde het geritsel van iemand die de tent in kwam en keek op van de computer. 'Julie...?'

Het was Julie niet. Het was Penny, of liever gezegd: Penny's lichaam. De ziel was die van Draad. Het verschil in lichaamstaal viel me onmiddellijk op: terwijl Penny altijd met opgetrokken schouders liep, alsof ze elk ogenblik verwachtte door een roofdier te worden besprongen, bewoog Draad zich met veel meer zelfvertrouwen – zelfs op dat ogenblik, toen ze duidelijk heel zenuwachtig was.

'Meneer Gage?' vroeg ze.

'Ahum,' zei ik zachtjes. Ik haalde eens diep adem: 'Hallo.'

'Hallo.' Ze stak me haar hand toe. Ik nam hem aan en schudde hem, en plotseling waren mijn gevoelens in rep en roer. En ogenblik tevoren had ik op het punt gestaan haar per e-mail af te poeieren, maar nu we vlak tegenover elkaar stonden, moest ik terugdenken aan mijn vaders verhalen over de tijd toen hij op zoek was gegaan naar hulp – hoe bang hij toen was geweest en hoeveel moed hij bij elkaar had moeten rapen. Opeens vond ik het maar misselijk en zelfzuchtig van mezelf dat ik er niet voor had gevoeld haar te helpen.

Maar voordat die gedachte ergens toe had kunnen leiden, kwam Julie de tent binnenvallen; ze verkeerde al lang en breed in fase twee. 'Andrew!' beet ze me toe. 'Andrew, je moet echt hoognodig...' Ze zag het lichaam van Penny en zweeg abrupt.

'O,' zei Julie. Ze keek van mij naar Draad, naar onze handen die elkaar nog vasthielden, en weer naar mij. 'O, sorry... ik kom straks wel terug...'

'Welnee!' Ik sprong op en liet Draads hand los (of eigenlijk liet ik hem niet los – ik duwde hem min of meer weg). 'Nee, je hoeft niet...'

'Het was niet mijn bedoeling om jullie te storen,' zei Julie. Er lag nu een glimlach op haar gezicht, hetzelfde zelfvoldane lachje als twee dagen eerder, toen Penny en ik elkaar voor het eerst hadden gezien. 'Praten jullie maar verder, ik kan wel...' Ze maakte al aanstalten om de tent weer uit te lopen.

'Je stoort níémand!' Het was niet mijn bedoeling om te schreeuwen, maar zo kwam het er wel uit: alsof Julie me van iets afschuwelijks had beschuldigd en ik uit alle macht ontkende.

'Goed, goed,' zei Julie. 'Maak je maar net zo dik.'

'Wat... wat wilde je eigenlijk?'

'De Doos, zie je,' zei Julie. Nu glimlachte ze niet meer. 'Het is daar... een smeertroep. Volgens mij heeft Dennis ons daarmee verblijd. Je moet daar hoognodig gaan poetsen, maar als je...'

'Nee, helemaal niet,' zei ik, nog steeds te hard. 'Ik ga meteen aan de slag.'

Ik keek even naar Draad, die zo te zien verbluft stond van mijn uitbarsting, maar nog steeds wachtte tot we ons gesprek zouden voortzetten, of eigenlijk: eraan zouden beginnen. Ik besefte dat ik iets tegen haar moest zeggen, dat het onbeleefd zou zijn om haar zo in het ongewisse te laten, maar ik wist niets te verzinnen, vooral niet omdat Julie er met haar neus bovenop stond, en dus knikte ik maar eens en mompelde iets onsamenhangends. Toen liep ik de tent uit, waarbij ik mijn best deed niet de indruk te wekken dat ik er op een holletje vandoor ging.

'IJzersterke prestatie,' zei Adam toen ik het op een draf zette. 'Je had gelijk, hoor, je kunt het prima af in je eentje.'

'Hou je erbuiten,' zei ik boos.

'Maak je maar geen zorgen. Als je elke keer flipt als ze met je probeert te praten, geheid dat ze dan op het laatst snapt hoe laat het is.'

'Ik ben niet geflipt. Ik was gewoon even overdonderd, meer niet.'

Maar toen ik een ogenblik later toebereidselen trof om de Doos te ontsmetten, voelde ik een paar ogen op me rusten; ik draaide me om en zag Draad, die van een afstandje naar me stond te staren. Mijn hersens weigerden weer dienst. Ik tuurde naar mijn voeten en probeerde een of andere opmerking te bedenken; ik vroeg Adam me te helpen, maar hij had zich weer in stilzwijgen gehuld. Op het laatst bedacht ik dat als ik nu maar met hangen en wurgen één woord wist uit te brengen, er vanzelf wel meer zouden volgen, en ik keek op en zei: 'Zeg...'

Ze stond er niet meer; ze was weer tussen de tenten verdwenen. Ik ging niet achter haar aan. Toen ik haar ongeveer een uur later terugzag – ze kwam net tevoorschijn uit de Grote Tent – was ze Draad niet meer.

Ik bedacht dat ik nog maar eens een poging zou doen om per email te reageren. Mijn computer stond nog steeds aan, maar de internetverbinding was verbroken, en toen ik die weer herstelde, ontdekte ik dat Draads laatste berichtje aan mij uitgewist was. Ik keek in mijn bewaarmap. De twee eerdere berichtjes waren ook weg.

Onderwerp: Geachte meneer Gage
Datum: do 24 april 1997 06:01:03
Van: Draad<draad@cybernrthwest.net>
Aan: housekeeper@pacbell.net

Geachte meneer Gage,
Het spijt me erg dat ik u lastig heb gevallen. Ik zal verder geenKUt man, wat heb jij, klootzak? als mensen jou om hulp vragen, ben je te beroerd om met ze te praten datis toch geen manier godverklote jij verdient een trap onder je kutkont kloterig stuk kankerlul

Die donderdag kwam Julie weer bij me aanzetten. Ik was in het bos achter de Fabriek bezig ongebluste kalk in de kuil te scheppen waar we de inhoud van de Doos in gooiden. Toen ik Julie zag aankomen zette ik me al schrap voor een uitbrander – ze had niet gezegd dat ik die dag kalk in de kuil moest gooien – maar toen ze me aansprak, klonk ze niet boos: 'Heb je Penny misschien gezien?'

'Ik?' zei ik. 'Nee, ik...'

'De anderen hebben haar ook niet gezien. Haar auto staat er niet, en toen ik zonet naar haar huis belde, werd er niet opgenomen. Ik hoop maar dat er niks aan de hand is.'

Die laatste zin klonk als een vraag, maar ik deed alsof ik daar geen erg in had. 'Dat hoop ik ook,' zei ik.

'Dus je hebt niets van haar gehoord? Ze heeft niks in die richting gezegd, dat ze vandaag niet zou komen?'

'Ik heb... haar niet meer gesproken sinds gisteren. Nee, toen heeft ze daar niks over gezegd.'

Julie knikte en ik voelde even een hete golf van schaamte omdat ik haar om de tuin had geleid. Ik had haar best willen vertellen over de drie mailtjes die ik had gekregen, maar ik wist dat als ik dat deed, ze zich ermee zou willen bemoeien, en ik had er al moeite genoeg mee om in mijn eentje te bedenken wat ik moest doen.

'Oké,' zei Julie. 'Ik moet vandaag toch naar Seattle, dus ik denk dat ik even bij Penny's huis langsga. Als ze hier verschijnt en ik ben nog niet terug, wil je dan zeggen dat ik me ongerust maak over haar?'

'Goed, Julie.'

'Bedankt.' Ze draaide zich al om. Ik bukte me om de schop op te rapen en Julie zei: 'O, trouwens...'

'Mm-mm.'

'Wat was dat gisteren allemaal?'

'Wat dan?'

'Toen ik onverwacht naar binnen stapte bij Penny en jou, en jij zo spastisch reageerde. Wat was er toen aan de hand?'

'Hoezo spastisch?' zei ik. Ik probeerde een verstrooide toon aan te slaan, maar dat werd niets. Ik ben echt verschrikkelijk slecht in liegen. 'Ik heb helemaal niet spastisch gereageerd.'

Julie zei niets, maar haar opgetrokken wenkbrauwen lieten me weten dat ik volgens haar uit mijn nek lulde.

'Ik heb niet spastisch gereageerd,' herhaalde ik. 'Dingetje, Penny, was even goeiemorgen komen zeggen. Dat is alles.'

'O,' zei Julie. Ze haalde haar schouders op en kwam er verder niet op terug. 'Nou, niet vergeten, hè, om haar te zeggen dat ik naar haar op zoek was...'

Toen ik klaar was met de beerput, besloot ik Autumn Creek in te gaan om wat materiaal in te slaan voor het dak. Ik stak geld bij me, haalde een legerrugzak uit een van de opslagtenten en ging op weg.

Het was een prachtige dag, helder en warm; het leek wel zomer. Bij het Autumn Creek Café, een vegetarisch eethuisje tegenover de Harvest Moon, had het personeel een paar tafeltjes op de stoep neergezet, en ik ging op mijn gemak een hapje zitten eten in de zon. Binnen stond een radio aan, op een zender die de hele dag nieuws uitzond; toen ik de laatste paar happen van mijn spinazielasagne nam, deelde de nieuwslezer mee dat Warren Lodge inmiddels gezocht werd door de politie; men vermoedde dat hijzelf, en niet een poema, verantwoordelijk was voor de verdwijning van zijn dochtertjes. Dat was zulk goed nieuws dat ik nog twintig minuten bleef zitten om het verhaal nog eens langs te laten komen, zodat mijn vader gelegenheid kreeg om op het spreekgestoelte te gaan staan en het met zijn eigen oren aan te horen. Daarna ging ik naar de doe-het-zelfzaak aan Mill Street en kocht shingles.

Op de terugweg liep ik net op de Oosterbrug toen ik een auto hoorde aankomen. Ik dacht dat dat Julie wel zou zijn, die alweer vroeg terug was uit Seattle, of anders een toerist die de weg kwijt was, maar toen ik omkeek zag ik Penny's Buick een eindje achter me. Ik was nog zo blij vanwege dat bericht over Warren Lodge dat ik vergat om van de wijs te raken – ik zwaaide, en als Draad degene was geweest die achter het stuur zat, had ik haar waarschijnlijk gebaard stil te houden, was ik ingestapt en had ik eindelijk een gesprek met haar aangeknoopt.

Maar het was niet Draad die achter het stuur zat, en ook niet Penny. De ziel die de auto bestuurde was er eentje die ik nog niet eerder had ontmoet, althans niet in levenden lijve: het was die vuilbekkende lijfwacht. Toen de auto zo dichtbij kwam dat ik de uitdrukking op het gezicht van de lijfwacht kon zien, was me meteen duidelijk dat zij (of hij) razend was – niet gewoon maar geïrriteerd of boos, maar razend.

'Godverdegodver,' zei Adam, en toen wist ik dat het er niet best voor me uitzag.

Ik liet mijn opgeheven arm langs mijn zij vallen en draaide de auto mijn rug toe. Mijn eerste impuls was om het op een rennen te zetten, maar iets in mijn binnenste waarschuwde me dat dat een slecht idee was, en daarom zette ik er de rest van de brug de sokken in, ging aan de overkant in de berm lopen en deed daar wat kalmer aan, in de hoop dat de Buick me voorbij zou rijden. Dat deed hij niet; met een slakkengangetje kwam hij vlak naast me rijden. Ik voelde wel dat de lijfwacht naar me keek, maar ik liep strak voor me uit kijkend gewoon door.

Toen drukte de lijfwacht keihard op de claxon en ik gaf gehoor aan mijn eerste impuls: ik sprintte ervandoor. Dat was niet zozeer een slecht idee als wel een zinloos gebaar. Met gierende banden trok de auto razendsnel op, passeerde me en sneed me de pas af door de berm in te zwenken.

De lijfwacht boog zich uit het raampje en krijste tegen me: 'Maak godverklote als de gesmeerde bliksem dat je in deze auto stapt, kankerlul, of ik sla je je pokkenhersens in en...'

Adam schreeuwde me ook iets toe – waarschijnlijk iets van 'Niet instappen!' –, maar toen rende ik al terug naar de brug. De lijfwacht probeerde me weer te snijden, maar de auto was niet zo gemakkelijk te besturen in z'n achteruit, en het lukte me om als eerste de brug te bereiken, en vervolgens liep ik niet naar de overkant, maar dook weg aan de zijkant.

Er loopt geen paadje omlaag naar Thaw Canal; er is daar alleen een steile, met stenen versterkte helling, waar ik maar zo'n beetje langs naar beneden gleed, klauterde en viel, terwijl mijn rugzak vol shingles telkens tegen mijn nek en achterhoofd bonkte. Langs de kant van Thaw Canal loopt ook geen pad, dus deed ik geen poging om langs de bedding weg te rennen, maar verstopte ik me onder de boog van de brug. Terwijl ik tot aan mijn knieën in ijskoud water stond, luisterde ik naar de in z'n vrij draaiende motor van de Buick zowat recht boven mijn hoofd, en naar het gevloek en getier van de lijfwacht die over de brug heen en weer liep en dreigde dat ze – het was een zij, dat wist ik nu zeker – me de vreselijkste dingen zou aandoen als ik niet tevoorschijn kwam. Ik drukte een hand tegen mijn mond tegen het klappertanden en deed mijn best om niet te niezen.

Op het laatst werd een eekhoorn of bosmarmot ergens langs de rand van het afwateringskanaal bang van al die herrie, en toen het beest luidruchtig door het kreupelhout wegvluchtte, meende de lijfwacht dat ik dat was. Ze beval het beest terug te komen, en snél een beetje, godverklote, maar dat deed het niet, en even later gaf ze het op. Ze stootte nog een paar verwensingen uit, beende nog een paar keer heen en weer over de brug, stapte in de auto en reed met waanzinnig jankende banden weg.

De stilte die vervolgens viel werd verbroken door mijn vader, die zich vanaf het spreekgestoelte liet horen: 'We zullen een vergadering moeten beleggen over deze toestand.'

Mevrouw Winslow deed de voordeur al open toen ik nog halverwege de verandatreetjes was. 'Andrew!' zei ze. 'Wat is er gebeurd?'

'Dat is een ingewikkeld verhaal,' zei ik.

'Nou, kom dan maar binnen.'

Ik liep achter haar aan naar de keuken en ging aan de tafel zitten. Mevrouw Winslow zette koffie; ik stroopte mijn schoenen en sokken uit, en omdat mevrouw Winslow erop stond, ook mijn spijkerbroek.

Al voordat Adam me daarvoor had gewaarschuwd, had ik beseft dat ik mevrouw Winslow onmogelijk het hele verhaal kon vertellen. Hoewel ik veel liever niets voor haar had verzwegen en hoewel ik deze kwestie heel graag had besproken met iemand buiten mijn eigen hoofd, zag ik wel in dat er een paar dingen bij waren, zoals die dreigende mailtjes, waar ze veel te erg van zou schrikken. Dus hield ik het gebeurde welbewust vaag en zei alleen: 'Ik heb wat strubbelingen met een van de mensen op het werk.'

'Met een van die mensen...' Mevrouw Winslow fronste haar voorhoofd. 'Bedoel je Julie?'

'Nee,' zei ik. 'Het is een meisje dat er pas is, een nieuwe programmeur. Penny.'

'En wat heeft ze dan uitgehaald – je van een dijk af geduwd?'

Ik lachte zenuwachtig, maar gezien mijn natte, modderige plunje was dat eigenlijk niet eens zo'n gekke veronderstelling. 'U weet wel dat ik u vertrouw, mevrouw Winslow,' zei ik. 'Meer dan wie ook. Maar volgens mij is dit iets waar ik, wij, ons op eigen kracht doorheen moeten slaan. Mijn vader heeft ons opgeroepen tot een huisvergadering, en ik weet zeker dat hij weet wat we moeten doen. Dus maakt u zich geen zorgen.'

'Ik zal natuurlijk nooit mijn neus in jouw privézaken steken,' zei ze, op een toon die liet doorschemeren dat ze zelf wel zou uitmaken of ze zich al dan niet zorgen zou maken. 'Maar... Ik weet wel dat ik je dat niet hoef te zeggen, Andrew, maar mocht je ooit wél om mijn hulp verlegen zitten – als je mocht besluiten om je baan op te zeggen, bijvoorbeeld...'

'Mijn baan opzeggen? Waarom zou ik?'

Mevrouw Winslow wierp een blik op mijn spijkerbroek, die over een stoelleuning te drogen hing. 'Als je beter een eind uit de buurt kunt blijven van die Penny, bijvoorbeeld. Als dat volgens je vader een goed idee zou zijn.'

'O...'

'Maak je dan geen zorgen over de huur. Dat wou ik maar even zeggen.'

'Och, dank u wel, mevrouw Winslow. Zover komt het heus niet, maar ik... Ik stel uw gebaar erg op prijs. Mijn vader stelt het erg op prijs. En over mijn vader gesproken...' Ik zette mijn koffiebeker neer. 'Waarschijnlijk moet ik zo langzamerhand eens naar die vergadering.'

Mevrouw Winslow knikte. 'Ik let wel op dat jullie niet worden gestoord.'

We stonden allebei op. Mevrouw Winslow pakte mijn beker en op weg naar de gootsteen zette ze de televisie aan. Het geluid van een nieuwslezersstem deed me ergens aan denken. 'Mevrouw Winslow?' zei ik. 'Hebt u het gehoord, van Warren Lodge?'

'Ja,' antwoordde mevrouw Winslow, maar lang niet zo tevreden als ik had verwacht. Toen legde ze uit: 'Het laatste bericht luidt dat de politie hem niet kan vinden. Hij heeft de benen genomen.'

'O,' zei ik. 'Nou, ik wed dat het niet zo lang zal duren voordat...'

'We zullen zien,' zei mevrouw Winslow op sceptische toon, en dat was te begrijpen. 'Ga jij nu maar naar je vergadering, Andrew. Over een paar uur roep ik je dan wel voor het eten.'

'Oké, mevrouw Winslow.'

Iémand moet het lichaam besturen. Dat is in heel wat opzichten een waarheid als een koe, maar het is niet letterlijk waar; het is mogelijk, al is het over het algemeen geen goed idee, om het lichaam zonder toezicht achter te laten. Alleen komt het er wél op aan dat je het lichaam ergens stalt waar het geen enkel gevaar loopt, ergens waar eventuele enge toestanden zich ruimschoots van te voren aankondigen. Met die gedachte in mijn achterhoofd bereidde ik me voor op de huisvergadering door zorgvuldig te controleren of er nergens iets brandde in mijn slaapkamer, of er geen snoeren van apparaten waren doorgesleten, geen boekenplanken op het punt stonden omlaag te storten, of er geen ontsnapte circustijgers onder mijn bed lagen en er geen eventuele andere ongelukken in een klein hoekje zaten. Ik doe er nu wel lollig over, maar het is een serieuze klus: toen mijn vader op een keer – tijden voordat het huis gebouwd was – terugkwam van zo'n vergadering, die hem nog lang zal heugen, ontdekte hij dat een kraai hem in zijn borst zat te pikken.

Nadat ik tot mijn volle tevredenheid, en die van mijn vader, had vastgesteld dat er geen enkel gevaar dreigde in de slaapkamer (alle ramen zaten stevig dicht), ging ik in een gemakkelijke houding op mijn bed liggen.

Julie heeft me ooit gevraagd hoe het voelt om het lichaam te verlaten. 'Kruip je dan helemaal weg in jezelf, of zweef je ervandoor – hoe gaat dat?' Na diverse halfslachtige pogingen tot een beschrijving kwam ik op de proppen met de volgende oefening, die weliswaar niet helemaal klopt, maar toch wel enigszins een idee geeft van het verschijnsel: kantel je hoofd zo ver mogelijk achterover. Je krijgt dan een gespannen gevoel in je nekspieren, dat al snel pijnlijk wordt. Stel je voor dat die spanning zich uitbreidt, ook in je gezicht kruipt, zich tot in je romp, armen en benen verspreidt, en je huid verandert in een star omhulsel, een soort harnas. Stel je vervolgens voor dat je uit dat harnas stapt en dat je dan niet naast je lichaam staat, maar helemaal ergens anders. En stel je voor dat dit alles zich voltrekt in de tijd tussen twee ademhalingen.

Zo gaat dat, min of meer. Of tenminste, zo gaat dat bij mij; van meervoudigen met wie ik op internet contact heb gehad, weet ik dat het bij sommigen ietsje anders toegaat – en wat er met je gebeurt nadat je je lichaam hebt verlaten, hangt natuurlijk af van de inrichting van het gebied in je hoofd, dat is bij elke meervoudige weer anders.

In Andy Gage' hoofd ziet het er zo uit:

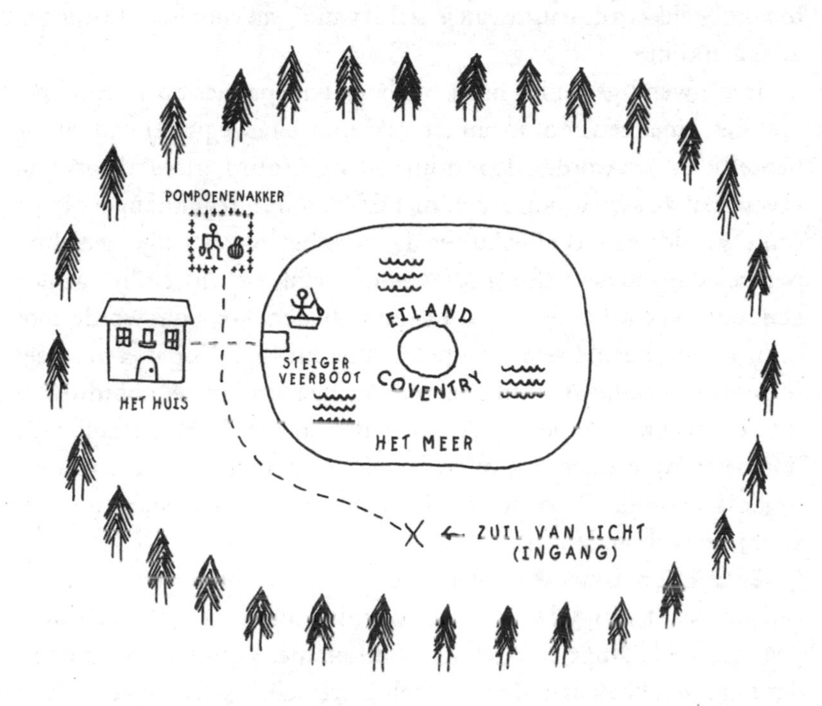

Het kruisje onderin geeft de plek aan waar ik mijn entree maakte, naast de zuil van licht die de verbinding vormt tussen binnen en buiten. De zuil van licht rust op de top van een heuvel aan de zuidkant van het meer; van daaraf loopt een pad naar links om het meer heen, dat zich uiteindelijk in drieën splitst. De aftakking naar rechts leidt naar een aanlegsteiger aan de westoever van het meer; het middelste pad loopt zonder te stijgen of te dalen linea recta naar de pompoenenakker; en de aftakking naar links voert via een brede helling omhoog naar het huis. Het antwoord op de vraag wat je je bij de verschillende afstanden moet voorstellen moet ietwat abstract blijven. Ik kom daar zo meteen nog op terug, maar laat ik voor het ogenblik stellen dat het pad van de zuil van licht naar het huis ongeveer anderhalve kilometer lang is.

Kleuren, geluiden, geuren, de smaak van dingen en hoe ze aanvoelen – dat alles is precies hetzelfde als buiten. Het huis ziet eruit en voelt aan als een echt huis; de heuvels, grote zwerfkeien en bomen zien er volkomen echt uit. Het enige wat daar anders is, dat ben jijzelf, want wanneer je binnen bent, draag je het lichaam niet – zo hangt het bijvoorbeeld van de lengte van je ziel af vanaf wat voor hoogte je tegen alles aankijkt.

Het inwendige gebied heeft een hemel die precies op de echte hemel lijkt, met een zon, maan en sterren. De bewegingen van al die hemellichamen worden door mijn vader gestuurd; meestal zorgt hij ervoor dat ze synchroon lopen met die van hun tegenhangers in de echte wereld: wanneer het buiten dag is, is het over het algemeen binnen ook dag, en hetzelfde geldt voor de nacht. Het inwendige gebied kent ook verschillende weersomstandigheden – ook dat wordt door mijn vader geregeld – en die lopen beslist niet gelijk op met het weer in de echte wereld, of tenminste niet met het weer in het noordwestelijke kustgebied aan de Stille Oceaan: dag en nacht is de hemel in het hoofd van Andy Gage' vrijwel wolkeloos, en het regent er nooit. Soms organiseert mijn vader omstreeks Kerstmis even een sneeuwstorm voor Jake en de andere kinderen.

En wat de natuurwetten betreft die daar heersen... Tja, dat zit niet eenvoudig. Doordat dat inwendige gebied niet echt bestaat, zijn er daar bepaalde dingen mogelijk die buiten niet kunnen – maar doordat ik gewend ben aan die onmogelijke verschijnselen en ze als normaal beschouw, vind ik het moeilijk om ze zomaar even op te sommen. Maar één zo'n onmogelijkheid, waar ik daarnet al iets over zei, heeft te maken met de afstanden daar binnen: die zijn facultatief. Als je daarginds van A naar B wilt, is het niet strikt noodzakelijk om de afstand tussen die twee punten af te leggen, zoals in de echte wereld. Als je bijvoorbeeld op de heuveltop naast de zuil van licht staat en je wilt naar het huis, dan kun je wel het pad nemen, maar dat hoeft niet – als je haast hebt, of geen zin hebt om dat eind te lopen, dénk je gewoon dat je in het huis bent, en net zo snel als je gedachte ben je er al.

Die dag had ik niet al te veel haast, ook al wist ik dat de anderen allemaal op me wachtten. Ik bleef eerst nog een tijdje vanaf de heuveltop over het meer uitstaren. Dat mijn blik de kant op zwierf van Coventry, het eiland waarop Gideon gevangenzat, was onvermijdelijk. Er viel niet veel te zien; er was mist opgestegen vanuit het diepe water midden in het meer, zodat het eiland niet veel meer voorstelde dan een vage veeg.

Ik zei dat mijn vader het weer regelde in het inwendige gebied. Maar over de mist had hij niets te zeggen – die riep hij niet tevoorschijn en die kon hij ook niet laten verdwijnen. Achteraf gezien is het duidelijk dat dat een reden tot zorg had moeten zijn, maar aangezien de mist met het meer verbonden was, en niet met het bos of de pompoenenakker, om maar iets te noemen, gaf mijn vader er de voorkeur aan om dat verschijnsel als een onschuldige afwijking te zien, niet als een teken van mogelijk gevaar.

Net als de zuil van licht bestond het meer al voordat het inwendige gebied tot stand kwam. Oorspronkelijk was het meer een soort leegte geweest, een nog donkerder gebied in de donkere kamer in Andy Gage' hoofd die af en toe nieuwe zielen uitbraakte. In de tijd dat mijn vader aan de inrichting van het gebied werkte, slaagde hij erin die leegte langzaam maar zeker enigszins te beteugelen – hij gaf hem het aanzien van een watermassa, en dat was beter dan opgescheept te zitten met een gapend zwart gat in het landschap. Ook leerde hij hoe hij nieuwe zielen, zoals ik, uit het meer kon roepen als hij dat wilde. Maar die kunst heeft hij nooit volledig onder de knie gekregen. Omdat het meer strikt gesproken nog steeds een volkomen zelfstandig element was, was het niet echt ongehoord dat het deed wat het wilde; daarom had mijn vader geen zin om zich ongerust te maken als het weer eens opspeelde. En omdat hij zich niet ongerust maakte, deed ik dat ook niet – maar ik was wel nieuwsgierig.

'Andrew,' zei mijn vader, die nu naast me verscheen op de heuvel.

Ik groette hem met een knikje, maar bleef naar het water turen om te proberen een glimpje van Coventry op te vangen in al dat wit. 'Komt de mist tegenwoordig niet vaker opzetten dan vroeger?' vroeg ik. Mijn vader gaf geen antwoord, en ik merkte wel dat hij ongeduldig werd. Ik ging gewoon door: 'Volgens mij wel. Toen ik nog maar pas uit het meer was, kwam er haast nooit...'

'Andrew.'

'Ja, ja, ik weet het: de vergadering.'

'Juist,' zei mijn vader, 'de vergadering. Laten we gaan.'

We gingen: het ene ogenblik waren we er in gedachten en het volgende in het echt.

De plattegrond van het huis in Andy Gage' hoofd ziet er zo uit:

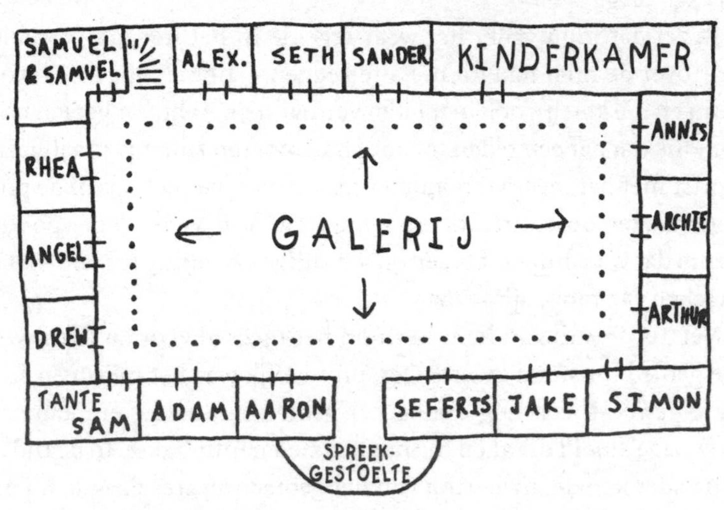

Zoals de lezer ziet, is het een aardig eenvoudig geheel. De begane grond bestaat uit een grote, gemeenschappelijke ruimte. Een trap links achterin leidt naar een galerij van waaraf je van alle kanten neerkijkt op de gemeenschappelijke ruimte en waaraan de slaapkamers en de kinderkamer liggen. Een kort gangetje aan de voorkant loopt naar het spreekgestoelte.

Midden in de gemeenschappelijke ruimte was al een lange tafel neergezet. Het ene uiteinde was breder dan het andere, en als hoofd van het huishouden nam mijn vader plaats aan het brede eind. Ik ging aan mijn vaders rechterhand zitten, en Adam aan zijn linkerhand. Rechts van me zaten tante Sam en daarna Jake; Seferis zat naast Adam. Verder zaten ook nog aan tafel: Simon, Drew en Alexander; Angel, Annis, Arthur en Rhea; Sander, Archie, Seth en de twee Samuels; Stille Joe de Grafdelver en kapitein Marco. Er waren heel wat zielen bij die, net als mijn vader, geen zin meer hadden in contact met de buitenwereld en nog maar zelden naar buiten wilden. Stille Joe en de kapitein waren nog nooit buiten geweest; zij waren hulpzielen, door mijn vader uit het meer geroepen om een bepaalde functie te vervullen.

Boven, op de galerij, krioelden nog eens tientallen zielen: de Getuigen. De Getuigen waren wat onwellevende psychiaters vaak aanduiden als 'fragmenten': zielen die ontstaan zijn als gevolg van één enkel geval van misbruik of een ander traumatisch voorval. Ze vormden de belichaming van een pijnlijke herinnering en leken op kleine kinderen; er waren er heel wat bij die als twee druppels water op Jake leken. De meesten bezaten echter een veel minder veelzijdig ontwikkeld karakter dan Jake, doordat ze maar één keer buiten waren geweest, namelijk op het afschuwelijke ogenblik dat ze waren ontstaan. Ze hadden treurige ogen en zeiden zelden iets. Het was niet al te waarschijnlijk dat ze een steentje zouden bijdragen tot de vergadering, maar omdat ze ook tot het huishouden behoorden, mochten ze erbij zijn; ze stonden en zaten langs de balustrade van de galerij. Drie volwassen hulpzielen liepen achter hen rond, om hen zodra ze zich gingen vervelen of het te kwaad kregen met zichzelf met bekwame spoed terug te brengen naar de kinderkamer.

Mijn vader verzocht om stilte.

'Wij zijn hier bijeen,' zei mijn vader, 'omdat een van Andrews collega's bij de Werkelijkheidsfabriek een heel aantal dreigementen aan zijn adres heeft geuit. En aangezien daar ook tegen het lichaam gerichte bedreigingen bij waren, hebben ze eventueel gevolgen voor ons allemaal...' Vervolgens gaf hij een beschrijving van de geschiedenis met Penny. Toen hij was uitgepraat, was meer dan de helft van de Getuigen al van de galerij verdwenen, en een aantal zielen aan de tafel was hysterisch geworden. Tijdens de episode over de lijfwacht die mij met de auto achterna had gezeten, was Annis met haar handen tegen haar oren naar haar kamer gerend, en even later was Arthur via de achterdeur het huis uit gestoven in de richting van het bos, waarschijnlijk met het idee zijn spanning af te reageren door een paar bomen om te leggen. Mijn vader werd daar niet warm of koud van; dergelijke reacties waren volkomen normaal bij een huisvergadering. '... goed, dat was het dan,' besloot hij, 'en nu zullen we moeten bespreken wat we het best kunnen doen.'

Simon stak een hand op. 'Hoe gevaarlijk is die Penny Driver?' vroeg hij. 'Zou ze echt zover gaan dat ze het lichaam iets aandoet?'

Mijn vader keek Adam aan. 'De ziel die we vandaag hebben gezien is in staat tot onvervalst geweld,' zei Adam. 'Seferis en ik weten dat heel zeker. Niet dat we denken dat die eropuit is om ons naar het leven te staan, maar het is een ziel die tot heel wat in staat is als hij woedend wordt.'

'Nou goed,' zei Simon, met een blik in mijn richting, 'íémand zal dus de politie moeten bellen. Er is geen enkele reden waarom we ook maar de kleinste kans op geweld zouden hoeven dulden.' Verscheidene andere zielen aan de tafel mompelden instemmend.

'Andrew?' Mijn vader gaf me het woord.

'Ik geloof niet dat we de politie erbij hoeven te halen,' zei ik, enigszins geschrokken van dat voorstel. 'Ik bedoel... Ja, wat er vandaag gebeurd is was doodeng, maar volgens mij heeft Adam gelijk: het was niet de bedoeling ons kwaad te doen. Alleen... Ze hebben hulp nodig. Deze hele toestand wijst er niet op dat ze ons te grazen willen nemen, of ons de stuipen op het lijf willen jagen. Penny's zielen hebben hulp nodig, en of je het nu leuk vindt of niet, ze zijn ervan overtuigd dat wij die hulp kunnen geven, en ik heb zo'n idee dat ze er een tikkeltje wanhopig aan toe zijn.'

'Maar dat is nog geen reden om anderen te bedreigen!' riep Simon uit. 'Of om mensen te achtervolgen met auto's!'

'Wíj hadden toch ook hulp nodig?' bracht ik hem onder het oog. 'Wou je me vertellen dat wij nooit zo omhoog hebben gezeten dat anderen er bang van werden?'

'Wat stel je nu voor, Andrew?' vroeg mijn vader. 'Wil je zeggen dat we Penny's... wanhopige toestand... maar door de vingers moeten zien en ons best moeten doen om haar te helpen?'

'Tja...'

'Want zo heb jij je niet gedragen. Je hebt je gedragen alsof je niets met haar te maken wilt hebben.'

'Dat is waar,' zei ik. 'Maar misschien... doen we er goed aan om, als we haar iets van hulp kunnen bezorgen, of haar op z'n minst een duwtje in de goeie richting kunnen geven...'

'Liegbeest!' Adams schreeuw joeg nog eens een stuk of tien Getuigen op de vlucht. '"Misschien doen we er goed aan,"' bauwde hij me na. 'Daar meen je niks van, dat het goed of aardig zou zijn om... In werkelijkheid kan die hele Penny jou geen zak schelen. Jij denkt alleen maar aan Julie.'

'O heer in de hemel,' zei Simon. 'Begin nu niet weer over háár...'

'Ik denk helemaal niet alleen aan Julie!' protesteerde ik. 'Volgens mij is het echt...'

'O, niet alléén aan Julie! Dus je geeft toe...'

'Adam! Andrew!' riep mijn vader. 'Houden jullie allebei eens op met dat ...'

'Ik heb een voorstel,' zei tante Sam. Haar neutrale stem sneed dwars door het kabaal heen en allemaal hielden we ons meteen stil. 'Volgens mij moeten we bij dokter Grey langsgaan.'

Jake, die tijdens de bespreking bijna aan één stuk door op zijn stoel heen en weer had zitten schuiven, leefde nu op en zei: 'Hè ja! Laten we langsgaan bij dokter Grey!'

Maar mijn vader was niet zo weg van dat idee. 'Dokter Grey is gestopt met werken,' bracht hij tante Sam in herinnering. 'Ze sukkelt met haar gezondheid.'

'Ze is niet dóód,' zei tante Sam vinnig. 'En het is trouwens de hoogste tijd dat we haar een bezoekje brengen, alleen al uit beleefdheid – we zijn al langer dan een jaar niet meer bij haar langs geweest. En ik weet wel zeker dat ze het niet erg zou vinden om ons goeie raad te geven. Misschien is ze zelfs wel bereid om een keer met Penny te praten.'

'Dat is niet zoals het hoort. Je gaat niet bij iemand op bezoek om hem of haar te vragen...'

'Volgens mij is dat een geweldig idee,' zei ik. 'Dat van dat bezoek, bedoel ik. Tante Sam heeft gelijk: misschien kan ze ons wel iets aanraden. Ik bedoel, wie heeft daar nu meer verstand van?'

'Andrew...'

'We zouden morgen al kunnen gaan. We zouden haar vanavond kunnen bellen om te horen of ze tijd heeft.'

'Morgen is het vrijdag,' zei mijn vader. 'Dan moet jij toch naar je werk?'

'Maar het heeft geen zin dat ik naar de Fabriek ga als ik daar toch alleen maar verstoppertje speel met Penny. Julie vindt het vast best als ik een dagje vrij neem – tenminste, als ze hoort dat wij willen proberen Penny hulp te bezorgen.'

'Mij bevalt het niet, dat idee,' zei mijn vader. 'Ik...'

Ergens aan het andere eind van de tafel klonk plotseling het piepstemmetje van Drew: 'Als we morgen echt naar dokter Grey gaan, kunnen we dan op de terugweg naar het aquarium?'

'O!' riep Jake, op en neer verend op zijn stoel. 'En Magic Mouse dan? Daar komen we dan zowat langs!'

Nu was er geen houden meer aan. Alle bezwaren die mijn vader maar mocht hebben tegen een bezoek aan dokter Grey moesten eerst even wachten, want de helft van de zielen om de tafel kwam nu aanzetten met voorstellen tot allerlei uitstapjes die aan het bezoek konden worden vastgeknoopt. Mijn vader wees ze allemaal van de hand, maar toen hij daarmee klaar was, was het bezoek zelf op de een of andere manier intussen een voldongen feit geworden.

'Oké dan,' gaf mijn vader zich gewonnen. 'Oké. We gaan bij dokter Grey langs.'

'En héél misschien gaan we ook naar Magic Mouse,' zei Jake, die de hoop nog niet wilde opgeven.

Even later was de vergadering afgelopen. Toen ik weer in het lichaam terug was, klopte mevrouw Winslow op mijn deur. 'Andrew?'

'Ja, mevrouw Winslow?' Ik ging moeizaam rechtop zitten en keek op de wekker op het nachtkastje: het was bijna vijf uur.

'Telefoon voor je,' zei mevrouw Winslow.

'Is het Julie?'

'Nee. Julie heeft ook gebeld, maar ik zei dat je niet te spreken was. Dit is iemand die haar naam niet wil zeggen, maar ze wil je met alle geweld spreken.'

O jee.

'Andrew? Wil je dat ik haar afpoeier?'

'Nee,' zei ik, en ik zette mijn voeten op de vloer. 'Nee, ik ga wel...' Ik liep haar huiskamer in. 'Wat vervelend voor u. Ik hoop maar dat ze geen vreselijke dingen tegen u heeft gezegd...'

'Ze heeft een kleurrijke woordenschat,' erkende mevrouw Winslow, 'maar er waren geen woorden bij die ik nooit eerder had gehoord.'

De telefoon stond op een tafeltje in de zijgang. Erboven hing een lijst met belangrijke nummers die je onmogelijk over het hoofd kon zien: gifalarm, ziekenhuis, brandweer, het politiebureau van Autumn Creek en de staatspolitie.

Ik nam de hoorn op. 'Hallo?' zei ik.

Geen antwoord. Maar de verbinding was niet verbroken.

'Hallo...?'

Nu hoorde ik haar ademen. Ik begon me al kwaad te maken.

'Met wie spreek ik? Wie is daar?'

'Klootzak,' snauwde degene aan de andere kant en hing op.

Ik legde de hoorn terug. Mevrouw Winslow, die in de deuropening van de keuken had staan luisteren, kwam naar me toe.

'Zeg, Andrew,' zei ze, en ze wees naar de lijst met belangrijke nummers. 'Moeten we iemand bellen?'

'Ja,' zei ik. 'Maar niet de politie. Dokter Grey.'

'O... Nou, wacht maar even, volgens mij heb ik haar nummer in mijn adresboekje, en dat ligt boven.'

'Doet u geen moeite,' zei ik en nam de hoorn weer op. 'Ik weet wel zeker dat mijn vader dat nog in zijn hoofd heeft.'

8

Toen ik de volgende ochtend in Olympic Avenue liep, op weg naar Julies flat, viel er een licht motregentje, maar dat kon me niet deren. Ik had mijn paraplu bij me, en de koude, vochtige lucht die langs mijn wangen streek, hield me tenminste wakker. Het was iets van kwart voor zes.

Het lag niet alleen aan het vroege tijdstip dat ik liep te gapen. De avond tevoren hadden Penny's zielen nog twee keer gebeld, één keer omstreeks negen uur en daarna nog een keer na twaalven. Het telefoontje van negen uur kwam van Draad, aanvankelijk tenminste; mevrouw Winslow nam op en kwam naar mijn kamer om me te vragen: 'Ken je soms iemand die "D" heet?' Maar toen ik met de hoorn aan mijn oor stond, had Draad nog maar nauwelijks iets gezegd – 'Meneer Gage?' –, of de vuilbekkende lijfwacht had het heft in handen genomen, mijn oor op een kanonnade van verwensingen en dreigementen getrakteerd en opgehangen voordat ik er ook maar één woord tussen had kunnen krijgen.

Het telefoontje van na twaalven was vanaf de allereerste lettergreep van Vuilbek. Het was puur geluk dat ik zelf opnam, en niet mevrouw Winslow. Ik kon almaar niet in slaap komen en was op weg naar de keuken om een beker warme melk te drinken; het telefoontje kwam net op het ogenblik dat ik langs het toestel liep, en de eerste rinkel was nog in volle gang toen ik opnam. Ik hield de hoorn tegen mijn oor, hoorde de woorden 'klootzak van een kankerlul' en hing onmiddellijk op. Ik telde tot vijftien om er zeker van te zijn dat de verbinding verbroken was, en liet de hoorn de rest van de nacht naast het toestel liggen. Maar na dat voorval had de warme melk niet veel meer geholpen.

Het enige telefoontje dat ik die avond zelf pleegde, was tenminste prima verlopen. Ik had dokter Grey zonder enige moeite aan de lijn gekregen, en ze zei dat ze het fijn zou vinden om me te zien. Ze klonk prima in orde: haar stem was krachtig en je hoorde amper een dikke tong.

Ik had met de gedachte gespeeld Julie ook te bellen, om haar te laten weten dat ik niet op mijn werk zou komen, maar vervolgens had ik beseft dat ik dan waarschijnlijk meer tekst en uitleg zou moeten geven dan me lief was. Daarom had ik besloten om wat vroeger op te staan en op weg naar dokter Grey een briefje bij haar af te leveren. Bovendien was dat natuurlijk ook een handig excuus om bij Julies huis langs te gaan. Volgens Adam was dat de ware reden waarom ik dat had bedacht.

In het eerste jaar dat ik haar kende – het eerste jaar van mijn leven – kwam ik geregeld bij Julie over de vloer. Vaak ging ik na het werk met haar mee naar huis en bleef dan gezellig zitten, urenlang soms wel. Op een gegeven ogenblik gebeurde dat elke dag, zodat het wel leek alsof ik daar woonde – ik had zelfs een eigen sleutel – en Julie en ik kregen het er zelfs over om samen iets te huren. Maar opeens kwam er een kink in de kabel, tijdenlang werd Julies appartement verboden terrein voor me, ook al zag ik haar nog steeds elke dag op het werk. Maar nadat het uitdrukkelijke bezoekverbod was opgeheven en ik weer langs mocht komen, was het allemaal niet meer hetzelfde. Ik was als de dood dat me nog een keer te verstaan zou worden gegeven dat ze me liever zag gaan dan komen, en ik zat daar dus nooit meer echt rustig op mijn stoel, zelfs niet als Julie me expliciet had uitgenodigd.

En zo ontstond er een rare toestand. Je zou zeggen dat het hele idee van bij iemand langsgaan was dat je een tijdje in zijn of haar gezelschap wilde verkeren – ja toch? Vroeger dacht ik dat tenminste. Maar ook al ging ik nog steeds graag naar Julies flatje, nu voelde ik me daar alleen op mijn gemak als zij er niet was. Neem bijvoorbeeld die keer, drie maanden geleden, toen Julie een week de stad uit moest en mij vroeg om haar planten water te geven: elke dag ging ik, nadat ik de planten had gedaan, een tijdje in Julies slaapkamer zitten, en dan voelde ik me heerlijk. Dat sloeg nergens op, want als zij er niet is, is Julies slaapkamer enkel en alleen zomaar een ruimte. En toch vond ik het heerlijk om daar te zitten, want dat herinnerde me aan de tijd dat Julie en ik bijna in één huis waren gaan wonen. Aan de tijd dat ik nog nonchalant kwam aanwaaien en me geen zorgen hoefde te maken dat ik me te vaak liet zien.

Dus wie weet had Adam wel gelijk: wie weet was de werkelijke reden dat ik een briefje bij Julie langs bracht dat ik naar haar flatje kon gaan terwijl zij nog sliep en haar kon 'opzoeken' zonder het gevoel te hebben dat ik ongelegen kwam.

Julies appartement was de verbouwde zolder van een woonhuis met twee verdiepingen. Om er te komen moest je met ware doodsverachting een buitentrap beklimmen, een soort overdekte houten brandtrap, die niet al te degelijk tegen de zijkant van het huis was bevestigd. Aan de deur onder aan die trap zat geen kruk meer. Die ontbrak toen al minstens een maand of zes, en Julie had het er almaar over dat ze er eens een nieuwe in moest zetten, maar tot dan toe was ze niet verder gekomen dan dat ze een eindje touw door het gat had gehaald waarin ze aan beide kanten een knoop had gelegd. Aan de binnenkant van de deur was een blikken brievenbus opgehangen. Ik had mijn briefje gewoon daarin kunnen gooien, maar ik hield mezelf voor dat Julie het dan misschien niet zou vinden – tenslotte had ze geen enkele reden om 's morgens vroeg in de brievenbus te kijken. Ik kon het beter onder haar voordeur door schuiven.

Ik klom de trap op, die bij elke stap vervaarlijk kraakte en piepte. Toen ik boven stond, bracht dat geen al te grote opluchting. Tussen het portaaltje en de deur van de zolder gaapte een wel vijf centimeter brede spleet. Als je bij Julie over de drempel stapte en intussen omlaag keek, zag je twee verdiepingen lager de vuilnisbakken van haar huisbaas staan.

Op zich was dat niet erg; ik heb niet zo'n last van hoogtevrees. Ik maakte me er voornamelijk druk om dat Julie wel eens wakker kon zijn geworden van die krakende treden. Maar toen ik op het portaaltje stond, hoorde ik binnen niets bewegen. Ik besloot nog even te blijven staan luisteren, en toverde me gezellig een winterdag voor ogen uit het eerste jaar dat we elkaar kenden, toen Julie en ik een kerstboom naar boven hadden gezeuld langs deze zelfde trap en samen ...

'Ooo,' kreunde Adam op het spreekgestoelte. 'Ooo, schat... o, ja... o ja, dáár...! ooo...'

'Adam!' fluisterde ik scherp. 'Adam, schei daarmee uit!'

'Ooo, schatje... O, o, o, ó... Ja... já... jááá.'

'Hou op, Adam!'

'Ik hou op als jij ophoudt,' zei Adam. 'Sta hier toch niet zo stompzinnig te staan. Duw nou eens eindelijk dat verrekte briefje naar binnen.'

'Ja ja, doe ik...' Ik hurkte neer en schoof het briefje aan de overkant van de spleet onder de voordeur door. In plaats van nu op te staan maakte ik me nog kleiner, legde mijn handen plat op het portaaltje en hield mijn rechteroog op dezelfde hoogte als de spleet onder de deur. Ik zag mijn briefje veilig aan de andere kant liggen, en verder had ik uitzicht op de borstelige zijkant van de voordeurmat, en op Julies laarzen en...

Mijn vaders stem: 'Andrew.'

'Ja ja,' zei ik, 'ik ga al.' En ik stond op en lichtte mijn hielen.

Ik pakte de metrobus van zes uur vijf naar Seattle; doordat hij overal stopte en ook door het spitsverkeer duurde het wel een uur voordat we in de stad waren. Inmiddels was ik aardig wagenziek, dus stak ik mijn paraplu op en ging even mijn benen strekken op Pioneer Square voordat ik naar de kade trok. Voor mijn gevoel stond zo'n beetje de helft van alle zielen in het huis elkaar op het spreekgestoelte te verdringen, dus ik had geen gebrek aan suggesties voor welke etalages ik moest blijven staan.

Om tien voor acht stapte ik op de veerboot naar Bainbridge Island. De oversteek duurt vijfendertig minuten; en omdat het een bijzondere dag was en je op een boot niet in zeven sloten tegelijk kunt lopen, schortte mijn vader de normale huisregels even op en vond het goed dat Seferis, tante Sam, Simon, Drew en Alexander elk een paar minuten in het lichaam kregen. Drew en Alexander vonden het al prachtig om gewoon maar wat rond te drentelen en over de baai uit te kijken. Seferis, die zijn vaste ochtendoefeningen had moeten overslaan, liet zich op het dek neer en ging zich opdrukken. Tante Sam ging naar de snackbar aan boord en probeerde de man die daar bediende een sigaret af te troggelen – en daar was ze misschien wel in geslaagd ook, als mijn vader niet vanaf het spreekgestoelte een oogje in het zeil had gehouden. Op het laatst was Simon aan de beurt. We waren toen al bijna bij het eiland, en hoewel het zachtjes regende, besloot Simon om zonder paraplu op het voordek te gaan staan kijken hoe de boot werd afgemeerd.

Nat en rillend ging ik van boord. Ik liep naar de Streamliner, een eenvoudige eettent een paar straten verderop, en daar ontbeten we. Dat ging een stuk minder efficiënt in zijn werk en het was heel wat duurder dan een maaltijd bij mevrouw Winslow: ik bestelde twee hoofdgerechten, vier bijgerechten en drie drankjes. Het meeste eten bleef natuurlijk liggen, maar niettemin kon ik geen pap meer zeggen toen we klaar waren.

Intussen was het twintig over negen. Ik ging naar een speelhal even verderop in dezelfde straat en gaf Adam en Jake elk een dollar om zich met videogames te amuseren. Terwijl Adam helemaal opging in Mortal Kombat, kwam de zon op; daarom gingen we, nadat hij zijn laatste tegenstander had onthoofd, nog een poosje etalages kijken.

Ten slotte pakte ik om tien uur nog een bus, en wel naar Poulsbo, het plaatsje aan Liberty Bay waar dokter Grey woonde, en waar ze, voordat ze een beroerte had gekregen, haar patiënten altijd had ontvangen. Ik ging nog even snel bij een bloemenzaak langs om een boeket margrieten te kopen, en om vijf voor elf stond ik bij dokter Grey op de stoep.

Dit lijkt waarschijnlijk een enorme tocht voor een uurtje therapie. Maar mijn vader had deze reis geregeld ondernomen, minstens één keer per week, en soms ook twee keer als dat met zijn werktijden viel te combineren. Hij moest wel.

Uit de cijfers blijkt dat de gemiddelde meervoudige persoonlijkheid een stuk of acht psychiaters afwerkt voordat de juiste diagnose uit de bus komt. En dan zit je pas halverwege de lijdensweg; want ook al klopt de diagnose, het kan best zijn dat je nóg eens acht psychiaters moet afwerken voordat je er eentje vindt die weet hoe hij zoiets moet behandelen.

De klassieke therapeutische metafoor in verband met een meervoudigepersoonlijkheidsstoornis (of 'dissociatieve identiteitsstoornis', zoals ze het tegenwoordig noemen), is die van een gebroken vaas. Op grond van die metafoor zou je een voor de hand liggende remedie verwachten: verzamel de scherven, neem een tube lijm en zet de vaas weer in elkaar. Oftewel, als je het over mensen hebt: breng alle stukken en brokken van de oorspronkelijke persoonlijkheid in kaart, pas daar de 'lijm' op toe van gesprekstherapie, hypnose en medicijnen, en maak er weer één geheel van. Je weet wel, net als in die film *Sybil*.

Het probleem met dit scenario is alleen dat die metafoor niet echt deugt. Een vaas kun je kapot gooien, begraven en twintig jaar onder de grond laten liggen, weer opgraven, aan elkaar lijmen en klaar is kees. Dat dat kan, komt doordat een vaas een dood ding is en de stukken inerte materie zijn. Maar mensenzielen zijn niet van porselein. Ze leven, en dus zijn ze veranderlijk; en ook als ze verbrijzeld zijn, blijven ze veranderen.

Dus zet die vaas maar uit je hoofd; denk liever aan een rozenstruik, door een storm kapot gerukt. De takken liggen her en der in de tuin verspreid, maar ze blijven niet gewoon maar liggen; ze zullen wortel schieten en weer proberen te groeien, ook al is dat dan niet meer zo gemakkelijk, doordat ze met elkaar concurreren om genoeg ruimte en licht. Maar goed, ze redden het – de meeste redden het – en wat je uiteindelijk krijgt, tien of twintig jaar na die storm, is niet één enkele rozenstruik, maar een hele verzameling rozenstruiken. Sommige zien er zwaar verminkt uit; waarschijnlijk zijn ze allemaal kleiner dan ze zouden zijn geweest als ze ieder een eigen tuin hadden gehad. Maar ze zijn wel meer, veel meer, dan domweg een verzameling puzzelstukjes.

De metafoor van de gebroken vaas is van een heel andere orde dan die van de rozenstruik. Wil je een hele rozentuin terugveranderen in één enkele rozenstruik, dan komt daar meer bij kijken dan dat je enkel wat losse stukken aan elkaar lijmt; daarvoor zul je moeten snoeien en uitlopers uitgraven en weggooien, en het eindproduct dat je krijgt is niet de oorspronkelijke rozenstruik, maar een monsterlijke karikatuur ervan. En wie weet bréng je het niet eens zover: kleine rozenstruikjes verdragen het niet altijd even goed om te worden geplunderd en gemanipuleerd.

Dat is iets waar mijn vader door schade en schande achter is gekomen. Dokter Kroft, de aan de universiteit in Ann Arbor, Michigan, verbonden psychiater die in 1987 als eerste de diagnose 'meervoudigepersoonlijkheidsstoornis' stelde, geloofde heilig in de metafoor van de kapotte vaas. Met z'n tweeën hebben ze vier jaar lang hun best gedaan om mijn vader te laten fuseren met de andere zielen in Andy

Gage' hoofd. De enige vormen van re-integratie die althans een beetje succesvol verliepen, waren die waar Getuigen aan te pas kwamen; door de ogenblikken van een specifiek geval van misbruik waardoor een bepaalde Getuige was ontstaan in gedachten opnieuw te beleven, was mijn vader soms bij machte de herinneringen van zo'n Getuige tot de zijne te maken, ze zo te absorberen. Maar dat was een uiterst pijnlijk proces, en het had niet altijd succes. En als hij pogingen deed om meer complexe zielen te absorberen, zoals Simon of Drew, mislukten die niet alleen faliekant, maar leidden ze vaak ook nog tot chaotische periodes, waarin hele stukken tijd wegraakten.

Niet lang na de zoveelste chaotische periode, toen mijn vader bij zijn positieven was gekomen op een gesloten observatieafdeling in het Psychiatrisch Centrum in Ann Arbor, begon hij zich af te vragen of het niet mogelijk was dat dokter Kroft ernaast zat met zijn behandelmethode. Nadat hij uit het Centrum ontslagen was, had hij een langdurige woordenwisseling met dokter Kroft over eventuele andere benaderingen. Kroft hield bij hoog en bij laag vol dat er geen andere therapieën bestonden: re-integratie was de enige methode, punt uit. Mijn vader verloor zijn geduld en opperde dat Krofts 'fixatie' op re-integratie eigenlijk een vorm van projectie was.

Dat was een verschrikkelijke opmerking. Bij Kroft, een voormalige footballgrootheid, was na een ongeluk – hij had dronken achter het stuur gezeten – een been afgezet. Mijn vader insinueerde hiermee dat Krofts methode om een meervoudigepersoonlijkheidsstoornis te behandelen, eigenlijk een manier was om het feit te compenseren dat hij zichzélf niet meer kon repareren. Zoals mijn vader naderhand zelf toegaf, was die beschuldiging onvergeeflijk bot geweest, hoe gefrustreerd hij zich op dat ogenblik ook gevoeld mocht hebben. Kroft dacht er net zo over: hij sloeg terug door mijn vader opnieuw naar die gesloten afdeling te sturen.

Toen mijn vader daar voor de tweede keer uit kwam, besloot hij weg te gaan uit Michigan. Hij had gehoord dat je aan de westkust moest zijn voor de meest geavanceerde geestelijke gezondheidszorg, en daarom verhuisde hij naar Seattle, waar hij inderdaad bosjes psychiaters vond die de 'nieuwste' therapieën toepasten. Hij heeft er een heel stel leren kennen.

Zo had je daar dokter Minor, die geloofde dat de meeste meervoudigepersoonlijkheidsstoornissen niet het gevolg waren van gewoon, maar van ritueel kindermisbruik, en wel door een stel geheime sektes in het hele land die satan vereerden en met elkaar in contact stonden. Verder had je dokter Bruno, die veel heil zag in uitstapjes naar vorige levens. En dan dokter Whitney, die er naast zijn reguliere praktijk een praatgroep op na hield voor mensen die seksueel misbruikt waren door buitenaardse wezens. Dan had je nog dokter Leopold, die procederen aanbeval als middel ter aanvulling van psychotherapie. 'Sleep je ouders voor de rechter,' adviseerde hij mijn vader tijdens hun eerste afspraak. 'Je krijgt je zelfbesef pas terug als je het die rotzakken betaald zet die je dat alles hebben aangedaan.'

Al die vernieuwingsgezinde lieden hadden één ding gemeen, en dat was dat ze net als Kroft aanhangers waren van de metafoor van de gebroken vaas. Of ze nu geloofden dat zo'n stoornis het werk was van satansvereerders, dan wel een bijwerking vormde van de omstandigheid dat de patiënt in een vorig leven geradbraakt en gevierendeeld was, ze waren het erover eens dat Andy Gage pas zou genezen als hij weer één ziel was. Zoals Whitney, de therapeut die met interplanetaire verkrachters schermde, het formuleerde: 'Natúúrlijk moet je reïntegreren! Wil je soms niet normáál worden?'

Mijn vader was al bijna ten einde raad, toen hij in het voorjaar van 1992 op een dag een bezoekje bracht aan de openbare bibliotheek van Seattle en daar een zelfhulpboek ontdekte met de titel *Leven met een meervoudigepersoonlijkheidsstoornis.* In dat handboek, geschreven door Daniëlle Grey (arts te Seattle, aldus de sticker op de voorkant), werd die stoornis benaderd als een verschijnsel dat je moest leren hanteren, en niet als een ziekte die moest worden verholpen. 'Hét grote probleem waarmee meervoudige persoonlijkheden kampen,' schreef Grey in haar inleiding, 'is niet dat ze abnormaal zijn; ze zijn disfunctioneel. Een meervoudigepersoonlijkheidsstoornis is op zich niet problematischer dan linkshandigheid. Stukken tijd kwijtraken, niet in staat zijn zich te handhaven in een betrekking, telkens het dak boven het hoofd verliezen, uitvoerige lijsten moeten opstellen om de dag aan te kunnen – dát zijn problemen. Het zijn echter problemen die een meervoudige huishouding kan leren overwinnen door een degelijk samenwerkingsverband in te stellen.'

Grey ging niet zover dat ze opmerkte dat re-integratie nooit de aangewezen doelstelling kon zijn bij de behandeling van een meervoudigepersoonlijkheidsstoornis, maar ze liet wel duidelijk doorschemeren dat ze die hooguit als een niet al te dringende prioriteit beschouwde. Waar het op aankwam, was dat er korte metten werden gemaakt met de verwarde toestand als gevolg van oncontroleerbare identiteitswisselingen: dat er orde werd geschapen. En of je uiteindelijk met één ziel door het leven ging dan wel met tien of honderd zielen – dat was maar bijzaak.

Ik zou me te zwak uitdrukken als ik stelde dat Greys opvattingen niet al te geestdriftig waren begroet door haar collega's. Maar voor mijn vader was haar handboek een godsgeschenk, en hij zou met alle plezier een nóg langere tocht hebben afgelegd om dokter Grey persoonlijk te ontmoeten.

De dokter woonde, en dat was geen toeval, in een zogeheten Craftsman met één verdieping, die ze zelf had ontworpen en gebouwd. Ik klopte op de voordeur en Meredith, haar partner, deed open. Ze gaf me een complimentje vanwege de bloemen die ik had uitgezocht en vroeg me een ogenblik te wachten in de voorkamer. 'Danny is boven nog bezig zichzelf te organiseren,' legde ze uit. 'Een paar minuutjes nog.'

Meredith ging de margrieten in het water zetten; ik liep de voorkamer in. Dit was het vertrek waar Grey haar patiënten altijd had ontvangen, en waar ze destijds met mijn vader over het idee was begonnen om een huis met een terrein eromheen te construeren in Andy Gage' hoofd. Het was een grote, lichte kamer met antieke schemerlampen, een schouw waarin een gasvuurtje brandde en met hoge ramen die ze wijd open kon zetten, maar waar ze ook een stel lichte gordijnen voor kon dichttrekken, en die ze zelfs potdicht kon afsluiten met luiken – al naargelang de stemming van de patiënt.

Een eikenhouten tafeltje stond op een kleed midden in de kamer, met daaromheen, in een ietwat nonchalante opstelling, een fauteuil met een footstool, een stoel met een rechte rug, een beklede schommelstoel en een gerieflijke bank waar je je helemaal op kon uitstrekken. Op de tafel lagen twee boeken. Het ene was het handboek van dokter Grey. Het andere, dat ik niet herkende, had op de voorkant een afbeelding van een gebroken spiegel. De scherven van de spiegel bestonden uit glanzend materiaal dat echt spiegelde: als je het boek oppakte en ernaar keek, zag je je eigen gezicht, maar dan wel in versplinterde vorm. De titel luidde: *Reis door een verbrijzelde geest*, door Thomas Minor.

'God nee,' zei mijn vader vanaf het spreekgestoelte. 'Toch niet díé stompzinnige ongein, hè?' Ik nam aan dat hij het boek bedoelde.

'Is dat de Minor bij wie je in behandeling bent geweest?' vroeg ik.

'Ja. Dat boek is niet meer in de handel, godzijdank.'

'Het ziet er anders nieuw uit,' merkte ik op. Ik sloeg het open bij het eerste hoofdstuk en las zomaar een alinea:

> *Mijn aanvankelijke diagnose van Theo luidde dat zij een klassiek neurotisch geval was – een verwend klein meisje dat, nadat ze op kosten van haar ouders duizenden dollars had weggesmeten aan therapie, uiteindelijk genoeg zou krijgen van psychoanalyse en dan, zij het ietwat aan de late kant, het besluit zou opvatten om een volwassen mens te worden en het leven onder ogen te zien, net als iedereen. Dit was de ontwikkeling die ik voor de toekomst voorzag; vooralsnog ontpopte ze zich echter als een enorm lastig portret.*

Ik stond perplex. 'En die man is een erkende psychiater?'

'Het wordt nog veel gekker, hoor,' verzekerde mijn vader. 'En dit is nog maar zijn eerste boek; dit heeft hij geschreven voordat hij dat complot van satansvereerders ontdekte.'

Ergens in huis hoorde ik het gezoem van een motor: de rolstoellift waarmee dokter Grey naar beneden kwam. Even later kwam de lift met een plofje tot stilstand; er volgde een korte stilte en daarop een langdurig, grommerig gemompel, waarna ik de dokter hoorde zeggen: 'Ach, dat verdomde ding!' Uit het achterhuis kwam een paar voeten aandraven. Meredith zei: 'Wil dat hekje weer niet los?' En nu praatten ze tegelijk: 'Ik kan dat heus wel op eigen...' 'Laat me nou gewoon even...' 'Goddórie, Meredith!' 'Danny, laat dat ding eens los, anders...' 'Doe ik toch al, dóé ik toch al!' '... en nu een klein stukje achteruit, dan kan ik...' 'Schiet nou eens óp!' Totdat er eindelijk een metalige klik te horen was en dokter Grey zei: 'Oké, mooi, en nu wegwezen!'

Er begon een kleiner motortje te zoemen en daar zoefde dokter Greys rolstoel elegant de kamer in. 'Andrew!' begroette ze me, en ik probeerde verrast te reageren, alsof ik haar niet al had horen aankomen.

Zo moeilijk was het anders niet om verrast te reageren; het was schokkend zoals ze eruitzag. Haar stemgeluid was krachtig en duidelijk, zoals ik al zei, en haar ogen stonden nog even helder als vroeger, maar ze was veel magerder geworden – toen ik me bukte om haar te omhelzen, was haar lichaam net een verzameling losse huid en botjes. En ze zag er stukken ouder uit; in de loop van dat ene jaar dat ik haar niet meer had gezien, had ze zoveel rimpels gekregen dat je zou zweren dat er tien jaar waren verstreken, en haar haar, ooit bruin, deed nu haar achternaam eer aan.

'Ah,' zei de dokter toen ik me weer oprichtte, 'je hebt dat broddelwerkje van Minor gevonden, zie ik.'

'O ja,' zei ik, met een blik op het boek in mijn hand. 'Mijn vader dacht dat het niet meer in de handel was.'

'Dat was ook zo; maar nu is er toch een herdruk uitgekomen. Dat daar is een recensie-exemplaar dat Minor me heeft toegestuurd. Iedereen verkneukelt zich op zijn eigen manier, hè?'

'O. Wat een bot gebaar van hem.'

'Och ja,' mompelde dokter Grey. 'Afijn, ga zitten!' Ze gebaarde naar de bank. 'Ga zitten en maak het je gemakkelijk. Laat ik eerst eens de hele familie begroeten.'

'Goed.' Ik ging op de bank zitten en trok me terug op het spreekgestoelte, zodat de anderen haar gedag konden zeggen. Dit was een gang van zaken die ik verwacht had en die niet meer dan beleefd was, maar opeens bespeurde ik de bijzonder egoïstische wens dat ik dat gedoe kon overslaan. Ik popelde om het met Grey over Penny te hebben, en ik was bang dat ze al moe zou zijn van al die anderen voordat ik ook maar iets te berde had kunnen brengen. Ons vorige bezoek had voortijdig afgebroken moeten worden doordat Grey plotseling door uitputting overmand was geraakt.

Ze had een beroerte gekregen in januari 1995, net toen mijn vader bezig was de laatste hand te leggen aan het huis en het gebied eromheen – een tijdstip dat rampzalig had kunnen uitpakken. Ik wist nog steeds niet goed hoe mijn vader die schokkende gebeurtenis had weten te doorstaan, al wist ik wél dat dokter Greys vooruitziende blik daar het nodige toe had bijgedragen: een dag nadat ze op de intensive care was beland kreeg mijn vader bezoek van dokter Eddington – een sympathiek iemand uit Fremont met wie Grey samenwerkte –, die hem het akelige bericht voorzichtig vertelde en ook een gepostdateerde brief van Grey meebracht, waarin ze met zoveel woorden zei: wanneer je dit leest, moet me iets verschrikkelijks zijn overkomen; maar ik wil niet dat jou iets verschrikkelijks overkomt, dus probeer je alsjeblieft flink te houden en accepteer de hulp van Eddington.

En mijn vader hield zich flink; hij voltooide het huis helemaal in zijn eentje en riep mij uit het meer, precies zoals het was gepland; zo luidde het officiële verhaal tenminste. Dokter Grey bleef een paar maanden aan haar bed gekluisterd; toen ik haar, ongeveer een week na mijn geboorte, voor het eerst ontmoette, kostte het haar nog grote moeite om hele zinnen te formuleren, en hoewel ze daarna opvallend vooruitging, was het algauw duidelijk dat ze nooit meer volledig zou herstellen.

Afgezien van het letsel dat Grey aan geest en lichaam had opgelopen, was het droevigste van die beroerte nog dat de verstandhouding tussen mijn vader en haar er zo door was veranderd. Dat was iets wat ik eigenlijk niet begreep, en mijn vader weigerde er met me over te praten. Eerst dacht ik dat het gewoon te veel voor hem was om zijn goede vriendin in zo'n afgetakelde toestand te zien, maar later kwam ik tot de slotsom dat het dat niet kon zijn. Mijn vader had er nooit blijk van gegeven dat hij ertegen opzag om Grey op te zoeken in het ziekenhuis, ook niet toen ze er op z'n ergst aan toe was. Pas toen ze weer thuis was ging hij er steeds minder voor voelen om haar op te zoeken of te bellen – ook al kreeg ze het vermogen terug om echte gesprekken te voeren. Inmiddels huldigde ik de theorie dat die tegenzin van hem voortkwam uit een mengeling van schuldgevoel en angst: schuldgevoel omdat hij als patiënt van haar had bijgedragen aan de te grote werkdruk die haar beroerte had veroorzaakt; en angst dat hij haar, zelfs door haar louter als goede vriend een bezoekje te brengen, wel een tweede zou kunnen bezorgen.

Zelfs op dat ogenblik vertoonde hij een aarzelende houding: in plaats van halsoverkop naar het spreekgestoelte te hollen en haar als eerste te begroeten, liet mijn vader alle andere zielen voorgaan. Toen hij eindelijk aan de beurt kwam, hield hij het kort en – een pijnlijk gezicht – bijna emotieloos beleefd. Grey stelde voor dat hij iedereen van het spreekgestoelte wegstuurde, zodat ze even onder vier ogen konden babbelen, maar mijn vader kronkelde daaronderuit met de opmerking dat hij haar niet te veel wilde vermoeien. Ik had daar blij om moeten zijn, maar het stelde me juist teleur. Grey was ook teleurgesteld: ze perste haar lippen op elkaar met een blik alsof ze meteen een gesprekje onder vier ogen wilde afdwingen, maar voordat ze de kans kreeg kwam Meredith de kamer in met een dienblad vol kopjes, en mijn vader maakte gebruik van het moment dat Greys aandacht werd afgeleid door het lichaam terug te geven aan mij.

'Hoor eens, Aaron...' zei Grey, terwijl Meredith ruimte op het tafeltje vrijmaakte om het blad neer te zetten.

'Ja, nee, sorry, ik ben het,' zei ik. 'Hij is weer naar binnen gegaan.'

'Goddorie nog aan toe! Zeg hem dat ik...'

'Mooi zijn ze, hè?' zei Meredith, en ze pakte een vaas van het blad.

'Hmm?' snauwde Grey. Toen zag ze de margrieten en ze raakte wat milder gestemd. 'Ja,' zei ze, 'ja, die zijn mooi.' Ze keek naar mij. 'Heb jij die meegebracht?' Ik knikte. 'Echt mooi. Ontzettend aardig van je, Andrew.' Haar blik gleed naar het dienblad. 'Heb je misschien zin in een paar bitterkoekjes?'

'Nee, dank u wel,' zei ik. 'Ik heb net ontbeten, ziet u. Straks, misschien.'

'Zoals je wilt.' Ze keek even venijnig naar Meredith, die nu een espressokopje van het blad pakte en het vulde uit een speciale pot. Grey dronk de espresso zonder iets erin; ze sloeg het zaakje achterover als een bitter drankje. 'Nog eentje,' zei ze, en Meredith schonk haar een tweede dosis in, die op dezelfde manier verdween. Toen gromde ze: 'Dat is wel genoeg', en Merediths aanbod om haar nog eens in te schenken wimpelde ze met een handgebaar af. Meredith ging de kamer uit en nam het kopje mee.

'Zo, Andrew,' zei Grey, 'aan de telefoon zei je iets over een vrouw met wie je problemen hebt. Is dat soms...' Ze zweeg even om zich te concentreren. '... Julie? Zo heet ze toch hè, Julie?'

'Ja, Julie Sivik,' zei ik. 'Ze is mijn baas. Maar zij is niet degene met wie ik problemen heb.'

'Maar die hád je toch wel, hè?' Haar ogen kregen een afwezige uitdrukking – ze probeerde zich iets voor de geest te halen. 'Toen je hier de vorige keer was? Je was toen helemaal bezeten van haar...'

'Nou ja, wel een beetje, maar...'

'Ze had bepaalde toenaderingspogingen gedaan, maar opeens veranderde ze van gedachten, en daar had jij toen grote moeite mee.'

'Jawel, maar... maar dat is alweer een tijdje geleden. Daar ben ik overheen."

'Ah!' Grey maakte zich monter los uit haar gemijmer. 'Nou, prachtig! En wie is dat nieuwe meisje dan?'

'Ze heet Penny Driver,' zei ik. 'Maar ze is niet... We hebben geen relatie of zo. We werken samen, meer niet.' Ik zweeg even, want om de een of andere reden wilde ik dat Grey dat punt goed tot zich liet doordringen, maar ze keek me zo afwachtend aan dat ik vervolgde: 'Afgelopen maandag is ze bij de Werkelijkheidsfabriek komen werken, Julie heeft haar aangenomen. En nu blijkt dat...'

Ik deed alles uit de doeken. Grey luisterde wel, maar ze reageerde zo flauwtjes dat ik me, zij het niet helemaal serieus, begon af te vragen of ze misschien in slaap was gevallen met haar ogen open. Maar toen ik beschreef hoe ik tegen Julie was uitgevallen vanwege haar eigenlijke motief om Penny in dienst te nemen, kwam Grey weer tot leven en knikte energiek. 'Goed zo,' zei ze, 'ik ben blij dat je haar de waarheid hebt gezegd. Je had gelijk; dat wás ook een slecht idee, en al helemaal om jou daar op zo'n manier mee te overvallen.'

'Nou ja,' zei ik na die bemoedigende reactie, 'ik weet zeker dat Julie het goed bedoelde...'

'Goede bedoelingen worden te hoog aangeslagen,' zei Grey. 'Je weet dat waarschijnlijk al wel, maar ik moet niet al te veel hebben van goede bedoelingen.'

'Eh...'

'Maar daar hadden we het niet over. Sorry. Ga door.'

'Eh... Nou ja, goed, meteen de dag daarop...'

Tijdens de tweede helft van mijn verhaal, mijn beschrijving van Draads pogingen om mij over te halen 'Penny te helpen naar zichzelf op zoek te gaan' viel Grey me telkens in de rede om uitvoerig te vragen hoe die mailtjes precies geformuleerd waren en hoe Penny, Draad en Vuilbek zich hadden gedragen toen ze bepaalde dingen hadden gezegd en gedaan. Ook wilde ze weten wat ík had gedaan, en na haar opmerking over goede bedoelingen was ik bang dat mijn eigen gedragingen er niet al te goed van af zouden komen. Maar Greys oordeel viel positief uit.

'Zo te horen heb je je lang niet gek geweerd, als je de omstandigheden in aanmerking neemt,' zei ze.

'Nou ja... behalve dan toen ik zo overtrokken reageerde.'

'Een zekere mate van schichtigheid is heel begrijpelijk, vooral met het oog op die dreigementen. Maar je zult met dat meisje moeten gaan praten...'

'Dat weet ik. Alleen...'

'Je zult ook aan Julie moeten vertellen wat er is gebeurd – ik weet wel dat je haar er niet bij wilt halen, maar als Penny's gedrag straks gevolgen heeft voor jouw werk, dan hoort je baas dat te weten. Vooral omdat zij Penny in dienst heeft genomen, en dus de verantwoordelijkheid draagt.'

Daar ging ik niet op in, maar Grey reageerde alsof dat wel het geval was. Blijkbaar had ze een uitdrukking op mijn gezicht gezien – en wat die beroerte ook bij haar had mogen aanrichten, haar intuïtie werkte nog even feilloos als vroeger.

'Mocht de situatie met Penny steeds ergere proporties aannemen,' vroeg ze, 'denk je dan dat Julie zou proberen jóú de verantwoordelijkheid in de schoenen te schuiven?'

'Tja,' zei ik nadenkend, 'volgens mij zou ze me dan niet regelrecht de schuld geven... maar misschien zou ze zich wel gedragen alsof het allemaal mijn schuld was.'

'Laat ik je dan iets anders vragen. Je zei daarnet dat je over die obsessie voor Julie heen was. Hoe is dat precies gegaan?'

'Hoe?'

'Hoe heb je dat voor elkaar gekregen? Ik herinner me nog dat je behoorlijk verkikkerd op haar was, de vorige keer. En het is nu eenmaal zo dat ik je toen niet al te veel hulp heb kunnen bieden, door die opdonder die ik zomaar kreeg, midden onder ons gesprek.'

'O, jawel hoor!' zei ik. 'U hebt me heus wel geholpen... Of tenminste, zo goed als u maar kon.'

'Met andere woorden, niet al te goed,' zei Grey. 'Goed, hoe ben je toen je gevoelens de baas geworden? Hebben Julie en jij toen nog meer gepraat, of...'

'Nee. Nee, Julie had er langzamerhand haar buik vol van, van dat gepraat over mijn gevoelens. En dat kan ik haar eigenlijk ook niet kwalijk nemen... Ik bedoel, ik weet best dat liefde niet iets rationeels is en dat er geen logische verklaring voor hoeft te zijn dat twee mensen het niet met elkaar eens kunnen worden, ook al lijkt het alsof ze geknipt voor elkaar zijn... maar ik zeurde maar door dat ik een logische verklaring wilde. En Julie heeft heus haar best gedaan om het me duidelijk te maken, maar op het laatst werd ze er gek van dat ik telkens weer hetzelfde vroeg...'

'Dus toen kon je niet meer met haar praten. Hoe heb je het dan opgelost?'

'Ik... heb toevallig iets opgevangen.'

'Wat dan?'

Ik tuurde naar mijn handen.

'Wat heb je opgevangen?' herhaalde Grey geduldig.

'Het is nogal gênant.'

Grey keek me ernstig aan. 'Ik beloof dat ik er geen grapjes over zal maken,' zei ze.

Ik zuchtte en dwong mezelf het te vertellen: 'Het gebeurde ongeveer een week nadat ik bij u was geweest. Julie had het net aangelegd met een andere vent, een monteur bij de wegenwacht die ze had ontmoet, en dat viel helemaal verkeerd bij mij. Een van de dingen die ze had gezegd om me duidelijk te maken waarom het niks kon worden tussen ons, was dat ze het op dat ogenblik met níémand zag zitten – maar toen veranderde ze zomaar radicaal van gedachten en begon wél iets met iemand. Nou, en dat weekend ben ik toen, terwijl ik best wist dat ze schoon genoeg had van al dat heen-en-weergepraat, naar haar huis gegaan om nog één keer te proberen haar zover te krijgen dat ze het me uitlegde.'

'Wat is er toen gebeurd?'

'Nou ja, ik stond voor de deur van Julies appartement, ik moest al m'n moed bij elkaar rapen om aan te kloppen, en toen hoorde ik ze. Julie en die monteur.'

'Je hoorde ze...?'

'Met elkaar in de weer. U weet wel...'

'Ah,' zei dokter Grey.

'Julies slaapkamer ligt het verst van de voordeur, maar het is maar een klein flatje, en... nou ja, ze maakten er een hoop herrie bij.'

'Dus je hoorde ze in de slaapkamer. En toen?'

'Nou, toen had ik me dus moeten omdraaien en weggaan.'

'Ja, zo is het,' beaamde Grey. 'Maar wat dééd je? Bleef je staan luisteren?'

Mijn wangen gloeiden, en heel even schaamde ik me zo dat ik haar niet kon aankijken. Ik knikte. 'Ik kon er niets aan doen,' zei ik, en omdat me te binnen schoot dat mijn vader misschien wel meeluisterde, zette ik dat vlug recht: 'Ik bedoel, daar kon ik best iets aan doen, natuurlijk, maar dat wilde ik niet.'

'En hoe voelde het, om voor luistervink te spelen bij zoiets?'

'Afschuwelijk. Afschuwelijk en fout, maar ook... U weet wel wat een catharsiservaring is, hè?'

'Zeker,' zei Grey, 'alleen denk ik dat jij een plaatsvervangende ervaring bedoelt.'

'Nee, een catharsis. Ik bedoel... Goed, eerst had het daar wel even iets van... Julie klonk alsof ze het echt geweldig had, en natuurlijk wilde ik wel dat ík dat was, degene die het haar zo enorm naar de zin maakte. Misschien dat ik me zelfs wel heb verbeeld dat ik dat was, heel even dan. Maar toen er maar geen eind aan kwam, ging ik me... hondsberoerd voelen. Het was zo'n gevoel dat je krijgt als je zo intens huilt dat je hele lichaam beeft en trilt – alleen huilde ik niet, en beven en trillen deed ik ook niet. En toen het voorbij was, toen ze eindelijk ophielden en ik wegsloop, voelde ik me volslagen uitgeteld: wazig en bekaf en een beetje koortsig – maar ook beter, op een of andere manier.

Ik weet nog dat ik bij mezelf dacht: misschien ligt het dááraan, dat het niks kon worden tussen ons. Ook al wilde ik het Julie nog zo graag... op die manier naar de zin maken, misschien kon ik dat gewoon wel niet, en misschien besefte Julie dat, en heeft ze daarom voor die monteur gekozen, en niet voor mij. Goed, ik ging dus naar huis, met dat soort gedachten, en ik ben die avond vroeg naar bed gegaan en heb heel diep geslapen, en toen ik de volgende dag opstond had ik het geaccepteerd: dat Julie en ik nooit bij elkaar konden horen. Dat hele bezeten gevoel, dat idee dat ik een verklaring moest en zou krijgen, dat was allemaal weg.'

'Uitgewoed,' zei Grey.

'Ja.'

'Of verdrongen,' zei ze. 'Of afgesplitst.'

'Afge... Nee!' protesteerde ik. Dat was een serieuze beschuldiging.

'Ik heb helemaal niks afgesplitst! Ik ben geen stukje tijd kwijtgeraakt, geen seconde!'

'Je zei anders wel dat je die nacht diep had geslapen...'

'Dat was slaap, geen black-out! Bovendien, als ik toen ook maar iets van tijd was kwijtgeraakt, was dat anderen in het huis heus wel opgevallen!'

'Oké dan, dat is mooi,' zei Grey. 'Geen black-out. Toch vraag ik me af of je gevoelens voor Julie echt wel zo helemaal gezakt zijn als jij graag wilt geloven. En dat is wel iets om in gedachten te houden, alleen al om die gevoelens gescheiden te kunnen houden van je gevoelens voor Penny. Want de omgang met iemand met een meervoudige persoonlijkheid die bovendien in de war is, is ook als je motieven kristalhelder zijn al moeilijk genoeg.'

'O ja, Penny dus,' zei ik. 'Wat moet ik doen?'

'Met haar praten, dat is het eerste wat je te doen staat,' zei Grey. 'Met die bemiddelaarster, hoe heet ze...'

'Draad.'

'Draad, ja. Stel een aantal basisregels in. Waarschijnlijk krijg je eerst met die lijfwacht te maken, dus laat duidelijk weten, zonder er doekjes om te winden, dat je geen asociaal gedrag tolereert. Geen dreigementen meer, geen telefoontjes midden in de nacht – dat moet uit zijn. En dit is heel belangrijk, Andrew.' Ze hield een waarschuwende vinger omhoog. 'Mochten die dreigementen wél doorgaan, mocht dat gewelddadige gedrag ergere vormen aannemen, dan moet je er niet tegen opzien de politie te bellen.'

Ik fronste.

'Je mag dit niet licht opnemen, Andrew.'

'Dat weet ik wel,' zei ik. 'Maar ik... Ik wil haar geen rottigheid bezorgen, ik moet er niet aan denken dat ze opgesloten wordt, stel je toch voor.'

'Nee, ik ook niet,' zei Grey, 'maar ik moet er ook niet aan denken dat een of andere alter amok maakt en jou in de vernieling helpt. Dus beloof me nu...'

'Oké, dat beloof ik. Met mijn hand op mijn hart.'

'Prima... prima. Goed, dan de volgende stap, als je contact met haar hebt gelegd en haar die regels aan het verstand hebt gebracht: je probeert erachter te komen of ze eventueel bereid zou zijn hiernaartoe te komen, om met mij te praten.'

'O, nee!' zei ik. 'Dokter Grey, dat kan ik toch niet van u vragen, om...'

'Dit is geen aanbod om haar te behandelen,' verzekerde Grey. 'Dat kan ik niet, daarvoor heb ik de energie gewoon niet. Maar voordat ik haar doorverwijs, wil ik die vrouw zelf een keer spreken. Om de diagnose te bevestigen.'

'O, oké. Volgens mij krijg ik Penny wel mee. Ik kan het in ieder geval proberen.'

'En verder,' voegde Grey eraan toe, 'zou ik het over niet al te lange tijd ook eens over een therapeut voor jou willen hebben.'

'Voor mij? Waarvoor? Ik ben toch niet...'

'Ik heb zo'n idee dat het goed voor je zou zijn om iemand te hebben met wie je kunt praten, een deskundige bedoel ik. Iemand die jou geestelijke hulp kan bieden bij bepaalde kwesties die de kop opsteken in je leven. Het zouden geen wekelijkse sessies hoeven te zijn – één keer in de maand, of wanneer je maar behoefte hebt aan een luisterend oor, meer niet. Ik zou anders wel voorstellen om het zelf te doen, maar ik kan je niet garanderen dat ik altijd... Nou ja, zoals ik al zei: ik heb gewoon de energie niet.' En op hetzelfde ogenblik leek het alsof ze een beetje in elkaar zakte in de rolstoel, alsof de kwieke geest die ze dat hele uur tentoon had gespreid het nu langzaam maar zeker liet afweten.

'Dokter Grey,' zei ik, opeens angstig, 'u voelt zich toch wel goed, hè?'

'Dat is een vraag waar je eindeloos over kunt speculeren, Andrew.' Ze lachte wel, maar geforceerd.

'Had ik misschien maar beter niet kunnen komen vandaag? Mijn vader vroeg zich al af of het geen slecht idee was, of u niet te...'

'Nee, nee, Andrew, alsjeblieft zeg,' zei Grey, en ze deed haar best om een energieke houding aan te nemen. 'Ik... Weet je, het is wel raar, want sinds ik je vader en de anderen behandeld heb, beschouw ik je als een oude kennis van me. Maar eigenlijk... eigenlijk kennen wij elkaar ternauwernood. Jij hebt me nooit meegemaakt toen ik... op mijn best was.' Ze zuchtte. 'Het viel niet mee, om me aan te passen aan deze toestand.' Haar sterke vuist bonkte neer op de armleuning van haar rolstoel. 'Ik mís het om patiënten te ontvangen. Ik mis het... dat harde werken van vroeger. Dus zit er niet over in dat je bij me hebt aangeklopt met een probleem – ik vind het fijn om te helpen, om de kans te krijgen iemand te helpen. Ik wou alleen dat ik je beter had kunnen helpen toen je... toen je pas begon.'

'Wat dat betreft is er geen enkele reden om u zorgen te maken,' zei ik. 'Dat u mijn vader hebt geholpen met het bouwen van het huis, dat is al dubbel en dwars genoeg. Het is allemaal prima in orde gekomen, echt waar.'

'Nou, kijk eens aan,' zei Grey, en ze deed haar ogen dicht. 'Zou je Meredith willen halen? Ik geloof dat ik nu naar boven moet om even te rusten.'

'Goed,' zei ik en stond op. 'Moet ik...'

'Ik zou het leuk vinden als je straks een hapje bleef mee-eten, als het gaat.' Grey deed haar ogen weer open. 'Maar ik moet gewoon eerst een tukje doen. Neem dat boek van Minor maar door als je toch zit te wachten. En laat me dan weten wat je ervan vindt.'

'Ik heb al een alinea gelezen,' zei ik, 'en ik vind het verschrikkelijk.'

'Goed zo! Lees er dan nog meer. Onder het eten kun je me dan haarfijn uit de doeken doen wat daar zo verschrikkelijk aan is.' Ze glimlachte vermoeid. 'Dan kan m'n dag niet meer stuk.'

Ik zou er dolgraag voor gezorgd hebben dat haar dag niet meer stuk kon. Maar ze kwam almaar niet beneden, en uiteindelijk stelde Meredith voor dat we dan maar zonder haar gingen eten. We gingen met boterhammen op de veranda zitten. Af en toe nam ik een hapje (ik had nog steeds niet veel honger), en ik vroeg naar de gezondheid van dokter Grey. 'Danny heeft goeie en slechte dagen,' zei Meredith vaag. 'Dit is zo'n beetje een gemiddelde dag – al weet ik dat ze blij was je te zien.'

Na het eten wachtte ik nog een poosje, in de hoop dat ik althans afscheid kon nemen, maar Grey bleef slapen. Daarom schreef ik haar maar een briefje, waarin ik haar bedankte omdat ze me had ontvangen en zei dat ik haar zou bellen als ik contact had gelegd met Draad. Daarna richtte ik mijn schreden naar de bushalte om een begin te maken met de lange tocht terug naar Autumn Creek.

Onderweg dacht ik aan Julie.

9

Volgens mij is het niet zo heel raar dat ik met allerlei vragen zat in verband met seks. In tegenstelling tot heel wat van de andere zielen in het huis ben ik nooit verkracht of aangerand; maar mijn praktische kennis van de wereld moest toch ergens vandaan komen, en de collectieve opvattingen over seksualiteit die het huishouden van een meervoudige persoonlijkheid erop na houdt, zijn ietwat merkwaardig, dat kan niet anders.

Het waren niet zozeer de technische bijzonderheden van de daad die me voor een raadsel stelden – ik had zo'n idee dat dat onderdeel me wel redelijk helder voor ogen stond, al liep het me dun door de broek bij de gedachte dat ik het echt zou moeten dóén. Wat ik problematisch vond, was wat eraan voorafging. Hoe kwamen mensen eigenlijk precies zover dat ze het met elkaar wilden aanleggen, en hoe brachten ze dat feit aan elkaar over? Ik wist wel wat van flirten af, maar ik had geen idee hoe je het verschil moest vaststellen tussen flirten en een gewone, vriendelijke houding. Stel dat je dacht dat iemand anders wilde dat je hem of haar kuste: hoe kon je er ooit achter komen dat die ander dat echt wilde, zonder dat je een figuur als modder sloeg? Was het oké om zoiets gewoon te vragen, of wilde het zeggen, als je dat moest vragen, dat het antwoord waarschijnlijk nee zou luiden? En als je bezig was iemand te kussen, hoe wist je dan dat die ander nog verder wilde gaan? Op wat voor tekenen moest je letten?

Mijn vaders antwoord op dat alles was de dooddoener: 'Daar kom je vanzelf wel achter.' Ik kon het hem eigenlijk niet kwalijk nemen dat hij niet wat behulpzamer was: als je een aantal onvrijwillige handelingen buiten beschouwing liet, was (en is) mijn vader nog maagd.

Voor zover ik weet heeft hij nooit zelfs maar een beetje gescharreld met iemand, en hij heeft er ook nooit op gezinspeeld dat hij dat graag zou willen.

Sommige andere zielen in het huis hadden wel seksuele ervaring opgedaan, of liefdesrelaties gehad, of gedeeltelijke relaties, maar in de regel hielden ze die herinneringen angstvallig voor zich. Zo wist ik bijvoorbeeld dat tante Sam in Andy Gage' puberjaren een tijdje een 'aanbidder' had gehad; ook wist ik (van Adam, die uit de school had geklapt) dat die aanbidder en zij samen alle mogelijke intieme zaken hadden uitgespookt. Maar tante Sam wilde daar nooit over praten; ze wilde niet eens het bestaan van die aanbidder bevestigen. 'Een dame blijft altijd discreet', dat was het enige wat ze over die kwestie kwijt wilde. En ook al had ze niet zo'n damesachtige houding aangenomen, dan nog had ze me misschien wel niets zinnigs te vertellen gehad: dat ze een hoop ervaring had opgedaan in een relatie betekende niet automatisch dat ze ook maar in de verste verte wist hoe je er eentje aanknoopte.

Vandaar dat ik er min of meer in mijn eentje voor stond toen ik me eind 1995 ging afvragen of Julie zich misschien wel tot me aangetrokken voelde. O ja, de andere zielen bemoeiden zich er natuurlijk nog volop tegenaan – dat deden ze altijd –, maar dat was zoiets als, om een uitdrukking van mevrouw Winslow te gebruiken, advies krijgen van een olifant over ijsdansen.

Of tenminste bijna zoiets. Ik moet toegeven dat Adam (ook nog maagd) een aardig scherp oog had voor de situatie. Maar zijn opmerkingen waren zo onbehouwen, en botsten zo vreselijk met wat ik wilde horen, dat ik het vertikte ze serieus te nemen.

'Julie heeft geen belangstelling voor een wip met jou,' deelde hij me plompverloren mee.

'En hoe kom jij aan die wijsheid?' vroeg ik. 'Heb je dat soms uit de *Playboy?*'

Dat had ik beledigend bedoeld, maar Adam vond die vraag dolkomisch. 'Ja hoor,' zei hij hinnikend. 'Uit het artikel "Vrouwen met autopech"... Nee, even serieus hè, je kunt een hoop van Julie zeggen, maar niet dat ze verlegen is. Als ze echt iets wil, dan maakte ze je dat wel duidelijk. Waarschijnlijk kiest ze daar dan de idiootste methode voor die je je maar kunt voorstellen, maar ze máákt het je duidelijk.'

'Nou ja, misschien is dit wel iets heel anders,' opperde ik. 'Misschien is ze er nog niet helemaal uit.'

'Niks d'rvan,' zei Adam. 'Ze wil gewoon niet met jou wippen.'

'Adam...'

'Ik zeg niet dat ze er nooit aan heeft gedacht. Dat is best mogelijk. Het kan best zijn dat ze er wel eens over fantaseert als ze zich verveelt – en misschien dat jij dat hebt opgepikt. Als ze echt met je had willen bonken, dan was het er allang van gekomen.'

Ik had geen zin om hem te geloven, al hadden de 'tekens' dat Julie belangstelling voor me had niet veel om het lijf. Goed, ze deed aanminnig tegen me op een heel fysieke manier, maar zoals Adam me keer op keer gretig onder het oog bracht, sprong ze zo om met zowat iedereen – zelfs met Dennis, die doodenkele keer dat ze niet met elkaar overhooplagen. Aan de andere kant: Julie en ik gingen inmiddels waanzinnig intensief met elkaar om in onze vrije tijd, en dat deed ze niet met iedereen. We praatten vaak over ontzettend persoonlijke dingen, kregen het over kwesties die je niet zomaar met Jan en alleman zou aanroeren. We hielden er samen geheimen op na en Julie noemde mij haar 'vertrouweling'.

En er deden zich echt wel bepaalde dingen voor op grond waarvan je zou denken dat we meer waren dan enkel goede vrienden, of dat dat er tenminste in zat. Dingen die me hoop gaven.

Zoals die avond van Thanksgiving, toen we dat wilden vieren en met z'n tweeën naar het café in Bridge Street trokken waar we waren geweest op de dag dat we elkaar hadden ontmoet. Julie bestelde een kamikaze; ik nam een aardbeienmargarita zonder alcohol. De kelner die onze drankjes bracht merkte iets op in de trant van dat hij er als een berg tegen opzag om de volgende dag naar huis te gaan en zijn familieleden te moeten zien, en dat bracht Julie op het onderwerp van háár familie, vooral haar vader. Ik zal niet in alle mogelijke details treden waar een ander niets mee te maken heeft; laat ik alleen zeggen dat Julies relatie met haar vader weliswaar op geen stukken na zo vreselijk was als die van Andy Gage met zijn stiefvader, maar toch wel redelijk gruwelijk – ze is niet voor niets op haar zestiende het huis uit gegaan.

Bijna twee uur lang zat Julie over haar vader te praten. Ik deed mijn best om met haar mee te leven, hoewel ikzelf, zoals ik haar op een gegeven ogenblik nog eens in herinnering bracht, geen ervaring had met vreselijke ouders. Maar dat kon Julie blijkbaar niets schelen; en dus hoorde ik haar aan en zij stortte haar hart uit. Ze was nog steeds aan het woord toen ik haar lopend naar huis bracht, waarbij ik al die tijd haar hand vasthield.

Toen belandden we in Olympic Avenue, vlak voor Julies appartement, en het leek erop dat ze uitgepraat was. Heel even bleef ze zonder een woord staan, en toen boog ze zich naar me over, sloeg haar armen om mijn hals en vroeg of ik zin had om mee naar boven te komen om haar in te stoppen. Toen we naar boven gingen, leunde Julie zwaar op me. In huis loodste ze me, zonder ook maar een lamp aan te doen, mee naar haar slaapkamer. In het donker graaide ze even rond naar een doosje lucifers, waarna ze een kaars aanstak op de hutkoffer naast haar futon. En vervolgens kleedde Julie zich gewoon uit waar ik, onnozele hals, bij stond. Ze kleedde zich helemaal uit. Voor mijn gevoel stond ze een eeuwigheid naakt en wel in haar klerenkast te rommelen, totdat ze eindelijk een doorzichtige witte nachtpon te pakken had en die over haar schouders liet glijden. Ze kwam naar me toe, sloeg haar armen weer om mijn hals en kuste me vol op de lippen.

'Ja, ze kuste je,' zei Adam naderhand. 'Maar ze kuste je zonder je te vragen om te blijven; ze kuste je en zei dat je voorzichtig moest doen als je naar huis liep. Valt het verschil je niet op?'

Jawel, dat was me opgevallen. Maar na die avond gingen me nog meer dingen opvallen, dingen die Julie deed of zei, waar ik een verborgen betekenis in meende te zien. Zoals in de week na Thanksgiving, toen ze een geweldige ruzie met haar huisbaas had gehad en ze me kwam vertellen dat ze erover dacht om haar huurcontract op te zeggen, en tussen neus en lippen door opmerkte: 'Weet je, we zouden ergens woonruimte moeten zien te vinden' – en ze, toen ik me op de vlakte hield en zei dat dat leuk klonk, maar dat ik niet goed wist of ik er wel aan toe was om bij mevrouw Winslow weg te gaan, antwoordde: 'O nou, ik denk dat je véél meer lol zou hebben met mij dan met mevrouw Winslow...' Of die ochtend in de week daarna, toen Julies auto niet wilde starten en ze door de ijskoude, natte sneeuw te voet naar de Fabriek moest, en ze in haar ondergoed naar mijn tent kwam, zich probeerde af te drogen met een piepklein handdoekje en tegen me zei: 'Zeg Andrew, laten we 'm smeren naar Hawaii', en ik zei: 'Eh...', en ze bij me op schoot ging zitten en haar hoofd op mijn schouder legde, zodat haar natte haar tegen mijn hals drukte, en ze vroeg: 'Toe nou, Andrew. Laten we hier toch alsjeblieft weggaan.' Of een paar dagen later, toen Dennis me plaagde met een idee dat ik had gelanceerd voor een demo: 'Dat moet ik je nageven: jij bent nooit te beroerd voor een idioot voorstel,' en Julie terloops opmerkte: 'Ik durf te wedden dat dat niet het enige is waar Andrew nooit te beroerd voor is...'

Ja, ik weet het, ik weet het – waarschijnlijk zocht ik veel te veel achter al die opmerkingen. Maar destijds... Destijds wist ik zeker dat Julie signalen uitzond, en Adam kon de pot op met zijn sceptische praatjes.

Toen brak de kersttijd aan, de eerste Kerstmis van mijn hele leven, en Julie wilde met alle geweld dat we samen een kerstboom gingen kopen. Mevrouw Winslow had al een boom, een twee meter veertig hoog plastic exemplaar dat ze al had voordat ze getrouwd was, maar Julie betoogde dat dat geen echte was. 'Je hoort erop uit te gaan om een levende boom te kappen,' zei ze. 'Dat is traditie.'

'Doe je dat elk jaar?' vroeg ik.

'Nou nee, eigenlijk heb ik dat nog nooit gedaan. Maar toch is het traditie. Het kan ónze traditie worden...' Het spreekt vanzelf dat ik het idee een speciale traditie van Julie en mij in te stellen onmiddellijk helemaal zag zitten.

Ze vroeg haar oom of hij ons naar een kerstbomenkwekerij in Snoqualmie wilde brengen. Op een avond na het werk haalde hij ons op met zijn pick-up. Julie, die de hele dag al in een jolige stemming was, stelde me aan hem voor als haar 'zielsverwant'. Haar oom, een grijsharige, oudere man met de schorste stem die ik ooit heb gehoord, gaf me een hand en zei: 'Geweldig.' Daarna zei hij een hele tijd niets; Julie praatte onderweg zo'n beetje aan één stuk door. Tijdens haar monoloog, die over de nieuwste ontwikkelingen bij de Werkelijkheidsfabriek ging, merkte ik dat ze een hoop lovende dingen over mij zei – dat ik zo creatief was, dat ik zo hard werkte, dat ik zo'n prima kracht was. Ik had me gevleid moeten voelen, maar het bracht me eigenlijk alleen van mijn stuk. Heel wat van die complimentjes vond ik overdreven, en een paar sloegen gewoon nergens op (ik bén niet 'heel muzikaal'; de enige ziel in het huis met iets van muzikaal talent is tante Sam, en zelfs zij is niet heel goed). En weer betrapte ik mezelf erop dat ik me afvroeg of er hier sprake was van een verborgen boodschap: probeerde Julie nu eigenlijk haar oom iets te vertellen, of mij?

De kwekerij in Snoqualmie verkocht gekapte bomen in alle soorten en maten, maar Julie had haar zinnen gezet op een 'traditie' en stond erop dat we een zaag leenden en het terrein op gingen. Nadat ze een boom had uitgekozen die zo ver mogelijk van de parkeerplaats stond, speelde Julie tijdens het eigenlijke kapwerk louter de rol van toeziend oog. Haar oom en ik hanteerden om beurten de zaag, en zij moedigde ons nu eens luidkeels aan, dan weer plaagde ze ons met onze trage vorderingen, of ze gooide sneeuwballen. De sneeuwballen vlogen stuk voor stuk mijn kant op.

Toen we terug waren in Autumn Creek, bedankte Julie haar oom uitbundig – 'Je bent een bovenstebeste, Arnie, echt waar' – en vroeg hem mee naar boven om iets te drinken; maar hij sloeg dat af en zei dat hij nog een klusje had. Hij klauterde in de laadbak van zijn pick-up en toverde een stapel kartonnen dozen tevoorschijn die aan het zicht onttrokken was geweest door een verzameling kussens van stoelen en banken. Hij maakte een van de dozen open en haalde er twee flessen whisky uit, voor elk van ons een. 'Fijne feestdagen,' kraste hij, en Adam kraaide vanaf het spreekgestoelte: 'Kijk dan, mama, geen accijnszegels!'

Op haar beurt gaf Julie haar oom een stijf dichtgevouwen bruine papieren zak. Ik weet niet wat erin zat, maar hij werd daar heel blij van: 'Oké, dan!' zei hij en stopte zijn cadeautje weg in een binnenzak met ritssluiting van zijn jas. Hij gaf Julie een tikje onder de kin en mij een klap op de schouder. 'Geen gekke dingen doen, hè, jullie tweeën!' Met nog een laatste knipoog naar Julie stapte hij in zijn pick-up en reed weg.

Toen de auto uit het zicht was verdwenen, bood ik Julie mijn whisky aan. 'Prettige kerstdagen,' zei ik. 'Ik heb nog een cadeautje voor je, maar...'

'Ja, ik heb ook iets voor jou,' zei Julie. 'Maar laten we eerst deze boom naar binnen takelen.'

We zeulden de boom de trap op en Julies slaapkamer in. Toen ging ze met de whisky naar de keuken om eggnog te maken en ik zette de boom in een stander die ze had gekocht. Dat bleek lastiger dan ik had verwacht, maar toen Julie terugkwam met een beker in elke hand, stond hij er redelijk recht bij. 'Proost,' zei ze en gaf me een beker.

'Proost.' Ik nam een voorzichtig slokje... en fronste mijn voorhoofd, want ik proefde alcohol in het mengsel met eieren en room. 'Eh... Julie... je was dat zeker vergeten, maar ik drink geen...'

'Sst,' zei Julie en legde een vinger tegen mijn lippen. 'Als jij niks verklapt, hou ik ook mijn mond.'

De zaak al of niet verklappen was niet aan de orde, natuurlijk; elke poging om drank verborgen te houden voor mijn vader was net zoiets als een manicurebeurt proberen te verbergen voor mijn nagels. Maar ik nam nog een slokje, puur uit beleefdheid, en zette de beker vervolgens onopvallend aan de kant. 'Goed, zullen we elkaar nu die cadeautjes geven?'

Julie schudde haar hoofd. 'Nog even niet – eerst moeten we de boom nog versieren.' Ze trok een grote doos vol kerstspullen uit haar klerenkast, haalde er twee in de knoop geraakte strengen kerstboomlichtjes uit en gaf er een aan mij. 'Haal dit eerst maar eens uit elkaar.'

We gingen aan de slag met de knopen in de snoeren en kletsten over koetjes en kalfjes. Ik vroeg Julie waar ze die mix voor eggnog had gekocht.

'Een mix!' zei Julie schamper. 'Dit heb ik zelf gemaakt zeg, wat dacht je!'

'Echt waar?' Ik wierp een blik op mijn beker. 'Ik dacht dat de basis voor eggnog – je weet wel, alle spullen die erin horen behalve de whisky –, ik dacht dat die gewoon uit een pak kwamen.'

'Zal ik je eens wat zeggen: het spul komt van eieren,' zei Julie plagerig, 'en die komen van een kip. En verder van slagroom, en die komt van een koe.'

'Heb je zelf een koe gemolken?'

'Nee, Andrew...' Julie trok al een geërgerd gezicht, maar besefte toen dat ik haar ook plaagde. 'Oké, oké,' gaf ze toe, 'ja, de slagroom komt dus uit een pak – maar ik heb alle ingrediënten eigenhandig bij elkaar gestopt.' Ze straalde trots. 'Dit is een van de vele nuttige dingen die ik heb geleerd bij Lulu's Mexican Kitchen in Phoenix, in Arizona.'

'Heb je eggnog geserveerd in een Mexicaans restaurant?'

'In de kerstperiode deden we dat, ja. De gast met wie ik achter de grill stond heeft me zijn geheime recept verteld.'

De gast met wie ik achter de grill stond... Julie zei dat op zo'n bepaalde toon dat ik vroeg: 'Had je iets met hem?'

Er verscheen een rimpel in Julies voorhoofd; zo te zien werd de aandacht waarmee ze de lichtjes ontwarde iets intenser. 'Ja,' zei ze, en vanaf het spreekgestoelte waarschuwde Adam: 'Niet doen.'

Maar ik deed het wel. Haperend vroeg ik: 'Heb je... Denk je weleens aan míj als zo iemand? Als iemand met wie je iets hebt, bedoel ik.'

De rimpel in Julies voorhoofd werd dieper, maar ze bleef aan het snoer met lichtjes plukken alsof ze me niet had gehoord. Haar antwoord bleef zo lang uit dat ik me ging afvragen of ik misschien vergeten was die vraag hardop te stellen. Maar op het laatst keek ze me aan en zei: 'Weet je nog dat ik je over die fysiotherapeut heb verteld met wie ik samenwoonde?'

'Jawel,' zei ik. 'De man bij wie je werkte voordat je de Werkelijkheidsfabriek op poten zette, toch?'

Ze knikte. 'Bij wie ik werkte, met wie ik samenwoonde, enzovoort, enzovoort... Sinds we uit elkaar zijn heb ik hem nooit meer gezien of gesproken. Ik weet niet eens of hij nog in Seattle zit. En met die gast in Phoenix is het net zo gegaan... en met die gast in Eugene, en die gast in Las Vegas, en die gast in Yellowstone, en die gast in New York, en die vier gasten in Boston. Zo is het bij mij altijd gegaan: als ik een relatie heb met iemand, en er komt een eind aan, dan verdwijnt zo'n type uit mijn leven. En ik wil niet dat dat ooit ook met jou zo loopt, Andrew – ik wil jou in mijn leven hebben, jij mag nooit een vreemde worden.'

'O,' zei ik, gevleid en teleurgesteld tegelijk. Maar de teleurstelling woog zwaarder, en even later opperde ik aarzelend: 'Maar als... als er nu eens geen eind aan kwam? Als...'

Julie schonk me een treurige glimlach. 'Aan verhoudingen komt altijd een eind,' zei ze. 'Weet je dat niet?'

Nee, dat wist ik niet – en ik geloofde het ook niet, maar ik had geen idee wat voor tegenargumenten ik moest aanvoeren. Ik zat met de mond vol tanden en boog me maar weer over de knoedel kerstlichtjes; na een kort, ongemakkelijk stilzwijgen verkondigde Julie op een geforceerd opgewekt toontje: 'Zo, ik ga eens naar de keuken, nog een bodempje eggnog halen.' Deze keer was de verborgen boodschap zonneklaar: als ik terugkom, hebben we het over iets anders. En dat deden we; en later pas, toen Julie en ik afscheid van elkaar hadden genomen en ik in mijn eentje naar huis liep, bedacht ik dat ze eigenlijk helemaal niet had gezegd of ze zich tot me aangetrokken voelde.

'Doet dat er dan iets toe?' vroeg Adam. 'Ze wil niet met jou neuken. Knoop je dat nou eindelijk eens in de oren.'

Ik deed mijn best. Ik deed mijn uiterste best, en misschien was het me ook wel gelukt, als er niet bepaalde dingen waren gebeurd tijdens het feestje tussen kerst en Oud en Nieuw.

Omdat kerstavond en oudejaarsavond dat jaar allebei op zondag vielen, had Julie bedacht dat we op woensdag de 27ste een Fabrieksfeestje zouden vieren ter ere van beide avonden. Julie en ik namen de hapjes en drankjes voor onze rekening: Julie maakte punch, waarvoor ze de tweede fles whisky van haar oom gebruikte, en ik bakte koekjes en een chocoladetaart. De gebroeders Manciple werden belast met het onderdeel amusement.

Woensdagmiddag kwamen we om vijf uur bijeen in de Grote Tent om een begin te maken met de feestelijkheden. Julie deelde punch uit aan iedereen behalve mij; Dennis startte Eidolon op. De Werkelijkheidsfabriek bezat toentertijd maar twee datapakken, dus deden we die om de beurt aan om virtueel pingpong te spelen, virtueel skeeball en virtueel piñata-meppen (waarbij je niet geblinddoekt wordt, maar de piñata alle kanten op kunt schieten). Op het laatst kondigde Dennis het 'allernieuwste' virtuele spelletje aan: virtueel twister.

'Wat is dat?' vroeg ik.

Julies wenkbrauwen schoten omhoog. 'Heb je nog nooit twister gespeeld?'

Ze beschreef de echte-wereldversie van het spel, dat me eerst vreemd in de oren klonk. En de virtuele-wereldversie was nog vreemder: bij virtueel twister lagen de gekleurde cirkels niet alleen op de 'vloer', maar hingen ze ook overal om je heen in de lucht.

'Dus je moet een hand of voet op zo'n cirkel zien te krijgen,' zei ik, 'en daarvoor moet je je in de gekste bochten wringen...'

'Precies,' zei Julie.

'... en degene die het eerst van de sokken gaat heeft verloren?'

'Ja, officieel wel. Maar eigenlijk gaat het er bij dat spel niet zozeer om of je wint of verliest...'

Waar ging het dan wel om? Onder andere dat degenen die toekeken, net als bij piñata-meppen, een vrolijk schouwspel voorgeschoteld kregen. Maar waar het bij twister in de eerste plaats om ging, liet Julie doorschemeren, was dat de deelnemers een voorwendsel kregen om over elkaar heen te buitelen. Ik kon daar de aantrekkelijkheid wel van inzien, als je tenminste de juiste tegenstander tegenover je kreeg – maar dat aspect van het spel kwam niet goed uit de verf in cyberspace. Toen Irwin en ik aan ons eerste partijtje virtueel twister begonnen, bevonden onze lichamen zich in twee afzonderlijke hoeken van de Grote Tent, en virtueel lichamelijk contact waar geen echt lichamelijk contact aan te pas komt stelt natuurlijk niets voor. Verder had de software die we gebruikten last van een paar virussen in de subroutine die botsingen bestuurde. Toen de computerspelleider me de opdracht 'Linkerhand op rood' gaf, en Irwins eidolon de dichtstbijzijnde rode cirkel blokkeerde, kon ik mijn hand dwars door hem heen steken; ik hoefde niet om hem heen te reiken.

Julie kreeg dat op een van de monitors in de gaten en sloeg alarm. 'Jullie spelen niet volgens de regels, jongens!' klaagde ze op een aangeschoten toontje. 'Wacht, Irwin – geef mij dat datapak even, dan zal ik jullie laten zien hoe het moet.'

Irwin gaf zijn pak aan Julie. Ze trok het aan en vroeg Irwin ons zo op te stellen dat de afstand tussen onze virtuele lichamen even groot was als die tussen de echte. 'Rechterhand op blauw,' droeg de computer me op. Ik zag een blauwe cirkel toen ik over Julies ene schouder keek en wilde mijn hand al dwars door haar borstkas steken... toen ik weerstand bespeurde.

Vanaf dat ogenblik begreep ik de grap van het spel stukken beter. Het werd trouwens ook gevaarlijker, want Julies virtuele lichaam en het mijne bewogen zich nog niet helemaal synchroon met ons echte lichaam. Niet alle ongelukjes die hierdoor ontstonden waren onaangenaam – ik vond het helemaal niet erg toen Julie naar een groene cirkel achter mijn rug reikte en me per ongeluk bij mijn kont greep –, maar de meeste wel: Julie kon een por die ik haar met mijn knie in de ribben gaf waarschijnlijk missen als kiespijn, en ik had geen behoefte aan die elleboog in mijn maagstreek. Het spel was afgelopen toen Julie gehoor gaf aan een al te veeleisend 'Linkervoet op geel', waardoor ik onderuitging en keihard op mijn rug belandde.

'Au,' zei ik.

'Andrew?!' In paniek rukte Julie haar headset af, maar toen ze zag dat ik me niet vreselijk bezeerd had, schoot ze in de lach... en liet zich zachtjes boven op me vallen.

Ik stelde vast dat ik virtueel twister ondanks alle blauwe plekken leuk vond.

Nu gunden we ons even wat rust en wijdden ons weer aan de hapjes en drankjes. Julie en Dennis werden dronken en Irwin werd stomdronken. Om een uur of halfzeven – het was ongelooflijk dat hij het zo lang had volgehouden – trok Dennis zijn overhemd uit. Julie schonk zich net het laatste beetje punch in en zei: 'Och Dennis, je ziet er toch wel zó aantrekkelijk uit, hè, als je er zo halfnaakt bij loopt.'

Dennis, onverstoorbaar als altijd, hief zijn armen boven zijn hoofd. 'Ik moet mezelf luchten,' legde hij uit. Toen zijn oksels een ogenblik de tijd hadden gekregen om af te koelen, zei hij tegen Julie: 'Nou, wat zou je ervan zeggen, Onbevreesde Leidsvrouwe? Als ik er zo aantrekkelijk uitzie, heb je zeker wel zin in een potje twister met me?'

Volgens mij meende hij het niet serieus; zelfs als hij zijn korset niet droeg had Dennis grote moeite om zich in een datapak te wurmen. Maar Julie had zo'n uitdrukking in haar ogen alsof ze er heus over dacht, gewoon om te laten zien dat ze zich niet liet kennen, nooit, en ik wist dat als ze hém zou uitdagen, hij het zou doen. Het idee zat me niet lekker; ik vond het maar niets als Julie twister zou spelen met Dennis, of met wie dan ook behalve mij. Maar voordat het zover kon komen, ging Irwin voorover staan en kotste een van de Eidolonheadsets onder, waarmee hij een dikke punt zette achter alle spelletjes.

'Het wordt tijd om eens naar huis te gaan,' merkte ik op.

De vraag hoeveel drank er was geconsumeerd speelde geen rol, want Julies Cadillac was weer eens naar de garage, en dus gingen we met z'n allen lopend terug. Het sneeuwde zachtjes, en Julie en Dennis, allebei boordevol mallotige energie, renden telkens een eind vooruit, vingen sneeuwvlokken op hun tong en hieven af en toe flarden aan van 'Auld Lang Syne' (ik ken dat lied niet zo goed, maar ik weet haast wel zeker dat ze de woorden zelf verzonnen). Irwin sjokte als een zombie mee; hier en daar stond hij stil om nog een potje te kotsen. Ik liep zwijgend achter het hele stel aan, hield een oogje op

Irwin en probeerde uit de buurt te blijven van Julie en Dennis.

Na de Oosterbrug kwamen we bij het kruispunt waar Julie moest afslaan om thuis te komen. Ik aarzelde of ik mee haar kant op zou lopen of in Bridge Street zou blijven, net als de Manciples. Maar Julie nam me de beslissing uit handen: ze sloeg een arm om mijn middel en zwaaide de broers gedag. 'Tot morgen, jongens,' zei ze.

'T'ziens,' mompelde Irwin, verder sjokkend zonder op of om te kijken. Dennis, heel wat meer bij de pinken, keek nieuwsgierig toe hoe Julie me meetroonde de zijstraat in.

'Hé, hotemetoot,' riep hij ons na. 'Wat doe jíj nou?'

'Dat wil je niet weten, Dennis,' riep Julie terug.

'O nee?' zei Dennis, die lichtelijk op zijn benen stond te zwaaien. 'Wil dat zeggen dat je van gedachten bent veranderd, wat hem betreft?'

'Sst!' vermaande Julie hem lachend.

'Wat?' schreeuwde Dennis. Hij hield een hand achter zijn oor, alsof hij een beetje doof was. 'Ik versta je niet, Commodore. Wát?'

'Goeienacht, Dennis!' riep Julie terug, nog steeds lachend (maar waarom?). Toen gaf ze een rukje aan mijn hand: 'Kom mee, Andrew.'

'Eh... Julie...'

'Hup, rennen maar!' zei ze en trok me weer aan mijn hand.

En we zetten het op een lopen. Dennis brulde ons nog iets na, maar ik verstond het niet. Het volgende ogenblik was hij niet meer te horen. Als een pijl uit de boog vlogen we door het donker, ik meegetrokken door een nog steeds lachende Julie.

Toen we bij haar huis kwamen, ging ze me niet voor naar boven, maar rende ze naar het voorgazon, waar ze zich in het dunne laagje sneeuw liet vallen en mij mee omlaagtrok. Toen we over elkaar heen tuimelden bezeerde ik mijn rug alweer, maar Julie had niets in de gaten.

'God,' zei Julie, toen ze rustig op haar eigen rug lag. 'God zeg, wat ben ik dronken.' Toen draaide ze zich op haar zij, leunde op haar elleboog en vroeg: 'Heb je zin om nog even mee naar boven te komen? Het is nog vroeg.'

'Eh...oké,' zei ik, en Julie, die de aarzelende toon in mijn stem opving, keek me een hele tijd aan, alsof ze een paar dingen tegen elkaar afwoog. Ze veegde een sneeuwvlok van mijn ene wimper, pakte een plukje van mijn haar en wond dat om haar wijsvinger.

'Kom mee,' zei ze ten slotte en stond op.

In haar keuken schonk Julie twee glaasjes pure whisky in. 'Julie...' protesteerde ik al, maar ze trok zich niets van me aan: 'Kom op, Andrew, eentje maar. We moeten ergens op drinken.'

'Waarop dan?'

'Op nieuwe ervaringen,' zei Julie listig.

Dus gaf ik toe – ik gaf welbewust toe –, hoewel ik wist dat ik naderhand de rekening gepresenteerd zou krijgen. 'Op... Op nieuwe ervaringen dan,' zei ik en zette het glaasje aan mijn lippen. Julie sloeg het hare in één keer achterover; ik probeerde kleine slokjes te nemen, maar het draaide erop uit dat ik het zaakje ook in een keer wegwerkte. Ik verslikte me zowat in de gloeiende hitte in mijn keel.

Julie schonk onze glaasjes nog eens vol en ging me voor naar haar slaapkamer. Ook deze keer deed ze de plafondlamp niet aan. Ze stak de stekker van de kerstboomlichtjes in het stopcontact en liet de kamer in een gedempt, veelkleurig licht baden. Ze liet zich op de rand van haar futon vallen. Ik ging, een beetje voorzichtiger, op mijn hurken tegenover haar zitten.

Deze keer zag Julie mijn gezicht even vertrekken. 'Heb je iets aan je rug?' vroeg ze.

Ik knikte. 'Bij dat potje twister gekregen,' zei ik.

'Ach, verrek,' zei Julie. Toen klopte ze achter zich op de futon. 'Kom hier eens liggen, dan zal ik je rug masseren... Kom óp, Andrew, ik bijt niet, hoor.'

Ik liet me neer op de futon en ging gehoorzaam op mijn buik ligen. 'God zeg, je bent een en al spanning,' merkte ze op toen ze zich over me heen boog.

Nou en of: ik stond stijf van angst en opwinding, het een deed niet onder voor het ander. Vaag voelde ik dat Adam op het spreekgestoelte stond, en ik wist dat hij nu ook bang zou worden, doodsbenauwd zelfs. Dat was maar goed ook – lollige opmerkingen op de achtergrond kon ik op dat ogenblik echt niet gebruiken.

Julie streek een paar keer licht met haar handen op en neer over mijn rug om het terrein enigszins te verkennen. Ik deed mijn best om er ontspannen bij te liggen – maar toen trok Julie opeens mijn overhemd uit mijn broek.

'Jezus, Andrew, kalm maar, hoor,' zei Julie. 'Ik beloof dat ik je niks zal doen. Zo,' en ze trok nog eens zachtjes aan mijn overhemd, 'is het oké als ik je dit uittrek?'

Ik wilde ja zeggen, maar kreeg het woord op de een of andere manier niet over mijn lippen.

'Oké,' zei Julie even later. 'Dan laten we het nu eerst zitten – maar buiten je broek.' Ze ging er anders bij zitten, het klonk alsof er een kledingstuk over blote huid gleed... en toen vloog Julies blouse door de lucht en belandde achteloos vlak naast de futon op de grond. De adem stokte me even hoorbaar in de keel en ik draaide met een ruk mijn hoofd om... Tot mijn opluchting en teleurstelling tegelijk zag ik dat Julie haar bh nog aanhad.

'Sorry, ik speel even voor Dennis,' zei ze, glimlachend op me neerkijkend.

Ze had anders niets van Dennis. Daar kan ik voor instaan: Dennis zonder hemd en Julie zonder blouse, dat was een verschil van dag en nacht.

Toen ik op de futon was komen liggen had ik mijn glaasje zo neergezet dat ik er gemakkelijk bij kon. Ik greep er nu naar, en Julie vond dat geloof ik grappig, want ze wachtte geduldig tot ik klaar was. Toen pakte ze me het lege glaasje uit de hand, zette het weg, duwde me zachtjes terug op mijn buik en liet haar koele, zachte handen onder mijn overhemd naar boven glijden.

Het volgende kwartier was, dat staat buiten kijf, het fijnste en het ergste van mijn hele leven tot dan toe – maar goed, dat zegt niet zo veel als het in het geval van de meeste mensen van zesentwintig zou zeggen. Ik heb geen idee hoe goed die rugmassage was, objectief bekeken – ik kon hem nergens mee vergelijken –, maar het was één grote zaligheid, zelfs toen Julie zo hard in een van mijn blauwe plekken porde dat ik het uit kreunde.

Mijn oogleden waren dichtgezakt. Nog heel even, en al mijn angstige spanning zou zijn weggeëbd, toen Julie zei: 'Zo, Andrew... en wat zijn zoal jouw goeie voornemens voor het nieuwe jaar?'

'Mijn ogen vlogen weer open. 'Mijn... Mijn goeie voornemens?'

'Ja,' zei Julie. Ze liet haar ene hand in mijn nek liggen en ging met de andere naar mijn onderrug, waar ze met haar vingertoppen over de huid vlak boven mijn broekband streek. 'Je weet wel, waar we daarnet op gedronken hebben. Wat voor nieuwe ervaringen hoop je dit jaar op te doen?'

'Ah... ik... eh...'

'Nee, niet zo diep nadenken.' Ze bracht haar hand weer naar mijn schouders, boog zich zo dicht over me heen dat ze vrijwel boven op me lag, en fluisterde me in het oor: 'Verzin gewoon iets. Iets wat je nog nooit hebt gedaan, en dat je heel graag zou willen doen...'

Mijn hoofd lag nu opzij gedraaid op de futon, en Julie zag blijkbaar hoe rood mijn gezicht werd, want ze trok zich een eindje terug. 'Andrew?'

'Julie...' Ik was verlamd van angst dat ik nu op het punt stond me onsterfelijk belachelijk te maken, maar ik wist niet wat ik anders moest, en ik kon het niemand vragen – Adam was weggegaan uit het spreekgestoelte toen Julie haar blouse uittrok. Ik dwong mezelf om door te gaan: 'Julie, ben je... ben je me nu aan het versieren?'

Ze lachte, maar niet zo luchthartig als eerst. 'Nou, en als dat nu eens zo was?' zei ze.

'Já of néé?' De woorden kwamen er veel te hard uit. Ik probeerde mijn stem te dempen: 'Alsjeblieft... Haal alsjeblieft geen geintje met me uit, Julie.'

Er volgde een langdurige stilte, en toen voelde ik dat ze zich van me af liet glijden. 'Godver.'

'Julie?' Ik tilde mijn hoofd op en keek naar haar. Ze lag op haar rug naar het plafond te staren en trok zich met beide handen aan de haren.

'Godverdegodver,' zei Julie. 'Kut zeg, wat dóé ik? Kut nog aan toe, ben ik gek of zo?'

'Gek?' vroeg ik, hoewel die vraag niet zozeer aan mijn adres gericht was geweest. 'Welnee, Julie, je bent niet... Als je zin hebt om... Nou ja. Alleen, ik snap niet... Vorige week zei je, dat dácht ik tenminste, dat je geen relatie met me wilde, want dat...'

'Weet ik wel.'

'... want dat er altijd een eind komt aan relaties, maar niet aan vriendschappen, en dat je niet wilt dat ik uit je leven verdwijn...'

'Weet ik.' Julie knikte nu. 'Weet ik. En je hebt helemaal gelijk, Andrew.'

Hád ik gelijk? 'Wacht even,' zei ik. 'Wacht nou even – nee, dat was jóúw argument. Ik geloof niet dat dat waar is... en als jij dat eigenlijk ook niet gelooft, dan vind ik dat prima... Ik moet alleen weten wat voor gevoelens je erop na houdt, dat is alles.'

'Wat voor gevoelens...'

Ze liet haar haar los en keek me aan. Het was een ogenblik dat me later nog vaak zou achtervolgen: Julie was zo mooi, zoals ze daar lag, en ik besefte terdege dat er zich heel even een buitenkans voordeed. Had ik op dat ogenblik maar iets gedaan – me over haar heen gebogen om haar te kussen, haar gezicht aangeraakt, wat dan ook –, misschien dat de avond dan anders was geëindigd. Misschien dat we dan toch iets met elkaar hadden gekregen. Maar van iemand anders verleiden had ik nog minder kaas gegeten dan van zelf verleid worden, en daarom aarzelde ik. Dit ging me boven de pet.

En het ogenblik ging voorbij. 'Nee,' zei Julie, en ze schudde haar hoofd. Ze ging rechtop zitten, met haar rug naar me toe. 'Wil je me mijn blouse even geven, Andrew?'

'Julie,' zei ik, opeens naar adem happend alsof er een golf ijswater over mijn bovenlijf was gesmeten. 'Julie, er is niks aan de hand. Je hoeft niet... Ik bedoel... Kunnen we niet gewoon práten, of...'

'Volgens mij moet ik hoognodig gaan pitten, Andrew,' zei Julie, nog steeds zonder me aan te kijken. 'Sorry, ik weet wel dat het nog vroeg is, maar... Volgens mij is dat echt het beste. En jij moet naar huis.' Eindelijk draaide ze zich naar me om; ze schonk me een flauw lachje en klopte me op de knie zoals je een klein kind op het hoofd klopt. 'Goed, zou je me nu dan m'n blouse willen geven?'

'Oké...' Ik gaf haar het ding. Ze draaide zich weer helemaal om toen ze hem aantrok, alsof ze het een vervelend idee vond dat ik haar enkel in haar bh zag. Eenmaal aangekleed sprong ze op van de futon, pakte de twee glaasjes en liep, niet al te vast ter been, naar de deur. Voordat ze verdween knipte ze de plafondlamp nog aan.

Ik kwam overeind, knipperend in het helle licht dat me overviel. Ik stopte mijn hemd in mijn broek en ging naar de keuken, waar Julie met veel vertoon de beide glaasjes stond af te wassen. 'Zeg, Julie?' zei ik. Ik bleef op eerbiedige afstand staan.

'Ja?' zei ze, over de gootsteen gebogen, met haar rug naar me toe.

'Ik weet wel dat je me nu weg wilt hebben, maar... Morgen, hè. Als je morgen een beetje bent uitgeslapen... kunnen we hier dan over praten?'

'Hierover?' Ze draaide de kraan dicht en pakte een theedoek. 'Jawel.' Ze droogde de glaasjes af en daarna haar handen. 'Jawel,' herhaalde ze en hing de theedoek op. Mijn jas lag op de keukentafel; ze pakte hem en stak hem me toe. 'Kijk eens.'

'Julie...'

'Sst,' zei Julie terwijl ze me mijn jas in de handen duwde. Ze gaf me vlug een kus op de wang; ik draaide mijn hoofd al om, wilde mijn lippen op de hare leggen, maar ze had al een stap achteruit gedaan. 'Voorzichtig, hè, op de trap,' zei ze, en ze hield de voordeur voor me open.

Die nacht sliep ik slecht. Strikt genomen was ik dronken – en reken maar dat mijn vader me ongenadig op mijn ziel gaf –, maar ik was niet dronken genoeg om in slaap te donderen. Bovendien was het ook echt nog heel vroeg – ternauwernood acht uur – toen ik thuiskwam. Omstreeks mijn normale bedtijd was ik weer nuchter genoeg om nog urenlang te liggen woelen en draaien.

De volgende ochtend ontliep Julie me eerst. Het was natuurlijk een teken van volwassen gedrag geweest als ik had gedaan alsof mijn neus bloedde, oftewel alsof er niets was gebeurd, maar dat kon ik niet – en nadat Dennis een paar suggestieve opmerkingen had gemaakt, zo van dat ik wel 'niet al te veel slaap' zou hebben gehad, viel het Julie op hoe hologig ik eruitzag, en ze kreeg medelijden met me. Rond het middaguur zocht ze me op in mijn tent.

'Het spijt me toch zo, Andrew...' zei ze, en een en al wroeging kwam ze voor mijn bureau staan.

'Je hoeft nergens spijt van te hebben, Julie,' zei ik. 'Ik vond het niet erg hoor, dat je me probeerde te versieren, als dat... als dat tenminste zo was. Maar leg het me gewoon even uit, meer hoef ik niet.'

Julie slaakte een zucht. 'Er vált niks uit te leggen, Andrew. Ik was dronken. Jij was dronken. We...'

'Ik heb alleen gedronken wat jij me inschonk,' zei ik, en allebei hoorden we het bitse toontje in mijn opmerking en krompen ineen.

'Oké,' zei Julie. 'Oké, goed dan, ik heb me toeter gezopen en ik heb jou dronken gevoerd, het is allemaal mijn schuld. Maar daarom valt er nog niet iets uit te leggen. Mensen halen stomme streken uit als ze dronken zijn, Andrew – meer valt er niet over te zeggen.'

'Maar ik dacht dat je je totaal niet tot me aangetrokken voelde...'

'Och Andrew, natúúrlijk wel. Jij bént geweldig aantrekkelijk. Maar...'

'Maar waarom zou het dan niet iets kunnen worden tussen ons? Als jij je aangetrokken voelt tot mij, en ik tot jou, en we elkaar léúk vinden...'

Het draaide erop uit dat Julie een stel redenen voor me opsomde waarom het niets kon worden tussen ons. En dan had je nog die andere reden, Adams reden, die Julie zelf nooit heeft uitgesproken, maar waarvan ik langzamerhand geloof dat het de ware is: dat het voor Julie gewoon niet zo nodig hoefde, ook al kwam je af en toe op grond van haar gedrag tot een radicaal andere conclusie.

Geen van al die redenen vond ik goed genoeg – zelfs niet de paar die ik bereid was te accepteren. Wat ik eigenlijk wilde weten was niet 'Waarom kan het niet iets worden tussen ons?', maar 'Hoe kan het wél iets worden tussen ons?' Wat moet ik doen om die buitenkans opnieuw in het leven te roepen – de kans die zich had voorgedaan, dat wist ik zeker – en om die dan niet onbenut te laten? Hoe moet ik je verleiden, Julie?

Ik denk niet dat Julie ooit antwoord zou hebben gegeven op die vraag, ook niet als ik voldoende benul had gehad om er zonder omwegen mee op de proppen te komen. Maar ik had niet genoeg benul, vandaar dat ik haar gewoon almaar bleef vragen: 'Waaróm toch niet?', totdat ze op het laatst – redelijk gauw al – geen zin meer had om redenen te verzinnen.

Na de eerste week van januari trok Julie niet meer met me op na het werk, en ze was er heel handig in me ook in de Fabriek te ontlopen; die maand ondernam ze een recordaantal tochtjes naar Seattle in verband met zakelijke beslommeringen, en vaak bleef ze daar dan hele dagen. Op een avond stond ik haar voor haar huis op te wachten toen ze – het was intussen allang donker – thuiskwam en me kortaf te kennen gaf dat ik niet meer ongevraagd langs diende te komen.

'Nooit meer?' vroeg ik, naar adem snakkend.

'Voorlopig niet,' zei Julie. Ze keek me niet aan en tikte ongeduldig met haar voet op de grond.

'Voorlopig niet? Hoe lang is dat?'

'Totdat je over me heen bent,' snauwde Julie. 'Weet ik veel hoe lang dat duurt.' En, iets vriendelijker: 'Niet al te lang, hoop ik, Andrew. Maar...'

Volgens mij kan een mens zich onmogelijk beroerder voelen dan ik me die avond en nacht voelde – ik was er zo beroerd aan toe dat ik de volgende dag vrij nam en op eigen initiatief naar dokter Grey ging, zonder eerst mijn vader om toestemming te vragen. Maar een week later hoorde ik Julie Dennis vertellen over de monteur die ze in Seattle had ontmoet en met wie ze nu ging.

Adam en mijn vader waarschuwden me allebei dat ik niets moest zeggen – dat zou alleen maar nog meer ellende geven, wie weet werd ik zelfs ontslagen. Ik wist wel dat ze gelijk hadden, en het is me gelukt mijn gevoelens bijna vierentwintig uur lang in toom te houden, maar op het laatst hield ik het niet meer. Ik ging onuitgenodigd naar Julies appartement, klom de trap op, bleef even staan om de moed bij elkaar te rapen om te kloppen, hoorde merkwaardige geluiden en spitste mijn oren.

Dokter Grey betwijfelde of mijn catharsis wel zo onvervalst was. Dat was geen onredelijke conclusie van haar, maar ik wenste dat niet te geloven. Ik herinnerde me de opluchting die ik de volgende dag had gevoeld toen ik wakker werd en merkte dat al dat obsessieve gehunker naar Julie gewoon afgelopen was, verdwenen; de gedachte dat dat enkel een sluwe truc van mijn verstand was, was een al te grote kwelling. Maar goed, ook al wilde ik dan niet geloven dat die hele catharsis een illusie was, misschien dat ik wel de mogelijkheid zou kunnen overwegen dat het proces niet helemaal succesvol was verlopen. Misschien dat er in mijn binnenste nog steeds een vonkje gloeide voor Julie – een minuscuul, piepklein sprankje nog niet gedoofde hoop dat die ene buitenkans zich op een dag toch nog zou aandienen. Zo moeilijk was het niet om zo'n vlammetje in stand te houden, dacht ik: Julies relatie met die monteur was pas een maand oud, en sindsdien was ze met niemand anders uit geweest. Dus heel misschien...

Over al deze dingen dacht ik na in de bus van Poulsbo naar de steiger van de veerboot en vervolgens op de boot terug naar Seattle. Ik had best het huis in kunnen gaan om me aan al dat gedenk over te geven, en het lichaam aan een paar andere zielen kunnen afstaan, maar ik was moe en voelde een hoofdpijnaanval opkomen, vandaar dat ik buiten bleef. Dat gaf aanleiding tot geklaag van Angel en Rhea: het was niet eerlijk dat zij die dag nog helemaal niet buiten waren geweest, en ook van Simon, die al wel even naar buiten had gemogen, maar vond dat het wel wat langer had mogen duren. Ik gaf het hele stel te verstaan dat ze me met rust moesten laten. Mijn vader, die wel zag in wat voor stemming ik verkeerde, schaarde zich achter mijn besluit en beloofde Simon en de anderen dat hij hun later wat extra tijd zou geven als ze zich gedroegen. Angel en Rhea lieten zich hierdoor paaien, maar Simon niet. Ook hij was niet in een stralend humeur.

Toen de boot in Seattle afmeerde, rende ik naar de metrohalte op de hoek van Second en Madison, maar miste net de bus van 3:20 naar Autumn Creek. De volgende bus vertrok pas om 4:10; dat betekende, opperde Simon, dat we best even vlug naar het winkelcentrum konden. Ik waarschuwde hem nogmaals dat hij me met rust moest laten. Vervolgens verscheen de bus van 4:10 te laat, maar er was iets mis met de motor, zodat hij naar de garage moest. Simon begon te jengelen. Ik verloor mijn geduld en tierde tegen hem dat hij zijn waffel moest houden; dat bezorgde me tenminste wat rust in de echte wereld: toen er een andere bus kwam voorrijden, wilde geen van de overige passagiers bij mij in de buurt zitten.

Het was kwart over zes toen we in Autumn Creek arriveerden. Ik sleepte me via Temple Street naar huis en wilde maar één ding: thuis over de drempel stappen, vlug een hapje eten en daarna een hele tijd in een warm bad liggen...

... en op dat ogenblik zag ik Penny's Buick voor het huis van mevrouw Winslow staan.

Dat was wel het allerlaatste waar ik op zat te wachten na zo'n lange dag. Toch was dat misschien juist het beste ogenblik dat Penny had kunnen kiezen om weer contact met me te zoeken: ik was domweg te uitgeput om weer in paniek te raken, en dankzij mijn boosheid op Simon en mijn ergernis vanwege het metrobussysteem dacht ik tenminste even niet meer na over Julie.

Ik liep op de Buick toe. Vanuit mijn ooghoeken zag ik een gestalte die op de stoep van het huis zat opeens overeind veren, als een schildwacht die in de houding sprong.

'Niks aan de hand, mevrouw Winslow,' riep ik.

'Weet je 't zeker, Andrew?'

'Ja,' zei ik – en constateerde toen tot mijn niet-geringe verbazing dat mevrouw Winslow een jachtgeweer bij zich had. 'Alles is oké, echt, gaat u maar naar binnen. Ik kom zo eten.'

Met een haast onmerkbaar knikje trok mevrouw Winslow zich terug. Ik had zo'n gevoel dat ze niet al te ver het huis in was gegaan – dat ze vlak achter de voordeur stond te wachten met het geweer in de hand, en onmiddellijk weer naar buiten zou stormen zodra Penny ook maar in de verste verte de indruk zou wekken dat ze me wilde ontvoeren in haar Buick. Ik vroeg me af of ik dat een geruststellend of een eng idee moest vinden.

Maar goed, dan moest het zo maar wezen: ik opende het voorportier van de auto en stapte in. Ik herkende Vuilbek achter het stuur; ze hing er helemaal overheen en trommelde met haar rechterhand ongeduldig op het dashboard.

'Hallo,' zei ik. 'Het wordt geloof ik tijd dat we eens met elkaar bab...'

'Doe godverklote dat portier dicht,' zei Vuilbek.

Ik zuchtte. Dokter Grey had me gewaarschuwd dat ik geen smerige taal en gescheld moest dulden, maar ik wilde niet meteen al op mijn strepen gaan staan, en daarom deed ik wat me gezegd was en trok het portier dicht. 'Zo,' zei ik. 'Kunnen we dan nu...'

Er klonk een zacht klikje ergens op het dashboard: de sigarettenaansteker die tevoorschijn sprong. Vuilbek draaide zich mijn kant op, greep met een wild gebaar de sigarettenaansteker en boog zich helemaal naar me over.

'Gore teringlul!' beet ze me toe; haar gezicht was niet meer dan een paar centimeter van het mijne verwijderd en de hete, spiraalvormige aansteker zweefde vlak boven mijn wang. 'Gore teringlul die je bent!'

Op het spreekgestoelte liet Adam een alarmkreet horen. Onmiddellijk stond Seferis klaar om in het lichaam te springen en het heft in handen te nemen... maar dat stond ik hem niet toe. Ik besef dat dat fout van me was. Ik had bovendien doodsbenauwd moeten zijn; dat is een normale reactie als iemand een heet metalen voorwerp tegen je huid dreigt te drukken. Maar om de een of andere reden was ik dat gewoon niet. Ergens diep in mijn binnenste bespeurde ik iets van een huivering van angst, maar wat ik voornamelijk voelde was irritatie.

'Doe dat ding weg,' zei ik vermoeid.

De aansteker trilde, alsof Vuilbek zich nu opmaakte om het in mijn gezicht te duwen. Ik draaide mijn hoofd ietsje en keek haar in de ogen. 'Je gedraagt je ontzettend onbeschoft,' zei ik, 'en ik peins er niet over Penny te helpen als jij onbeschoft tegen me doet.'

Ze trok zich een eindje terug, maar de spiraalvormige aansteker in de hand van haar opgeheven, gebogen linkerarm wees nog steeds mijn kant op. 'Ga je haar helpen?'

Ik knikte. 'Als jij je beleefd gedraagt...'

'Beleefd!' grijnsde Vuilbek spottend.

'Correct dan,' zei ik. 'Kijk, ik besef dat ik ook onbeschoft ben geweest tegen jou, en dat spijt me. Maar als jij toezegt dat je ophoudt met dat enge gedoe en dat je mijn hospita voortaan niet meer de stuipen op het lijf jaagt, dan beloof ik dat ik mijn best zal doen om Penny te helpen, want dat wilde je toch?'

Vuilbek bleef me nog even nadenkend opnemen. Op het laatst liet ze haar arm zakken en stak ze de aansteker terug. 'Afgesproken,' zei ze.

'... meent u dat echt?' vroeg een andere, vriendelijker stem. 'Gaat u ons helpen?'

'Ja, dat meen ik. Draad? Jij bent toch Draad, hè?'

'Ja,' zei ze glimlachend. 'Die van Ariadne, kent u dat verhaal?'

'Dat geloof ik wel... En hoe heet de lijfwacht?'

'De lijfwacht?'

'De, eh...' – ik keek even naar het dashboard – '... degene die zo tekeergaat.'

Draad volgde mijn blik naar de sigarettenaansteker. 'O,' zei ze, 'u bedoelt de tweeling! Maledicta en Malefica. Maledicta is degene die het woord voert – en tekeergaat –, maar ze zijn altijd samen.'

'Zijn er nog anderen?' vroeg ik.

'O ja, hele volksstammen.' Ze nam me nieuwsgierig op. 'U houdt er ook anderen op na, hè?' Ik knikte, en Draad knikte ook, met een almaar bredere lach. 'Ik wist wel dat wij niet de enigen waren. En u weet hoe je daarmee omgaat, hè? Hoe je... er een minder verwarde boel van maakt.'

'Ja.'

Het leek wel alsof ze al die tijd haar adem had ingehouden en nu eindelijk kon uitademen. 'O, godzijdank! Goed, hoe pakken we dat aan? Wat moeten we doen?'

'Dat hangt ervan af,' zei ik. 'Weet Penny er zelf wel iets van?'

'Penny,' echode Draad. 'Weet u dat het ontzettend aardig van u is om haar zo te noemen?'

'In plaats van Muis?'

Draad knikte. 'Penny's moeder noemde haar altijd Muis. En toen Penny was gestorven...'

'Toen dat gore kankerwijf haar had vermoord,' gooide Maledicta ertussendoor.

'... was alleen Muis er nog. Ze denkt nog steeds aan zichzelf als Penny, en volgens mij kan ze nog steeds Penny zíjn, als... Nou ja, als u haar helpt. En dat u haar Penny noemde, haar welbewust Penny noemde, terwijl u toch een andere naam te horen had gekregen – dat was gewoon een geweldig goed teken.'

'Ik was niet helemaal op eigen kracht op dat idee gekomen, hoor,' biechtte ik op.

'Ik werd anders wel een beetje ongerust toen u niet met ons wilde praten,' vervolgde Draad. 'Het spijt me van dat mailtje dat Maledicta u heeft gestuurd – ze heeft dat er stiekem in gesmokkeld, vandaar dat ik uw reactie eerst niet begreep. Dat was inderdaad erg onbeschoft van haar.'

'Geeft niet. Ik weet wel dat...'

'... en daarna, toen ik uw mailtje kreeg, wist ik niet wat ik daarvan moest denken. Ik...'

Er schoot een felle pijnscheut midden door mijn voorhoofd, en heel even werd het me wazig voor ogen.

'... meneer Gage?'

'Neem me niet kwalijk,' zei ik, terwijl ik mijn slapen masseerde. 'Sorry, ik... Ik ben nogal moe. Kunnen we er morgen misschien over doorpraten, of zondag? Ik verzeker je dat dit niet alweer een ontsnappingspoging is, ik moet alleen... Op dit ogenblik kan ik maar één ding, en dat is naar binnen gaan en uitrusten.'

'Natuurlijk,' zei Draad. Ze gaf me een blaadje uit een notitieboekje. 'Dit is Penny's telefoonnummer thuis. Belt u ons wanneer u maar wilt – als Penny opneemt zegt u gewoon wie u bent en een van ons staat u dan wel te woord.'

'Oké,' knikte ik. 'Ik bel in het weekend, dat beloo...'

Ze boog zich weer naar me over. Eerst dacht ik dat ze haar armen om me heen wilde slaan, maar op het laatste ogenblik kantelde ze haar hoofd een beetje en ze drukte haar mond op de mijne.

'Schatje van me,' zei een nieuwe ziel, die de zoen onderbrak. Ze liet een vinger langs mijn gezicht glijden.

Er klonk getoeter van een andere auto. Penny's hoofd wendde zich abrupt in de richting van het geluid en haar ogen vernauwden zich. 'Wat doet zíj hier nou, godverklote?' zei Maledicta.

Tegen het portier aan gedrukt zat ik nog bij te komen van die zoen. 'Dan ga ik nu maar naar binnen,' zei ik.

'Ja,' zei Maledicta verstrooid. 'Maar pas op, hè! Godverklote, als je dat nummer toch verliest...!'

'Nee hoor...' Struikelend over mijn benen stapte ik uit en Maledicta reed weg, waarbij ze op een haar na de Cadillac schampte, die aan de overkant was komen staan. Toen de Buick ervandoor stoof, toeterde de Caddy nog eens.

'Julie?' zei ik

'Andrew!' riep Julie, terwijl ze met uitzinnige bewegingen haar raampje opendraaide. 'Andrew, wat is hier in jézusnaam aan de hand?'

Op van de zenuwen stak ik over naar de Cadillac; de Buick had ik een stuk rustiger benaderd. 'Wat doe jij hier, Julie?'

'Wat ik hier... Jezuschristus, Andrew, ik ben naar je op zoek! Waar heb jij goddorie uitgehangen sinds gisteren?'

'Heb je mijn briefje dan niet gevonden?'

'Waar heb je het over?'

'Het briefje dat ik vanochtend bij je naar binnen heb geschoven.'

Julie schudde haar hoofd. 'Er is geen briefje bij mij bezorgd.'

'Jawel. Onder...'

'Eerst smeer je 'm gisteren veel vroeger dan anders, dan bel je me gisteravond niet terug, vandaag verschijn je gewoon helemaal niet op de Fabriek, en nú...' Ze keek even achterom, in de richting waarin de Buick was vertrokken, '... nu trakteert Penny me op een blik alsof ik een monsterlijk product ben en ze neemt zowat m'n achterbumper mee.'

'Dat vind ik heel vervelend. En het spijt me als je je een beetje ongerust hebt gemaakt, maar ik heb toch echt een briefje bij je bezorgd.'

'En wat stond daar dan in?'

'Dat ik vandaag niet kon komen omdat ik naar Poulsbo ging, naar dokter Grey, om haar te vragen of ze Penny misschien op de een of andere manier zou kunnen helpen. Zoals jij wilde.'

'O,' zei Julie, onmiddellijk een toontje lager zingend. Toen vroeg ze: 'En, hoe is dat gegaan?'

'Het ging... wat zal ik zeggen, niet al te slecht. Maar hoor eens, Julie... Ik snap wel dat je heel benieuwd bent, maar ik ben echt ontzettend moe, dus is het goed als ik je maandag het hele verhaal doe?'

'Maandag pas!'

'Zodra ik binnen ben, dat beloof ik. Ik kom wel extra vroeg, en dan kunnen we...'

'Toe nou, Andrew! Je kunt me toch niet het hele weekend in de kou laten staan, en dat terwijl...'

'Morgen dan,' zei ik. 'Morgen bel ik je en dan praten we.'

Ik zag wel dat ze het liefst nee had gezegd – het liefst voet bij stuk had gehouden dat ze het verhaal ter plekke moest horen –, maar volgens mij was ik zo zichtbaar aan het eind van mijn Latijn dat ze daar niet omheen kon. 'Nou goed, morgen dan,' gaf ze toe. 'Morgenvroeg.'

'Ik bel je meteen na m'n ontbijt,' beloofde ik. 'Goeienacht, Julie.'

Ik draaide me al om, maar ze stak haar hand naar buiten en pakte me bij de arm. 'Andrew?'

'Ja?'

'Je bent toch niet boos op me, hè?'

'Boos? Waarom denk je dat?'

'Nou ja...' Ze wierp weer even een blik achterom. 'Laat maar. Zeg, maar hoor eens: waarom zou je me morgen opbellen na je ontbijt? Kom toch naar me toe, dan ontbijten we samen.'

'Bij jou thuis...'

'Ja, net als in de goeie ouwe tijd.' Ze glimlachte en haar ogen schitterden. 'Zal ik je eens wat zeggen? Ik mis het echt, dat je niet meer bij me over de vloer komt, zoals vroeger. Daar denk ik soms aan. Of eigenlijk best wel vaak.' Ze liet mijn arm los en streelde me even over de wang, exact hetzelfde gebaar dat die naamloze ziel van Penny had gemaakt nadat ze me had gekust. 'En jij dan, Andrew?' vroeg Julie. 'Denk jij daar nog weleens aan? ... Andrew?'

BOEK VIER

Muis

10

Als Muis zondagmorgen wakker wordt, staat de envelop van het Engelse Genootschap ter Bevordering van Internationale Correspondentie op de keukentafel.

Zondagmorgen: Muis weet dat pas zeker als ze op allebei haar van de datum voorziene klokken heeft gekeken, het exemplaar naast haar bed, dat via een snoer met het stopcontact is verbonden, en de extra wekker die op batterijen loopt en op haar commode staat. Zondag 27 april. Een groot gedeelte van de voorafgaande week is ze kwijt, vooral de donderdag en de vrijdag; daarvan herinnert ze zich niet meer dan korte, warrige flarden. Vrijdagavond moet ze weer hebben gedronken, want zaterdag is ze pas laat wakker geworden met een fikse kater (maar wel alleen, godzijdank, en in haar eigen bed). De rest van die zaterdagochtend heeft ze zenuwachtig en gestrest rondgelopen – ze popelde om de deur uit te gaan, maar dat lukte haar niet, want telkens als ze een voet over de drempel had gezet, draaide ze zich om de een of andere reden om en ging weer naar binnen. Op het laatst ontdekte ze, toen ze het voor de vijfde keer probeerde, aan de binnenkant van de voordeur een stuk krantenpapier dat er met plakband aan was bevestigd. Met zwarte viltstift stond daar slordig gepend: EERST WACHTEN GVD TOT DE TELEFOON GAAT. Ze had het opgegeven en was binnengebleven, en het volgende ogenblik was het zaterdagavond geweest.

En nu is het dus zondagmorgen. Muis wandelt op blote voeten naar de keuken, wrijft zich onderweg de slaap uit de ogen en probeert vast te stellen of ze weer last heeft van een kater. Nee, waarschijnlijk niet – ze heeft wel hoofdpijn, maar niet dat soort hoofdpijn, en ook een droge mond, en er is tenminste geen sprake van de smerige nasmaak waarmee ze gisteren wakker is geworden.

Bij de gootsteen vult ze een glas onder de kraan. Ze brengt het glas naar haar lippen, draait zich een kwartslag om, signaleert vanuit haar ooghoeken de envelop, draait zich nog verder om – en schrikt zich dood.

Het ligt niet aan de envelop dat ze door een golf van angst wordt overspoeld. Het ligt aan haar moeder, van wie ze een gebroken beeld ontwaart via de bodem van haar waterglas. Want haar moeder zit op een stoel naast de tafel, haar handen zedig over elkaar in haar schoot, alle nagels even scherp.

'Muisje,' zegt haar moeder heel duidelijk. 'Je hebt een brief.'

Muis slaakt een schril gilletje en proest water uit door haar neus; het glas valt uit haar hand en vliegt op de vloer aan stukken. Ze gaat op haar tenen staan en krijgt een vreselijke hoestaanval, en dan ziet ze dat de stoel leeg is, dat haar moeder er helemaal niet is – natuurlijk niet, hoe zou dat ooit kunnen?

Maar de envelop is er wel degelijk: een stevige witte rechthoek die tegen de servethouder is gezet. Met voorzichtige stapjes gaat ze hem halen. Hoewel ze goed uitkijkt, belandt ze met de bal van haar linkervoet op een glassplinter, en prompt slaakt ze weer een schril gilletje, waarna ze zich hinkend verder beweegt.

De envelop is van fraai, dik perkamentpapier, het soort dat gebruikt wordt voor uitnodigingen voor bruiloften en oproepen van het Koninklijk Huis. Het is een dure envelop, of tenminste, dat zou hij zijn als hij niet gestolen was – waarschijnlijk is hij meegejat uit een zaak in winkelcentrum Pacific Place. Er zit geen postzegel op. Als Muis nu nog bij haar moeder had gewoond, had er wel eentje op gezeten, een bijzondere Britse postzegel die eerder zou zijn uitgekozen vanwege de vormgeving dan vanwege de waarde, maar die malligheid is tenminste overboord gezet. Deze envelop is niet vanuit Engeland verstuurd; hij is zelfs nergens op de post gedaan.

Muis kijkt naar de met de hand geschreven naam en het adres van de afzender, een elegant handschrift dat er tegelijkertijd in slaagt iets spottends uit te stralen:

Engels Genootschap ter Bevordering van Internationale
Correspondentie
1234 Catchpenny Lane
Century Village, Dorset 91371
Engeland

Tientallen malen al heeft ze dat gelezen, maar iedere keer opnieuw valt het Muis op hoe onecht, hoe ontzettend neppig dat adres aandoet. Ook als tiener wist Muis allang dat Britse postcodes niet uit vijf cijfers bestaan. 91371 is een Amerikaanse postcode, of om preciezer te zijn, dat is Muis' geboortedatum: 13 september 1971. En dan die straatnaam, en de plaats: Catch*penny* Lane; *Cent*ury Village. En dat graafschap, Dorset: dat bestaat weliswaar echt (Muis heeft het een keer opgezocht), maar het is ook de meisjesnaam van haar moeder.

Het is zulke flagrante nep dat Muis ook nu nog door weerzin wordt overvallen als ze aan de goedgelovigheid denkt van haar moeder, die zo onder de indruk was van het mooie papier en het fraaie handschrift dat ze nooit ook maar in de verste verte aan bedrog heeft gedacht. Stom mens, denkt Muis, of liever gezegd: ze begint aan die gedachte. Stomme ouwe...

Maar een plotselinge angstaanval drukt die ketterse gedachte de kop in. De paniek is zo intens dat Muis een ogenblik verdwijnt, zodat Maledicta de kans krijgt om onvervaard op te merken: 'Nou, ze wás ook een stomme ouwe teringtrut.'

– en Muis is weer terug, met de envelop zo krampachtig in haar hand geklemd dat het dure papier is verkreukeld.

De snee in haar voet bloedt. Daar moet ze iets aan doen; die glasscherven moet ze ook opvegen. Maar eerst wil ze weten wat voor geheime boodschap het 'Genootschap' haar heeft gestuurd. Op het gevaar af dat ze zich nog een keer verwondt loopt ze naar de bestekla naast de gootsteen en vist er een mes uit om de envelop mee open te snijden.

Ze heeft altijd al buitenissige post gekregen. Zoals de lijstjes, de door een onbekende opgestelde dienstregelingen die haar in staat stellen om althans een zweem van orde te handhaven in haar leven. Of de graffiti, de mededelingen en tirades die net als op het computerscherm opeens tevoorschijn floepen: zoals het verhaal op dat stuk krantenpapier dat gisteren zomaar aan haar voordeur hing. En dan heb je nog de memoranda, gedetailleerde missiven die haar heel af en toe vanuit het niets worden bezorgd, en waarin Muis wordt gewaarschuwd voor een gevaar waarvan ze zich niet bewust was, of waarin haar wordt geadviseerd hoe ze een bepaald probleem dat haar al een tijd dwarszit kan oplossen.

Nu haar moeder goed en wel dood is en onder de grond ligt, is er minder om over in de zenuwen te zitten, maar toen ze nog jonger was, nog bij haar moeder woonde en bij haar onder de plak zat, wist Muis drommels goed dat sommige soorten post gevaarlijker waren dan andere. Lijstjes waren doorgaans wel veilig, tenzij er een aanwijzing bij zat die tegen haar moeders eeuwig veranderende regels indruiste. Muis' moeder keurde die lijstjes zelfs goed, want ze dacht dat Muis ze zelf schreef. ('Goed zo, Muisje,' koerde haar moeder weleens, 'wat een goed idee, om dat warrige verstandje van je zo bij de les te houden.' Die herinnering is echter onlosmakelijk verbonden met een andere: dat haar moeder haar neergedrukt hield op een onopgemaakt bed en schreeuwde: 'Wat ben jij vergeten? Wat ben jij vergeten?' en daarbij een van Muis' tepels omdraaide tot ze het uitgilde. Dat beeld staat haar nog zo duidelijk voor de geest dat Muis er maar aan hoeft te denken of de adem stokt haar in de keel, en ze legt een beschermende hand om die borst.) Graffiti waren ietwat gevaarlijker, al doken die meestal ergens op waar Muis' moeder ze niet kon zien (in Muis' kastje op school, op het bord in een leeg klaslokaal waar ze zich soms verstopte), of ergens waar ze vlug weg te werken waren (op een ruit met ijsbloemen, of op een beslagen badkamerspiegel, waar ze alleen even een arm overheen hoefde te halen).

Maar memoranda – dat waren vaak hachelijke dingen. Zo herinnert Muis zich vooral die keer toen ze in de eerste of tweede klas van de middelbare school zat en een jongen die Ben Deering heette net had gedaan alsof hij haar aardig vond. Op een dag was hij in de middagpauze naar haar toe gekomen – Muis zat zoals gewoonlijk in haar eentje aan een tafeltje ergens achter in de kantine te eten – en hij had gevraagd: 'Zeg, ik kom bij je zitten, oké?' Muis had even opgekeken bij het horen van zijn stem, maar had haar ogen al net zo snel weer neergeslagen en niets gezegd. Ben nam aan dat haar stilzwijgen 'ja' betekende en ging zitten. 'Zo,' zei hij, in een gestolde massa witte bonen met tomatensaus wroetend, 'wat vinje van het eten hier?'

Muis reageerde niet, en ook niet op zijn verdere pogingen een gesprek aan te knopen. Ze keek hem zelfs niet één keer meer aan. Dat hij vriendelijk tegen haar deed was duidelijk alleen om een of andere rotstreek met haar uit te halen. Ben was populair op school, terwijl Muis een nul was, zo goed als onzichtbaar, behalve wanneer ze haar weer eens moesten hebben; het idee dat Ben écht met haar wilde praten sloeg nergens op. Daarom negeerde ze hem maar, in de hoop dat hij het zou opgeven en zou opkrassen.

Maar Ben gaf het niet op; de hele rest van de middagpauze bleef hij zitten, en opgewekt ook, alsof hij nog nooit zoiets leuks had meegemaakt als dat stommetje spelen van Muis. Toen de bel ging stond hij op en zei, nog steeds glimlachend: 'Bedankt. Tot morgen, hè.'

Hij hield woord en kwam de volgende dag weer bij haar zitten. Sommige anderen in de kantine kregen nu pas zijn merkwaardige gedrag in de gaten, staarden hun kant op en begonnen te giebelen. Muis bestierf het van ellende vanwege dat gegniffel, kroop nog dieper in haar schulp en vertikte het weer een woord te zeggen; Ben bleef zich gedragen alsof hij geen genoeg kon krijgen van Muis' doofstommenact.

De dag daarop kwam Ben niet op school. Toen hij in de middagpauze niet opdook, vond Muis dat eerst een verademing, maar halverwege de pauze betrapte ze zichzelf erop dat ze de kantine rondkeek om te zien of Ben er echt niet was, of dat hij misschien bij iemand anders was gaan ziten. En toen Ben de dag daarna terug was en weer bij Muis aanschoof, beantwoordde ze zijn montere 'hallo' met een amper hoorbaar 'hoi'.

Bens reactie op die mijlpaal was een brede lach. 'Sorry dat ik er gisteren niet was,' zei hij verontschuldigend. 'Maar mijn zusje was ziek, dus toen moet ik thuisblijven om op haar te passen.'

'Dat is wel oké,' mompelde Muis.

Ook toen kon je nog niet direct van een conversatie spreken. Het kwam erop neer dat Ben haar vragen stelde – 'Hoe vind je 't op school?' 'Wat is je lievelingsband?' –, waarop Muis doffe, intonatieloze antwoorden met zo weing mogelijk woorden gaf. Ze begreep niet hoe hij dat in godsnaam interessant kon vinden, en tussen haar karige antwoorden door probeerde ze de moed bij elkaar te rapen om zelf ook een vraag te stellen: 'Wat kan het je schelen?' Natuurlijk durfde ze dat in de verste verte niet echt te doen – ze moest toch al alle onverschrokkenheid die ze maar bezat in de strijd werpen om Ben enkel te vertellen naar wat voor muziek ze graag luisterde.

Aan het eind van de middagpauze bedankte Ben haar weer en wenste haar een fijn weekend. Toen vroeg hij, alsof dat idee net bij hem was opgekomen: 'Zeg, heb je soms zin om met me mee te gaan na schooltijd?' Muis schrok zo van dat voorstel dat ze geen woord kon uitbrengen; eerst schudde ze half en half haar hoofd, toen knikte ze zo'n beetje en liet een kort afgeknot piepje horen. 'Weet je wat?' zei Ben. 'Ik blijf na de laatste bel voor de school staan, op de stoep. Als je met me mee wilt, dan kun je me daar vinden.' En met die woorden pakte hij zijn dienblad en gaf de met stomheid geslagen Muis het nakijken.

De rest van de schooldag keek ze voortdurend zenuwachtig op de klok, doodsbang voor de laatste bel en zich afvragend wat ze zou doen als hij weerklonk. Nog steeds had ze geen flauw idee van Bens motieven. Als dit een sluw plan was, dan was het wel heel zorgvuldig opgezet: zou Ben werkelijk drie middagpauzes verpesten, enkel en alleen om een geintje met haar uit te halen? Aan de andere kant: als het geen sluw plan was en Ben echt graag met haar bevriend wilde raken... Maar waaróm dan? Waarom, waarom, waarom?

Wat moest ze doen? De ene minuut na de andere verstreek, en Muis kon zich alleen troosten met de toenemende zekerheid dat het niet haar eigen beslissing zou worden.

Om ongeveer drie minuten voor drie bereikte haar angstige spanning een hoogtepunt. Toen de grote wijzer van de klok aan de muur van haar lokaal aan zijn laatste paar rondes begon, werd Muis duizelig, ze kreeg een licht gevoel in haar hoofd en in haar lichaam. Achter op haar schedel klopte het, alsof daar iemand stond die naar binnen wilde. Toen hij zich dan eindelijk aandiende, de laatste bel, was het alsof er een geweerschot afging in haar hoofd. Muis trok krampachtig samen en omklemde met beide handen de zitting van haar stoel om niet de stratosfeer in te schieten –

– en ze zat in haar eigen kamer achter haar bureautje naar de ondergaande zon te kijken. Automatisch wendde haar hoofd zich in de richting van de wekkerradio. Het was 5:17.

Muis had nog dezelfde kleren aan die ze die dag naar school had gedragen, maar ze was van top tot teen overdekt met een laagje fijn stof, en op haar rechterknie zat een veeg modder. Haar ene kous had ze opengehaald aan een braamstruik en haar armen en de rug van haar handen zaten onder de schrammen.

Het memorandum lag vlak voor haar op het bureautje, een uit drie alinea's bestaande nota in twee verschillende handschriften. De pen die ervoor gebruikt was, lag erbovenop; toen Muis hem weglegde, was hij nog warm van de handen van degenen die ermee hadden geschreven.

Het memorandum luidde:

Sorry Muis, maar dit wordt niets. Toen Ben Deering er genoeg van had om nog langer op je te wachten voor de school, ging hij naar South Woods Park, waar hij had afgesproken met twee andere jongens, Chris Cheney (?) en Scott Welch, en met zijn drieën gingen ze grappen staan maken over jou. Uit wat ze zeiden blijkt dat Chris met Ben heeft gewed om een oude fiets dat Ben jou nooit zover zal krijgen dat je hand in hand met hem gaat lopen. Ik weet niet waarom dit zo bekokstoofd is, maar ik denk dat Chris gewoon een gemeen gastje is (hoewel: hij gaat met Cindy Wheaton, dat kind dat jou bij gymnastiek steeds weer pootjehaakt, dus misschien dat zij erachter zit) en ik denk dat Ben zijn zinnen heeft gezet op die fiets.
Maar goed, dit wordt niets. Ben vindt jou niet echt aardig. Dit is enkel een rotstreek.

Vlak daaronder stond in een ander, nijdiger handschrift:

En dat had je godverklote allang kunnen wéten als je niet zo'n volslagen debiel was, kutwijf!!!

Toen de strekking van het bericht tot haar doordrong, vulden Muis' ogen zich met tranen. Haar verdriet was intens, maar tegelijkertijd was het merkwaardig genoeg net alsof het op zichzelf stond, alsof het geen oorzaak had – desgevraagd zou ze niet hebben kunnen zeggen of ze nu huilde van teleurstelling, van verontwaardiging of omdat ze zich gekwetst voelde. Ze was er gewoon ellendig aan toe, dat was alles; en verder wist ze heel zeker dat ze dit louter en alleen aan zichzelf te danken had.

Er biggelde een traan over haar wang, en Muis dacht: wáárdeloos stuk stront.

'Muisje,' zei haar moeder achter haar.

Muis slaakte een schril kreetje en draaide zich vliegensvlug om. Verwoed veegde ze over haar ogen, zo ontredderd doordat ze op huilen betrapt was dat ze helemaal vergat dat het memorandum open en bloot op haar bureau lag.

'Tijd om je handen te wassen voordat we aan tafel gaan,' zei Muis' moeder; haar ogen fonkelden van leedvermaak. Eeuwig en altijd was ze bezig Muis van achteren te besluipen; dat was een van haar geliefde spelletjes. Soms maakte ze haar aanwezigheid met luide stem kenbaar om Muis flink te laten schrikken; andere keren sloop ze onhoorbaar naderbij en wachtte dan – desnoods minutenlang – totdat Muis de adem in haar nek bespeurde.

Net als de meeste van haar moeders spelletjes vond Muis ook dit vreselijk. Dat was de reden waarom ze, toen ze het bureautje kreeg, het tegen de andere wand had willen zetten, zodat ze met haar gezicht naar de deur zou komen te zitten. Maar haar moeder had erop gehamerd dat het veel logischer was om het bij het raam te zetten, want dan kreeg Muis overdag 'natuurlijk licht'. Natuurlijk kwam het bureautje te staan waar haar moeder vond dat het hoorde. En misschien maakte het ook eigenlijk geen verschil. In de loop van al die jaren dat Muis weer eens een doodschrik op het lijf was gejaagd, was ze erachter gekomen dat er in het hele huis geen enkel plekje te vinden was, geen enkel veilig hoekje waar haar moeder haar niet van achteren kon besluipen als ze dat wilde.

'Tijd om je handen te wassen, Muis,' herhaalde haar moeder, en haar kwaadaardige joligheid zakte al enigszins. Muis haalde nog een laatste keer een hand over haar ogen, sprong op van haar stoel en wilde vlug de gang in lopen.

Muis' moeder deed geen stap opzij en bleef vierkant in de deuropening staan. Ook dit was weer zo'n spelletje van haar: om de kamer uit te komen moest Muis zich helemaal tegen de deurpost drukken en zich langs haar moeders brede heupen wringen, waarbij ze zwijgend het geknijp of de klappen incasseerde waar haar moeder haar op verkoos te onthalen. Deze keer raakte Muis' moeder haar niet aan, maar wachtte ze gewoon even en boog zich toen opzij, zodat ze Muis met haar volle gewicht plat perste tegen de deurpost. Muis klemde haar kiezen op elkaar; ze wist dat ze tegen de regels zondigde als ze een kreet liet horen. Een secondelange eeuwigheid later nam de druk iets af, zodat ze zich verder kon wringen; op een holletje liep ze door de gang naar de badkamer.

Die avond stond er een stoofschotel met kalfsvlees op het menu, en ze aten van het mooie servies. Niet dat huize Driver er goedkoop porselein op na hield; voor gewone maaltijden hadden ze mooi en voor speciale gelegenheden extra mooi porselein. Dat Muis wist dat het mooi porselein was, kwam doordat haar moeder haar dat constant onder het oog bracht, evenals het feit dat Muis en zij de hemel mochten danken dat ze zo piekfijn woonden, omringd door zulke piekfijne spullen.

'Wij boffen toch wel geweldig, hè,' zei haar moeder ook nu weer, 'dat we zo piekfijn wonen en zulke piekfijne spullen hebben?'

'Ja,' zei Muis mechanisch, 'dat is waar.'

'Ja, dat is waar. En wat boffen we toch dat je vader ons zo goed verzorgd heeft achtergelaten, zodat we ons al die piekfijne spullen kunnen veroorloven.'

'Ja,' zei Muis.

Aan een van de wanden van de eetkamer hing een foto van Muis' vader. Je zag Morgan Driver op een heuvel ergens op het Engelse platteland met een kasteel achter zich. Hij stond er een beetje wazig op, alsof degene die de foto had gemaakt niet goed had geweten of hij de camera op hém zou instellen of op het imposante gebouw achter hem, maar als je nauwlettend naar hem keek, zag je een bekommerde uitdrukking op zijn gezicht – merkwaardig bekommerd voor een kersvers getrouwde man.

Een huwelijksreis naar Engeland, dat was een van de eerste, en nog altijd een van de geweldigste dingen die Muis' vader haar had bezorgd. Muis' moeder was altijd al warmgelopen voor alles wat Brits was – 'al vanaf dat ik een klein meisje was, nog kleiner dan jij, Muisje' – en die rondreis van een paar weken in Engeland was een hoogtepunt in haar leven geweest. 'Zo fantastisch,' zei ze, wanneer ze het erover kreeg, en dat was niet zelden, 'zo luxueus, en met een echte heer aan mijn zijde.'

Een echte heer aan mijn zijde. Morgan Driver was geen rijk man geweest, al zou je dat niet zeggen als je Muis' moeder over hem hoorde praten. Hij verdiende de kost als verzekeringsagent, en doordat hij veel moest reizen voor zijn werk, wist hij hoe je voordelig aan vliegtuigtickets of aan een verblijf in een goed hotel kon komen. En hij had inderdaad een beetje geld, maar hij was niet rijk.

Hij was echter wél uitstekend verzekerd. En waarschijnlijk had hij de belangrijkste daad van zijn leven verricht, althans wat betreft de financiële toekomst van Muis en haar moeder, toen hij aan boord was gestapt van een straalvliegtuig met een defecte motorophanging. Dat was gebeurd toen Muis pas twee was, zodat ze haar vader nooit echt had gekend. Voor haar bestond hij uit een reeks verhalen, waarvan sommige haar waren verteld door haar moeder en andere door haar grootmoeder, en verder nog uit een paar twijfelachtige legendes, die haar in de vorm van memoranda waren bezorgd. Haar grootmoeders verhalen vond Muis het mooist, maar die van haar moeder hadden haar altijd het meeste ontzag ingeboezemd – verhalen over de heldhaftige ridder Morgan Driver, de heer die een tragische dood was gestorven, maar niet dan nadat hij ervoor had gezorgd dat zijn gezin altijd over piekfijne spullen zou beschikken.

'Wat is het toch heerlijk om alles te hebben wat je hartje begeert,' zei Muis' moeder terwijl ze het eten op haar bord schepte. 'Wat is het toch heerlijk om in een mooi huis te wonen, met mooie dingen om je heen.' Als ze in die trant zeurde, mat ze zich steevast een namaakaristocratische uitspraak en intonatie aan die Muis in het geniep afschuwelijk vond. Maar Muis liet het wel uit haar hoofd om tegen haar moeder te zeggen dat ze niet de deftige dame moest uithangen, en bovendien, dat irritante en aanstellerige gepraat was altijd nog beter dan grof geweld. Heel wat beter.

'Wat is het toch heerlijk...'

'Ja,' zei Muis.

'Om goed te kunnen eten, en om piekfijne meubels te hebben, en piekfijne kleren...'

Muis' aandacht was een beetje afgedwaald, maar toen het woord 'kleren' viel schoot ze weer wakker. Ze had zich zo goed mogelijk opgeknapt in de badkamer, maar ze wist dat het stof op haar blouse en rok en de scheur in haar kous haar moeder heus niet zouden zijn ontgaan – en meisjes die in de gelukkige omstandigheid verkeerden dat ze van mooie kleren werden voorzien, hoorden die natuurlijk niet ontoonbaar te maken door in de modder rond te kruipen.

Muis wierp eens een steelse blik naar de andere kant van de tafel en vroeg zich af of haar een afstraffing boven het hoofd hing. Haar moeder was wat dat betreft onvoorspelbaar: iets wat haar de ene keer razend maakte, was een andere keer aanleiding tot een lachbui, terwijl het nog weer een andere keer onopgemerkt passeerde. En soms leek het alsof ze iets expres over het hoofd zag, zodat ze er naderhand nog eens over kon beginnen, op een moment dat je er niet op verdacht was.

Voor het ogenblik, stelde Muis vast, zou haar moeder geen ophef maken over haar kleren – ze was nog steeds in haar lofzang op mooie spullen verwikkeld, en zo te zien ging haar aandacht nu uit naar het eten op haar bord, niet naar haar dochter.

'Ben Deering,' zei haar moeder plotseling, en ergens diep in haar buik voelde Muis een valluik openklappen. 'Ben Deering, Ben Deering,' herhaalde haar moeder, en ze maakte er een deuntje van, 'alle dames zijn dol op Ben Deering.' Ze hield haar hoofd een beetje schuin, als een uil die naar een nietig diertje staarde dat zich angstig platdrukte op de bodem van een put. 'Tja, Ben Deering, ik had geen idee dat ik die naam kende – ik heb hem in ieder geval niet van jóú gehoord –, maar toen schoot me opeens weer te binnen dat er een Ben Deering senior bestaat, iemand die een schroothandel drijft in Prollendorp.'

Prollendorp, zo duidde Muis' moeder Woods Basin aan, het gedeelte van de stad ten zuiden van South Woods Park. Het was een arme buurt met haveloze huisjes met maar één enkele slaapkamer, en met hier en daar stacaravans, waar alleen het minste slag lieden woonde. Muis' moeder wist precies van wat voor laag allooi de Prollendorpers waren, omdat ze zelf, dankzij een vernederende streek van het lot, in Woods Basin was geboren, en daar tweeëndertig jaar lang een kommervol bestaan had geleid, totdat haar voortreffelijke karakter zich had geopenbaard en ze gered was door haar huwelijk met Morgan Driver. Eindelijk had ze zich aan de greep van Prollendorp ontworsteld, maar die lieden waren steeds jaloers gebleven op Muis' moeder en broedden telkens gemene plannetjes uit om haar een loer te draaien. Wanneer er iets misging in of om huize Driver

– als er in de tuin een boom omverwoei, of als de kelder onderliep, of als een lampje te vroeg doorbrandde – bedacht Muis' moeder steevast dat de Prollendorpers daar op de een of andere manier met z'n allen achter zaten.

Natuurlijk was het Muis streng verboden een voet te zetten in die buurt. En elke vorm van contact met een inwoner van Prollendorp, al was die ook nog zo onopzettelijk, gold als puur verraad, een doodzonde jegens haar moeder. Het valluik in Muis' buik vloog nog verder open toen ze besefte hoe gruwelijk het er voor haar uitzag.

'Een schróóthandelaar!' riep haar moeder op gespeeld vrolijke toon. 'En jij kent zijn zóón.'

'Nee!' piepte Muis. 'Nee, ik...'

'Nee?'

'Nee, echt niet,' protesteerde Muis deemoedig, bibberend onder haar moeders strakke blik, en haar stem daalde tot een fluistertoon. 'Nee, echt...'

'Nee wát?' wilde haar moeder weten. 'Je ként hem niet?' Haar linkerhand verdween even onder de tafel en kwam zwaaiend met het memorandum weer tevoorschijn. Ze hield het papier boven haar hoofd en draaide, alsof ze een tamboerijn hanteerde, haar pols alle kanten op. 'Jij ként hem niet?'

En Muis stond met haar rug tegen de muur. Ze besefte dat ze geen kant op kon, maar toch wist ze nog uit te brengen, met een halfslachtig gebaar naar het memorandum: 'Dat was alleen om me erin te laten lopen...'

'Alleen om jou erin te laten lopen,' bauwde haar moeder haar na. 'En waarom zou iemand jou erin willen laten lopen, hè? Toch alleen omdat hij dacht dat dat makkelijk zou gaan? Nou? Wat was jij aan het uitspoken met die jongen dat hij dacht dat jij wel hand in hand met hem zou willen lopen?'

'Niks.'

'Niks.'

'Ik heb zelfs nog nooit met hem gepráát.'

'Aha. Dus als ik het goed begrijp, dan zat hij zich op een dag gewoon af te vragen wie hij zover zou kunnen krijgen om hand in hand met hem te lopen, en plotseling zag hij het licht en hij zei bij zichzelf: "Als ik de dochter van Verna Driver eens nam? Ze heeft nog nooit een woord met me gewisseld, nog nooit ook maar een greintje belangstelling voor me laten blijken, maar waarom zou ik het mezelf makkelijk maken?'

'Ik weet niet waarom hij mij moest hebben,' zei Muis treurig. 'Misschien dat... Misschien klopt het wat daar staat, dat Cindy Wheaton...'

'Wie is trouwens dat vriendinnetje van je?' Toen Muis als enige reactie verward met haar ogen knipperde, zwaaide haar moeder nog eens met het memorandum. 'Je vriendín. Degene die je erop uit had gestuurd om Ben Deering te bespioneren, ook al was je niet in hem geïnteresseerd.'

'Dat weet ik niet,' zei Muis, en die woorden waren haar nog niet over de lippen, of ze had al in de gaten hoe idioot dat moest klinken, niet alleen in de oren van haar moeder, maar van iedereen die haar dat hoorde zeggen.

'Dat weet je niet,' echode haar moeder. 'Natuurlijk niet, je kent Ben Deering niet eens, dus hoe zou je dan kunnen weten wie je achter hem aan hebt gestuurd?'

'Ik héb niemand...'

'Weet je wat ík niet weet? Ik weet niet of jij wel de waarheid spreekt als je zegt dat je beseft hoe geweldig jij boft. Ik weet niet of jij écht wel de piekfijne spullen waardeert die je krijgt. Ik denk dat jij misschien wel een waardeloos, ondankbaar liegbeest en een stuk stront bent dat er geen been in ziet haar eigen leven te verkloten door te rotzooien met de eerste de beste rioolrat uit Prollendorp. Ik denk...'

Die keiharde woorden kwamen gemeen aan, en Muis begon te trillen van inspanning om haar tranen in te houden. Er bestonden plekken in de wereld waar een tranenvloed medelijden zou oproepen, maar daar hoorde haar huis niet toe – er was geen zekerder manier om alle stoppen te laten doorslaan bij haar moeder dan om in huilen uit te barsten. Uit alle macht deed ze haar best om zich te beheersen, en tegelijkertijd probeerde ze te bedenken hoe ze die vreselijke beschuldiging van haar moeder kon weerleggen. Ze had niet eens hand in hand met Ben gelopen, ze had amper met hem gepraat, en toch stelde haar moeder het voor alsof ze... alsof ze...

Muis beging de vergissing haar ogen heel even neer te slaan. Toen ze weer opkeek, zat haar moeder niet meer tegenover haar.

Muis gilde en probeerde weg te duiken onder de tafel, maar haar moeder was haar te vlug af, greep haar beet, smeet haar terug op haar stoel en duwde haar met stoel en al achterover. Muis smakte met zo'n klap op de vloer dat ze een ogenblik verdoofd was, en toen ze weer bij haar positieven kwam, hield haar moeder haar met een voet op haar borstkas tegen de grond gedrukt.

Die voet was net een loodzware steen, en ze had moeite met ademhalen. 'Wat is dit?' zei Muis' moeder, terwijl Muis zich tot het uiterste inspande om haar longen vol te zuigen. Ze boog zich over naar de tafel, schepte een handvol hete stoofschotel op en smeet dat Muis midden in haar naar adem happende gezicht. 'O, lieve hemel!' riep ze uit. 'Wie heeft dat gedaan? Dat wéét ik niet.' Nog een handvol. 'En dat dan? Dat wéét ik niet.' Toen haalde ze haar voet van Muis' borstkas, en nog voordat Muis eens flink had kunnen inademen, boog ze zich razendsnel over haar heen en drukte haar ene hand op Muis' mond, terwijl ze met de andere haar neus dichtkneep. 'O, mammie, waarom kan ik geen lucht krijgen?' fluisterde ze Muis in het oor. 'Dat wéét ik niet.'

Vervolgens pakte ze Muis' hoofd en bonkte ermee op de vloer. Of misschien lag dat bonkende geluid enkel aan zuurstofgebrek; dat was niet duidelijk, want inmiddels was Muis al bezig haar lichaam te verlaten, gleed ze omlaag de duisternis in. Ze kroop in elkaar in het donker en viel in slaap, en wat haar moeder ook nog meer met haar mocht uithalen, het had niets met haar te maken.

Toen ze negentien uur later wakker werd, zat ze op de rand van haar bed. Nog voordat ze een blik op de wekkerradio had geworpen, had ze zo'n idee dat er niet meer dan een dag was verstreken: haar neus was nog gevoelig doordat er zo hard in was geknepen, en op de plaats waar haar moeder een voet op haar borstbeen had gezet zat een blauwe plek; de schrammen op haar armen waren minder rood, maar nog wel te zien. (Verder bespeurde ze hier en daar nog een zeurend of kloppend soort pijn van ondefinieerbare herkomst, en ook een brandend, schrijnend gevoel tussen haar benen, zodat ze al met al het liefst regelrecht weer het donker in was gedoken – maar ze stond zichzelf niet toe om daarbij stil te staan.)

Het eerste wat Muis deed nadat ze zich had georiënteerd, was nagaan of ze hier echt wel alleen was. Ze keek drie keer in de klerenkast en twee keer onder het bed voordat ze durfde te geloven dat haar moeder niet in de kamer was. Daarop dienden zich logischerwijs twee nieuwe vragen aan: waar zat haar moeder dan wél, en in wat voor stemming verkeerde ze? Een nadeel van zo'n black-out tijdens een woedeaanval van haar moeder was dat Muis dan nooit wist of er al een eind aan was gekomen, en zo ja, wat erop was gevolgd.

Nog een paar minuten lang bleef ze haar kamer doorzoeken, want ze hoopte een lijstje te vinden dat haar wat nadere informatie zou verschaffen, maar haar moeders reactie op dat memorandum had de lijstjesschrijver kennelijk even afgeschrikt – óf haar moeder had dat lijstje al in handen gekregen en het verscheurd om haar te pesten. Hoe het ook mocht zitten, Muis vond niets. Ze kon alleen maar hopen en bidden dat haar moeder niet ergens op de loer lag toen ze zich zachtjes de gang in waagde.

Haar moeder stond niet op de gang. Muis draafde vlug naar de badkamer, deed de deur dicht (er zat geen slot op), keek in alle hoeken, in de badkuip en in de douchecel, en draaide de warmwaterkraan van de wastafel open. Ze deed een plas en schonk weer nadrukkelijk geen aandacht aan het schrijnende gevoel tussen haar benen; toen ze klaar was, was de spiegel boven de wastafel beslagen, en tijdenlang staarde ze ernaar in de hoop dat er een bericht zou verschijnen. Maar nee.

Toen ze eindelijk de moed bij elkaar had geraapt om naar beneden te gaan, vond ze haar moeder in de keuken, waar ze bij het aanrecht iets in stukjes stond te snijden. 'Muisje,' zei haar moeder zonder zich om te draaien. Dat klonk neutraal: op die manier liet haar moeder haar weten dat ze wist dat Muis binnen was gekomen. Er klonk geen dreigende en ook geen vriendelijke toon in door. Toch was Muis er het liefst vandoor gegaan om zich ergens te verstoppen, maar ze dwong zichzelf om nog een paar minuten door de keuken te blijven drentelen, om te kijken of haar moeder nog iets tegen haar zou zeggen of haar nog iets zou aandoen. Maar er gebeurde niets, ze bleef gewoon staan snijden, en op het laatst glipte Muis de keuken uit, nog steeds in onzekerheid over de vraag of de aanval al dan niet voorbij was.

Die zondagmiddag gaf Muis' moeder haar in het voorbijgaan een speels duwtje, dat tot gevolg had dat ze van de trap viel en haar pols verstuikte.

's Avonds aan tafel zette ze Muis een bordje bevroren doperwten voor met een klont keiharde boter erop, en toen Muis haar groente niet wilde opeten, deed ze net alsof ze daar niets van begreep (eerst had ze de zaak nog als vrolijke grap gebracht, maar toen Muis het vertikte om zelfs maar één lepel te eten van die harde knikkers, werd ze echt boos, en op het laatst stuurde ze Muis van tafel en joeg haar hongerig en wel naar bed). Zulke voorvallen waren onaangenaam, maar ook doodgewoon – de vertrouwde lollige spelletjes van alledag – en ze zeiden niets speciaals over haar moeders stemming. Pas de maandagmorgen daarop bespeurde Muis een onmiskenbaar teken dat haar moeder zich nog steeds druk maakte over Ben Deering.

Het gebeurde toen ze naar school wilde gaan. Muis stapte net de deur uit toen haar moeder, die tot dat moment de indruk had gewekt dat ze in een stralend humeur was, haar plotseling bij haar pijnlijke pols pakte om haar tegen te houden en vroeg: 'En wat hebben we afgesproken over die jongen uit Prollendorp?'

Muis had geen idee wat ze hadden afgesproken en moest vlug nadenken: 'Ik mag nooit meer een woord tegen hem zeggen!'

'En dat zúl je godverdomme dus ook niet!' snauwde haar moeder, maar kennelijk was dat antwoord goed geweest. Met weer een vriendelijke glimlach voegde ze eraan toe: 'Goed, als je straks thuiskomt, ben ik er misschien niet, maar dan moet je je niet ongerust maken. Ik heb namelijk een akkefietje waar ik achteraan moet.' Haar hoofd schokte even op en neer van een amper ingehouden giebelaanval. 'Jij wacht maar gewoon tot ik terugkom, en pas op dat je niet opendoet voor vreemden!'

In de middagpauze probeerde Ben Deering weer bij haar te komen zitten. Ze zag hem naar haar tafeltje komen, zette zich schrap om hem af te poeieren –

– en zat opeens in een klaslokaal, waar ze haar schrift dichtsloeg omdat de laatste bel ging.

Ben Deering, Chris Cheney, Scott Welch en Cindy Wheaton stonden op een kluitje op de stoeptreden voor de school toen Muis het gebouw uit kwam. Met z'n allen staarden ze naar Muis, onverholen vijandig maar ook zenuwachtig, alsof ze bang waren dat Muis hen zou aanvliegen. Muis, die bang was dat ze háár zouden aanvliegen, repte zich zo snel als ze kon langs hen heen. 'Jij bent een hartstikke geschift kutwijf, weet je dat wel?' riep Cindy Wheaton tegen haar rug.

Het huis was leeg toen Muis thuiskwam. Eerst was dat een opluchting, maar toen haar moeder rond etenstijd nog niet terug was, begon Muis zich ongerust te maken. Wie weet was het huis toch wel níét leeg; wie weet was haar moeder er niet op uit vanwege een of ander akkefietje, maar had ze zich ergens verstopt en wachtte ze het geschikte moment af om toe te slaan. Dat Muis langzamerhand honger kreeg, kwam haar zenuwen ook niet echt ten goede.

Het was al wel een uur donker toen haar moeder eindelijk thuiskwam, en in zo'n zegevierende, stralende stemming dat Muis zich nog ongeruster maakte. Haar moeder zei niet waar ze was geweest, kneep Muis alleen in de wang en ging koken. Ze maakte aardappelpuree met spinazie en lamskoteletten, een van Muis' lievelingsmaaltijden: een heel slecht teken.

Ze waren bijna klaar met eten toen de bel ging. 'Wie kan dát nu zijn?' grinnikte Muis' moeder, en vlug liep ze naar de voordeur. Ze was nog maar net weg toen ze al schreeuwde: 'Penny! Penny, kom ogenblíkkelijk hier!'

Penny. Muis' moeder noemde haar alleen bij haar ware naam als er vreemden bij waren – meestal vreemden die ze op de een of andere manier in de maling wilde nemen. Muis vroeg zich af wat voor nieuw spelletje er nu weer werd bekokstoofd en hoeveel ellende het haar zou bezorgen, maar liet zich van haar stoel glijden en ging op weg naar haar schreeuwende moeder.

Tot haar verbazing zag ze Ben Deering op de stoep staan – Ben Deering en een lange man, die wel zijn vader zou zijn, dacht ze. Ben keek nors en tegelijkertijd gegeneerd voor zich, en hij deed zijn best elk oogcontact te vermijden, maar vooral met Muis; Bens vader en Muis' moeder waren boos, al had Muis zo'n idee dat alleen de boosheid van Bens vader gemeend was.

'Dus dat is ze?' vroeg Bens vader met een knik in Muis' richting.

'Ja,' zei Muis' moeder, op een toon alsof ze het akelig vond om dat te moeten toegeven. 'Dat is mijn dochter.'

Muis dacht dat die lange man haar een klap wilde geven en deed al schichtig een stap achteruit, maar hij keek zijn zoon aan en zei: 'Nou?'

Ben zuchtte en met zoveel inspanning dat het haast theatraal aandeed, dwong hij zichzelf Muis in de ogen te kijken. 'Ik heb er spijt van,' zei hij.

Blijkbaar was dit niet voldoende; hij had die woorden nog niet uitgesproken, of zijn vader verkocht hem een fikse oorvijg. 'Jij hebt wáár spijt van?' vroeg Ben senior.

'Ik heb er spijt van dat ik die weddenschap ben aangegaan,' lepelde Ben onwillig op. 'Ik heb er spijt van dat ik je erin wou laten lopen. Dat had ik niet mogen doen.' Hij keek even op naar zijn vader alsof hij wilde zeggen: 'Zo goed?'

'Oké,' zei Ben senior. 'Ga maar vast in de auto zitten, ik kom zo.' Ben gehoorzaamde maar al te graag.

'Nou,' ' zei Ben senior, en hij verlegde zijn aandacht naar Muis. Zo te zien verwachtte hij nu van háár dat ze een lesje zou afdraaien, maar ze knipperde alleen met haar ogen. Hij schraapte zijn keel en vervolgde: 'Zoals je ziet heeft mijn zoon je boodschap ontvangen. Of liever gezegd: die hebben we allemáál ontvangen.'

Mijn boodschap, dacht Muis, en Bens vader, die haar verbijstering opmerkte, gromde: 'O, in godsnaam, zeg!' Schichtig deed Muis nog een stap achteruit.

'In godsnaam...' Bens vader deed een onstuimige greep in zijn jaszak. 'De boodschap waar ik het over heb, jongedame – alsof jij dat niet drommels goed weet – is dat verhaal dat je vanavond bij ons door de ruit van de huiskamer hebt gesmeten.' Hij haalde een stuk baksteen tevoorschijn waar een aan alle kanten gescheurd stuk papier omheen was gewikkeld. Muis had die steen nooit eerder gezien, maar toen Bens vader het papier gladstreek, herkende ze er haar memorandum in. Eén doodsbenauwde seconde lang vroeg ze zich af wat ze had uitgehaald. Toen herinnerde ze zich haar moeders 'akkefietje'.

'Penny!' Verna Drivers gespeelde verontwaardiging ging haar vlekkeloos af. 'Penny, mijn hemel, hoe haal je zoiets in je hoofd? Hoe héb je dat kunnen doen?' Terwijl ze dat zei draaide ze zich om, en toen ze met haar rug naar Bens vader stond, liet ze het verontwaardigde masker vallen, zodat de schalkse vrolijkheid vlak erachter zichtbaar werd; ze stak haar tong uit tegen Muis en knipoogde. 'O, meneer Deering,' vervolgde ze, met het masker weer op. 'Meneer Deering, ik vind het toch wel zo verschrikkelijk, ik kan u gewoon niet zeggen hoe ik hiervan schrik.'

'Die jongen heeft een misselijke streek uitgehaald,' zei Bens vader. 'Maar' – hij hief de baksteen op – 'vandalisme is niet de juiste reactie.'

'Nee, natúúrlijk niet!' zei Muis' moeder. 'Ik begrijp niet wat Penny...'

'En dat geldt ook voor wat jij vandaag op school hebt uitgehaald, jongedame,' voegde Bens vader eraan toe. 'Ja, dat heeft mijn zoon me ook verteld.'

'Op school?' Het verontwaardigde masker verzakte een beetje. 'Heeft zíj vandaag iets uitgehaald... op school?'

'Onbeheerste drift is iets heel gevaarlijks,' zei Bens vader veelbetekenend. 'Goed, dan geef ik dit maar aan u,' vervolgde hij, en hij overhandigde Muis' moeder het memorandum en het stuk baksteen, 'en ik verzoek u uw dochter uit de buurt te houden van mijn zoon, en ook van mijn huis.'

'Dáár kunt u van op aan,' zei Muis' moeder. Het masker zakte nog een graadje verder af, zodat er een zweempje kwaadaardigheid zichtbaar werd. Maar onmiddellijk beheerste ze zich en op sussende toon vervolgde ze: 'De reparatie aan uw raam betalen wij, dat spreekt vanzelf.'

Maar Bens vader, die misschien aanvoelde dat er hier iets niet pluis was, zei: 'Dat hoeft niet. Probeert u alleen wel het gedrag van uw dochter in te tomen, anders komen daar nog ongelukken van. Onbeheerste drift...' besloot hij, met een waarschuwende vinger in Muis' richting priemend. Hij draaide zich om en ging.

'"Probeert u alleen wel het gedrag van uw dochter in te tomen, anders komen daar nog ongelukken van",' bauwde Muis' moeder hem achter zijn rug na. Het masker was gevallen. De Deerings reden weg en ze vroeg: 'Wat is er op school gebeurd?'

Dat had Muis zich ook al afgevraagd. Naarstig was ze alles nagegaan wat er die dag gebeurd was, en daarbij was haar iets te binnen geschoten wat op het ogenblik zelf niet goed tot haar was doorgedrongen: toen ze na schooltijd langs Ben en zijn stel vrienden was gelopen, was Bens haar één ragebol geweest, en zijn jasje en overhemd hadden onder de troep gezeten: opgedroogde klodders eten. 'Ik geloof dat ik mijn bord eten over Ben heen heb gegooid,' zei Muis met haar kleinste stemmetje.

'O, dat gelóóf je?' Haar moeder keek haar even van opzij aan, en voor de derde keer week Muis schichtig achteruit. Maar toen schoot haar moeder in de lach, en een en al genegenheid legde ze een arm om

Muis' schouders. 'Nou, volgens mij hebben we dat geteisem uit Prollendorp lik op stuk gegeven!' snoefde ze. 'En, heeft mijn Muisje soms zin in ijs?'

Dat was het einde van de zaak-Deering, voor haar moeder althans. Voor Muis zelf gold dat natuurlijk niet; het nieuws over de baksteen door het raam en het over Ben omgekeerde bord eten verspreidde zich als een lopend vuurtje door de hele school, en Muis, nu officieel tot 'geschift kutwijf' verklaard, werd een mikpunt van gepest en getreiter.

Op een ochtend zo'n twee weken later dook er opeens op raadselachtige wijze een rondschrijven van de school op in Muis' boekentas. Muis stuitte erop toen ze haar huiswerk in haar tas stopte, en haar moeder, die om haar heen hing, griste haar het papier uit de hand voordat ze er zelf een blik op had kunnen werpen.

'Wat is dit?' zei haar moeder, terwijl ze er een blik over liet glijden. Ze zette grote ogen op, begon nu nauwlettender te lezen en raakte in alle staten. 'Hé, dit is geweldig!' riep ze uit. 'Wat een geweldige kans!' Ze draaide zich om, waarbij ze Muis achteloos met haar elleboog een peut tegen het hoofd gaf. 'Waarom heb je me daar gisteravond niets over gezegd?'

Muis moest nog bijkomen van de klap en kon alleen haar schouders ophalen. Toen haar moeder klaar was met lezen, pakte ze het papier terug en verdiepte zich zelf in de brief. 'Geachte ouders en/of verzorgers,' luidde de aanhef.

> Hiermee brengen wij u op de hoogte van een interessant nieuw buitenschools programma voor uitzonderlijk begaafde leerlingen zoals uw dochter. Dankzij een speciale regeling met het gerenommeerde Engelse Genootschap ter Bevordering van Internationale Correspondentie kunnen wij...

Muis merkte meteen iets merkwaardigs op. Boven aan het papier stond het officiële briefhoofd van de school, maar de tekst was getypt, niet gestencild, zoals gebruikelijk was voor mededelingen van de school, en die telkens verzakte *u* kwam haar heel bekend voor. Een paar jaar tevoren had Muis van haar grootmoeder een oude Underwood typemachine gekregen waarvan de *u*'s net zo onder de regel belandden; haar moeder, die zich had geërgerd aan dat cadeau, had prompt een dure elektrische typemachine gekocht voor Muis, en ze had met alle geweld willen hebben dat Muis de Underwood weg deed. Voor zover ze wist was dat ook gebeurd. Maar het was toch wel raar dat de typemachine van de school hetzelfde mankement had als die afgedankte Underwood, en ook hetzelfde lettertype – zo raar dat Muis zich afvroeg hoe het eigenlijk kwam dat ze zich niet kon herinneren dat ze die Underwood in de vuilnisbak had gegooid.

Het in de brief beschreven 'interessante nieuwe buitenschoolse programma' was ook een behoorlijk merkwaardig verschijnsel. Achter die dure woorden ging een penvriendschapsproject schuil. Het Engelse Genootschap ter Bevordering van Internationale Correspondentie organiseerde de briefwisseling tussen 'uitzonderlijk begaafde' Amerikaanse middelbare scholieren – het kostte Muis niet weinig moeite die omschrijving met zichzelf in verband te brengen – en nóg uitzonderlijker begaafde Britse kostschoolleerlingen, van wie een groot gedeelte, zo liet de brief doorschemeren, van adelijke afkomst was. Het kennelijke oogmerk van dit geheel was, althans wat de Amerikaanse kant aanging, een soort culturele osmose – wanneer de Amerikaanse scholieren langdurig in contact kwamen met de jonge Britse crème de la crème, zouden ze hun uitzonderlijke niveau verhogen tot iets superuitzonderlijks, en daarmee verzekerden ze zich van een glorieuze toekomst. Wat de Britse kinderen ermee zouden opschieten, werd niet vermeld in het rondschrijven.

In Muis' ogen was het hele project ronduit potsierlijk. Het leek haar eerder een kwajongensstreek. Er bestond inderdaad een penvriendschapsprogramma op school, maar dat hield in dat je ansichtkaarten stuurde aan arme dorpskindertjes in Afrika en Azië, een bezigheid die ongeveer net zo vanzelfsprekend in aanmerking kwam voor de dochter van Verna Driver als een vrijwilligersbaantje bij een gaarkeuken in Prollendorp.

'Jij meldt je hiervoor aan,' zei Muis' moeder. 'Jij meldt je hier vandáág nog voor aan.'

'Oké,' zei Muis.

En ze deed haar best. In de middagpauze ging ze naar de administratie van de naschoolse activiteiten, waar meneer Jacobs zich op het hoofd krabde en zei dat hij nog nooit had gehoord van dat Engelse Genootschap.

'Het spijt me,' zei meneer Jacobs. 'Ik kan je wel inschrijven voor het ansichtkaartenproject "Vriendjes en vriendinnetjes in de derde wereld", als je dat leuk vindt...'

'Nee, dank u wel,' zei Muis.

'Tja.' Hij gaf haar de brief terug. 'Mocht ik er toch nog iets over aan de weet komen, dan neem ik contact met je op, maar het ziet ernaar uit dat het hier om een grap gaat.'

Natuurlijk was het een grap. Maar nu zat Muis met een probleem, want straks zou ze haar moeder moeten vertellen dat ze niet had gedaan wat haar was opgedragen, dat dat niet gíng. Terwijl deze gedachte haar door het hoofd spookte, voelde ze iets kriebelen in haar linkerhand, en toen ze keek ontdekte ze daar een met balpen op haar huid geschreven berichtje: DOE GEWOON ALSOF.

En Muis knikte eens bij zichzelf, waste haar handen, ging na de laatste bel naar huis en vertelde haar moeder dat ze zich had aangemeld voor het briefwisselingsproject. En verbazend korte tijd later al lag de eerste van een lange reeks brieven van het Engelse Genootschap ter Bevordering van Internationale Correspondentie bij de Drivers in de bus. Muis, die hem daar vond, schudde ongelovig haar hoofd vanwege het adres van de afzender, en ook vanwege de postzegel: een kleurige postzegel van twee penny met een portret van koningin Elizabeth en een vlekkerige poststempel die niet doorliep op de envelop. Het leek wel of de postzegel erop was geplakt met houtlijm.

Twee penny, dacht Muis. Twee. Was dat genoeg voor een brief die van Engeland helemaal naar Amerika moest? Dat leek haar nogal twijfelachtig, en terwijl ze haar hersens pijnigde over die vraag, schoot haar opeens te binnen dat ze niet al te lang tevoren met haar moeder bij Bartleby's was geweest, aan Third Street. Bij Bartleby's verkochten ze mooi briefpapier en enveloppen, en ook was er een kleine afdeling voor postzegel- en muntenverzamelaars. Je kon daar afgestempelde buitenlandse postzegels kopen... of meejatten, dacht Muis.

Nee, die envelop was het product van een kwajongensstreek, net als het rondschrijven dat eraan vooraf was gegaan. Muis zou het ding graag hebben verscheurd, maar dat durfde ze niet, en haar moeder had de brief trouwens toch al gezien, pakte hem haar af en bekeek hem opgetogen kirrend van alle kanten.

'Laten we eens zien wat we hier hebben,' zei Muis' moeder. Te ongeduldig om er een briefopener bij te pakken, ging ze de envelop te lijf als een grizzlybeer een bijennest. De vergelijking klopte precies: ze scheurde de envelop open, stak er haar neus in – en trok zich met een ruk terug, als door een bij gestoken. Ze deed nog een poging, ditmaal wat zorgvuldiger, met een hand als een poot – en trok ook die haastig terug. 'Verrek!' tierde ze. 'Verrek! Verrek! Verrék! Kut!' De woedeaanval zakte even snel als hij was opgekomen, en maakte plaats voor een knorrige, prikkelbare stemming. 'Hier,' zei ze, en ze duwde Muis de envelop in de hand, 'doe jij het maar.'

Toen Muis de bovenkant van de envelop voorzichtig openhield en erin gluurde, ontdekte ze daar honing noch bijen, maar een tweede, kleinere envelop met het simpele opschrift: van mejuffrouw Penelope Ariadne Jones aan mejuffrouw Penny Driver. In één oogopslag zag Muis wat haar moeder zo van slag had gebracht: de binnenste envelop was paars.

Paars, haar moeders ongelukskleur – een tint die als knoflook op een vampier werkte en een haast allergische reactie bij Verna Driver ontketende. Muis' hoofd deinde op en neer, alsof ze bij zichzelf knikte. Haar moeder kon die brief niet lezen; die was alleen voor haar ogen bedoeld.

'Nou, toe dan!' snauwde haar moeder, en dreigend hief ze al een hand op. 'Maak eens open!'

Muis maakte de paarse envelop open. De twee velletjes briefpapier die erin zaten waren ook paars, en vertoonden een handschrift dat haar bekend voorkwam. '"Beste mejuffrouw Driver,"' las ze voor, '"het doet me bijzonder veel genoegen aan een briefwisseling met u te beginnen die zich, naar ik hoop, over vele jaren zal uitstrekken..."'

De korte beschrijving van het leven in 'Century Village, Dorset' was al net zulke doorzichtige nep als de afzender op de buitenste envelop. Hele gedeelten waren zo te zien regelrecht overgeschreven uit een roman van Jane Austen, of wie weet uit een boekje van de Bouquetreeks. Maar de brief had een heilzame uitwerking op Muis' moeder: de grizzlyberin kreeg eindelijk haar honing. Ze slikte alles voor zoete koek en gaf er geen ogenblik blijk van dat ze ook maar in de verste verte vermoedde dat het hier om iets anders ging dan wat het op het eerste gezicht leek. Intussen moest Muis haar uiterste best doen om haar aandacht te houden bij wat ze voorlas – ze keek steeds een paar regels vooruit of er niet een verborgen boodschap kwam, een brief-in-een-brief, alleen voor haar.

Eindelijk stuitte ze erop: helemaal aan het eind. Onder 'Penelope Jones' stond het zinnetje: LEES DIT GEDEELTE NIET HARDOP en daaronder volgde een naschrift dat zich als memorandum ontpopte en een waarschuwing inhield voor een of andere gemene streek die Cindy Wheaton van plan was met haar uit te halen tijdens gymnastiek.

Toen ze over haar eerste verbazing heen was, constateerde Muis dat ze zich boos maakte op de memorandumschrijver, omdat die zo'n ingewikkelde en gevaarlijke truc had bedacht. Als haar moeders voorliefde voor alles wat Brits was het nu eens had gewonnen van haar fobie voor paars? Dan zou ze die brief zelf hebben gelezen, met memorandum en al, en in de gaten hebben gekregen dat het allemaal boerenbedrog was – en wie zou zeggen hoe ze dat Muis dan zou hebben ingepeperd? En ook al zou de trucage nooit aan het licht komen, deze methode om memoranda te bezorgen verschafte Muis alleen maar werk, want natuurlijk wilde haar moeder wanneer Muis alles had voorgelezen prompt dat Muis terugschreef, en wel onmiddellijk. Ze hield daar dan ook nog toezicht op: terwijl Muis aan een retourbrief werkte, hing ze over haar schouder en spuide kritiek op elke zin en iedere formulering.

Naderhand pas drong het tot Muis door dat deze mystificatie om haar moeder een rad voor ogen te draaien, en op een zo onbeschaamd mogelijke manier, niet alleen als middel diende om een bepaald doel te bereiken, maar in feite een van de doeleinden van de memorandumschrijver was. De memorandumschrijver was ook boos; dat kwam maar al te duidelijk naar voren uit de tweede brief van Penelope Ariadne Jones aan Muis, die als volgt begon:

Beste mejuffrouw Driver,
Vanuit een betoverend Dorset zend ik u en de uwen een hartelijke groet. Wilt u zo goed zijn uw moeder, ook uit naam van mijn mede-Engelanders, over te brengen dat zij een foeilelijk oud kankerwijf is, dat wij het heerlijk zouden vinden haar met die rotkop en al achter het behang te plakken, en wilt u haar verzoeken al die piekfijne kutspullen van haar in haar stinkende ouwe reet te steken...

Muis was hardop begonnen aan deze brief, maar hield abrupt op toen ze uitkwam bij 'wilt u zo goed zijn' en gaapte ontzet neer op de woorden die volgden.

'Hé, Muisje,' zei haar moeder in de plotseling gevallen stilte. 'Wat is er? Wat moet je mij overbrengen?'

En Muis keek op, haar keel dichtgeschroefd van angst; het volgende ogenblik vouwde ze de brief op terwijl haar moeder zei: 'Wat was dat mooi gezegd. Wat een welopgevoed meisje. Waarom ben jij niet zo?'

Zodra ze alleen was scheurde Muis de brief aan snippers, zonder zelfs gekeken te hebben of er een memorandum in voorkwam. 'Niet meer doen,' zei ze op half bevelende en half smekende toon, terwijl ze de snippers door de wc spoelde. 'Nooit meer, nooit meer, nooit meer.'

Maar natuurlijk gebeurde het wel. In de loop van de maanden en jaren die volgden bleven de brieven van het Engelse Genootschap geregeld opduiken. Muis' moeder kwam er nooit achter dat de hele zaak nep was, al werd ze een paar keer zo woedend omdat Penelope Jones het steevast vertikte op een aangenamer kleur briefpapier over te schakelen dat ze tijdens zo'n aanval een brief verscheurde. Een aantal van de memoranda ging zo verloren, maar de meeste bereikten hun bestemming. Ook nadat Muis uit huis was gegaan, en zelfs nadat haar moeder was overleden en onder de grond was gestopt, bleef de memorandumschrijver, bij wijze van speciaal grapje voor ingewijden, belangrijke boodschappen sturen per adres het Engelse Genootschap.

En nu is er dus ook weer eentje gearriveerd. Muis haalt een botermesje uit de bestekla en snijdt de envelop netjes open. Ze haalt het kleinere envelopje eruit, nog steeds heimelijk in haar schik met dat volle paars, een magisch afweermiddel tegen haar moeder. 'Van mejuffrouw Penelope Ariadne Jones,' leest ze, 'aan mejuffrouw Penny Driver', en ook daar is ze mee ingenomen. In de memoranda in de brief zelf wordt ze steevast als 'Muis' aangeduid, maar op de envelop is ze altijd Penny, en die naam vindt ze prettig. Ze koestert een uitzinnig verlangen ook andere mensen te kunnen overhalen om haar zo te noemen, maar vrijwel niemand doet dat ooit.

Ook het paarse envelopje snijdt ze open, en ze haalt er een lila velletje uit. Daar staat het volgende op:

Dingen die je vandaag moet doen (zondag 27/4/'97):
1. Douchen
2. Iets nets aantrekken
3. Om twaalf uur voor de Harvest Moon staan vanwege afspraak
   met Andy Gage
4. Naar hem luisteren

Merkwaardig. Dat is helemaal geen memorandum, het is een lijstje. Dat het haar op deze manier bezorgd is, wil duidelijk zeggen dat het belangrijk is, maar Muis snapt er niets van. Een afspraak met Andy Gage? Hoezo? En naar hem luisteren – waarom? Wat kan hij haar in vredesnaam te vertellen hebben dat er zo'n speciaal bericht aan te pas moet komen?

Maar misschien ís het wel niet zo'n mysterie. Misschien doet ze alleen maar alsof ze er niets van snapt, om te verhullen dat ze iets dergelijks al had verwacht. Want wat haar onmiddellijk te binnen schiet als ze zichzelf de vraag stelt waar die afspraak toch op kan slaan, is dat vreemde gesprek dat ze maandag heeft opgevangen bij de Werkelijkheidsfabriek. Het gesprek tussen Andrew en Julie, waarbij Muis tussen twee tenten voor luistervink heeft staan spelen. Het gesprek dat zo te horen over haar ging.

Ja, dat zal het zijn – opeens is Muis zeker van haar zaak, zonder dat ze weet hoe dat zo komt. Maar ze heeft nu geen tijd om er nog langer bij stil te staan. Het is al bijna elf uur, en als ze zich nog wil opknappen en iets nets aantrekken voordat ze om twaalf uur aantreedt in Autumn Creek, zal ze moeten opschieten.

Ze hinkt van de keuken naar de badkamer en onderweg doet ze haar best niet al te veel bloedspetters op de vloer te laten vallen. Als ze op de rand van het bad zittend de glasscherf uit haar voetzool peutert, trillen haar handen, maar niet van pijn.

Muis is opgewonden.

Muis is bang.

11

Een uur later ziet Muis Andy Gage voor de Harvest Moon staan, en prompt krijgt ze een flashback van een foto van haar vader. Niet die bloedserieuze huwelijksreisfoto die in de buurt van haar moeders eettafel hing te somberen, maar een ander, sympathieker portret dat op de schoorsteenmantel stond in het huis van haar grootmoeder.

Het schoorsteenmantelportret dateert van de ochtend na haar vaders eindexamenfeest. Na de laatste dans waren Morgan Driver en een stel vrienden en vriendinnen nog een eindje gaan rijden en uiteindelijk in een sloot beland. Geen van allen waren ze erg gewond geraakt, maar ze waren zo ver van huis geweest toen het gebeurde dat ze er de rest van de nacht over hadden gedaan om terug te komen in de stad. Bij het ochtendkrieken had haar vaders vriendin het kiekje genomen: van een achteruit in de berm lopende Morgan Driver die zijn duim ophield om een passerende auto aan te houden. Hij liep met zijn jasje over zijn ene schouder; zijn zwarte strikje slierde los om zijn boord en zijn hemd hing uit zijn broek. Een nog niet aangestoken sigaret bungelde in een mondhoek en ondanks een akelige jaap boven zijn linkeroog lachte hij.

Dat portret bestaat niet meer. Muis' moeder heeft het, kort nadat oma Driver was overleden, samen met een heel stel plakboeken vol foto's verbrand. Dat waren maar ordinaire foto's, zei ze toen Muis haar vroeg waarom. Daarmee bedoelde ze dat die foto's niet strookten met het beeld van haar man dat zij voor eeuwig in stand wilde houden – net als in de verhalen van oma Driver kwam daar een heel ander iemand op voor, een Morgan Driver die rookte en dronk en schuine moppen vertelde, en die op zijn achtste graag midden in modderplassen sprong.

Muis vindt het jammer dat haar moeder ze allemaal heeft vernietigd, maar aan de andere kant staan die foto's nog haarscherp in haar geheugen gegrift – het is haast alsof ze kopieën van haar grootmoeders plakboeken in haar hoofd heeft, waar ze in kan bladeren wanneer ze maar wil. En die foto van na het eindexamenfeest, die staat nu op een schoorsteenmantel in Muis' geheugen, nog even tastbaar als vroeger.

Het is haar niet meteen duidelijk hoe het komt dat Andy Gage haar aan die foto doet denken. Hij staat op het trottoir voor de Harvest Moon en probeert niet te liften; hij let zelfs niet op het verkeer. Hij is informeel, maar netjes gekleed: jasje, de boord van zijn overhemd dichtgeknoopt. Hij heeft geen bloedende wond op zijn voorhoofd. Het komt door zijn houding, bedenkt ze. Andrew staat daar op zijn gemak, hij straalt iets uit van 'wie-doet-me-wat?', een stemming die Muis zelf bijna nooit vergund is, een stemming waarin haar vader altijd verkeerde, stelt ze zich voor, voordat hij getrouwd was tenminste.

Als ze dichterbij komt met haar auto, ziet ze dat Andrew in zichzelf staat te praten. Misschien dat hij zichzelf grappen vertelt – nu barst hij in lachen uit. Dat is verknipt gedrag, maar Andrew zelf heeft dat kennelijk totaal niet in de gaten. Als hij Muis in haar Buick signaleert, reageert hij niet betrapt – zoals Muis, als iemand háár in zichzelf zou zien praten –, maar lacht hij gewoon en zwaait naar haar. Wie doet me wat?

Muis rijdt het terrein achter het eethuis op en parkeert in de verste hoek, zodat ze zo veel mogelijk tijd krijgt om een zelfverzekerd air aan te nemen. Ze inspecteert zichzelf in het achteruitkijkspiegeltje en kijkt dan op haar lijstje of er misschien nieuwe instructies aan zijn toegevoegd. Maar nee; nog steeds valt nergens uit op te maken wat Andrew haar te zeggen heeft, wat er van haar wordt verwacht behalve dat ze luistert.

Ze opent haar portier en stapt uit. Met zijn handen in zijn zakken komt Andrew al haar kant op wandelen. Nu ziet hij er verlegen uit. Hij maakt niet zo'n zenuwachtige indruk als maandag, toen ze hier van de Werkelijkheidsfabriek samen naartoe reden, maar het is duidelijk dat hij in gedachten ergens mee worstelt.

'Hoi,' zegt Muis maar, om het ijs te breken en om de schijn op te houden dat ze weet wat ze hier komt doen.

Andrew zit er niet mee dat hij wat verward overkomt. 'Penny?' informeert hij, alsof ze elkaar nooit eerder hebben ontmoet. Muis verzet zich tegen een sterke aanvechting om 'Ja hoor, ik ben het' te zeggen en knikt alleen.

Dan valt er een ongemakkelijke stilte. Muis' instructies luiden dat ze moet luisteren, niet praten; bovendien moet Andrew ook eerst iets zeggen, omdat zij anders niet weet waar hij naartoe wil. Maar Andrew gedraagt zich alsof hij zich aan hetzelfde lijstje houdt en wacht tot zíj iets zegt.

Eindelijk verbreekt hij de stilte: 'Je hebt zeker geen idee waarom je hier bent, hè?'

Muis staat met haar oren te klapperen. Ze vraagt zich af of ze hem misschien verkeerd heeft verstaan, maar dan maakt Andrew een nóg opzienbarender opmerking: 'Toen je vanmorgen opstond, had je helemaal geen plannen om vandaag naar Autumn Creek te komen. Maar toen kreeg je een bericht, een briefje of lijstje of zo, met de opdracht hier om twaalf uur naartoe te komen om met mij –'

Ze zitten in een park, ieder aan een kant van een lange houten bank. Muis' wangen zijn knalrood en ze is een beetje buiten adem; Andrews wangen zijn ook rood. Hij heeft zijn handen nog steeds in zijn zakken en houdt zijn armen dicht tegen zich aan; zo neemt hij zo weinig mogelijk ruimte in beslag op de bank, alsof hij zijn best doet haar niet op haar lip te zitten.

Zo te zien zijn ze niet in een gesprek verwikkeld – Andrew kijkt niet eens haar kant op –, en daarom draait Muis even vlug haar hoofd naar alle kanten om poolshoogte te nemen. Het park komt haar niet bekend voor, en de huizen in de aangrenzende straat ook niet, maar ze neemt aan dat ze nog in Autumn Creek zitten. De Navigator wijst haar erop dat de zon nog op dezelfde hoogte aan de hemel staat, dus ze kan niet lang weg zijn geweest.

'Vijf minuten,' zegt Andrew.

Muis gaapt hem aan.

'We zijn zo'n vijf minuten geleden weggegaan van het parkeerterrein achter de Harvest Moon,' zegt hij. 'Dit is Maynard Park, vier straten ten zuiden van Bridge Street. Je hebt heel snel gelopen.' Hij zwijgt even om adem te scheppen en draait dan heel langzaam zijn hoofd in haar richting. 'Penny?'

Nu snapt Muis het, waarom hij haar naam zegt alsof hij een vraag stelt: hij weet het. Hij weet van haar black-outs en hij weet van haar lijstjes. Wat weet hij nog meer?

'Het spijt me als ik je daarginds de stuipen op het lijf heb gejaagd,' vervolgt hij, en hij wendt zijn blik weer af. 'Mijn vader zei dat ik alles recht voor z'n raap moest zeggen. Ik hoop maar dat hij gelijk heeft – ik heb zoiets nooit eerder bij de hand gehad.'

Hoe weet je dat van die lijstjes, denkt Muis, maar ze zegt niets.

'Je vraagt je af hoe ik dat weet van je lijstjes,' zegt Andrew. 'En je l...'

Muis staat met haar rug tegen een boom, en nu is ze helemaal buiten adem, ze hyperventileert. Haar ogen zitten stijf dicht; ze dwingt zichzelf om ze open te doen en ziet aan alle kanten bomen om zich heen. Ze is in een bos, in haar eentje.

Maar nee, toch niet in haar eentje: 'Penny?' Zijn stem, rustig maar wel dichtbij, jaagt haar bijna weer op de vlucht. Muis begint al weg te deinen, maar het volgende ogenblik stuitert ze terug uit de duisternis dankzij het psychische equivalent van een stevig zetje in haar rug.

'Zeg Penny, wees toch niet bang voor me,' zegt Andrew. 'Ik ben er niet op uit om je aan het schrikken te maken; ik wil je alleen maar helpen. Ik weet wat je hebt doorgemaakt, en ik wil je duidelijk maken dát ik dat weet, dan kunnen we erover praten...'

Muis draait haar hoofd om, en daar staat hij, zo'n tien passen links van haar. Met kleine stapjes beweegt hij zich zijwaarts haar gezichtsveld in, en hij houdt zijn handen in de hoogte als een bankrover die zich wil overgeven. 'Ik wil je alleen maar helpen,' zegt hij weer. Hij doet geen poging om haar nog dichter te benaderen, maar laat zich neer op de grond. 'Ik blijf hier wel zitten, oké?'

Dit optreden – zich zomaar neer laten ploffen, alsof het er niks toe doet als hij modder aan zijn broek krijgt – doet Muis alweer aan haar vader denken, aan haar grootmoeders versie van haar vader. Niet dat die gedachte haar helemaal tot bedaren brengt, maar ze wordt tenminste heel even afgeleid van het besef dat ze bang is. Ze doet een stap bij de boom vandaan en wendt zich zijn kant op.

'Ik vind het vervelend als je hier helemaal van over je toeren raakt,

Penny,' zegt Andrew. 'Maar ik weet heus van je black-outs, en ook van...'

'Hoe dan?' De woorden komen er piepend uit, maar hij verstaat haar.

'Jij bent niet de enige in de wereld wie dit overkomt. Er zijn er wel meer.'

Muis wijst naar hem met een beverige hand. 'Heb jij dat ook?'

Het is een ja-of-neevraag, maar hij fronst zijn voorhoofd en zegt: 'Niet precies hetzelfde.' En dan: 'Het is een ingewikkeld verhaal... Mijn vader had van die black-outs, net als jij. Hij was vaak stukken tijd kwijt – soms minuten, soms hele dagen – en hij moest er lijstjes op na houden, van de dingen die hij moest doen, omdat hij anders volslagen gedesoriënteerd raakte. Maar zelfs met die lijstjes kwam hij toch nog voortdurend in de problemen, werd hij beschuldigd van dingen waarvan hij zich niets kon herinneren. Hij schreef cheques uit zonder dat er genoeg op zijn rekening stond. Hij verloor aan de lopende band spullen die van hem waren, en vond van alles wat níét van hem was – kleren bijvoorbeeld, en dan niet één enkel kledingstuk, maar hele kleerkasten vol, spullen die hem wel pasten, maar die hij niet had gekocht, die hij nóóit zou hebben gekocht...'

Muis krijgt een licht gevoel in haar hoofd en zoekt met haar ene hand houvast bij de boom.

'En dan de berichten. Soms kreeg hij anonieme briefjes, of boodschappen op zijn antwoordapparaat. Soms waren dat nuttige adviezen, maar andere keren was het gewoon rottigheid – beledigingen, of zelfs dreigementen. En soms was het allebei tegelijk, in een en hetzelfde bericht, net alsof degene die hem probeerde te helpen tegelijkertijd ook zijn buik vol had van hem.'

'Het Genootschap,' zegt Muis.

'Wat?' vraagt Andrew.

'O,' zegt hij dan. 'Penny?'

'Ja,' zegt Penny, die nu niet meer bij de boom staat, maar op haar hurken voor hem zit, met haar armen om haar onderbenen geslagen en haar kin op haar knieën. Ze ademt nu weer regelmatig en voelt zich tenminste iets rustiger.

'De zielen – de mensen – die mijn vader die berichten stuurden, duidden zichzelf niet aan met een bepaalde naam,' vervolgt Andrew.

'Ze waren er niet op uit om iemand in de maling te nemen. Ik weet wel zeker dat mijn vader liever had gehad dat ze een beetje discreter opereerden – hij kon zich geen zelfstandige woonruimte permitteren, en wanneer zijn flatgenoten weleens de berichten op zijn antwoordapparaat opvingen, dan werd hij... Nou ja, dan was dat soms behoorlijk gênant.'

Wás. Andrews gebruik van de verleden tijd is Muis niet ontgaan. Ze ziet vreselijk op tegen haar volgende vraag, maar ze moet het weten: 'Wat is er met je vader gebeurd?' En voordat Andrew iets heeft kunnen zeggen, geeft ze antwoord op haar eigen vraag: 'Hij is zeker opgeborgen, hè? Omdat hij gek was?'

'Wat?' zegt Andrew verbaasd. 'Nee... Ik bedoel, nee, hij was niet gek. Hij had weleens aanvaringen met mensen die dáchten dat hij gek was, maar...'

'Hij werd opgeborgen,' zegt Muis, en ze knikt bij zichzelf.

'Maar niet voorgoed,' zegt Andrew. 'Een tijdje, één keer – oké, twee keer. Maar ze hebben hem allebei die keren weer laten gaan, want hij was niet écht gek. En op het laatst heeft hij hulp gekregen, en toen heeft hij een manier ontdekt om een eind te maken aan die blackouts. Penny? Er bestáát een manier om een eind te maken aan die black-outs.'

Hij liegt, dat kan niet anders. Wat een gemene streek, om het Genootschap te vragen haar hierheen te dirigeren, enkel en alleen om haar eens lekker bang te maken met wat hij allemaal af weet van haar gestoorde toestand, en om dan ook nog tegen haar te liegen.

Muis slaakt een diepe zucht om een huilbui te onderdrukken. 'Hoe dan?' vraagt ze. 'Hoe heeft hij een eind gemaakt aan die blackouts?'

'Hij heeft een huis gebouwd,' zegt Andrew.

Deze keer weet ze zeker dat ze hem verkeerd heeft verstaan. 'Hij heeft...'

'Hij heeft een huis gebouwd,' herhaalt Andrew. Hij fronst weer. 'Kijk, dit valt niet mee... Ik wil graag met je praten zonder er doekjes om te winden, maar ik ben bang dat als ik het allemaal niet op een bepaalde manier uitleg, dat jij dan gaat denken dat ík gek ben. Of dat je doodsbenauwd wordt en er weer als een haas vandoor gaat. Dus zou je me een plezier willen doen? Ga dan nu even met me mee, dan laat ik je iets zien. Ik weet niet of dat ook maar iets zal helpen, maar... het zou kunnen. Het zou mij op z'n minst kunnen helpen om de juiste woorden te vinden.'

'Waar gaan we dan heen?' vraagt Muis voorzichtig.

'Naar mijn huis. Het is niet ver – een paar straten hiervandaan maar, aan de andere kant van Bridge Street.'

'Oké,' zegt Muis, terwijl ze bij zichzelf denkt: zou hij gek zijn?

Ze staan op – Muis' knieën doen pijn van dat gehurkte zitten – en hij loodst haar het bos uit, dat deel blijkt uit te maken van Maynard Park. Als ze het park achter zich laten en in noordelijke richting lopen, merkt Muis dat Andrew weer in zichzelf praat. Het is voornamelijk onduidelijk gemompel, maar Muis vangt minstens twee keer haar echte voornaam op, en op een gegeven ogenblik roept Andrew zo hard 'Schei nou uit!' dat ze zich een ongeluk schrikt. Muis is nogal van slag, niet zozeer door die eenzijdige conversatie zelf als wel doordat ze zich ongerust maakt dat er, als dit nog een tijdje zo doorgaat, misschien nog een tweede stem bij komt.

Ik blijf niet met hem meelopen, denkt Muis. Als we zo meteen in Bridge Street uitkomen, sla ik af, loop terug naar de Harvest Moon, stap in mijn auto en rij naar huis. Hij kan me onmogelijk tegenhouden.

Ze neemt zich dat vast voor, doet nog een stap, en dan zit haar hand in haar zak en haar vingers grijpen het briefje van het Genootschap. In gedachten ziet Muis het laatste punt, onderstreept en wel:

4. Naar hem luisteren

Ze komen uit in Bridge Street. Muis slaat niet af in de richting van het eethuis. Andrew steekt over en zij loopt mee.

Als ze aan de overkant op het trottoir stappen, roept een stem: 'Hé! Hé, Andrew! Muis!'

Het is Julie, die een eind verderop uitzinnig naar hen zwaait. Als Andrew haar in het oog krijgt, geeft hij met een zacht gesis uiting aan zijn ergernis. 'Ah, Julie, nu even niet,' mompelt hij.

'... bedóélt het goed. En ik, ik mag haar echt ontzettend graag. Verschríkkelijk graag. Maar soms...'

Julie Sivik en Bridge Street zijn van het toneel verdwenen. Andrew en Muis lopen door een rustige laan met woonhuizen aan weerskanten.

'Maar goed,' zegt Andrew, alsof hij een punt zet achter een langdurig betoog. Hij gebaart naar een groot huis even verderop aan hun linkerhand. 'Hier is het.'

Een vrouw met wit haar doet de voordeur open als ze aan komen lopen. 'Hallo, mevrouw Winslow!' roept Andrew haar toe. De vrouw zwaait, maar haar ogen zijn strak op Muis gericht, en haar gezicht staat niet onverdeeld vriendelijk. Muis vraagt zich af of ze elkaar al eens eerder hebben ontmoet, en zo ja, wat zij dan gezegd of gedaan kan hebben dat die vrouw haar met zo'n gezicht opneemt.

Maar Andrew neemt met een paar sprongen de verandatreden en zegt: 'Mevrouw Winslow, dit is Penny Driver, een vriendin van me', en de vrouw glimlacht hartelijk en zegt: 'Leuk om kennis met je te maken, Penny. Kom binnen, wees welkom.'

'... koffiezetten,' zegt mevrouw Winslow, en ze loopt een gang in.

'Dank u, mevrouw Winslow,' zegt Andrew. Hij doet een deur open aan de ene kant van de vestibule en gebaart naar binnen. 'Deze kant maar op.'

Muis gaat echter niet naar binnen, maar drentelt zenuwachtig een beetje heen en weer.

'Penny?' vraagt Andrew.

'Ja,' zegt Muis met een bibberstemmetje.

Andrew houdt zijn hoofd schuin. 'O,' zegt hij en wijst. 'Daar is de voordeur, hè, mocht je misschien weg willen. Hij zit niet op slot,' voegt hij eraan toe.

'Oké,' zegt Muis, zonder zich een ogenblik af te vragen hoe hij wist dat ze zich daar druk over maakte. 'Dank je.'

Ze loopt achter hem aan door de deur die hij net heeft geopend en komt in een zitkamer, zoals hij het vertrek aanduidt. Er staan inderdaad stoelen – Muis ziet er minstens twee, plus een bankje –, maar er zullen wel wat opruimwerkzaamheden aan te pas moeten komen voordat iemand hier aan zitten kan denken. Op het bankje, de stoelen, de planken aan de muur en het grootste gedeelte van de vloer – overal liggen torenhoge stapels spullen: dozen, boeken, speelgoed, kleren, alle mogelijke prullaria en troep. 'Sorry,' zegt Andrew als hij haar gezicht ziet. 'Ik heb een beetje een ruimteprobleem.'

Eén hoek van de zitkamer wordt in beslag genomen door een miniatuurhuis, geen poppenhuis, maar een professioneel ogende maquette, zo eentje waar een architect mee werkt. Een huis met een heel landschap eromheen. Het staat op een tafeltje en valt warempel op in die uitdragerij. Muis neemt aan dat Andrew haar heeft meegenomen om dat huis te laten zien – hij waadt nu die kant op –, maar dan slaat hij rechts af naar het bankje en wijst naar een groot olieverfschilderij dat erboven hangt.

Het is een groepsportret. Op de voorgrond staat een groep van zo'n twintig mensen. Ze zien eruit als familieleden van elkaar; de meesten lijken op Andrew. Er zijn veel mannen bij, een paar vrouwen, een klein jongetje en een reus. Ze staan in een groot vertrek met twee niveaus, waarvan de muren zijn betimmerd met licht, glanzend hout. Hier en daar zijn wandlampjes aangebracht die een gezellige lichtgloed verspreiden in de onderste helft van het vertrek; maar langs de lange galerij die de bovenste helft vormt, zijn de lampjes met grotere tussenafstanden aangebracht, en ze branden daar zwakker. Op deze halfdonkere galerij staat nog een hele schare, groter dan de eerste. De sombere gelederen bestaan bijna geheel uit kinderen met droevige gezichtjes. Die mistroostige uitdrukking werkt Muis meteen op de zenuwen; ze is blij dat het hele stel op de achtergrond staat, achter een balustrade.

Het schilderij is gesigneerd met 'Samantha Gage'.

Andrew wijst in de groep op de voorgrond iemand aan met donker haar. 'Dat is mijn vader,' zegt hij. De familietrekken komen opvallend overeen; Andrew en zijn vader lijken wel tweelingbroers.

Muis wijst naar een iets blondere figuur naast Andrews vader. 'Ben jij dat?'

'Nee.' Andrew fronst zijn voorhoofd. 'Dat is Gideon.' Hij spreekt die naam uit als een boze toverspreuk. Dan wijst hij naar een figuur helemaal links, die op enige afstand van de anderen staat. 'Die daar, dat ben ik.'

'O ja,' zegt Muis, hoewel de gelijkenis niet al te geweldig is. Het gezicht klopt niet.

'Zet mij nu even uit je hoofd,' zegt Andrew, en hij legt zijn hand over de figuur die hem moet voorstellen. 'Ik ben nu eenmaal een speciaal geval. Maar die anderen' – hij maakt een gebaar met zijn vrije hand –

'die andere mensen hier zijn mijn vaders versie van jouw Genootschap. Ze zijn er nu veel beter aan toe, want ze kunnen elkaar allemaal zien; ze hebben nu regelrecht contact met elkaar, van ziel tot ziel. Terwijl deze kamer vroeger, toen mijn vader nog in de toestand verkeerde waar jij last van hebt, niets anders was dan een donkere ruimte, en de meeste zielen de hele tijd lagen te slapen in dat donker...'

Muis zou wel willen dat ze nu kon zeggen dat ze niet begrijpt waar hij het over heeft, maar op een bepaald niveau begrijpt ze het best, en het wordt haar zelfs steeds duidelijker. Terwijl Andrew aan het woord is, staart ze naar het schilderij, en ze bespeurt een toenemende druk aan de binnenkant van haar slapen, alsof er zich daar een menigte kaboutertjes heeft verzameld die met z'n allen tegen haar schedel duwen, als kinderen die hun neus platdrukken tegen een etalageruit.

'... dus moest hij een plek organiseren waar ze allemaal tegelijk in pasten, wakker en wel. Een ontmoetingsruimte ín zijn hoofd.'

'In zijn...'

'Ja, precies,' zegt Andrew. 'Want daar leven ze. Dat weet je toch, Penny? Jouw Genootschap – dat is de manier waarop ze je altijd berichten kunnen overbrengen, waar je ook mag zitten, en zo kunnen ze ook jouw lichaam inpikken tijdens je black-outs. Ze weten altijd waar je bent, kunnen je altijd bereiken, want je hebt ze altijd bij je.'

Nu drukt hij zo meteen met zijn wijsvinger midden op haar voorhoofd, en dan zegt hij, je zult het zien: 'Het Genootschap zetelt hier.' Hij doet het nog niet, maar het kan niet lang meer duren, ze voelt het aankomen, en ze weet dat als het zover is, haar hoofd uit elkaar zal springen, en de leden van het Genootschap uit haar schedel tevoorschijn zullen zwermen als kleine beestjes die alle kanten op krioelen als de steen boven ze wordt opgelicht. En dan is ze écht krankzinnig, stapel-, nee, knettergek. Dan is alles verkeken, dan is er geen redden meer aan.

Daar komt zijn arm al.

'Nee,' zegt Muis, en ze doet een stap terug – en valt voorover in een ijskoude rivier.

Gillend en telkens struikelend komt ze boven. Het water is niet diep, maar er staat een sterke stroming, en ook de glibberige stenen in de bedding zorgen ervoor dat ze telkens haar evenwicht verliest. 'Help!' piept ze.

'Penelope!' roept een stem achter haar. '*Stamata! Perimene!*'

Muis –

– rent tussen de bomen door; deze keer is het geen parkje in een stad, maar een echt bos. De pijpen van haar spijkerbroek zijn zwaar van de met bladeren vermengde modder, maar ze holt maar door, kilometers ver voor haar gevoel. Zelfs de zekerheid dat dat vreselijke iets haar al inhaalt, kan haar echter niet tot in alle eeuwigheid op de been houden. Op het laatst móét ze stoppen, al is het maar heel even. Op een kleine open plek komt ze struikelend over haar eigen benen tot stilstand. Met haar handen op haar knieën buigt ze zich voorover en ze doet haar ogen dicht, helemaal gespitst op het geluid van haar achtervolger.

Als ze haar ogen weer opent, staan er vlak voor haar voeten een paar woorden in de bosgrond getekend: HOU OP MET DEZE BOLLE WAANZIN. Muis voelt verse modder onder haar nagels. In haar nek bespeurt ze een getintel, het vertrouwde gevoel dat er iemand vlak achter haar staat.

Ze draait zich niet om. Wel doet ze net alsof, maar dan stuift ze ervandoor, in vliegende vaart: ze probeert zo'n snelheid te ontwikkelen dat haar lichaam achterblijft.

En in volle vaart vliegt ze tegen een boom op.

'... bloedt,' zegt Andy Gage, naast haar neerhurkend.

Muis ligt op haar rug naar de hemel te knipperen. Ze voelt een opkomende buil op haar voorhoofd en bloed dat door haar haar omlaagsijpelt. Haar nek doet pijn. Ze is nu rustig – versuft van de klap –, maar haar hart is diepbedroefd en ze walgt van zichzelf: onder het bloed en de modder, languit op de grond. Krankzinnig.

'Penny?' zegt Andrew.

'Ik ben een stuk strónt,' zegt Muis, en dan komen de tranen; ze biggelen uit haar ooghoeken en maken het allemaal nog een graadje vreselijker. 'Ik ben een geschift, zielig, waardeloos...'

'Penny...'

'... stuk strónt.'

'Penny, hou op,' beveelt hij, en ze houdt op. Dat wil zeggen: hardop. In haar hoofd, waar het Genootschap zetelt, denkt ze gewoon verder: waardeloos stuk stront.

Dan zegt Andrew: 'Herinner je je nog dat kleine meisje in de Harvest Moon?'

Nog steeds huilend sluit Muis haar ogen. Ga weg, denkt ze. Ga nou weg, ik ben een waardeloos stuk stront, laat me met rust.

'Afgelopen maandag,' gaat hij hardnekkig door. 'Dat kleine meisje met die vader die haar een klap gaf, weet je nog wel? Penny?'

'Ja,' zegt Muis. Natuurlijk weet ze dat nog.

'Weet je nog hoe hij haar noemde?'

'Ja.'

'"Dat kloterige mormel,"' zegt Andrew. '"Dat kloterige mormel." Vind je dat hij het recht had om dat te zeggen?'

'Nee,' zegt Muis.

'Nee,' beaamt Andrew. 'Dat was vreselijk van hem, om dat te zeggen. Afschuwelijk. En als hij haar nu een waardeloos stuk stront had genoemd? Was dat zijn goed recht geweest?'

'Nee...'

'Nee. Dat had niet door de beugel gekund. Dat was verkeerd geweest, en ook niet waar. Net zoals het verkeerd was, en ook niet waar, toen je moeder dat tegen jou zei.'

Ze draait haar hoofd opzij, waarop ze een felle pijnscheut in haar nek voelt, en kijkt hem aan. 'Wie... heeft je dat verteld, van mijn moeder?'

'Jij,' zegt Andrew.

'Ik heb nooit...'

'Niet jij persoonlijk. Je Genootschap.'

'Die zijn niet van míj,' protesteert Muis.

'Jawel. Jij hebt ze opgeroepen, want er was iets vreselijks dat je niet alleen aankon, waar je hulp bij nodig had. En ze zijn er nog steeds, en ze willen je nog steeds helpen, maar intussen houden ze er hun eigen wensen en verlangens op na, en dat compliceert de boel.'

'Dat is krankzinnig.'

'Nee,' zegt hij. 'Maar je had wel gemakkelijk krankzinnig kunnen eindigen, als je ziet wat jouw moeder je allemaal heeft aangedaan. Of je had keihard kunnen worden, net als die man in de Harvest Moon. Maar zover heb je het niet laten komen. Je hebt iets creatiefs gedaan. En dat is geweldig, alleen zul je nu nóg creatiever moeten worden, als je je leven weer op de rails wilt krijgen.'

Langzaam gaat Muis, geholpen door Andrew, rechtop zitten. Ze probeert haar hoofd te draaien om eens om zich heen te kijken, maar haar nek en schouders doen nu gemeen pijn. 'Waar zijn we eigenlijk?' vraagt ze met een vertrokken gezicht.

'In het bos achter de Werkelijkheidsfabriek. Zowat een kilometer voorbij de Fabriek, om precies te zijn; het scheelde maar een haar of ik was je kwijtgeraakt. Ik heb Seferis moeten oproepen om je bij te houden.'

'Seferis?'

'Dat is een ingewikkeld verhaal,' zegt Andrew.

En Muis denkt: voortaan is alles ingewikkeld.

'Vertel het me toch maar,' zegt ze. 'Vertel me alles.' En ze geeft zich gewonnen: 'Vertel me toch wat ik moet doen.'

12

Drie dagen later zit Muis in weer een andere kamer, ook stampvol met alle mogelijke spullen – deze zitkamer bevindt zich in Poulsbo, Washington, op het schiereiland Kitsap – en ze vraagt zich af van wie de dokter in de rolstoel meer weg heeft: van haar moeder of haar grootmoeder.

Oma en Verna Driver hebben destijds allebei een zware beroerte gehad. Oma is er al heel gauw aan overleden – de ene dag was ze nog zo gezond als een vis, de volgende dag lag ze op de intensive care, en de dag daarop was het met haar gebeurd. De dood van oma Driver was het allerdroevigste wat Muis als jong kind was overkomen. Dat verlies was zoiets onverdraaglijks geweest dat Muis kort na de begrafenis was weggekropen in het donker en een jaar lang slapend door het leven was gegaan, de langste black-out die ze ooit had gehad.

Muis' moeder had er langer over gedaan om dood te gaan, en ook dat proces was een traumatische ervaring geweest, maar op een andere manier. Oma was na haar beroerte in coma geraakt, terwijl Verna Driver bij bewustzijn was gebleven. Ze was aan haar bed gekluisterd, miste de kracht om zich te bewegen en kon of wilde niet praten, maar ze had Muis gestaag gevolgd met een paar giftig loerende ogen. De verpleegsters die haar verzorgden hadden tegen Muis gezegd dat ze daar niet al te veel achter moest zoeken; zolang ze op geen enkele manier met haar konden communiceren (diverse pogingen om haar zover te krijgen dat ze antwoord op vragen gaf door met haar ogen te knipperen waren op niets uitgelopen), viel niet met zekerheid te zeggen in hoeverre ze zich bewust was van wat er om haar heen gebeurde. Maar Muis had heus geen andere communicatie nodig dan die voortdurend starende blik: haar moeder was zich wel degelijk bewust van haar omgeving. Ze was bij haar volle verstand en ze was boos, en ze wenste uit alle macht dat ze Muis kon dwingen om met haar van plaats te wisselen.

De dokter in de rolstoel is ook boos. Meestal weet ze zich in te houden, maar een paar keer wordt het haar te machtig: één keer wanneer de vrouw die voor haar zorgt iets te agressief aanbiedt haar te helpen, en dan nog eens wanneer Andrew niet meteen de wenk snapt dat de dokter onder vier ogen wil praten met Muis ('Ga jij anders eens in de keuken kijken of je Meredith niet een handje kunt helpen,' oppert de dokter, maar Andrew antwoordt: 'Waarmee dan?' 'Gewoon, er is altijd wel iets,' zegt de dokter. Maar Andrew heeft nog steeds niets in de gaten en blijft zitten, totdat de dokter eindelijk snauwt: 'Ga nou een eindje om, Andrew! Over een uur ben je weer welkom.')

Andrew heeft Muis van tevoren al gewaarschuwd dat de dokter ietwat opvliegend is – 'Ze is soms een tikkeltje kregelig,' luidde zijn omschrijving. Hij verzekerde haar dat ze zich daar heus niet druk over hoefde te maken, maar ze zit er gespannen bij als hij de kamer uit gaat.

De dokter merkt dat wel, en ze biedt meteen haar excuses aan. 'Sorry,' zegt ze, 'dat verdient beslist geen schoonheidsprijs. Ik hoor jou op je gemak te stellen, in plaats van je op de zenuwen te werken. Maar ja, ik ben altijd al iemand geweest met nogal scherpe kantjes, en deze toestand' – ze geeft een paar klapjes tegen de zijkant van de rolstoel – 'heeft de zaak geen goedgedaan. Maar ik hoop dat je bereid bent een beetje geduld met me te hebben.'

Dat is een heel nieuwe ervaring voor Muis: dat iemand haar vraagt om iets door de vingers te willen zien, en niet eens het feit dat die ander zich boos maakte op háár, maar dat ze zich boos maakte in haar bijzijn. 'Dat is wel oké,' zegt ze.

'Mooi,' zegt de dokter. 'En dan nu ter zake... Ik heb begrepen dat Andrew je heeft verteld over zijn meervoudigepersoonlijkheidsstoornis. Klopt dat?'

Muis knikt, en haar gezicht vertrekt even, want haar nek doet nog pijn.

'En hoe reageerde jij daarop, op wat hij je vertelde?'

'Hoe ik reageerde?'

'Wat dacht je toen? Wees maar niet bang, je kunt het eerlijk zeggen. Alles wat je zegt blijft binnen deze kamer.'

'Het was... Ik vond het heel raar,' zegt Muis. Al te raar, maar dat zegt ze niet. Want haar aanvankelijke nieuwsgierigheid, haar hoop dat ze nu misschien eindelijk eens wat meer inzicht zou krijgen in haar eigen toestand, was geleidelijk de bodem ingeslagen toen het tot haar was doorgedrongen dat de iemand die Andrew aanduidde als zijn 'vader' niet, zoals Muis had aangenomen, zijn biologische, maar een psychische vader was, een éérdere Andy Gage. En hij, de Andrew met wie ze praatte, was niet zijn vaders biologische zoon, maar een lid van zijn vaders Genootschap – goed, een speciaal lid misschien, maar niettemin in wezen een product van de verbeelding van de oorspronkelijke Andy Gage.

Al te raar. Krankzinnig. En Muis had hier op dit ogenblik beslist niet gezeten als haar eigen Genootschap haar niet min of meer het mes op de keel had gezet. Toen haar wekker vanochtend afging, zag ze identieke opdrachtenlijstjes aan alle muren en deuren in haar appartement hangen. Haar antwoordapparaat knipperde ook, en weliswaar had ze het bericht gewist zonder ernaar te luisteren, maar ze weet heel goed wat ze zou hebben gehoord als ze op PLAY had gedrukt: een stem die als twee druppels water op de hare leek en haar waarschuwde om haar afspraak met dokter Grey niet aan haar laars te lappen, en die er waarschijnlijk voor alle duidelijkheid ook nog een paar krachttermen tegenaan gooide.

'Raar,' zegt de dokter, alsof ze de diverse implicaties van dat woord zit te overpeinzen.

Muis slaat haar ogen neer. 'Ik wéét wel dat ik gek ben. Maar ik ben tenminste... wel écht.'

'En je denkt dat Andrew niet echt is?'

Muis aarzelt. Ze wil niets lelijks zeggen over Andrew, die immers alleen maar aardig voor haar is geweest. 'Hij zegt dat hij... verzonnen is... door zijn "vader".'

'Tja,' zegt de dokter, 'iedere persoonlijkheid is in zekere zin een creatie. Mensen hebben het er bijvoorbeeld vaak over dat ze zichzelf opnieuw hebben uitgevonden; dat betekent niet dat zo'n nieuwe ik namaak is.'

'Maar dat is niet hetzelfde.'

'Misschien niet precies hetzelfde. Maar ik heb er alle vertrouwen in dat Andrew echt is. En of jij een meervoudige persoonlijkheid bent, dat is iets wat ik nog niet weet.'

Opeens is Muis een en al hoop. 'Wilt u daarmee zeggen dat ik dat misschien wel niet ben?'

De dokter haalt haar schouders op. 'Die mogelijkheid bestaat zeker. Maar als ik afga op wat Andrew me heeft verteld, dan krijg ik de indruk dat je inderdaad heel wat van de ervaringen hebt die typisch zijn voor iemand met een meervoudigepersoonlijkheidsstoornis die nooit behandeld is. De black-outs, de dingen die je klaarblijkelijk hebt gedaan, maar waar je je niets van herinnert. Vertel me eens: wat denk jíj dat er aan de hand is?'

'Wat ik denk...'

'Hoe verklaar je het allemaal? Voor jezelf, bedoel ik. Als je ergens wakker wordt op een plaats die je niets zegt, of een anonieme boodschap krijgt waarin iets wordt gezegd over dingen waar niemand anders iets van weet. Hoe leg je zoiets dan uit aan jezelf?'

'Dat doe ik niet.' Muis maakt een hulpeloos gebaar. 'Het is niet... Ik doe niet aan uitleggen. Het gebeurt allemaal gewoon.'

'Maar je zou toch wel graag een verklaring willen.'

'Ik zou graag willen dat het eens ophield.'

'Goed,' zegt de dokter knikkend. 'Laten we eens kijken wat we eraan kunnen doen. Wat ik graag zou proberen, als je daar niets op tegen hebt, is zo'n black-out van je teweegbrengen. Alleen wil ik dan...'

'Maar ik kan zo'n toestand niet zelf oproepen,' werpt Muis tegen. 'Soms wou ik wel dat ik het kon, maar ik heb niets te zeggen over die...'

'O, ik geloof niet dat dat zo'n probleem zal zijn,' zegt de dokter. 'Maar deze keer zou ik willen kijken of we ervoor kunnen zorgen dat je bij je positieven blijft tijdens je black-out.'

'Bij mijn positieven...?' Muis schudt haar hoofd om zoiets tegenstrijdigs. 'Hoe dan?'

'Nou, geef me eens antwoord op deze vraag,' zegt de dokter, 'en probeer niet al te diep na te denken voordat je iets zegt. Als we er nu eens van uitgingen dat er meer aan je black-outs te pas komt dan dat je domweg van je stokje gaat. Laten we aannemen dat je in die toestand ergens anders terechtkomt. Hoe stel je je die andere omgeving dan voor?'

'Ik weet niet... Ik kan niet...'

'Denk er niet over na, geef gewoon antwoord: waar ga je heen als je stukken tijd kwijtraakt?'

'Dan verdwijn ik in het donker,' zegt Muis.

De dokter knikt goedkeurend. 'Goeie, veilige omgeving, het donker. Maar wat ons nu te doen staat, is dat we eens wat licht in de duisternis laten schijnen. Zou je die doos daar willen pakken?'

Ze wijst naar een kleine witte doos op de schoorsteenmantel. Muis pakt hem en wil hem aan de dokter overhandigen, maar die zegt: 'Nee, hij is voor jou.'

Muis gaat weer op de bank zitten, met de doos op haar knieën. Ze haalt het deksel eraf en ziet een glanzend, halfrond voorwerp van geel plastic. Het is een veiligheidshelm, met aan de voorkant een mijnwerkerslampje.

'Wilt u dat ik dit opzet?'

'Graag, ja,' zegt de dokter. 'Hij is je misschien een beetje te groot, maar de band aan de binnenkant is verstelbaar.'

Voorzichtig zet Muis de helm op. Hij is haar te groot, en hij is zwaar ook. Vlug zet ze hem weer af.

'Zit hij niet prettig?' vraagt de dokter.

'Hij doet pijn aan m'n nek,' zegt Muis.

'Goed,' zegt de dokter. 'Laat hem dan eerst maar gewoon op je knieën liggen. Zo meteen zit hij wel beter. En maak je niet druk om het lampje – dat gaat vanzelf aan als je het nodig hebt.'

De dokter buigt zich voorover in haar rolstoel en voert iets uit met een ander soort lamp, die op de salontafel staat: een kleine stroboscoop. Ze richt de reflector op Muis' gezicht en knipt de lamp aan.

Muis heeft helemaal geen zin om in dat licht te kijken – het is zo fel dat het haar verblindt, en bij elke flits laat het een akelig piepje horen –, maar ze kan zich er niet tegen verzetten, haar ogen gaan hun eigen gang. Haar blik raakt op het midden van de stroboscoopreflector gefixeerd, en nu verandert het licht, het balt zich samen tot golven, tot bewegende muren van een stralende substantie die over en dwars door haar heen deinen. De piepjes worden langgerekter en lager, gaan over in basvibraties die samenvallen met de golven van licht.

De dokter begint weer te praten, en ook haar stem klinkt nu anders, breder, alomvattend, de stem van een prediker, of van een brandend braambos. 'Ik wil dat je nu rustig wordt, Penny,' zegt ze. 'Kom helemaal tot rust en staar naar het licht, en probeer niet bang te zijn. Zo meteen ga ik een lid van je Genootschap vragen om naar buiten te komen en met me te praten. In de regel zak jij diep weg in jezelf als dat gebeurt, in die donkere omgeving, en dan slaap je daar totdat je er weer uit wordt geroepen. Ik wil dat je deze keer niet de diepte in gaat, en dat je wakker blijft – richt maar een plaatsje voor jezelf in waar je kunt gaan staan, als je wilt. De helm houd je in je handen; die gaat met je mee naar binnen. Daarginds past hij je precies, dan zit hij goed, en hij beschermt je tegen elk gevaar. Het lampje voorop gaat automatisch aan in het donker, zodat je om je heen kunt kijken en het gebied kunt zien dat je zelf hebt gemaakt. Begrijp je wel?'

'Ja,' zegt Muis, al weet ze niet of dat wel zo is.

'Mooi. Ik tel nu tot drie, en dan zou ik graag degene spreken die Draad heet. Een... twee... d...

... rie.'

De kamer schuift in elkaar; de dokter, de salontafel en de stroboscoop vliegen de ene kant op, en Muis en de bank de andere.

Nee, dat is het niet. De bank beweegt niet; er beweegt niets behalve Muis zelf, die voelt dat ze met een ruk naar... naar...

Ja, waarheen wordt ze getrokken?

Ze staat nu op een harde – of althans stevige – ondergrond. Als ze recht voor zich uit kijkt, ziet ze de zitkamer nog, alleen kleiner, en omlijst door een grillig gevormd donker: net alsof ze door een gat in een muur tuurt, of vanuit de ingang van een onverlichte grot.

En vlak voor die grot hoort Muis een stem – haar eigen stem, maar met een heel andere intonatie – haar kant op echoën: 'Hallo, dokter Grey.'

Van ergens onder de ingang van de grot verschijnt een hand in zicht. Het is haar hand, die van Penny Driver. De hand reikt over de salontafel heen – duikt alleen even omlaag om de stroboscoop uit te knippen – en schudt de hand van de dokter.

'Leuk je te ontmoeten,' zegt de dokter. *'Ben jij Draad?'*

De zitkamer deint zo op en neer dat Muis er zeeziek van zou moeten worden, maar dat gebeurt niet. *'Van de draad van Ariadne,'* zegt de stem, Penny Drivers stem. *'Kent u dat verhaal?'*

Muis voelt er niets voor om hiernaar te luisteren – hoe iemand anders háár stem gebruikt om mee te converseren – en draait zich om. Achter haar is het pikdonker. Dat vindt ze griezelig, maar ze heeft nog steeds de helm in de hand die de dokter haar heeft gegeven, en ze herinnert zich wat de dokter gezegd heeft over de beschermende werking van het ding. Ze zet de helm weer op haar hoofd. Deze keer past hij precies, hij drukt nergens. De pijn in haar nek is helemaal weg.

Het mijnwerkerslampje gaat aan en nu ziet ze dat ze in een tunnel staat, een onderaardse tunnel, die steeds smaller toeloopt en een omlaaghellende gang wordt waarin twee mensen zich niet naast elkaar zouden kunnen voortbewegen. Zelfs met behulp van het mijnwerkerslampje kan Muis niet al te ver de gang in kijken, maar ze heeft zo'n idee dat hij een eindje verderop weer breder wordt en uitkomt in een veel grotere ruimte. Van ergens in de diepte drijft er een golf warme lucht langs haar heen, en plotseling ziet ze een beeld voor zich van een hele verzameling mensen die liggen te slapen op de bodem van een grot, keurig in rijen naast elkaar en telkens tegelijk uitademend.

'Hé, Muis,' sist een heel nieuwe stem ergens vlak in de buurt. Muis wendt zich in de richting van het geluid; haar lampje verlicht een vrouw in een zwartleren jasje die tegen iets aan leunt wat een ogenblik geleden nog een onbestemd gedeelte van de tunnelwand was. De vrouw is ongeveer net zo lang als Muis, maar door de van stalen neuzen voorziene laarzen die ze draagt – van zwart leer, net als haar jasje, en met veters die tot vlak onder de knie reiken – lijkt ze langer. Haar gezicht, omlijst door een verwarde Medusabos ravenzwart haar, is bezaaid met littekens; haar wangen en voorhoofd zitten onder de pokputjes, en zelfs de niet door pokken geschonden gedeelten van haar huid zijn ruw en gesprongen. Haar ogen hebben een gemene, ijskoude kleur blauw, het zijn bevroren brokjes minachting, en haar gebarsten lippen zijn vertrokken tot een smalende grijns.

'Zo,' zegt ze, 'heb je godverklote eindelijk de moed gevonden om met je ogen open naar deze contreien af te zakken, hè?'

Muis slaat haar blik neer en ziet nu een tweede vrouw, die in de houding van een waterspuwer op een kerktoren in elkaar gedoken op de bodem van de grot zit. Ze is een tweelingzuster van de eerste, met dezelfde kleren aan en hetzelfde gezicht, alleen is ze zo mogelijk nog afzichtelijker: de pokputjes zijn dieper, haar haar zit nog erger in de war, haar ogen hebben een nog koudere glans.

Zonder een woord te zeggen schuifelt Muis achteruit, weg van dat kwaadaardig kijkende stel. Vreemd genoeg vindt ze hen niet eng; alleen maar... weerzinwekkend.

'Zeg, Muisje teringtrut,' schampert de eerste vrouw. 'Wat nou, denk je dat we hier zijn om je in elkaar te rammen, pokkenlijdster? Of voel je je te goed voor ons, godverklote? Kankerwijf.'

Pokkenkop en Co, denkt Muis. De dames Gajes. Muis weet niet wat ze van zins zijn, maar ze wil niets met hen te maken hebben.

'Muisje teringtrut,' herhaalt Pokkenkop, alias Gajes Een, op een warempel beledigde toon, en samen met haar tweelingzus verdwijnt ze.

De stem van de dokter echoot vanuit de ingang van de grot: '... *geheugenspoor?*'

'*Nou, ik weet wel een hoop van wat er gebeurt,*' zegt Penny Drivers stem. '*Ik hou er een dagboek op na – of eigenlijk twee. Het ene is gewoon een verslag van de dagelijkse gebeurtenissen, de dingen die we zoal meemaken. Het andere is een kroniek van alle dingen waarvan ik weet of vermoed dat ze ons zijn aangedaan door Penny's moeder. Daar kan Muis straks haar voordeel mee doen, als ze zover is dat ze orde op zaken kan gaan stellen in haar leven.*'

'*Muis is Penny?*'

'*Muis was Penny.*'

Muis gaat nu de smalle, omlaag glooiende gang in. De stemmen die ze in de ingang hoorde sterven weg naarmate ze verder naar beneden loopt; algauw bestaat het enige geluid uit de warme ademwind die met geregelde tussenpozen langskomt.

Precies op het punt waar ze dat al had verwacht, wordt de gang weer breder, waarna hij uitkomt in een ruimte, zo enorm dat je met geen mogelijkheid zou kunnen zeggen waar hij begint en waar hij ophoudt. De mijnwerkerslamp is verre van zwak, maar als Muis haar hoofd heen en weer beweegt als een zoeklicht, ziet ze alleen een hobbelige stenen vloer die doorloopt tot in het donker, wie weet wel eindeloos ver. Maar ondanks de onafzienbaarheid van die ruimte is het er op de een of andere manier ook knus; de tochtstroom is uiteengevallen in afzonderlijke ademhalingsgeluiden, een harmonieus geheel van zacht snurkende uithalen. Muis kan de slapers nog steeds niet zien, maar nu ze recht voor zich uit het duister in tuurt, weet ze zeker dat ze vlakbij zijn.

Ze doet nog een paar stappen verder en blijft dan staan, nieuwsgierig maar ook zenuwachtig. Als ze hier nu verdwaalt? Muis kijkt om zich heen, op zoek naar iets waarmee ze kan aanduiden hoe ze loopt, zodat ze straks de tunnel naar de ingang weer terug kan vinden. Als ze haar hoofd naar links en rechts draait, verschijnt er een bergje opvallend witte steentjes in het lamplicht – precies wat ze zoekt. Ze bukt zich en raapt flink wat steentjes op.

Terwijl ze daarmee in de weer is, hoort ze een nieuw geluid boven het geadem uit: voetstappen. Muis kijkt op, in de verwachting dat een van de Pokkenkoppen er weer aan komt, of wie weet allebei, om haar nog eens even te treiteren, maar nee, ze zijn het niet. Het zijn lichte voetstappen, eerder van sierlijke schoentjes dan van laarzen met harde zolen.

Het is een klein meisje van een jaar of zeven, gekleed alsof ze naar een partijtje gaat. Haar schoentjes zijn roze, en haar jurk ook, een feestelijk geheel van zijde. Maar haar gezichtje staat treurig, en in haar ogen – bruin, van dezelfde tint als die van Muis – ligt een gekwelde uitdrukking.

Ze heeft iets bij zich: een buideltje van fluweel, afgesloten met een trekkoordje. Ze houdt het in haar ene hand, ter hoogte van haar middel; onder het lopen bungelt en draait het alle kanten op.

Muis laat de steentjes weer vallen en richt zich op. Ze bespeurt een hevige drang om aan de haal te gaan. Als het meisje nog dichterbij komt, ziet Muis dat de jurk niet zo mooi is als hij op het eerste gezicht leek: de zoom is rafelig en vuil, en aan de ene kant zit een dikke, bruine vlek van iets wat erlangs gedropen is. Het zou olie kunnen zijn, of opgedroogd bloed, maar opeens weet Muis zeker dat het dat niet is. Het is chocoladesaus.

Nu herkent Muis de jurk: het is, of was, háár jurk – een cadeau van haar moeder. Een cadeau uit jaloezie, het type geschenk dat niet zomaar wordt gegeven, maar dat dient om het cadeau van iemand anders in de schaduw te stellen, in dit geval een zonnejurkje dat Muis' oma voor haar had gekocht.

Het gebeurde aan het eind van de zomer. Muis en oma Driver hadden na afloop van een middagvoorstelling van *The Muppet Movie* een ijsje gekocht en in de etalage van Little Misses had Muis een zonnejurkje gezien. Het was een eenvoudig, kleurig katoentje, maar het had iets waardoor Muis' oog erop was gevallen. 'Heb je zin om het te passen?' vroeg haar oma, en Muis zei: 'O ja, graag,' hoewel ze er ook weer niet zó weg van was; het was voornamelijk een handig excuus om nog even niet naar huis te hoeven. Maar het jurkje paste en stond haar leuk – dat vond oma Driver tenminste –, en oma kocht het.

Zodra ze thuiskwamen en haar moeder het jurkje zag, wist Muis dat ze nog niet jarig was. In het bijzijn van oma deed Verna Driver hartelijk en zei ze alleen: 'O, Millicent, dat had je echt niet moeten doen', maar vlak onder haar beleefd afkeurende houding broeide duidelijk een heel wat hardvochtiger reactie. Toen ze op de stoep voor het huis de wegrijdende oma Driver nakeken, voelde Muis haar moeders hand al haar schouder omklemmen en er de nagels zo diep in boren dat Muis zich op de lippen moest bijten om het niet uit te gillen. Oma's auto was nog niet uit het zicht verdwenen, of Muis' moeder sleurde haar mee het huis in en smeet de deur dicht.

'Wat denk jij godverdomme eigenlijk dat je bent,' wilde ze weten, 'een zielig geval of zo, godsamme? Je hébt kleren, prachtige kleren. Waarom moet je dan zo nodig om nog meer bedelen? Wat moeten de mensen zo wel niet van je denken? Wat moeten ze zo wel niet van míj denken?'

'Ik heb nergens om gebedeld!' protesteerde Muis. 'Oma vroeg of ik deze jurk leuk vond. Dat was alleen maar aardig van haar, ze...'

'Aardig!' Haar moeders arm haalde uit voor een klap met de vlakke hand, waarvan Muis stond te tollen op haar benen en waar haar oor van bleef nasuizen. 'Het is een lelijk ding! Iemand die echt op je gesteld was zou je nooit zoiets wanstaltigs hebben gegeven. Ik kan niet geloven dat je zo achterlijk bent!'

'Het spijt me,' piepte Muis, en in een zwakke poging om zichzelf te verdedigen hield ze haar armen voor haar hoofd. 'Ik geef hem wel terug, als je wilt! Ik gooi hem wel weg...'

'Ga naar je kamer!' bulderde Verna Driver, en nog voordat Muis had kunnen gehoorzamen deelde ze zo'n hengst uit dat Muis tegen de muur smakte.

De dag daarop kwam Muis' moeder, een en al stralende glimlach, thuis met een mooi ingepakte doos. 'Muisje!' riep ze bij de voordeur. 'Ik heb een verrassing voor je!' Muis, die op haar kamer zat te lezen, hoorde niets positiefs aan dat nieuwtje en hield zich stil. Maar natuurlijk vond haar moeder haar toch.

'Dit is alvast je verjaardagscadeau,' zei haar moeder, en ze duwde haar de doos in de handen. 'Om je te laten zien hoeveel ik van je hou.' Muis wist wel zeker dat dat gelogen was. Niet wat haar moeder daar zei over haar gevoelens voor Muis – daar geloofde Muis oprecht in –, maar de suggestie dat dat cadeau geïnspireerd was door pure liefde. Het was een cadeau uit jaloezie; dat had Muis al door voordat ze de doos open had gemaakt en de jurk zag die erin lag.

'O, wat... wat mooi!' riep Muis uit. Ze deed haar best om zo enthousiast mogelijk te klinken.

'Ja, hij is prachtig,' zei haar moeder. 'En dat is nog niet alles: we gaan vanavond uit eten. Ik heb gereserveerd bij Antoine's.'

Antoine's Kitchen maakte deel uit van het Marriott in Willow Grove en was het enige etablissement van de stad dat enigszins in de buurt kwam van een vijfsterrenrestaurant. Muis' moeder vond het heerlijk om er bij speciale gelegenheden naartoe te gaan. Muis zou dat ook graag heerlijk hebben gevonden – ze hadden zalige toetjes bij Antoine's –, maar meestal had ze het te druk met doen alsof ze het geweldig naar haar zin had om echt te kunnen genieten. En dat gold voor een gewoon bezoek aan Antoine's; een etentje daar bij wijze van geschenk-uit-jaloezie was een gebeuren waar ze alleen als een berg tegen op kon zien.

Desondanks deed Muis haar best om de moed erin te houden. Ze trok de jurk aan, en ook een paar satijnen schoentjes die haar moeder voor haar had gekocht, en merkte nog verscheidene keren op hoe mooi, hoe práchtig de jurk toch was. Ook haar moeder kleedde zich speciaal voor de gelegenheid: ze trok witte handschoenen aan, witte schoenen met hoge hakken en een donkerblauwe, laag uitgesneden jurk met grote witte stippen, en zette een witte hoed op met een brede, slappe rand.

Toen ze bij Antoine's aankwamen, kregen ze te horen dat de grote eetzaal gereserveerd was voor een trouwreceptie, en wel door de Hallbecks en de Burgesses, twee vooraanstaande families in Willow Grove (Carl Hallbeck was de eigenaar van de *Willow Grove Reporter*; de Burgesses bezaten de flessenfabriek, en waren zodoende de grootste werkgever van het stadje). Muis had verwacht dat haar moeder zou opstuiven, maar nee, ze reageerde rustig op dat bericht en liep zonder morren achter de gerant aan, die hen in een kleiner zijzaaltje installeerde.

'Goed, je mag bestellen wat je maar wilt,' zei Muis' moeder. Muis deed alsof ze het verschrikkelijk moeilijk vond om een keus te maken, en vroeg haar moeder om uitleg bij een paar wat meer exotische gerechten op de kaart; daarna koos ze voor de kipkroketten, want ze wist uit ervaring dat die gemakkelijk te eten waren, ook als ze van de zenuwen geen greintje eetlust had.

Hun tafel stond vlak bij de deur naar de grote eetzaal, zodat ze het feestgedruis van de trouwreceptie goed konden horen. Verna Driver, die het dichtst bij de deur zat, boog zich telkens opzij om beter te kunnen kijken; Muis was allang blij dat haar moeder ergens door werd afgeleid en staarde op haar bestek neer totdat de kroketjes arriveerden.

Ze begonnen aan hun eten, Muis tenminste; haar moeder, die nu nergens anders meer oog voor had dan voor het trouwfeest, raakte haar bord nauwelijks aan en schonk totaal geen aandacht aan Muis. Vandaar dat ze zich, toen de serveerster kwam vragen of ze een dessert wensten, zo op haar gemak voelde dat ze iets bestelde wat ze echt graag wilde: een extra grote karamel-ijscoupe van Antoine's. Verna Driver bestelde een stuk kwarktaart, verkondigde vervolgens: 'Ik ga even mijn handen wassen,' en verdween in de grote eetzaal.

Muis' moeder bleef een hele tijd weg. Muis vond dat niet erg. Toen haar ijscoupe kwam, stortte ze zich er gretig op; ze wilde zo veel mogelijk van al dat heerlijks eten zolang ze nog alleen was.

Ze had al twee van de drie bolletjes ijs weggewerkt en schonk net nog wat extra chocoladesaus op het derde, toen ze in de grote eetzaal luid gelach hoorde. Dat gelach had iets wat haar aandacht trok. Ze zette de chocoladesaus weer neer, liet zich van haar stoel glijden en liep naar de deur om een kijkje te nemen.

Aan het ene uiteinde van de zaal was een podium voor een band opgericht, en de tafels waren aan de kant geschoven, zodat er een grote open ruimte was ontstaan. Muis ontdekte haar moeder ergens midden op de geïmproviseerde dansvloer – haar hoed, net een witte seinvlag, viel onmogelijk over het hoofd te zien. Ze danste met Bennett Hallbeck, de bruidegom. Naar haar lachende gezicht te oordelen amuseerde ze zich kostelijk, maar Ben Hallbeck keek benauwd; voortdurend wierp hij blikken in de richting van de dansparen om zich heen, alsof hij hun smeekte hem te bevrijden. Toen de muziek even ophield deed hij eindelijk een poging zich los te maken. Maar Verna Driver wilde hem niet laten gaan: ze sloeg haar armen om hem heen, trok hem dicht tegen zich aan en begon zich tegen hem aan te wrijven. Dit ontketende weer een lachsalvo onder een aantal mensen die aan de kant zaten toe te kijken, maar nu werd het de bruid te veel en geflankeerd door haar bruidsmeisjes stormde ze de dansvloer op.

Muis wachtte niet af wat er nu zou gebeuren. Ze maakte vlug rechtsomkeert en spoedde zich terug naar de tafel. Toen ze ging zitten gooide ze de chocoladesaus om; ze voelde het spul over haar jurk gulpen en slaakte een kreet van ontzetting.

In de grote zaal klonk nu een laatste uitbarsting van daverend gelach op, en vervolgens begon de band weer luidruchtig te spelen. Een ogenblik later kwam Muis' moeder weer terug. Ze lachte nog wel, maar als een boer die kiespijn heeft; ze had haar hoed verloren en haar kapsel zat in de war. 'We gaan,' zei ze toonloos.

'Oké,' zei Muis. Met gelaten gebogen hoofd stond ze op, zodat haar moeder de chocoladevlek kon zien, die alleen maar erger was geworden doordat ze hem als een gek te lijf was gegaan met een servet. De jurk was naar de maan, maar Verna Driver ging niet tegen Muis tekeer en deelde ook geen klappen uit. Ze klakte alleen met haar tong, één keer, en dat klonk alsof er een pistool werd doorgeladen. 'We gaan,' herhaalde ze.

Via een zijdeur gingen ze naar buiten; Muis was langzamerhand zo bang dat ze amper opmerkte dat ze waren weggelopen zonder te betalen. Op het parkeerterrein keek ze mistroostig om naar het restaurant, een in de verte verdwijnende oase van licht en gelach.

Eenmaal in de auto wilde Muis haar gordel vastmaken, toen ze besefte dat haar dat nooit zou lukken zonder dat er chocoladesaus aan zou komen. Dit stelde haar voor een moeilijke keus: haar moeder hield er de ijzeren regel op na dat ze in de auto altijd een gordel moest omdoen, maar een al even onwrikbare regel luidde dat ze de auto niet vies mocht maken; vooral kleverige substanties zoals snoep of gesmolten ijs waren taboe. Muis redeneerde dat het maar het beste was de overtreding te begaan die geen blijvende sporen zou veroorzaken en daarmee de grootste kans opleverde over het hoofd gezien of vergeten te worden, en liet daarom de veiligheidsgordel gewoon hangen waar hij hing. Zorgvuldig plooide ze haar jurk zo dat de chocoladevlek nergens tegen de bekleding van de bank aan kwam.

Haar moeder maakte haar eigen gordel vast en startte de motor. Toen ze zwijgend zo'n drie, vier straten had gereden, ging ze plompverloren op de rem staan, zodat Muis voorover tegen het dashboard sloeg. Ze had zich niet al te erg bezeerd, maar was zo overdonderd door de plotselinge klap dat ze in tranen uitbarstte. Verna Driver vertoonde een zuinig lachje en reed verder.

De terugtocht leek merkwaardig lang. Eerst stemde dat Muis tevreden; ze wist nu wel zeker dat haar moeder nog meer afstraffingen voor haar in petto had, en dat die menens zouden worden zodra ze zich met z'n tweeën achter gesloten deuren bevonden, dus ze had beslist geen haast om thuis te komen. Maar toen haar gesnik wat wegebde, kreeg ze meer aandacht voor haar omgeving, en ze besefte dat ze de straat waar ze doorheen reden niet herkende. Ze hadden een of andere omweg genomen. Muis keek voor zich uit en zag op de volgende hoek een bord met SOUTH WOODS PARK en een pijl naar rechts.

Ze sloegen echter niet rechts-, maar linksaf en reden zo Prollendorp in. Nadat ze nog een paar keer steeds erger verloederde zijstraten hadden genomen, kwamen ze op het laatst bij een doodlopend weggetje zonder straatnaambordje en zonder verlichting. Even aarzelde Verna Driver, alsof ze eigenlijk helemaal geen zin had om hier verder te gaan, maar vervolgens reed ze stapvoets door.

Slechts zo'n beetje de helft van wat er langs het weggetje stond waren echte huizen. Verder waren het meest stacaravans; er was ook een leeg, met onkruid overwoekerd terrein bij, en verderop stond een uitgebrand houten optrekje weg te rotten in het maanlicht. Een dobermann aan een ketting voor het optrekje blafte woedend toen Muis en haar moeder langskwamen.

Ze reden tot aan het eind van het weggetje, waar een vervallen huis met een gevelbekleding van houten planken stond, helemaal donker en uitgestorven. Het was er niet zo slecht aan toe als het houten optrekje, maar ging al wel die kant op: het dak vertoonde een diepe knik en een van de muren hing uit het lood; voor zover Muis kon zien, waren alle ramen kapot of dichtgetimmerd.

Het huis had geen garage; er liep alleen een paar uitgesleten bandensporen de tuin aan de zijkant in. Verna Driver stuurde haar auto naar binnen en zette de motor af. Muis, die wist dat er haar iets verschrikkelijks boven het hoofd hing, zat er verstijfd bij en haalde zo licht mogelijk adem, alsof ze door zich gedeisd te houden haar moeder wijs kon maken dat ze er niet was.

IJdele hoop. Er klonk een klikje toen Verna Driver haar veiligheidsgordel losmaakte, en vervolgens zei ze met een droevige zucht: 'Muisje. Je jurk is naar de maan.'

Ze klonk zo treurig dat Muis uiteindelijk degene van de twee werd die zich iets wijs liet maken: één moment dacht ze dat haar moeder niet boos was, alleen maar vreselijk teleurgesteld. 'Ik heb het niet expres gedaan,' zei Muis. 'Het...'

'O,' zei haar moeder en keek haar aan, 'maar ik denk dat je dat wél expres hebt gedaan.'

En het volgende ogenblik was Muis als een wilde in de weer met de hendel van haar portier. Ze wist het zelfs nog open te krijgen en één voet buiten de auto te zetten, voordat haar moeder haar bij de haren weer naar binnen sleurde en via de voorbank aan de andere kant naar buiten trok. Muis bleef tegenspartelen, maar haar moeder gooide haar over haar schouder en liep zo met haar naar de voorkant van het huis.

Muis gilde zo hard als ze kon; de dobermann verderop antwoordde met een uitzinnig geblaf. Maar elke reactie vanuit de andere huizen of stacaravans bleef uit. Intussen praatte Muis' moeder onder het gegil en geblaf op vlakke toon door, alsof ze nog steeds in de auto zaten en in alle rust Muis' tekortkomingen doornamen. 'Je weet dat ik mijn best doe,' zei ze. 'Ik doe zó mijn best om jou een beetje waardering bij te brengen voor wat je hebt. Maar jij blíjft het allemaal maar doodgewoon vinden, steeds weer... smijt je alles gewoon weg. Nou, ook goed – als jij dan geen ene reet geeft om wat je hebt, als jij per se als schooier in Prollendorp wilt eindigen, waar geen fatsoenlijk mens dan iets met jou te maken wil hebben, prima. Laten we dan verder geen tijd verspillen.'

Ze trapte de voordeur van het huis open. Binnen hing een bedompte, muffe lucht; Muis rook lijm en zag gescheurd behang in flarden aan de muren hangen. Daarna veranderde de lucht: nu waren ze in een keuken, waarvan de vloer bezaaid lag met scherven aardewerk, en weer deed haar moeder een deur open. Muis voelde een gapende leegte achter zich en slaakte een laatste gil.

'Daar ga je dan,' zei Verna Driver, en ze smeet haar in de kelder.

Het moest pijn hebben gedaan, die val van de keldertrap, maar Muis voelde niets. Ze was haar lichaam al uit toen het gebeurde, of half eruit: ze hoorde het gebonk en gestommel wel, ze hoorde die geluiden weergalmen als door een tunnel, maar pijn kwam er niet aan te pas. Toen lag ze op haar rug op een koele vloer van aangestampte aarde. De kelderdeur sloeg met een klap dicht en ze werd omhuld door een pikzwarte duisternis.

Een tijdje bleef ze zo liggen – tien minuten, een uur, wie zou het zeggen? Misschien wel drie uur. Voor het donker zelf was Muis niet bang. Dat vond ze wel vredig, troostrijk haast. Pas toen ze erover nadacht hoe ze hier terecht was gekomen – wat een lelijk kind ze was, wel móést zijn, dat haar moeder haar zo behandelde –, barstte ze weer in huilen uit.

Haar betraande wangen droogden weer enigszins en ze dacht er al over om op te staan en op zoek te gaan naar een manier om uit de kelder weg te komen, toen ze een geluidje hoorde, het zachte, geniepige knerpje van een deur die open werd gedaan. Het was niet de deur boven aan de trap; het was een andere, eentje die toegang gaf tot een ander gedeelte van de kelder, of misschien eentje waardoor je regelrecht naar buiten kon. Roerloos lag Muis te luisteren, en daar kwam het knerpje weer – dezelfde deur, die nu dichtging – en daar kwam haar angst weer terug, want ze was niet meer alleen in de kelder.

Haastig ging Muis rechtop zitten. Ze was elk richtinggevoel kwijt, maar ze dacht dat ze niet al te ver van de trap kon zijn neergekomen, en begon nu verwoed rond te tasten in het donker. Haar vingertoppen streken over een ruwe houten plank – de onderste tree! Ze tastte de tree af tot ze de aanzetpost van de trapleuning vond, pakte die beet en hees zich omhoog. Toen greep ze naar de leuning, maar in plaats van een stang voelde ze de rug van een andere hand, die er het eerst bij was geweest. De hand maakte een snelle beweging en nam haar pols in een ijzeren greep.

En daarna...

... en daarna verloor ze elk besef van wat er gebeurde. Midden in een gil werd alles donker om haar heen; ze viel achterover en zat opeens in haar kamer op de rand van haar bed, terwijl de ochtendzon naar binnen scheen en haar moeder haar riep voor het ontbijt. De roze feestjurk die haar moeder haar had gegeven was van de aardbodem verdwenen en het zonnejurkje dat haar oma voor haar had gekocht, had hetzelfde lot ondergaan. En de herinnering aan wat haar in die kelder was overkomen nadat die hand haar pols had beetgegrepen, was er ook niet meer – godzijdank.

Maar nu pas, nu ze met dat kleine meisje in de grot staat, beseft Muis: dat is niet zo. Net als de foto's van haar vader die haar moeder verbrand heeft, is die roze jurk niet weg; hij is ergens hier binnen. En dat zonnejurkje van haar oma slingert hier misschien ook wel ergens rond, ze heeft alleen geen idee waar ze zou moeten zoeken. En het besef van wat er in die kelder is gebeurd... dat zwerft hier ook rond.

Jawel. Muis kijkt naar het buideltje dat het meisje in haar hand draagt en dat nu alle kanten op draait, alsof het leeft. Ze heeft zo'n idee dat ze weet wat daarin zit. Als om haar vermoeden te bevestigen gaat het trekkoordje van het buideltje vanzelf los. De opening plooit zich als een mondje, en Muis hoort het zachte, geniepige geluidje van een kelderdeur die opengaat in het donker.

'Nee!' piept Muis. Ze wil daar niets van weten; ze wil zich niet herinneren wat er toen gebeurd is. Ze doet een stap achteruit en wil zich al omdraaien en wegrennen, maar ze denkt er nog niet aan, of het gebeurt al: het gewelf, de tunnel, de ingang van de grot, alles vliegt als een vage veeg in omgekeerde richting voorbij.

– ze is weer terug in de zitkamer van de dokter, waar ze met zo'n snelheid in haar lichaam terugkeert dat het een wonder mag heten dat ze niet van de bank tuimelt. Wel schiet haar bovenlichaam met een ruk voorover; de veiligheidshelm glijdt van haar knieën en valt op de grond.

'Ooo,' kreunt Muis. Haar handen zoeken haar nek op en drukken daar eens stevig; de pijn is weer terug, en een paar graadjes erger ook. 'O god...'

'Penny?' vraagt de dokter. 'Penny, is alles goed met je?'

Muis geeft geen antwoord. Ze masseert haar nek even, maar dat heeft alleen tot gevolg dat de pijn omhoogschiet tot in haar slapen, en ze houdt ermee op. Wanneer de pijn een beetje gezakt is laat ze haar vingers overal over haar schedel glijden. Een zoektocht.

'Penny?' herhaalt de dokter. 'Wat heb je gezien?'

Haar handen zijn nu aangekomen op haar voorhoofd, waar ze in de allereerste plaats verwacht te vinden wat ze zoekt, maar er is daar geen gat, er gaapt geen ingang van een grot boven haar wenkbrauwen, er spant zich daar louter gladde huid.

'Penny.'

Langzaam laat Muis haar handen zakken. Ze schuift wat naar achteren op de bank, waarbij ze haar nek zorgvuldig recht houdt. 'Daar ga ik nooit meer in,' zegt ze.

'Wat heb je gezien? Ben je iemand tegengekomen?'

Er verschijnt een steelse blik op Muis' gezicht. Voor de dokter moet het wel lijken alsof ze met gespitste oren probeert iets op te vangen, maar wat ze in werkelijkheid doet is proberen iets bepaalds te vóélen: ze concentreert zich op de ruimte waarvan ze nu weet dat die in haar hoofd zit, en steekt haar voelhoorns uit om erachter te komen of er zich niet een paar leden van het Genootschap schuilhouden in de ingang van de grot, zodat ze alles kunnen horen.

'Penny...'

Zo te voelen is er niemand, maar dat zegt niets. Niettemin besluit ze het erop te wagen, en vlug vraagt ze, met zachte stem: 'Kunt u ze niet weghalen?'

'Weghalen, wie?'

'De mensen in mijn hoofd. Kunt u ze niet...' Het liefst zou Muis zeggen: 'een kopje kleiner maken', maar dat klinkt al te cru, en dat zouden ze zeker horen, ook al fluisterde ze nog zo zacht. 'Kunt u me niet van ze af helpen?'

De dokter kijkt niet verbaasd op van dat verzoek, maar zo te zien voelt ze er niet voor om eraan te voldoen. 'Penny,' zegt ze, op een toon waarop je een akelig bericht meedeelt, 'begrijp je wel waaróm ze daar eigenlijk zijn? Heeft Andrew je verteld...'

'Het kan me niks schelen waarom ze daar zitten! Ik wil ze gewoon weg hebben!' zegt Muis, maar dan is het gedaan met haar lef. 'Toe, alstublieft,' smeekt ze. 'Ik wil niets te maken hebben met dat volk. Niet met die afschuwelijke tweelingzussen, niet met dat enge kleine meisje. Niemand moet ik, van dat hele stel. Ik wil gewoon... kunt u ze niet weghalen?'

'Nee, het spijt me,' zegt de dokter.

'Kunt u me niet gewoon hypnotiseren? Of misschien... misschien bestaat er wel een medicijn, een of ander middel dat ik kan innemen...'

Maar de dokter schudt haar hoofd. 'Ook al bestond er een of andere wonderpil die je alters kon verdringen, dan zouden ze uiteindelijk tóch weer opduiken – of jij zou weer nieuwe oproepen.'

'Nee hoor,' zegt Muis met grote stelligheid. 'Nee, dat zou ik heus niet doen, dan zou ik...'

'Jawel. Dat doe jij nu eenmaal, Penny. Dat is jouw manier om op situaties te reageren die stress veroorzaken: je gaat dan dissociëren, je wentelt ze af op iemand anders. Met behulp van de juiste therapie kun je minder destructieve methodes aanleren om met stress om te gaan, maar zoiets gaat niet in een vloek en een zucht. Het spijt me.'

'Andrew zegt...' stamelt Muis, bang dat de dokter zich beledigd zal voelen door haar opmerking. 'Andrew zegt dat u... dat uw behandelingsmethode... voor onze afwijking... anders is dan die van de meeste psychiaters. Wie weet... Wie weet als ik met iemand anders ga praten, wie weet of die dan niet... Nou ja...' Midden onder haar gehakkel doet ze er het zwijgen toe.

De dokter fronst haar voorhoofd, maar wordt niet boos. 'Sommige van mijn methoden zijn inderdaad onorthodox,' geeft ze toe. 'Al verkeert Andrew misschien niet in de gelukkigste positie om daarover te oordelen, aangezien zijn eigen behandeling, zijn vaders behandeling... helaas onderbroken is geraakt... door betreurenswaardige omstandigheden. Maar goed, dat doet nu niet ter zake. Andere psychiaters mogen het dan niet met me eens zijn over een heel aantal zaken, er is één punt waarop ze niet met mij van mening zullen verschillen: een belangrijke stap in de behandeling van je aandoening bestaat erin dat je de ervaringen waardoor die veroorzaakt is onder ogen gaat zien. En daarvoor heb je de hulp nodig van je Genootschap. Of je ze nu wenst te beschouwen als echte mensen of als hersenschimmen, wat jij nodig hebt is toegang tot de informatie waarover zij beschikken. Later, als ze je al die informatie hebben verschaft, is er alle gelegenheid om te beraadslagen over de vraag hoe je uiteindelijk over ze wilt beschikken – of je ze wilt re-integreren, of je met ze wilt leren leven, of je van allebei iets wilt. Dat is een belangrijke kwestie, maar wel eentje die pas in een veel later stadium van de behandeling aan de orde komt. Je kunt je er niet nu metéén van ontdoen.'

Wat jij nodig hebt is toegang tot de informatie waarover zij beschikken... Muis denkt aan het kleine meisje met haar buideltje. Ze denkt ook aan de andere mensen, die in het grote gewelf, die ze wel heeft gehoord maar niet gezien. God! Als dat nu allemáál kinderen zijn, ieder met zijn of haar eigen buideltje? Stel je de doodsangst voor die ze voelde bij het vooruitzicht dat ze die ene herinnering weer in de maag gesplitst zou krijgen, en vermenigvuldig die met honderd... Nee, erger nog: vermenigvuldig die met elke black-out die ze ooit heeft gehad.

'Nee,' zegt Muis. 'Nee, dat lijkt me niks. Dat kan ik niet aan.' Ze kijkt de dokter aan. 'Dat gáát niet.'

'Alleen jij kunt beslissen of en wanneer je zover bent,' antwoordt de dokter, verbazend geduldig. 'Al zou ik zeggen dat het feit dat je hier zit erop wijst dat dat ogenblik niet meer lang op zich zal laten wachten. Maar we gaan niets forceren. Weet je wat ik doe? Ik geef je mijn telefoonnummer, en ook het nummer van een andere arts, iemand in Seattle – degene die jouw behandeling voor zijn rekening zou nemen mocht je beslissen dat je het doet. Dan kun je er thuis nog eens rustig over nadenken, zo lang als je maar wilt.

Eén opmerking nog,' voegt de dokter eraan toe, en ze houdt een waarschuwende vinger in de hoogte. 'Ik denk dat je er verkeerd aan doet als je je alters, je Genootschap, in een puur negatief licht ziet. Ik begrijp wel waarom je zo tegen ze aankijkt, want het is niet mis zoals ze je leven vaak ontwrichten, maar ze zijn geen vijanden van je.'

'Ze zijn ook geen vrienden van me,' zegt Muis, die moet terugdenken aan de manier waarop Pokkenkop Een tegen haar siste.

'Goed, ook geen vrienden misschien, maar wel... bondgenoten. Jullie hebben gemeenschappelijke belangen. Niet precies dezelfde belangen; misschien kom je af en toe met ze in aanvaring, en ook al gebeurt dat niet, je hebt misschien niet altijd een even hoge dunk van ze, of zij van jou. Maar over het algemeen streven jullie min of meer hetzelfde na, en ik denk dat je tot de conclusie zult komen dat het heel wat constructiever is om met ze samen te werken dan om het ze moeilijk te maken... en ik kan nu aan je gezicht zien dat je me niet gelooft, maar dat is niet erg. Houd dit alleen wel in je achterhoofd als je bij jezelf te rade gaat.'

'Goed.'

'Goed dan. En als je nu zo vriendelijk zou willen zijn... om Meredith te gaan halen...'

De dokter vraagt haar steun en toeverlaat om Muis een kaartje te geven met twee telefoonnummers erop: dat van de dokter zelf en dat van dokter Eddington. Muis stopt het kaartje in haar portefeuille en probeert een oprechte toon aan te slaan als ze zegt dat ze zorgvuldig zal nadenken over alles wat ze van de dokter heeft gehoord.

Een paar minuten later komt Andrew terug van zijn wandeling. Hij is duidelijk benieuwd wat er in zijn afwezigheid is gebeurd, maar misschien dat hij nog niet helemaal is bekomen van die uitval tegen hem van daarnet, want hij stelt geen vragen. De dokter, die plotseling iets heel traags heeft gekregen, weet nog net de energie op te brengen om Andrew op het hart te drukken dat hij haar gauw weer moet bellen. 'Ik wil met je vader praten,' zegt ze, 'en verder wil ik dat je die afspraak maakt met dokter Eddington.' Andrew belooft dat hij zal doen wat de dokter zegt; Muis heeft zo'n idee dat hij maar net iets oprechter reageert dan zijzelf.

Ze zitten al in de auto en rijden Poulsbo uit, wanneer het Andrew eindelijk te machtig wordt en hij vraagt: 'Nou, en hoe ging het?'

Muis haalt haar schouders op. 'Goed,' zegt ze.

De ruimte in de auto schuift in elkaar: op dezelfde manier als de zitkamer van de dokter toen ze tot drie telde. Opeens staat Muis weer in de ingang van de grot, zonder helm deze keer. Ze hoort de stem van Pokkenkop uit Penny Drivers mond komen: '*Lulkoek. Niks goed. Dat kankerwijf wierp één blik naar binnen, zag ons en schrok zich het apelazarus. Muisje teringtrut.*'

'*Maledicta,*' zegt Andrew. '*Ben je... Ben je wel aardig tegen haar geweest?*'

'*Dat kutwijf knijpt 'm voor haar eigen schaduw. Waarom zou ik godverklote dan aardig tegen haar zijn?*'

'*Maledicta...*'

In een opwelling van woede schiet Muis weer tevoorschijn. Pokkenkop – Maledicta? – is even helemaal overrompeld; er volgt een korte worsteling, de handen van Penny Driver houden het stuur niet meer goed vast en de Buick begint naar links te zwalken. Maledicta beseft het gevaar en houdt op met vechten.

'Penny?' zegt Andrew met wijd opengesperde ogen, terwijl Muis het stuur weer beetgrijpt en de auto naar de goede rijbaan terugloodst. 'Even niet tegen me praten,' antwoordt Muis. 'Ik moet me concentreren.'

'Oké,' zegt Andrew.

Muis zit zich woedend te maken. Ze had dat niet voor mogelijk gehouden, maar haar bezoek aan de dokter heeft alles nog eens erger gemaakt. Niet zo erg dat ze haar bewustzijn verliest, maar toch: om als een lastig portret je eigen hoofd in geslingerd te worden en te moeten toezien hoe een ander jouw lichaam inpikt, en de verschrikkelijke praatjes te moeten aanhoren die die figuur over jou uitslaat...

Van nu af zal ze op haar qui-vive moeten zijn. Oppassen is de boodschap: voor de pogingen van het Genootschap om de touwtjes in handen te nemen. Elk ogenblik klaarstaan om elke poging in die richting de kop in te drukken.

Maar voortdurend oppassen, ontdekt Muis algauw, is zwaar werk: wanneer ze bij de steiger van de veerboot aankomen, zit ze te trillen als iemand die al dagenlang niet meer heeft geslapen. Terwijl ze wachten tot ze aan boord kunnen rijden, legt Muis even haar hoofd op het stuur –

– en anderhalf uur later heft ze het weer op. De motor van de Buick is uitgeschakeld; ze staan in Autumn Creek, voor het huis waar Andrew woont.

'Penny?' zegt Andrew zacht.

Autumn Creek! Muis beseft wat haar zojuist is overkomen, richt zich met een ruk op – en piept het uit van de pijn die weer door haar nek vlijmt.

'O, Penny,' zegt Andrew naast haar, en hij trekt meelevend een pijnlijk gezicht, 'ik dacht dat je daar iemand naar wilde laten kijken. Ben je niet naar het ziekenhuis geweest?'

Muis kijkt hem aan; haar blik is wazig van de tranen. 'Dat weet ik niet,' zegt ze. Zondagavond is ze op wég geweest naar het ziekenhuis, dat weet ze nog wel. Maar toen ze in de buurt van de Eerste Hulp kwam, zag ze een paar beveiligingsbeambten een man in een dwangbuis tegen de grond werken, en prompt drong zich de gedachte aan haar op dat als ze iemand vertelde dat ze met haar hoofd tegen een boom op was gelopen in een poging voor zichzelf weg te rennen, ze zelf ook weleens in een dwangbuis zou kunnen eindigen. Ze was verstijfd blijven staan, en ze heeft geen idee wat er daarna is gebeurd. Misschien dat ze toch naar de Eerste Hulp is gegaan; misschien dat íémand daar is beland. Maar als dat zo is, dan heeft het dus niets geholpen.

'Als je soms wilt dat ik nu met je meega naar het ziekenhuis?' biedt Andrew aan.

'Nee hoor,' zegt Muis. 'Nee, dank je.' Ze haalt even de rug van haar hand over haar ogen. Nu kan ze weer beter zien, en op de veranda van het huis ontdekt ze Andrews hospita, die daar naar hen zit te kijken. Naar háár zit te kijken. 'Ze mag mij niet zo, hè?'

'Wie, mevrouw Winslow? Die heeft niks tegen jou.'

'Ze vertrouwt me niet. Volgens haar kon ik weleens gevaar opleveren voor jou.'

'Ja, mevrouw Winslow maakt zich inderdaad druk om mijn veiligheid. Maar dat moet jij je niet persoonlijk aantrekken, Penny. Ze...'

'Ze weet dat ik gek ben. Dat heeft ze gezien.'

'Ze heeft je tekeer zien gaan,' geeft Andrew toe. 'Een paar keer, intussen. Maar ook al had ze dat niet gezien, dan zou ze nog steeds een oogje in het zeil houden. Echt waar, daar komt niks speciaals tegen jou aan te pas.'

'O,' zegt Muius. Ze doet haar ogen dicht en laat haar hoofd weer zakken in de richting van het stuur: ze verlangt naar nog zo'n blackout, maar ze weet dat ze er geen krijgt zolang ze er bewust haar zinnen op zet.

Andrew zegt: 'Haar gezin is destijds vermoord.'

Muis heft haar hoofd weer op. 'Wát?'

'Haar man en haar twee zoons,' zegt Andrew. 'Die zijn vermoord. Dus als ze de indruk wekt dat ze zich wat al te bezorgd maakt over mij, dan moet je dat niet persoonlijk opvatten, snap je wel?'

'Hoe zijn ze dan vermoord?' vraagt Muis, diep geschokt.

Andrew denkt even na voordat hij antwoord geeft; hij overlegt met zijn Genootschap. 'Ze waren een weekend naar de San Juaneilanden,' vertelt hij ten slotte. 'Het is al jaren en jaren geleden, hè, voordat mijn vader hier kwam wonen, voordat ik... voordat ik het lichaam overnam. Nou goed, ze gingen dus kamperen, en mevrouw Winslow had ook mee zullen gaan, maar net op het laatste ogenblik werd ze ziek, dus ze moest thuisblijven. En onderweg, op de veerboot, ontmoetten ze' – het lijkt wel alsof Andrew iets zegt als 'een poema', maar hij verbetert zichzelf – 'een schurk van een kerel, die Winslow overhaalde om hem een lift te geven. Toen ze eenmaal van de veerboot af waren en niet meer tussen de mensen zaten, haalde die man een pistool tevoorschijn en dwong Winslow naar een hoog punt vlak aan de baai te rijden. En toen heeft hij Winslow doodgeschoten en de twee jongetjes moesten van hem in het water springen.'

'En heeft de politie hem te pakken gekregen?' vraagt Muis, al heeft ze door de toon waarop Andrew zijn verhaal deed al geraden dat het antwoord 'nee' luidt.

Andrew schudt zijn hoofd. 'Nee, niet daarvoor. Maar mijn neef Adam denkt dat hij uiteindelijk toch is gearresteerd voor het een of ander. In ieder geval hopen we dat maar.'

Muis schudt ook haar hoofd, maar met een vertrokken gezicht houdt ze meteen op. 'Dat snap ik niet.'

'De politie heeft hem nooit gepakt vanwege die moorden,' legt Andrew uit, 'en dat terwijl hij daarna echt niet stil heeft gezeten. Ze nemen aan dat hij Winslows portefeuille binnenstebuiten heeft gekeerd nadat hij hem overhoop had geschoten, en toen een foto van mevrouw Winslow heeft gevonden en ook iets waar hun huisadres op stond. Want later, toen hij er al lang en breed vandoor was, is hij haar gaan schrijven...'

'Hij ging haar schrijven?'

'Korte berichtjes, meestal,' zegt Andrew. 'Afgrijselijke berichtjes. Briefkaarten, ansichtkaarten, ook wel langere brieven – allemaal volslagen wanstaltige, giftige troep, ik bedoel nog honderd keer erger dan het rottigste bericht dat jij ooit hebt gekregen.'

'Maar wat...Wat schreef hij dan precies? Dreigde hij met van alles en nog wat?'

'Nee, het was eerder één vertoon van leedvermaak. Eerst herinnerde hij haar eraan wie hij ook alweer was – niet dat hij ooit zijn naam noemde, natuurlijk, maar hij herinnerde haar eraan wat hij had gedáán – en dan schepte hij er uitgebreid over op hoe geweldig hij zich amuseerde, want dat hij als vrij man door het hele land trok. Hij reisde ook heel wat af – de poststempels op de brieven en kaarten kwamen overal vandaan, nooit twee keer uit dezelfde plaats.

Goed, dat ging zo vijf jaar door.' Andrew zwijgt even en houdt zijn hoofd schuin. 'Vijfenhalf jaar.'

'Vijf...' het woord gaat over in een gesmoord piepje.

'Ja,' zegt Andrew. 'En elke keer als er weer iets kwam, gaf mevrouw Winslow dat aan de politie, zodat ze het konden bestuderen en er misschien iets uit konden afleiden. Maar ze hebben nooit een berichtje gekregen waar ze iets mee opschoten.'

'Maar, maar dan... Hoe kun je dan zeggen dat hij uiteindelijk gepakt is, als ze hem nooit...'

Ze hebben hem nooit gepakt voor die moorden, of voor die berichtjes,' zegt Andrew, 'maar op het laatst hielden die dingen op – ik bedoel, het was er opeens mee gedaan, zomaar. En de politie, en Adam ook, die denken dat een type dat zoiets vijfenhalf jaar lang volhoudt, dat die het gewoon nooit in zijn hoofd zou halen om er uit eigen beweging mee op te houden. Er moet hem haast wel iets zijn overkomen – waarschijnlijk is hij gearresteerd vanwege een andere misdaad. Of misschien, misschien is hij gewoon overleden.'

'Maar dat kun je niet zeker weten,' zegt Muis ontzet. 'Je...'

'Nee, maar hopen kun je het wel. Het laatste berichtje dat die man ooit heeft verstuurd, hè? Daar stond een poststempel op van een stad in Noord-Illinois. En dat was in augustus 1990, net een paar dagen voordat er daar vlak in de buurt een enorme tornado voorbijkwam. Dus wie weet... Misschien dat hij, nadat hij dat laatste briefje op de bus heeft gedaan, misschien dat hij wel te grazen is genomen, ergens op open terrein, waar hij niet zo snel in een schuilkelder kon komen. Zo wil Adam het liefst dat hij aan zijn eind is gekomen. En soms... Soms wil ik dat ook maar het liefst.

Maar goed,' besluit Andrew, 'waarom ik je dit vertel, hè, ik weet wel dat het een gruwelijk verhaal is, maar ik wou je duidelijk maken dat al die dingen die jij hebt uitgehaald: van ziel veranderen, en als een gek het bos in rennen, zoals laatst – dat dat gedoe gewoon niks voorstelt in de ogen van mevrouw Winslow. En als jij zegt dat je niet deugt? Penny, eerlijk waar... Als ik jou zoiets hoor zeggen, dan zou ik het liefst antwoorden dat jij blijkbaar niet weet wat dat is, iemand die niet deugt. Alleen: dat weet je wél, hè? Dat weet je heel goed.'

Muis geeft geen antwoord, maar ze betrapt zichzelf erop dat ze een blik in de achteruitkijkspiegel werpt om te zien of haar moeder zich niet stiekem op de achterbank heeft geïnstalleerd. Maar nee. Natuurlijk niet.

'En dan nog iets,' zegt Andrew. 'Toen mijn vader me hierover vertelde, over wat er met het gezin van mevrouw Winslow is gebeurd, toen bekende hij dat destijds, toen hij dat verhaal had gehoord, een van zijn eerste gedachten was geweest dat hij die briefjes weleens zou willen lezen.'

Muis staart hem aan.

'Niet uit een soort ongezonde belangstelling,' legt Andrew uit. 'Alleen... Mijn vader wilde weten vanuit wat voor motieven iemand tot zoiets afschuwelijks was gekomen, waarom hij zoiets had gewild... En hij dacht, als hij zou kunnen lezen wat die moordenaar allemaal had geschreven, dat hij er dan misschien een beetje vat op kon krijgen, dat er misschien iets tussen de regels door te lezen viel.' Andrew haalt zijn schouders op. 'Maar natuurlijk heeft hij nooit gevraagd of hij ze mocht zien. Ik bedoel, mevrouw Winslow had ze niet meer, en bovendien: zoiets kun je nu eenmaal niet vragen.

En zodoende zijn de motieven van de moordenaar altijd een raadsel gebleven voor mijn vader. Alleen snapte hij wél, zei hij wat zijn doel was. Dat was zonneklaar: hij wilde mevrouw Winslows ziel kapotmaken. Waarom, dat weten we niet, maar daar was hij duidelijk op uit.

En dat is hem niet gelukt.'

En dat is hem niet gelukt: bij die woorden loopt er een merkwaardige rilling door Muis' ruggengraat naar boven, en die verandert de pijn in haar nek heel even in iets anders, in iets zilverigs en lichts wat zachtjes doorklingelt tot in haar achterhoofd.

'Dat is hem niet gelukt,' herhaalt Andrew. 'O, hij heeft haar wel de vreselijkste kwellingen aangedaan: door hem is ze een heel ander mens geworden. En misschien is ze door hem ook wel een tikkeltje geschift geworden: nog steeds wacht ze elke ochtend op de post, en volgens mijn vader zal ze nooit uit dit huis weg kunnen zolang ze niet zeker weet dat er nooit meer zo'n briefje komt. Ze slaapt slecht, en ze maakt zich zorgen over mij. Dus ja, dat is niet niks. Maar ze heeft het overleefd. Ze heeft een vreselijke klap gehad, maar ze is er niet aan onderdoor gegaan. En, Penny, ze is een goed mens. Nog altijd.'

Muis snapt zijn eigenlijke boodschap best, maar ze wil er niet aan.

Vastberaden schudt ze haar hoofd, en prompt komt de pijn weer opzetten, zodat de tranen haar weer in de ogen schieten. 'Ik ben geen goed mens.'

'Hoezo niet? Omdat je moeder je zo gruwelijk heeft behandeld?'

'Daarom,' zegt Muis, en dan zwijgt ze en denkt: dat had ik verdiend.

Andrew leest haar gedachten. 'Hoe kon je dat nu verdiend hebben?' vraagt hij op neutrale toon. 'Denk nog eens aan dat kleine meisje in de Harvest Moon, Penny. Wat kan een klein kind nu hebben uitgespookt dat het zo'n behandeling verdient?'

'Weet ik veel!' roept Muis uit. Huilend slaat ze met twee vuisten op het stuur. 'Ik weet het niet meer! Maar blijkbaar heb ik... heb ik...' Snikkend houdt ze op.

Andrew wacht tot de tranenvloed wat minder wordt en vraagt dan zacht: 'Zeg Penny, heb je zin om nog even binnen te komen?'

Nog nasnuffend haalt Muis vaag haar schouders op.

'Weet je wat?' zegt Andrew, op een toon alsof hij met een precair voorstel op de proppen komt. 'Dan zou je mijn vader kunnen ontmoeten. Als je wilt.'

'Je vader?'

'Ik kan hem wel oproepen. Dan kun jij met hem praten.'

'Je vader,' zegt Muis. Ze veegt haar neus af aan haar mouw. 'Maar waarom...'

'Het punt is,' zegt Andrew, 'wat jij op dit ogenblik doormaakt... dat is niet iets wat mij ooit is overkomen. Ik heb nooit met het besef hoeven leren leven dat ik een meervoudige persoonlijkheid ben, omdat ik altijd gewoon kant-en-klaar ben geweest. Dat hele gedeelte, die periode dat je moet leren ermee om te gaan, dat is allemaal vóór mijn tijd geweest. Vandaar misschien dat ik je niet beter kan helpen.'

'O,' zegt Muis werktuiglijk, 'je helpt me anders wél, hoor.'

'Nee, dat gevoel heb ik niet,' zegt Andrew. 'Niet genoeg, tenminste. Maar misschien dat mijn vader...' Hij haalt zijn schouders op. 'Nou, wil je hem ontmoeten?'

Eigenlijk niet, denkt Muis. Maar dan dringt zich de gedachte aan haar op dat ze naar huis zal moeten rijden, in haar eentje – of nee, niet in haar eentje, o god – en ze komt tot de slotsom dat van alle dingen die ze níét wil doen met Andrews 'vader' praten waarschijnlijk nog het minst vreselijk is.

'Nou, oké,' zwicht ze. 'Goed dan.'

'Geweldig.' Andrew lacht. 'Kom maar mee,' zegt hij, en hij grijpt naar de hendel van het portier. 'Mevrouw Winslow zet wel koffie, of thee, als je wilt...'

Hij springt zowat uit de auto, en Muis denkt weer: meneertje Wie-doet-me-wat. Iets in haar vindt het ontstellend dat hij zo zorgeloos kan doen, terwijl hij een ogenblik geleden nog een verhaal heeft verteld over een driedubbele moord en over de geestelijke kwellingen die een oude vrouw zijn aangedaan, maar iets anders in haar is jaloers. Misschien dat Andrew, of Andrews vader, haar kan leren hoe je dat doet: hoe je kunt erkennen dat het kwaad bestaat zonder dat je er helemaal door wordt opgeslokt. Als Muis dat onder de knie zou krijgen, misschien dat ze dan niet meer zo bang hoeft te zijn voor dat kleine meisje in de grot.

Andrew draaft het pad naar de voordeur op en roept iets tegen mevrouw Winslow; als hij de verandatreden beklimt, zegt ze iets tegen hem waarvan hij in de lach schiet, en met z'n tweeën hebben ze nu grote pret, op een vanzelfsprekende manier.

Muis stapt uit haar auto en loopt, eerst heel langzaam, naar hen toe.

BOEK VIJF

Andrew

13

Julie was jaloers op Penny.

Dat dacht Adam tenminste; ik begreep niet wat er aan de hand was. Ik had verwacht dat Julie blij zou zijn met mijn besluit om Penny te helpen, en het léék er ook op dat ze blij was, vooral in het begin... maar tegelijkertijd ging ze zich raar gedragen.

Zoals die uitnodiging om zaterdagmorgen te komen ontbijten bij haar thuis. Die kwam volkomen onverwacht, al was het aardig van haar. Maar toen ik die zaterdag in alle vroegte vrolijk kwam aanzetten, stond Julie me op te wachten voor haar huis.

'Laten we in de Harvest Moon gaan eten,' stelde ze voor.

'In de Harvest Moon?' zei ik. 'Maar ik dacht... Ik dacht dat je hier wilde ontbijten.' Ik hield een boodschappentas in de hoogte. 'Ik heb afbakbroodjes meegebracht. Van die zoete met kaneel.'

'Het is op het ogenblik nogal een rotzooi in mijn flat,' zei Julie. 'Bovendien zit er niets te eten in de ijskast – ik ben vergeten iets in te slaan. We kunnen niet ontbijten met enkel kaneelbroodjes.'

'Nou, oké,' zei ik teleurgesteld.

'Hier,' zei Julie, en ze nam de zak van me over. 'Ik stop ze wel in het vriesvak, dan ontdooien ze niet. Wacht hier maar even op me...' Ze rende met de broodjes naar binnen. En bleef een hele tijd weg.

'Zal ik je eens wat zeggen?' zei Adam terwijl we stonden te wachten. 'Dat jij geen hoogte van haar kunt krijgen, daarin zit het 'm ook, die aantrekkingskracht.'

'Hou je kop. Ik voel niks meer voor haar.'

Adam wenste dat antwoord zelfs geen lachje waardig te keuren.

'Goed,' zei Julie, net iets te monter, toen ze weer verscheen, 'laten we gaan eten!' Ze gaf me een arm en zette er meteen de sokken in; ze sleurde me zowat mee.

'Julie,' zei ik, en ik deed half struikelend mijn best haar bij te houden, 'kalm aan een beetje, zeg!'

'Ik heb zo'n honger!' riep Julie, en ze kuste me ergens aan de zijkant van mijn hoofd, zodat mijn gedachten tijdelijk in het ongerede raakten. Toen ik mijn geestelijk evenwicht had hervonden, liepen we al in Bridge Street – in een redelijker tempo intussen –, en Julie hoorde me uit over Penny.

'Er valt eigenlijk nog niet al te veel te vertellen,' zei ik, al strookte dat niet geheel en al met de waarheid. Maar ik had me voorgenomen niets te zeggen over de mailtjes die ik had gekregen, of over die keer dat ik door Maledicta Thaw Canal in was gejaagd, en als je die dingen wegliet, viél er ook niet veel te vertellen.

'Maar je gaat nu toch wel met haar om, toch?'

'Nou nee, eigenlijk niet.'

'En gisteren dan, toen ik langskwam, toen zag ik jullie...'

'Dat kun je niet "omgaan met" noemen,' legde ik uit. 'Penny kwam opeens aanzetten, net als jij. Of liever gezegd: een paar van haar zielen verschenen – Penny was er niet bij.'

Julie keek tevreden. 'Dus je hebt de familie ontmoet.'

'Een paar maar,' zei ik, en ik moest eraan terugdenken hoe Maledicta me bedreigd had met de sigarettenaansteker.

'Wat wilden ze?'

'Ze willen dat ik Penny help.'

'Dus ik had gelijk.'

'Misschien wel,' zei ik. 'Alleen weet ik nog steeds niet of Penny zelf wel geholpen wil worden. En...'

'Ja, goed,' viel Julie me in de rede, 'maar als haar zielen proberen haar hulp te bezorgen, dan is dat een goed teken, toch?' Zonder een antwoord af te wachten vervolgde ze: 'En dokter Grey? Wat is er op dat front gebeurd?

Ik haalde mijn schouders op. 'Niet veel. Ze zei dat ze graag met Penny wilde praten, als Penny daar bereid toe was. Maar ik weet niet of...'

'Mooi,' zei Julie. Op de hoek tegenover de Harvest Moon moesten we blijven staan; het voetgangerslicht was intussen weer op groen gesprongen, maar Julie lette er niet op. 'Penny en jij zullen daar nog wel een dag voor vrij moeten nemen, zeker?'

'Zou kunnen. Daar had ik nog niet over nagedacht. Maar... Ja, misschien dat we daar niet aan ontkomen. Of dat zíj daar niet aan ontkomt. Dat hangt af van...'

'Nou ja, hoeveel tijd je daar ook voor wilt nemen, dat is geen probleem. Probeer alleen wel me de volgende keer iets eerder te waarschuwen, oké?'

'Oké. Maar...'

'En verder: als jullie tweeën naar Poulsbo moeten, dan ben ik van harte bereid je erheen te rijden. Dat wil zeggen, als mijn auto het die dag doet, natuurlijk...'

'Nou, bedankt, Julie,' zei ik beleefd, al vond ik dat aanbod wel wat merkwaardig, 'maar je weet wel dat Penny zelf een auto heeft. Trouwens, volgens mij loop je een beetje op de zaken voor...'

'Hou het gewoon in je achterhoofd,' zei Julie. 'Als ik iets voor jullie kan doen: je hoeft maar te kikken.'

'Oké,' zei ik. 'Oké, dank je wel.' Ik keek naar het licht, dat nu voor de tweede keer groen was geworden. 'Zo... Heb je nog steeds honger?'

Het was die ochtend druk in de Harvest Moon. Terwijl we op een plaatsje aan een van de tafels wachtten, keek ik de kranten door die in een rek bij de deur stonden. De *Seattle-Post Intelligencer* en de *Autumn Creek Weekly Gazette* hadden allebei een foto van Warren Lodge op de voorpagina. 'KLOPJACHT NOG GAANDE', luidde de kop in de ene krant; onder de foto in de andere stond: '"POEMA" LOOPT NOG VRIJ ROND'.

Julie merkte mijn belangstelling op. 'Wat een verhaal, hè?' zei ze. 'Weet je wat ik weleens zou willen weten? Waar was de moeder?'

'De moeder?'

'Ja, je weet wel: mevrouw Lodge.'

'Mevróúw Lodge...? Ik dacht dat hij weduwnaar was.'

Julie schudde haar hoofd. 'Volgens de kranten was hij gescheiden, maar ik kan me niet herinneren dat er ergens heeft gestaan dat zijn ex-vrouw dood was.'

'Maar als ze nog leefde,' zei ik, van mijn stuk door die gedachte, 'denk je niet dat ze dan zou hebben geweten, of op z'n minst vermoed, wat voor iemand haar man eigenlijk was? En denk je niet dat ze dan zou hebben geprobeerd die meisjes te verdedigen?'

'Tja, lijkt me wel,' zei Julie. 'Vandaar ook dat ik me afvroeg waar ze was.'

Nu kwam er een serveerster naar ons toe, die ons naar een paar vrijgekomen plaatsten loodste. Nadat ik een beroep op mijn vader had gedaan om eventuele protesterende stemmen het zwijgen op te leggen, bestelde ik een ontbijt voor één persoon: een omelet met garnalen en kaas. Onder het eten stelde Julie me weer de ene vraag na de andere over Penny, en op de meeste moest ik het antwoord schuldig blijven. 'Echt, Julie,' zei ik, 'ik ken haar nog niet. Helemaal niet. Het beetje contact dat ik met haar heb gehad, was eigenlijk alleen met andere zielen.'

'Nou, en wat zijn dat dan voor types? Hoeveel heb je er ontmoet?'

'Een paar. Maar...'

'En, wat zijn het voor types?'

Omdat ze zo aandrong, gaf ik haar zo goed en zo kwaad als het ging een beschrijving van Draad en Maledicta.

'Maledicta.' Julie lachte breed. 'Wat betekent dat, Vuilbek?'

'Zoiets, ja.'

Julie knikte. 'Volgens mij heb ik haar ook ontmoet. Wat is ze, Penny's versie van Adam, of zo?'

Eerder Penny's versie van Gideon, dacht ik bij mezelf. Adam zelf vond die vergelijking niet vleiend, maar ik zal zijn reactie voor me houden. 'Maledicta is Maledicta,' zei ik diplomatiek. 'Ze is een lijfwacht, dat weet ik in ieder geval wel, maar verder... Ik geloof niet dat het helemaal eerlijk is om haar te vergelijken met iemand in mijn huis.'

'Nee, natuurlijk niet,' zei Julie. 'Is zij degene die jou kuste?'

Even zat ik met mijn ogen te knipperen. Ik had me al afgevraagd of Julie dat had gezien... Maar ja, natuurlijk was dat haar niet ontgaan. Julie merkte een hoop op als ze dat wilde. 'Ik weet niet wie dat was... of wát dat was.'

'Hmm.' Julie trok sceptisch haar wenkbrauwen op. 'Tja, als je geen idee hebt, dan houdt alles op.'

Toen we na ons ontbijt naar buiten gingen, kwam er net een takelwagen door de straat, die toeterde toen hij ons voorbijreed. Ik zou daar geen aandacht aan hebben geschonken, als Julie niet zo vreemd had gereageerd: ze pakte me bij de elleboog en sjorde even aan me, zodat ik met mijn rug naar de straat kwam te staan.

'Zeg, Andrew,' zei Julie opgeruimd, 'heb je zin om mee naar mijn huis te gaan? Dat zou gezellig zijn.'

'Hè?' Ik trok mijn arm los en keek om naar de takelwagen, die al een blok verderop was. 'Wie was dat, Julie?'

'Wie was wie?' vroeg Julie, alsof ze van de prins geen kwaad wist, en ik dacht: Adam heeft het mis. Dit spreekt me totaal niet aan.

Maar toen Julie hetzelfde nog een keer vroeg, zei ik natuurlijk ja. Ik nam maar niet de moeite de voor de hand liggende opmerking te maken dat als het vóór het ontbijt zo'n grote rotzooi bij haar thuis was geweest dat ze geen mens kon ontvangen, die toestand toch nog steeds moest heersen. Ik ging met haar mee en bleef de rest van de ochtend hangen, en het werd zowaar echt gezellig, net als in de goeie ouwe tijd.

Om een uur of twaalf viel het me op dat Julie zich al voor de derde keer binnen zo'n drie minuten gapend uitrekte. Ik nam aan dat dat wel een zachte wenk zou zijn en stond op. 'Ik moet eens naar huis,' zei ik. 'Ik heb Draad en Maledicta beloofd dat ik ze dit weekend zou bellen, dus dat moet vanmiddag maar eens gebeuren. Maledicta maakt zich daar geloof ik nogal druk over.'

'Bel anders hiervandaan, als je wilt,' zei Julie en onderbrak haar uitrekpartij.

'Nee, dank je. Dat kon wel eens een hele tijd gaan duren.'

'Oké,' zei Julie. Ze glimlachte. 'Ik wist wel dat jullie goed met elkaar zouden kunnen opschieten.'

Ik probeerde een neutrale gezichtsuitdrukking te bewaren. Wat bedoelde ze daar nu mee, 'goed met elkaar kunnen opschieten'? Had ze niet goed geluisterd of zo? Afgezien van de paar woorden die ik met haar had gewisseld op het werk, en die eerste dag tijdens onze lunch, had ik nog niet eens met Penny zelf gepraat.

'Laat toch zitten. Probeer haar dat nu maar niet wéér aan haar verstand te peuteren,' adviseerde Adam. 'Zeg gewoon tot ziens en ga ervandoor.'

'Goed,' zei ik en pakte mijn jasje. 'Tot ziens, Julie.' Ik draaide me om, liep al weg... en bleef staan met mijn hand op de deurkruk. 'Zeg, Julie?'

'Ja?'

'Ik vind het geweldig dat je zo klaarstaat om te helpen, maar... je snapt het toch wel, hè? Als Penny eventueel mocht besluiten om een huis te bouwen voor zichzelf, dan wil dat nog niet zeggen dat jij bij dat proces betrokken wordt. Ik bedoel, waarschijnlijk ga ík daar ook geen enkele rol in spelen, behalve dat ik haar in contact breng met dokter Grey. En als Penny me wél benadert en om advies vraagt, of weet ik veel wat, dan kan ik daar waarschijnlijk niks over loslaten tegen jou. Niet omdat ik dat niet wil, maar omdat... Nou ja...'

'Omdat dat privézaken zijn.' Julie knikte. 'Ja, natuurlijk, dat snap ik best. Geen probleem, hoor.'

'Oké,' zei ik, niet geheel en al overtuigd. 'Oké, mooi. Nou, dan...'

'Bel me straks maar. Goed?'

Ik ging naar huis en belde Penny's nummer. Meteen werd er opgenomen door Draad. 'Hallo, meneer Gage.'

'Hoi.' We hadden een heel kort gesprekje. Draad viel met de deur in huis: was het goed als Maledicta en zij naar Autumn Creek kwamen om eens met me te praten? Zoiets had ik al half en half verwacht, en ik had bedacht dat dat oké was, als Maledicta en haar tweelingzus zich maar zouden gedragen. Ik zei tegen Draad dat ze die middag langs konden komen wanneer ze maar wilden. 'Komt Penny ook mee?'

'O nee,' zei Draad op verbaasde toon. 'Penny weet hier nog niets van.'

Om kwart voor twee kwam de Buick voorrijden. Mevrouw Winslow was een paar minuten eerder op de veranda gaan zitten, nadat ik haar had verteld wie er op bezoek zou komen; ze keek me na toen ik over het pad door de voortuin naar de auto liep.

Maledicta zat paffend achter het stuur; Draad kon niet rijden. 'Heb je zin om binnen te komen voor een kop thee of koffie?' vroeg ik.

Maledicta keek naar mevrouw Winslow, die de wacht had betrokken op de veranda. 'Nee,' zei ze plompverloren. En toen: 'Stap in, godverklote. Laten we ergens anders heen gaan.'

Ik fronste mijn wenkbrauwen bij dat onbehouwen antwoord, maar toen keerde ik me om, knikte even geruststellend naar mevrouw Winslow en stapte in. 'Waarheen dan?' vroeg ik.

Het draaide erop uit dat we maar wat door de stad koersten. Zolang we reden praatte Maledicta met me; als we ergens een tijdje bleven staan, nam Draad het woord. Dankzij mijn gesprekken met die twee kwam ik langzaam maar zeker het antwoord te weten op een heel aantal vragen die Julie me had gesteld. Draad vertelde me in grote trekken Penny's voorgeschiedenis: dat ze in 1971 geboren was in Willow Grove, in Ohio; dat haar vader vertegenwoordiger was en twee jaar later was omgekomen bij een vliegtuigongeluk; dat haar moeder, een krankzinnig mens dat Verna Dorset Driver heette, zich er in de loop van de ruim vijftien jaar daarna systematisch op had toegelegd Penny's ziel aan mootjes te hakken; dat Penny op het laatst aan haar was ontsnapt dankzij een beurs van de Universiteit van Washington; en dat haar moeders dood in het jaar daarop haar de definitieve bevrijding had bezorgd. Als een goede verslaggeefster deed Draad haar best om haar verhaal zo objectief mogelijk te houden; zonder enige terughoudendheid beschreef ze Penny's gevoelens, maar ze hield haar mening voor zich en bagatelliseerde haar eigen rol in Penny's leven.

Maledicta liet elke poging tot objectiviteit achterwege. Zij gaf juist uitgebreid uiting aan haar gevoelens, die voornamelijk bestonden uit diverse gradaties van haat, woede en wrok. Ze gaf hoog op van haar eigen prestaties en zei dat ze 'die teringtrut van een Muis aan de lopende band uit alle mogelijke klotetoestanden had gered', en dat als 'ik en Malefica d'r niet waren geweest, Muis allang een tuin op d'r buik had gehad – niet dat dat kutwijf dat niet verdient, maar ja, het gaat godverklote ook om onze eigen nek, hè?'

Draad en Malefica vertelden me niet alleen over Penny's leven, ze vroegen mij ook naar mijn leven. Draad vond het idee van dat huis fascinerend en wilde precies weten hoe dat nu ging in de praktijk, een huis bouwen en een huishouden besturen; Maledicta, die meer sceptisch was ingesteld, informeerde wat voor problemen je zoal kon verwachten ('Krijgen ik en Malefica dan wel een eigen kamer, godverklote?' 'En als er nou iemand stennis gaat trappen? Hoe hou je al die etterbakken d'r onder?'). Ik beantwoordde hun vragen zo uitgebreid mogelijk, en eindelijk – het was toen al laat in de middag, en ik was weer aan het eind van mijn Latijn – betoonden ze zich tevreden.

'Goed,' zei Maledicta. 'We doen het. Wij gaan dus een huis bouwen, godverklote als 't niet waar is.'

'En Penny dan?' vroeg ik. 'Doet die mee?'

'Muisje Teringtrut?' zei Maledicta smalend. 'Och ja, die hobbelt wel mee. Is haar godverklote gerajen ook.'

'Maar weet ze eigenlijk wel dat jullie...'

'Ze weet alles, hoor. Of genoeg. Voor zichzelf doet ze net alsof ze nergens van weet, maar dat is onzin. Muis is niet achterlijk, ze is alleen een godsgloeiende schijtlaars.'

'Oké. Maar...'

'Weet je wat we nu doen?' zei Maledicta. 'Wij zorgen ervoor dat Muis hier morgen naartoe komt, en dan doe jij haar alles uit de doeken. En wij zorgen er wel voor dat ze oplet.'

'Morgen,' zei ik nadenkend. Ik vroeg me af of ik eigenlijk wel mijn hele weekend wilde besteden aan deze kwestie, zonder dat me zelfs maar iets werd gevráágd. Maar mocht ik al bezig zijn geweest bedenkingen op te werpen, dan werden die vlug aan de kant geschoven toen Maledicta op de sigarettenaansteker drukte.

'Ja hoor,' zei Maledicta, en ze haalde een pakje Winstons uit haar jaszak en tikte er een sigaret uit. 'Muis hobbelt wel mee. Laat dat godverklote maar aan ons over. En als ze moeilijk gaat doen... Nou, dan nemen we godverklote wel iemand anders in de arm om de klus te klaren.' Ze keek me aan. 'Dat kunnen wij ook wel, toch?'

'Ik ga met Penny praten,' zei ik, door iets anders in beslag genomen: ik wachtte tot de sigarettenaansteker weer tevoorschijn zou springen. 'Zorgen jullie ervoor dat ze naar me toe komt, dan zal ik m'n best doen om haar duidelijk te maken wat er allemaal speelt.'

'Nou en of dat jou gaat lukken, wat krijgen we nou, godverklote,' zei Maledicta.

Zo kwam het dat ik de volgende dag voor de Harvest Moon stond te wachten; ik probeerde niet hardop te lachen om Adam, die voor Maledicta speelde: 'Godverklote, wat een weertje, hè? Niet één kutwolkje aan die hele teringlucht, en dat voor zo'n klotemaand, christusklote, zeg.'

Toen kwam Penny, en vooreerst viel er niets te lachen.

Er bestaat een type lijfwachtziel, hardloper genaamd, dat de functie heeft het lichaam weg te halen uit gevaarlijke situaties. Penny had minstens twee van die hardlopers, en het duurde niet lang of ik kreeg ze allebei te zien.

De eerste vertoonde zich al binnen een paar ogenblikken nadat Penny was gearriveerd. Ik geloof niet dat dat aan mij lag; toen ik mijn vader had gevraagd hoe ik het best met Penny zou kunnen praten, had hij me aangeraden om er geen doekjes om te winden, maar ook had hij me gewaarschuwd dat Penny, wat voor benadering ik ook gebruikte, waarschijnlijk meer dan eens van identiteit zou wisselen om maar niet te hoeven horen wat ik te zeggen had. 'Het is doodeng om die dingen aan de weet te komen over jezelf. Dat weet ik nog best.'

'Maar Maledicta zei dat Penny het allang weet...'

'Ik durf er een eed op te doen dat Penny de waarheid vermóédt, gedeeltelijk tenminste,' zei mijn vader. 'Maar dat is niet hetzelfde als zeker weten hoe het zit... of alles zonder omhaal te horen krijgen.'

Draad en Maledicta hadden gezegd dat ze een boodschap voor Penny zouden neerleggen met instructies waar en hoe laat ze mij moest treffen. Ik bedacht dat dat een geschikte binnenkomer zou zijn: ik zou iets opmerken over die boodschap, en dan als vanzelf uitkomen bij de vraag van wie die afkomstig was. Het was een redelijk plan, maar de hele zaak viel in duigen. Zodra ik over die boodschap begon – iets waar ik, vanuit Penny's standpunt gezien, niets van had horen te weten – werd Penny bang, en daar kwam de eerste hardloper te voorschijn.

Dat eerste type zette het niet echt op een rennen, maar liep alleen in een fiks tempo: ze boog Penny's hoofd zo dat haar kin bijna op haar borst lag, drukte haar armen stokstijf aan weerskanten tegen haar lijf, balde haar vuisten en banjerde er met een verbazingwekkende vaart vandoor. Voordat ik goed en wel besefte wat er gebeurde, had ze het parkeerterrein al achter zich gelaten en beende ze Bridge Street in. Ik liep haastig achter haar aan en riep Penny's naam; ze keek niet op of om, maar toen ik haar bijna had ingehaald, liet ze een geluid horen, een zacht, dierlijk gejank dat ergens diep in haar keel begon en waarvan de haartjes op mijn arm rechtop gingen staan. Ik was niet de enige die het op de zenuwen kreeg van dat geluid – andere voorbijgangers hoorden dat dierlijke gegrom ook uit Penny's mond komen en maakten vlug ruim baan voor haar.

Toen ik op gelijke hoogte met haar kwam, legde ik een hand op haar schouder, en het gegrom vloog hele octaven omhoog en ging over in een snerpend gejammer – het geluid dat je van een stekelvarken zou verwachten als het ging gillen. Bij het horen van dat gejammer bleef ik stokstijf staan; de hardloper maakte zich los, liep door en verdween om de hoek van de volgende straat uit het zicht.

'Pas op dat je haar niet kwijtraakt!' waarschuwde Adam.

En ik zette er weer de sokken in; deze keer hield ik wat meer afstand, want ik voelde er niets voor om dat gesnerp nog eens te horen. De hardloper lag zowat een straat op me voor toen ze Maynard Park in ging, en heel even was ik bang dat ik haar kwijt was, maar toen ik ook het park in liep, zat Penny's lichaam daar op een bank op me te wachten.

'Penny?' zei ik onzeker. De hardloper was er niet meer, dat was duidelijk, maar ik vroeg me af welke ziel voor haar in de plaats was gekomen.

Het volgende ogenblik nam Penny's gezicht een giftige uitdrukking aan en ik wist hoe laat het was.

'Ga zitten,' brieste Maledicta. 'We halen haar wel terug, het kutwijf.'

Ik ging zitten. De giftige uitdrukking maakte plaats voor verwarring en Penny's schouders werden opgetrokken. Ik gaf haar even de tijd om bij haar positieven te komen en begon weer op haar in te praten: op achteloze toon, alsof er niets bijzonders aan de hand was geweest, merkte ik op dat ze een black-out had gehad.

Prompt verscheen er weer een hardloper, dit keer een sprinter; ze vloog ervandoor tussen de bomen achter de bank.

'Nee, hè,' zuchtte ik, en ik stond op om de achtervolging in te zetten. Die directe benadering was niet echt een succes.

Om een lang verhaal kort te maken: die dag kreeg ik ruimschoots voldoende beweging. Uiteindelijk hoorde Penny alles aan wat ik te zeggen had, maar toen hadden mijn gympen er inmiddels heel wat kilometers op zitten, en Penny had bijna haar nek gebroken.

Die avond belde ik dokter Grey om een afspraak te maken, maar ze was niet te spreken. 'Danny maakt nogal een akelig weekend door, Andrew,' zei Meredith. 'Sinds gisteren is ze niet meer uit bed geweest.'

'O nee,' zei ik. 'Dat komt toch niet... toch niet doordat ik langs ben geweest, hoop ik?'

Meredith stelde me niet gerust op dat punt, maar vroeg alleen: 'Is er iets wat ik voor je kan doen?' En ik legde uit waarom ik belde. 'O jee... Tja, ze is morgen beslist nog niet zover dat ze iemand kan ontvangen. Maar misschien later in de week wél weer. Probeer het donderdag of vrijdag nog eens, goed?'

'Oké,' zei ik, en ik vroeg me al af wat Maledicta ervan zou vinden dat ze moest wachten.

Maandagmorgen ging ik vroeg naar mijn werk om met Julie te praten – en om mijn verontschuldigingen aan te bieden. Die zondag waren Penny en ik haar, tussen twee vluchtreacties door, in Bridge Street tegen het lijf gelopen. Het was precies het verkeerde moment, zoals Julie, zij het iets te laat, zelf ook inzag – toen ze op een holletje onze kant op kwam, zag ze de uitdrukking op mijn gezicht en hield haar pas in. 'Hoi,' zei ze. 'Ik stoor toch niet, hoop ik...'

'Nou en of,' liet Maledicta zich horen. 'Kanker op, mens.'

Ik dacht dat Julie daar nog wel nijdig over zou zijn, en dat klopte. Ik vond haar in een van de opslagtenten, waar ze een doos oude printjes doorspitte, en eerst vertikte ze het me aan te kijken, al reageerde ze wel op mijn groet, zij het niet van harte. 'Zo,' zei ze afgemeten. 'Wat is er?'

'Nou, Penny heeft ermee ingestemd om naar dokter Grey te gaan...'

'Weet ik,' zei Julie.

'O ja?'

'Ja. Daarom heeft ze zich vanmorgen ziek gemeld, toch?'

'Heeft Penny zich ziek gemeld?'

Eindelijk keek Julie nu op, met een gezicht waar de weerzin vanaf droop. Ze dacht dat ik maar deed alsof ik daar niets van wist. 'Wou je me vertellen dat je dat niet wist?'

'Nee,' zei ik. 'Nee, dat wist ik niet. Wanneer heeft ze je dan gebeld?'

'Vanochtend om een uur of half zes,' zei Julie. 'Niet echt een uur waar ik blij van word.'

'En wat zei ze?'

'Alleen dat ze vandaag niet kwam. Toen ik vroeg wat er aan de hand was, kreeg ik te horen dat ik me met mijn eigen kutzaken moest bemoeien.'

'Maledicta,' zei ik.

'Jawel, Maledicta. Wat heeft die eigenlijk tegen me?'

'Tegen jou?'

'Elke keer als we elkaar spreken doet ze onverholen vijandig tegen me.'

'Volgens mij doet Maledicta vijandig tegen iedereen, Julie – zelfs tegen Penny. Zo is ze nu eenmaal.'

'Nee,' zei Julie en schudde haar hoofd. 'Tegen mij is dat op de een of andere manier wél persoonlijk bedoeld, heb ik het gevoel.' Haar ogen knepen zich tot spleetjes. 'Heb je soms iets over mij gezegd? Iets waar ze zich nu boos over maakt?'

'Nee,' zei ik. 'Dat geloof ik tenminste niet. Wat dan, bijvoorbeeld?'

'Heb je haar misschien verteld dat ik Penny allen heb aangenomen om jou de kans te geven een behandeling voor haar te organiseren, voor haar kwaal?'

'Welnee! Waarom zou ik dat tegen haar zeggen – dat is toch niet eens waar? En bovendien, Maledicta wíl juist dat Penny zich laat behandelen. Zij is daar op dit ogenblik meer op gespitst dan Penny, en zelfs nog meer dan Draad. Dus dat is geen reden voor haar om zich boos te maken op jou.'

'Hmm,' zei Julie. 'Nou ja... aan één kant heeft ze haar leven gebeterd sinds vorige week, want deze keer heeft ze tenminste gebeld om te zeggen dat ze niet zou komen... Maar ze gaat vandaag dus níét naar dokter Grey?'

'Ik zou niet weten hoe dat zou kunnen. Dokter Grey is... Die is vandaag niet te spreken. Als Penny zich ziek heeft gemeld, dan zal dat wel te maken hebben met haar nek.'

'Met haar nek?'

'Penny heeft gisteren nogal lelijk haar hoofd gestoten,' legde ik uit. 'Ik was bang dat ze misschien wel een whiplash had opgelopen. En als haar lichaam voortdurend pijn heeft, dan gaat degene die het voor het zeggen heeft in het lichaam daar ook onder gebukt, dus wie weet komt het daardoor dat Maledicta zo'n extra barse indruk maakte.'

'O,' zei Julie.

Ik zag dat ze nu iets milder gestemd was en maakte vlug van de gelegenheid gebruik: 'O ja, om nog even terug te komen op wat er gisteren gebeurd is, Julie, dat spijt me echt... het kwam enkel doordat je ons op een ongelukkig moment overviel.'

'En zaterdag zeker ook, hè?

‘Zaterdag?’

‘Zaterdagmiddag. Ik zag jullie tweeën toen ergens rijden in de stad. Ik zwaaide, maar jij deed alsof ik lucht was.’

Ik schudde mijn hoofd, en Julie schoot weer uit haar slof.

‘Jezuschristus, Andrew!’ riep ze uit. ‘Ik heb jullie tweeën gezíén, hoor. Ga me nou niet wijsmaken dat ik raaskal!’

‘Nee, Julie, ik beweer niet dat we niet samen hebben rondgereden, ik kan me alleen niet herinneren dat ik jóú heb gezien, zaterdagmiddag.’

‘Je keek me recht in m’n gezicht toen ik zwaaide.’

‘O, maar dat wil nog niet zeggen dat ik je ook zág. Als we reden, dan had ik waarschijnlijk mijn aandacht bij Maledicta.’

‘Tja, nou ja, maakt ook niet uit,’ zei Julie onverschillig. ‘Laat maar zitten.’

‘Wil je anders dat ik Penny opbel en vraag waarom ze niet komt?’

‘Nee.’ Julie schudde haar hoofd. ‘Nee, laten we vandaag nou maar eens proberen wat werk gedaan te krijgen... voor zover dat gaat, nu de helft van het softwareteam ontbreekt.’

Er waren heel wat tactloze opmerkingen die ik op dat ogenblik ten beste had kunnen geven, maar ik hield wijselijk mijn mond. Een poosje later haalde Dennis, een heel wat roekelozer type dan ik, het echter in zijn hoofd een kwinkslag te maken over Penny’s afwezigheid: ‘Goh, Commodore, dat was toch wel een geweldig idee van je, om een tweede programmeur aan te nemen. Ze is er pas een week, en ik snap nu al niet meer hoe we het ooit zonder haar hebben gered...’

De rest van de dag vlogen Julie en Dennis elkaar naar de strot, en dat leidde Julies aandacht tenminste van mij af. Maar toen ik na het werk de Fabriek uit liep, kreeg ik Penny’s Buick in het oog, die met draaiende motor vlak bij de poort stond, en dat daar kreeg ik een wee gevoel van in mijn buik.

‘Penny?’ riep ik, en ik liep naar de auto toe.

Maledicta. ‘Instappen, godverklote. Draad wil je nog een paar dingen vragen over dat huis.’

‘Oké.’ Zenuwachtig keek ik even om naar de loods; Julie was nog binnen, maar ik wist dat ze elk ogenblik naar buiten kon komen. ‘Oké, maar hoor eens, ik denk dat we maar beter hier weg kunnen gaan. Het zit Julie niet zo lekker dat Penny vandaag niet is komen opdagen.’

'Julie kan de pestpokken krijgen. Stap in.'

Ik stapte in. Maledicta reed niet meteen weg, maar gunde zich eerst de tijd om een sigaret op te steken. Ik merkte dat ze haar nek nog ietwat stijfjes bewoog. 'Hoe gaat het er nu mee?' vroeg ik.

'Godverklote gaaf,' antwoordde Maledicta. 'Maar Muis is op het ogenblik een ontzettend soepkutje. We hebben bedacht dat ze even wat rust moet hebben.'

'O. Oké. Maar hoor eens, kunnen we nu dan...'

'En heb je die afspraak al gemaakt, met die dokter?'

'Nee,' zei ik. 'Dat ging niet.'

'Waarom nou niet, godverklote?'

'Dat zal ik je zeggen als je gaat rijden.'

'Nou, fijn!' snauwde Maledicta. Met een ruk schakelde ze in z'n één en ze trapte het gaspedaal in. Maar het was al te laat; toen we het hek uit reden, keek ik om en zag Julie op het terrein voor de Fabriek staan, met haar handen in haar zij.

De dinsdag daarop was in menig opzicht een herhaling van de maandag: ik verscheen al vroeg op het werk en Penny verscheen helemaal niet. Maar Julies hoofd stond niet naar nog meer verklarende verhalen. 'Goed, doen jullie maar wat je moet doen, Andrew, alles is best. Wanneer Penny besluit om weer op het werk te komen, áls ze dat besluit, laat het me dan alleen even weten.'

'Zeg Julie... Ik hád je gewaarschuwd, hè, dat er misschien zoiets zou gebeuren.'

'Ja, dat is waar. Dus er valt jou niks te verwijten of kwalijk te nemen. Zo, kunnen we er dan nu over uitscheiden?'

Toen ik die dag na het werk de Fabriek uit kwam, zag ik alweer een auto met draaiende motor bij de poort staan. Maar deze keer was het niet Penny's Buick. Het was een takelwagen: dezelfde wagen die die zaterdagmorgen naar Julie en mij had getoeterd. Er klom een man uit de cabine toen ik dichterbij kwam, en hem herkende ik ook: het was de monteur van de wegenwacht met wie Julie meer dan een jaar tevoren iets had gehad.

Julie rende me lachend voorbij en sprong tegen de monteur op; ze sloeg haar armen om zijn nek en haar benen om zijn heupen. Ik wendde me af toen ze elkaar kusten.

'Hé, Andrew,' riep Julie, weer met twee voeten op de grond. 'Dit is

Reggie Beauchamps. Ik weet niet of jullie elkaar al eens hebben ontmoet.'

'Nee,' zei Adam vanaf het spreekgestoelte, 'maar we hebben wel van hem gehóórd, reken maar...'

'Hou je mond, jij,' mompelde ik binnensmonds, en tegelijkertijd groette ik Reggie door zo'n beetje lauw een hand op te steken.

'Goed, wij moeten ervandoor,' zei Julie. 'Doe Penny de groeten als je haar ziet, oké?'

Dat was het ogenblik dat Adam met zijn idee kwam dat Julie jaloers was op Penny.

'Hoe kan dat nou?' wierp ik tegen. 'Penny en ik zijn toch geen stel? En Julie... Die heeft wél iemand, zo te zien.'

'Jawel,' zei Adam, 'en ook al had ze niet iemand, dan zou ze het nog steeds niet zien zitten om met jou te wippen.'

'Adam!'

'Maar ook al ziet ze dat niet zitten, ze beschouwt jou nog wel degelijk als een speciale vriend. En nu ziet ze jou zo'n vriendschap met Penny opbouwen die volgens haar nóg specialer is, en daar staat zij helemaal buiten.'

'Maar er is iets heel anders aan de hand!'

'Doet er niet toe. Zij ziet het nu eenmaal zo: dat jij veel met Penny optrekt, en dat jullie daar allebei geheimzinnig over doen...'

'Maar het is helemaal niet onze bedoeling om geheimzinnig te doen! En bovendien, ik doe alleen maar wat Julie zo graag wilde!'

'Ja, juist,' zei Adam. 'Ik zei toch al dat dat een slecht idee was?'

Hoe gauwer Penny deskundige hulp kreeg, hoe gauwer mijn verstandhouding met Julie weer net als vroeger kon worden, dacht ik, en diezelfde avond nog belde ik dokter Grey weer op. 'Hallo,' zei ik toen Meredith opnam, 'ik weet wel dat ik het donderdag pas moest proberen, maar ik hoopte...'

'Andrew,' zei Meredith op een vlakke toon waar ik niets uit op kon maken. 'Hallo. Zeg. Danny is nog steeds niet...'

Op de achtergrond hoorde ik de stem van dokter Grey. Het volgende ogenblik legde Meredith blijkbaar haar hand op de hoorn, want alle geluiden klonken nu gesmoord. Zo te horen gingen dokter Grey en zij tegen elkaar tekeer.

Eindelijk kwam dokter Grey aan de telefoon: 'Andrew?'

'Dokter Grey,' zei ik. 'Alles goed met u?'

'Ja hoor, prima.' Daarop raakte alles weer gesmoord, en dokter Grey riep iets wat ik niet kon verstaan. Daar kwam ze weer: 'Andrew?'

'Ja, ik ben er nog.'

'Ik neem aan dat je belt in verband met je kennis?'

'Ja. Ze is nu zover dat ze graag met u zou praten, als u zich goed genoeg...'

'Uitstekend. Wat zou je zeggen van morgen?'

'Dat zou geweldig zijn! Ik vraag het Penny nog even, maar ik denk...'

'Mooi. Ik kijk ernaar uit.'

Maar het bleek dat Penny er níét naar uitkeek. Toen ik haar aan de telefoon kreeg, maakte ze eerst een heel verwarde indruk; ik moest haar tot twee keer toe uitleggen waarom ik belde, voordat ik zeker wist dat ze het had begrepen. 'Morgen?' vroeg ze ten slotte ontsteld.

'Ja, morgenochtend. Sorry dat ik je er zo mee overval, maar straks ben je blij dat je bent geweest, dat verzeker ik je.'

'Ik weet niet,' zei Penny. 'Ik vind het heel vervelend als jij je hebt uitgesloofd om die afspraak te regelen, maar ik heb er nog eens over nagedacht, en ik...'

Er klonk een luid gekletter, alsof Penny het toestel had laten vallen. Vervolgens kwam Maledicta aan de lijn: 'Luister nou godverklote niet naar háár. Zeg maar hoe laat we je moeten ophalen.'

De volgende morgen stond de Buick om acht uur voor het huis. Met mijn opluchting toen ik ontdekte dat Penny zelf achter het stuur zat, was het gauw gedaan toen het tot me doordrong hoe ellendig ze eraan toe was. Zo te zien had ze niet al te veel slaap gehad, en haar nek speelde haar nog steeds parten; en ook al zei ze het niet, het was duidelijk dat ze de hele onderneming eigenlijk maar niets vond. Ik speelde even met de gedachte haar aan te bieden om de afspraak af te zeggen, maar liet dat achterwege om een – ik geef het toe – heel egoïstische reden: ik geloofde niet dat Penny daar toestemming voor zou krijgen, en ik voelde er niets voor om dat hele eind naar Poulsbo met Maledicta opgescheept te zitten.

Toen we bij dokter Grey arriveerden, was Meredith ook in een slecht humeur. Ik kon niet uitmaken of haar boosheid met mij te maken had, maar toen dokter Grey me vroeg haar alleen te laten met

Penny, besloot ik maar liever een eindje te gaan lopen dan een gesprek aan te knopen in de keuken.

Een uur later kwam ik terug, benieuwd hoe Penny eraan toe zou zijn. Mijn vader had me gewaarschuwd dat ik geen wonderen moest verwachten; het zou heel wat meer dan een uur vergen om orde op zaken te stellen in Penny's leven. Dat wist ik best, maar toch was ik verbaasd toen ik constateerde dat Penny er nog ellendiger uitzag dan toen we waren gearriveerd. Wat was er misgegaan?

Tijdens de tocht terug naar de boot schoot Maledicta te voorschijn, woedend en wel, om er een met veel godslasterlijke wendingen doorspekt verhaal uit te gooien: dokter Grey had ervoor gezorgd dat Penny voor het eerst een aantal van haar andere zielen was tegengekomen. Kennelijk was dat geen al te groot succes geweest. Het leek wel of Maledicta zich persoonlijk beledigd voelde, en ze werkte zich al op tot een langdurige tirade aan Penny's adres, toen Penny zich met geweld weer meester maakte van het lichaam, waarbij het een haar scheelde of ze had de auto in de prak gereden.

Penny bleef de baas over het lichaam totdat we bij de steiger arriveerden; daarna kreeg een andere ziel het voor het zeggen. Eerst dacht ik dat Maledicta weer terug was, maar toen ze het niet meteen op een vloeken en schelden zette, begreep ik dat het haar tweelingzus was.

Malefica maakte het handschoenenkastje open en haalde een halfliterflesje wodka tevoorschijn. 'Hé!' protesteerde ik. 'Zeg hé, wat doe je daar?'

Zonder zich iets van me aan te trekken schroefde Malefica de dop van het flesje en begon eraan te lurken.

'Stap uit, nú,' zei Adam – een volslagen overbodig advies. Ik maakte mijn veiligheidsgordel al los.

Maar op dat ogenblik liet Malefica een geluid horen alsof ze dwars door de rugleuning van haar stoel een mes tussen de ribben had gekregen. Ze verstarde, en nu nam weer een andere ziel de leiding in Penny's lichaam.

De nieuwe ziel was van het mannelijk geslacht – en nuchter, in alle betekenissen van het woord. Hij wierp een blik op het flesje wodka in zijn hand, slaakte een geïrriteerde zucht en schudde zijn hoofd. Hij schroefde het dopje er weer op en stopte het niet terug in het handschoenenkastje, maar legde het zolang onder zijn stoel. Toen wendde hij zich verontschuldigend tot mij: ‘Sorry, hoor. Als ze erg van slag zijn, worden ze soms zelfdestructief – of gewoon regelrecht destructief. Ik doe dan mijn best om te zorgen dat de boel niet uit de hand loopt.’

Hij heette Duncan; hij stelde zich voor als degene die optrad als Penny’s Bob.

‘Hoe is het met Penny?’ vroeg ik.

‘Ze slaapt nu,’ zei Duncan. ‘Ik heb geen idee hoe ze eraan toe is als ze straks wakker wordt.’

‘En Maledicta en Malefica dan?’

‘Die zijn wakker. Maar’ – en nu richtte hij zich tot een talrijker publiek, niet alleen tot mij – ‘die hoeven er niet op te rekenen dat ze weer naar buiten mogen als ze zich niet koest houden.’

De boot kwam aan en het ruim ging open. Toen we veilig aan boord stonden, stapte Duncan uit en nam het flesje wodka mee; een ogenblik later kwam hij met lege handen terug.

‘Het spijt me wel van al die opschudding waar je nu mee te maken krijgt,’ zei ik toen hij zich weer achter het stuur had geïnstalleerd. ‘Ik wilde dat ik het allemaal wat makkelijker kon laten verlopen, maar ik weet niet goed hoe ik dat moet aanpakken.’

‘Jij hebt dit zelf ook doorgemaakt, hè?’

‘Nee, ik niet. Ik heb wel zo’n idee wat Penny op dit ogenblik doormaakt, maar het is niet zo dat ik dat echt wéét, uit eigen ervaring.’

‘Nou,’ zei Duncan, ‘denk je dat je haar misschien eens kunt laten praten met iemand die dat wél weet?’

Dat was zo’n voor de hand liggend idee dat ik er versteld van stond dat ik daar zelf niet op was gekomen – en ik wist precies met wie Penny dan eens moest praten.

‘Nee, ik wil daar niet bij betrokken worden,’ zei mijn vader.

‘Het hoeft geen lang gesprek te worden,’ opperde ik. ‘Als je haar maar... ik weet niet... op de een of andere manier een hart onder de riem steekt.’

‘Een hart onder de riem...’

‘Ja! Maak haar gewoon duidelijk, weet je wel, dat ze zich op het ogenblik dan wel verschrikkelijk bang mag maken, maar dat het uiteindelijk allemaal goed komt. Net als in jouw geval.’

‘Je hebt geen idee wat je van me vraagt, Andrew.’

Hij had gelijk, dat wist ik ook niet – maar op het laatst kreeg mijn enthousiaste onnozelheid de overhand op zijn onwillige wijsheid, en hij stemde ermee in.

Toen we weer voor mijn huis stonden, maakte Duncan Penny wakker. Zodra ze besefte dat ze het grootste gedeelte van de terugtocht een black-out had gehad, raakte ze vreselijk over haar toeren, en het kostte me behoorlijk wat tijd om haar te kalmeren; toen pas stelde ik voor dat ze eens met mijn vader ging praten. Maar uiteindelijk ging ook zij ermee akkoord. Ik riep mijn vader naar buiten, en terwijl Penny en hij met elkaar praatten, ging ik naar binnen en maakte een lange wandeling om het meer, dat die dag in een dichte mist gehuld was.

Toen ik weer naar buiten kwam, waren er bijna drie uur verstreken – over een kort gesprekje gesproken. Mijn vader was bekaf.

'Is het goed gegaan?' vroeg ik. Penny was al naar huis.

'Ze is er iets beter aan toe,' zei mijn vader. 'Voor het ogenblik tenminste.' En toen: 'Ik vind het heel akelig dat je me dit hebt aangedaan, Andrew.'

'Nou,' zei ik, 'het is nu toch zeker voorbij?'

'Nee,' zei mijn vader. 'Daar geloof ik niets van.'

De volgende ochtend kwam Penny weer naar de Werkelijkheidsfabriek, alsof ze nooit was weggebleven. Eerst probeerde Dennis haar te plagen met haar 'vakantie' van een week, maar ze deed er zo nuchter over dat hij algauw ophield. En halverwege de middag, toen het haar was opgevallen hoe moeiteloos Penny de draad weer had opgepakt, leek Julie haar te hebben vergeven dat ze zonder bericht was weggebleven. 'Je kunt zeggen wat je wilt over haar,' merkte Julie op een gegeven ogenblik tegen me op, 'maar code schrijven, dat kan ze... Dus het gaat nu allemaal beter, neem ik aan?'

'Ja hoor,' gaf ik toe.

Die dag kwam Penny na afloop van het werk naar me toe en vroeg, ietwat aarzelend, of ze 'nog eens even met Aaron mocht praten'. Dat verzoek overrompelde me, maar mijn vader had het blijkbaar al verwacht; hij stond al te wachten op het spreekgestoelte. 'Zeg maar dat het goed is,' zei hij. Ik ging maar weer een wandeling om het meer maken, en mijn vader stak Penny weer langdurig een hart onder de riem.

… en de dag daarop nog eens. Na elk gesprek was mijn vader erger uitgeteld, maar die vrijdagavond kwam hij met een bericht dat zo te horen op heuse vooruitgang duidde. 'Volgende week gaat ze een afspraak maken met dokter Eddington,' zei hij. 'Ze gaat in therapie.'

'Dat is geweldig!' zei ik. 'Dan hebben we het ergste dus achter de rug…'

'Welnee, Andrew, het begint allemaal pas.'

'Sorry… ik weet wel dat ze nog heel wat voor de boeg heeft, maar…'

'Jij hebt geen flauw benul van de hele zaak!' snauwde mijn vader. 'Dit is… Ik weet wel dat deze toestand niet louter en alleen aan jou te wijten is, Andrew, maar daarom vind ik het nog wel vreselijk dat ik er ook een rol in moet spelen. Er zijn bepaalde dingen die ik gewoon niet nog eens wil beleven.'

Ik bood natuurlijk mijn verontschuldigingen aan, maar ook al besefte ik dat de toekomst nog heel wat obstakels voor Penny in petto had, in het geniep vond ik het een prettige gedachte dat mijn eigen leven nu weer zijn gewone loop zou nemen.

Zaterdagochtend om een uur of twaalf liep ik in Bridge Street Julie tegen het lijf, en na wat verlegen gedoe over en weer vroeg ze me mee uit lunchen. Onder het eten bracht ik haar op de hoogte van alles wat er was gebeurd – nu ik echt iets te vertellen had, viel me dat veel gemakkelijker – en toen ik uitgepraat was, zei ze dat het haar speet dat ze zich zo gedragen had.

'Ik snap wel dat dit een zware week voor je geweest is,' zei ze.

'Maakt niet uit, Julie,' zei ik. 'Volgens mij heb jij het ook zwaar gehad. Je voelde je buitengesloten, hè…?'

'Och…'

'Volgens Adam was jij jaloers.'

Julie zette grote ogen op. 'Jaloers?' zei ze.

'Op een speciale vriendschap – zoiets,' voegde ik eraan toe.

'Jaloers. Ha!' Julie maakte een beweging met haar hoofd, waarin je als je wilde een soort zijwaartse knik kon zien. 'O-kéé hoor.'

'En hoe gaat het tussen jou en je monteur?' vroeg ik, in een poging een positieve toon aan te slaan. 'Die Reggie.'

Julie maakte een zo-zo-gebaar.

'Niet zo geweldig?'

Ze haalde haar schouders op. 'Hij belde me een paar weken geleden, toen een van zijn vrienden me naar de garage had gesleept. Ik had nooit meer iets van hem gehoord sinds... nou ja, sinds de laatste keer dat we elkaar hadden gezien. We hebben lol gehad samen, maar...' Ze haalde haar schouders weer op. 'Het kan nog best blijken dat het eigenlijk toch een vergissing is. Ach ja, waarschijnlijk zal het daar wel op uitdraaien.'

Na onze lunch ging ik met Julie mee naar haar huis en bleef daar nog een paar uurtjes zitten. Het was het fijnste, meest onbekommerde bezoek dat ik daar sinds meer dan een jaar had meegemaakt, en toen ik eindelijk naar huis ging had ik het gevoel dat het leven – jawel – er beslist wat rooskleuriger uitzag. Nu besef ik dat dat naïef was – ook al was er níét iets anders gebeurd, dan zouden er zich altijd nog meer dan genoeg nieuwe problemen met Julie én Penny hebben voorgedaan. Maar op dat ogenblik verkeerde ik heel even in een zalig, naïef soort serene stemming.

Die serene stemming duurde ongeveer twintig uur, namelijk tot zondagmiddag, toen ik Warren Lodge een kopje kleiner maakte.

Daarna werd het leven in sneltreinvaart weer één grote toestand.

14

Ik kwam net Magic Mouse uit, de grote speelgoedzaak, toen ik hem zag, het hoofd gebogen, de handen in de zakken, het gezicht diep weggedoken in de capuchon van een blauwe trui: een poema op Pioneer Square.

Die zondag had ik na het ontbijt besloten een dagje naar Seattle te gaan. Ik wilde even weg uit Autumn Creek, niet thuis zijn als Penny of zelfs Julie het in hun hoofd mochten krijgen me te bellen. Bovendien had ik bedacht dat dit een goede gelegenheid zou zijn om de zielen in het huis die het gevoel hadden dat ze er de vorige keer qua tijd in het lichaam bekaaid af waren gekomen een beetje compensatie te bieden. Toen ik bij de halte van de metrobus in Bridge Street stond te wachten, riep ik Angel en Rhea naar het spreekgestoelte en vroeg hun te bedenken wat ze graag wilden doen in de stad.

Ik had het al zien aankomen: voordat Angel en Rhea ook maar een moment over de diverse mogelijkheden hadden kunnen nadenken, persten ook Jake, Adam, tante Sam, Drew, Alexander en Simon zich met z'n allen in het spreekgestoelte, en allemaal eisten ze luidkeels hun eigen stukje tijd op het lichaam op. Ik deed net alsof ik verbaasd was en herinnerde hen eraan dat ze allemaal al hun speciale tijdje in de buitenwereld hadden gehad, namelijk tijdens die eerste tocht naar dokter Grey. 'Angel en Rhea zijn de enigen die toen niet aan de beurt zijn gekomen. Eerlijk is eerlijk.'

'Eerlijk is helemaal niet eerlijk,' klaagde Simon. 'Het enige wat ik toen heb gekregen was vijf minuten op die stomme veerboot. Ik mocht niet eens kiezen wat ik wilde doen. Ik had juist naar Westlake Center gewild, winkels kijken. Ik wou juist...'

Zoals ik al zei: deze reactie had ik wel zien aankomen, en ik had het er al over gehad met mijn vader, toen ik hem toestemming vroeg voor dit speciale uitje. Vandaar dat ik nu mijn vaders advies opvolgde. Ik legde Simon het zwijgen op en maakte het hele stel duidelijk wie hier de baas was: 'Goed,' zei ik, 'dit zijn de regels. Iedereen mag één ding kiezen wat hij of zij in Seattle wil doen. Het moet wel iets redelijks zijn; het moet iets in het centrum zijn, zodat we niet de hele dag niks anders doen dan van de ene kant van de stad naar de andere trekken; en het mag niet langer duren dan tien minuten en niet meer kosten dan twee dollar. Angel en Rhea zijn de vorige keer overgeslagen, en daarom krijgt hun keus voorrang; bovendien krijgen zij elk twintig minuten en vier dollar. En tot slot: ' – en nu richtte ik me speciaal tot Simon – 'iedereen die mekkert, zijn geduld verliest of zich onbeschoft gedraagt, verspeelt niet alleen zijn keus, maar mag ook de rest van de dag in het huis doorbrengen, opgesloten in zijn kamer.'

Drew wilde nog steeds naar het aquarium en Rhea vond dat een gaaf idee, dus dat werd ons eerste doel. Het aquarium van Seattle is ondergebracht in twee gebouwen, en dat kwam handig uit; Rhea mocht naar de zeepaardjes, de tropische vissen en de reuzenoctopussen, terwijl Drew de zalmkwekerij en de zeezoogdieren ging bekijken. Vervolgens kwam er een ritje met de tram langs de kade: Angel ging van de halte bij het aquarium tot aan pier nummer 70; Alexander kreeg het lichaam voor de terugrit. We stapten uit bij Occidental Park, ter hoogte van Pioneer Square, waar tante Sam een café ontdekte waar je een chocoladecroissant kon krijgen voor een dollar vijfennegentig.

Inmiddels was het iets over twaalven. Simon wilde nog steeds naar zijn winkelcentrum. Adam was de enige ziel die er nog niet helemaal uit was wat hij wilde, maar hij opperde dat als hij niet gewoon even een café in mocht om een biertje te pakken – en dat mocht hij niet –, hij misschien wel een bezoekje wilde brengen aan een 'speciale' boekenzaak in Pike Street waar hij van had gehoord.

Voor die twee keuzes moesten we twee verschillende kanten op vanaf de plek waar we toen stonden, vandaar dat Jakes keus nu eerst aan de beurt kwam: een gang naar Magic Mouse. Dat is Jakes meest geliefde speelgoedzaak in Seattle. Hij is kleiner dan FAO Schwarz, maar ze hebben daar een groot assortiment, en bovendien heel wat meer spulletjes die binnen Jakes prijsklasse vallen.

Niet dat Jake nu werkelijk geld hóéfde uit te geven. De meeste zielen kennen het volgende trucje, maar Jake heeft daar speciaal slag van: door een ding in zijn handen te houden en het van alle kanten goed te bestuderen, kan hij het naar binnen halen. In het huis maakt hij er een denkbeeldige replica van. Het is een geweldige manier om aan allerlei luxespullen te komen die je je niet op een andere manier kunt veroorloven, en als die methode vaker werd toegepast, zou dat waarschijnlijk een flinke afname tot gevolg hebben van de bergen troep in de echte wereld waar een meervoudige persoonlijkheid steeds zo mee tobt. Alleen heeft dat trucje zijn beperkingen. Het werkt het best bij simpele voorwerpen, of bij meer ingewikkelde voorwerpen die je je kunt vóórstellen als simpel – een hobbelpaard of een elektrische trein is veel gemakkelijker binnen te halen dan bijvoorbeeld een legpuzzel. En verder zijn niet alle zielen even bedreven in de kunst van het namaken – tante Sam en ik zijn er aardig goed in, maar mijn vader bakt er verbazend weinig van (het bouwen van het huis en de aanleg van het terrein eromheen, zegt hij, is een creatieve daad geweest die voor een heel leven volstaat), en tot zijn eeuwige ergernis kan Adam er helemaal niets van. Jake is een natuurtalent op dat gebied, maar net als de meeste kinderen van een jaar of vijf is hij erg hebberig: als hij de keus krijgt tussen echt en denkbeeldig speelgoed, wil hij allebei. Dus hoeveel pluchen beesten en tinnen soldaatjes hij ook mocht namaken, ik wist dat hij uiteindelijk beslist iets zou vinden waaraan hij zijn twee dollar wilde uitgeven.

Ik ging het onderste niveau van de winkel in, waar het grootste gedeelte van het duurdere speelgoed te vinden is, en liet Jake daar los. Hij liep vlug even langs de treinen; van de meeste locomotieven en wagons had hij al replica's, maar in het landschap ontdekte hij een paar nieuwe onderdelen die hij een poosje aandachtig opnam. Toen liep hij door naar de afdeling Bordspellen.

Om kinderen die daarlangs komen effectiever in verleiding te brengen, houdt Magic Mouse er open demonstratie-exemplaren op na van de spelletjes die er te koop zijn, en tijdens een eerder bezoek was Jake helemaal in de ban geraakt van een exemplaar, Draadloze Doolhof genaamd, dat uit Duitsland kwam. De prijs bedroeg vijfentwintig dollar, dus voor iemand met zijn budget kwam het op geen stukken na in aanmerking, maar hij had al een paar – tot dusver vruchteloze – pogingen gedaan er een denkbeeldige kopie van te maken.

Replica's maken van bordspellen is heel moeilijk. Zelfs aan de meest elementaire komen een hoop details te pas die je in je hoofd moet stampen, en de onderdelen die van het toeval afhangen, zoals het gooien met de dobbelsteen, brengen lastige abstracte problemen met zich mee. Dit spel was extra rijkelijk gezegend met allerlei details: de doolhof bestond uit tientallen kartonnen tegels die allemaal van elkaar verschilden en in de loop van het spel van plaats veranderden. Er hoorden ook kaartjes bij – als ik eraan denk krijg ik al pijn in mijn hersens. Maar Jake had zich vast voorgenomen dat hij het spel in zijn bezit zou krijgen, desnoods stukje bij beetje. Hij hurkte neer bij het demonstratie-exemplaar, dat op een lage plank stond, pakte een handjevol doolhoftegels en concentreerde zich erop.

'O,' bulderde een stem, 'het benodigde aantal spelers staat vermeld op de zijkant van de doos, hoor.'

Jake schrok en liet de tegels vallen. Er was een verkoper naast hem komen staan, een oudere man met een bril en een sikje. Ik weet wel zeker dat die verkoper niets anders in de zin had dan hem behulpzaam te zijn, maar als er een volwassene – een reus, vanuit het perspectief van zijn kleine ziel – vlak naast hem komt staan, wordt Jake altijd doodsbang. 'W-wat?' stamelde hij.

'Het benodigde aantal spelers,' herhaalde de verkoper. Hij tikte op de zijkant van de doos. 'Kijk, hier staat het, samen met de leeftijdsgroep waarvoor het spel geschikt is, plus nog andere handige informatie.'

'O-o-kéé,' zei Jake.

De verkoper knikte en drentelde verder.

Jake raapte de tegels weer op.

'Bent u al eens eerder in de winkel geweest?' vroeg de man, die opnieuw naast hem was opgedoken. Jake slaakte een kreet, verloor zijn evenwicht en zou zijn omgevallen als de verkoper hem niet bij zijn arm had gepakt om daar een stokje voor te steken.

'U wilde iets weten?' vroeg ik, en ik kwam overeind. Jake was het lichaam uit gevlucht zodra de verkoper hem had aangeraakt.

'Ik vroeg of u al eens eerder in de winkel was geweest,' zei de verkoper met een beminnelijke glimlach, zonder iets in de gaten te hebben van de angstige schrik die hij teweeg had gebracht.

'Ja,' zei ik, 'we zijn hier weleens eerder geweest.'

'Ah,' zei de verkoper. 'Dan hoef ik u niets te vertellen over Luchtruim.'

'Luchtruim?' zei ik, en één duister ogenblik vroeg ik me af of die opdringerige figuur echt wel een verkoper was. 'Lucht wát?'

'Luchtruim, het vliegtuigspel,' antwoordde de man, en hij wees naar een nog opvallender opgesteld demonstratiespel. 'Dat is verreweg het populairste spel dat we verkopen.'

'O,' zei ik. 'Nou, dat is fijn, maar... ik ben nu eenmaal geïnteresseerd in dít spel hier, en ik zou het prettiger vinden als u me met rust liet.'

'Natuurlijk,' zei de verkoper onaangedaan. Hij knikte en drentelde weer weg.

'Jake?' zei ik, en ik draaide me weer om naar de kartonnen doolhof. 'Heb je zin om het nog eens te proberen?' Maar nee; zijn concentratievermogen was helemaal naar de maan en hij bibberde nog zo erg na dat ik de grootste moeite had om hem met een zoet lijntje naar het spreekgestoelte te krijgen. 'Goed hoor, Jake; dan gaan we nu naar boven.'

Op de bovenverdieping bij Magic Mouse vind je vooral de nieuwste snufjes, dingen zoals stuiterklei en snoepautomaatjes. Ik ging wat grasduinen, pakte hier en daar iets op en maakte er op luchtige toon een opmerking over. Op het laatst was Jake min of meer gekalmeerd, zodat ik zijn nieuwsgierigheid kon prikkelen met een gespikkelde jojo die zich met een loeiend geluid op en neer bewoog langs de draad. Hij kostte meer dan twee dollar, maar toch kocht ik hem.

Met de jojo in mijn zak ging ik de winkel uit via de ingang aan First Avenue. 'En nu is het mijn beurt,' zei Simon. 'Nu is het jouw beurt,' beaamde ik, en vroeg me af of ik de bus zou nemen naar het winkelcentrum of gewoon lopend zou gaan.

En op dat ogenblik, toen ik in gedachten verzonken op het trottoir stond, botste er een lange gestalte in een blauwe capuchontrui tegen me op. De man – ik dacht tenminste dat het een man was – liep zo vlak langs me dat ik een duw kreeg; doorgaans zou ik daar waarschijnlijk geen aandacht aan hebben geschonken, maar doordat het me zo snel na dat voorval met die verkoper overkwam, maakte ik me er boos over, en ik riep hem na: 'Zeg, hé!'

Hij minderde geen vaart en draaide zich ook niet om; hij gaf geen enkel teken dat hij me zelfs maar had gehoord, liep gewoon door en stak Yesler Way over terwijl het licht op rood stond. En daarmee zou de kous af zijn geweest, als er aan de overkant van Yesler niet twee mannen in de weer waren geweest met een antieke kleerkast die ze in een busje tilden. Toen hij aan de overkant op de stoep stapte, keek de man in de blauwe trui op, zodat zijn gezicht een ogenblik te zien was in de spiegeldeuren van de kleerkast. Ik ving maar heel even een glimp van hem op, en zijn gezicht ging nog steeds voor een deel schuil in zijn capuchon. Maar ik herkende hem.

Warren Lodge.

Eerst kon ik het niet echt geloven. Hij was al tien dagen voortvluchtig, en ik zou hebben verwacht dat hij al lang en breed de staat uit was, en eigenlijk ook het land – de Canadese grens is hier tenslotte maar zo'n honderdzestig kilometer vandaan. Verder had ik hem altijd alleen op de televisie gezien, en op foto's in de krant; om zomaar op straat letterlijk tegen hem op te lopen, hem in levenden lijve te aanschouwen, was net zoiets als de bietebauw in de rij te zien staan op het postkantoor.

Maar terwijl de gestalte in de blauwe trui zich vlug langs de mannen met de kleerkast werkte, liet Adam, die dezelfde glimp had opgevangen als ik, zich horen. 'Dat is hem,' zei hij.

Ken je dat gevoel? Je loopt ergens zonder speciaal op het weer te letten, en opeens verdwijnt de zon achter een wolk en doordat het licht plotseling minder wordt, sta je in een heel ander landschap dan waar je een seconde geleden nog in rondliep. Zo'n soort situatie was dat: in een mum van tijd zag de dag er radicaal anders uit.

'Weet je het zeker?' vroeg ik.

'Dat is hem,' zei Adam. 'Dat is Warren Lodge.'

Simon had geen idee wie Warren Lodge was en dat liet hem ook koud, maar hij was slim genoeg om in de gaten te hebben dat het middagprogramma zojuist was omgegooid, en daar bemoeide hij zich nu dus mee: 'Hé! Wat krijgen we nou! Ik ben aan de beurt!'

'Ga naar je kamer, Simon.'

Wat doe je als je een loslopende poema signaleert in een drukke winkelstraat? Geen probleem: je haalt de politie erbij. Maar toen ik om me heen keek zag ik nergens van die lui, zelfs geen verkeersagenten. Er waren wel een paar potig ogende gewone mensen in de buurt – dat stel kleerkastverhuizers bijvoorbeeld – die ik te hulp had kunnen roepen om te proberen Warren Lodge aan te houden, maar ook al was dat bij me opgekomen, dan had het altijd nog tijd gekost om hun uit te leggen wat ik wilde... en intussen was de gestalte in de capuchontrui bezig te ontsnappen.

Ik ging snel achter hem aan.

'Andrew,' zei Adam, 'wat haal je je verdomme in het... Verrek! Kijk uit!'

Het voetgangerslicht stond nog op rood, en toen ik van de stoep stapte werd ik bijna overreden. Gelukkig had de bestuurder van de auto beter opgelet dan ik; hij was op de rem gaan staan.

'Andrew,' probeerde Adam nog eens toen we heelhuids de overkant hadden gehaald, 'wat doe je nu eigenlijk?'

'Ik loop achter hem aan,' zei ik. 'Wat dacht je dan? Dat is Warren Lodge, we moeten hem te pakken zien te krijgen.'

'Ben je helemaal gek? We moeten de politie waarschuwen. Laten zíj hem maar oppakken.'

'Ik zie hier nergens politie, jij wel?'

'Ga dan naar een telefooncel – kijk, daar heb je er eentje. Bél de politie dan.'

'Ja, als ik weet waar hij heen gaat.'

Warren Lodge liep nu een halve straat voor me uit, nog steeds in dezelfde richting. Ik deed een amateuristische poging om te verhullen dat ik hem schaduwde door elke paar meter even stil te blijven staan om in het raam te kijken van het gebouw waar ik langs kwam, of daar nu iets te zien was of niet. Als Warren Lodge ook maar één keer had omgekeken, had hij in hooguit drie seconden doorgehad wat ik in mijn schild voerde.

Maar hij keek geen ogenblik om; hij sjouwde alleen maar gestaag door, straat na straat. Toen hij vlak bij het kruispunt van First Avenue en King was, zag hij blijkbaar iets wat hem niet zinde, want opeens bleef hij staan. Vervolgens stoof hij naar de overkant van First en weg was hij, om de hoek verdwenen.

Ik liep snel naar de zijstraat. Aan mijn rechterhand zag ik waar

Warren Lodge zo van was geschrokken: een politiewagen die langs de stoeprand stond. Maar de auto was leeg, en de agenten die hem daar hadden geparkeerd waren in geen velden of wegen te bekennen.

Ik sloeg links af en speurde King Street af in de richting waarin Warren Lodge was weggerend. De trottoirs lagen er leeg bij tot aan het Amtrak-station, tweeënhalve straat verderop. Ik zette het op een hollen en keek onderweg in alle zijstraten en -steegjes, maar ik kwam uit bij het station zonder hem in het oog te hebben gekregen. Erop gebrand hem weer op het spoor te komen voordat ik het wel kon schudden, ging ik zonder me iets aan te trekken van het opschrift BEVEILIGINGSDIENST een zijdeur in, waarna ik in het stationsgebouw stond.

'Dit is écht stompzinnig van je, Andrew,' zei Adam. 'Ik bedoel, hij is hier heus niet, maar het is en blijft stompzinnig.'

Station King Street is maar klein, en het kostte me nog geen minuut om de hal en de wachtruimte in ogenschouw te nemen. Ik werd al opgewonden toen ik iemand in een sporttrui voor het kaartjesloket zag staan, maar dat bleek een vrouw met kort haar te zijn.

Intussen had mijn vader er lucht van gekregen dat er iets gaande was. 'Wat is er toch aan de hand?' vroeg hij toen hij achter Seferis aan het spreekgestoelte betrad. 'Simon rent door het huis te jammeren dat hij onrechtvaardig is behandeld.'

'We hebben Warren Lodge gezien,' zei ik.

'Je hebt Warren Lodge gezien? Op straat?' Hij keek naar buiten en nam de omgeving op. 'Nou, wat doen we hier dan, op een station? Waarom praat je op dit ogenblik dan niet met de politie?'

'Andrew heeft tot een burgerarrest besloten,' legde Adam gedienstig uit.

'Wát?'

Mijn vader is een ziel die zich niet gemakkelijk laat negeren, zelfs niet wanneer hij knettergek is, maar nu deed ik even alsof hij lucht was. 'Adam,' zei ik, 'waar denk je dat Warren Lodge naar op weg was, op First Avenue?'

'Dat weet ik niet,' zei Adam. 'Misschien wel nergens heen.'

'Wat bedoel je?'

'Nou, hij is immers op de vlucht geslagen, hè? De smerissen houden zijn huis in de gaten, en waarschijnlijk hebben ze zijn bankrekening en creditcard geblokkeerd. Dus als hij niet naar huis kan, en geen cent op zak heeft...'

'Dakloos,' zei ik. 'Dus je denkt dat hij weleens kon rondzwerven op Pioneer Square?'

'Zou kunnen, ja. En dat is nog een reden waarom jij niet op eigen houtje achter hem aan hoeft te zitten, want vroeg of laat...'

'Dus stel dat hij bang was geworden en ergens heen wilde, niet al te ver hiervandaan, waar hij een tijdje kon opgaan in een grote mensenmassa, waar zou dat dan zijn?'

Adam zei niets, maar dat hoefde ook niet; ik wist het antwoord toch wel. Dat was ergens waar ik vandaag al eerder was geweest: Occidental Park.

'Zeg Andrew,' zei mijn vader, toen ik door Occidental Avenue rende. 'Andrew, hóór je mij eigenlijk?'

'Ik hoor je heel goed,' zei ik, 'en ik weet dat je je kapot aan me ergert, maar...'

'Begrijp je wel hoe gevaarlijk dit is? Je brengt het hele huis in gevaar.'

'Ik ga hem niet aanklampen,' beloofde ik. 'Ik wil hem alleen opsporen, en dan...'

'Andrew...'

'Wacht,' zei ik.

Occidental Park is twee straten lang. In het zuidelijke gedeelte heb je hele rijen galeries en antiekzaken, maar het noordelijke gedeelte is wat meer vervallen. Aan één kant grenst dat aan een parkeerterrein, en door de vele houten bankjes die er staan is het een natuurlijke verzamelplaats voor dakloos volk.

'Andrew...'

'Daar!'

Hij zat er in zijn eentje, helemaal aan de noordkant van het park. Zijn hoofd ging nog steeds schuil in de capuchon van zijn trui en hij zat voorovergebogen, alsof hij misselijk was of pijn had, maar het was hem. Adam zei het ook.

'Goed,' zei ik. 'Dan bellen we nú de politie.'

Niet ver daarvandaan was een telefooncel. Ik ging erheen, maar voordat ik 911 had kunnen draaien, zag ik dat een van de andere types in het park – een zwerver met een enorm lange baard en nog langer haar, net een schipbreukeling op een verlaten eiland – op de bank af liep waar Warren Lodge zat. De schipbreukeling, duidelijk een krankzinnige, ging schreeuwend en met zijn armen zwaaiend op hem af; Warren Lodge schoot verschrikt overeind, schoof zijdelings van de bank en vluchtte het park uit en Washington Street in.

'Verdomme!' zei ik, en ik legde de hoorn weer op de haak. Toen ik Washington Street had bereikt was Warren Lodge weer nergens te bekennen. Ik rende de omhooglopende straat in, in oostelijke richting... en belandde bij een kruispunt van vijf brede straten.

'Goed, Andrew,' zei mijn vader. 'En nú wens ik dat je teruggaat naar die telefooncel...'

'Maar hij kan toch niet zomaar verdwenen zijn?' zei ik, terwijl ik in een kringetje ronddraaide en vruchteloos probeerde vast te stellen welke kant hij op was gegaan.

Ik tuurde ook het nieuwe gedeelte van Second Avenue af. Het blok aan mijn kant van de straat werd grotendeels in beslag genomen door een meubelzaak; ongeveer halverwege stond een bushokje op het trottoir. Verderop vormde Second Avenue een viaduct waar de spoorlijn onderdoor liep; daarnaast leidde een trap naar station King Street.

'Het station,' zei ik. 'Misschien dat hij daar rechtsomkeert heeft gemaakt...'

'Dat is onmogelijk,' zei Adam.

'Hoezo?'

'Omdat,' zei Adam op een onhebbelijk toontje, 'hij daar dan eerst heen zou moeten zijn gegaan. Maar dat is niet zo. Jij bent degene die in kringetjes rondholt.'

'Adam...'

'En nu is het uit, Andrew,' zei mijn vader. 'Ga terug naar die telefooncel in het park en bel de politie.'

'Ja, ik ga al,' beloofde ik, maar intussen liep ik de kant van het viaduct op. 'Ik wil alleen nog één keer rondkijken op het station...'

Op dat ogenblik riep Adam me een waarschuwing toe, maar ik wilde even niets van hem weten en luisterde niet. Er verstreken nog een paar seconden voordat ik mijn vergissing in de gaten had. Ik had gedacht dat het bushokje leeg was, maar toen ik erlangs kwam zag ik dat er wel degelijk iemand in zat, helemaal voorovergebogen...

'Gewoon doorlopen,' zei Adam. 'Net doen alsof je hem niet hebt gezien.' Maar ik was al blijven staan – en eindelijk had Warren Lodge me opgemerkt.

Ik stond bijna recht achter hem, en we hadden het veiligheidsglas van het bushokje tussen ons in, maar toch had hij me op de een of andere manier in de gaten. Hij ging rechtop zitten, en zijn hoofd, nog steeds omhuld door de capuchon, wendde zich naar links en rechts. Ik denk dat hij zich afvroeg of ik soms die schipbreukeling uit het park was, die hem nog eens kwam lastigvallen.

Hij stond op.

Mijn vader en Adam schreeuwden me allebei toe dat ik moest maken dat ik wegkwam, en ik voelde Seferis al rukken en trekken om het lichaam in handen te krijgen. Maar het gekke was dat ik me niet bang maakte. Of nee, natuurlijk was ik wel bang; ik maakte me ongerust, maar ik was niet doodsbenauwd, wat je toch zou verwachten als een kindermoordenaar zijn aandacht op jou richt.

Maar misschien was ik wel uit op zijn aandacht; misschien dat ik daarom niet doodsbenauwd was. Tegen mijn vader had ik gezegd dat ik Warren Lodge niet zou aanklampen, maar nu denk ik dat ik dat al die tijd onbewust juist wél van plan was geweest. Niet om hem in de kraag te vatten, zoals Adam had geroepen, maar om erbij te zijn als hij werd gearresteerd, en om hem in de ogen te kijken voordat hij werd afgevoerd om zijn straf te ondergaan – om hem te veroordelen, en ook gewoon om te zien wat er te zien viel, om mijn nieuwsgierigheid te bevredigen, dezelfde nieuwsgierigheid die mijn vader het verlangen had ingegeven om de brieven te lezen die mevrouw Winslow had gekregen.

Nou, nu diende mijn kans zich dus aan: hij was opgestaan en hij draaide zich om. Dat hij nog geen handboeien om had, baarde me nauwelijks zorgen, terwijl dat wel op zijn plaats zou zijn geweest. Ik week geen duimbreed. En toen stonden we tegenover elkaar, met enkel een dunne ruit tussen ons in.

Voor een roofdier maakte hij een zielige indruk. Zijn ogen waren opgezet van uitputting en zijn kin vertoonde een lappendeken van stoppels die op sommige plaatsen veel langer waren dan op andere, alsof hij een begin had gemaakt met een scheerbeurt en toen van gedachten was veranderd. De schram op zijn voorhoofd – die hij zogenaamd had gekregen toen hij met dat grote beest vocht – zat er nog, vuurrood nu. Hij had een loopneus.

Ha, wat een poema, weet ik nog dat ik dacht. Toen bewogen zijn lippen, ze probeerden een vraag te vormen – 'Wie...?', of misschien: 'Wat...?' – en ik besefte dat hij bang was, veel banger dan ik. Om de een of andere reden maakte dat me woedend; ik had hem het liefst een klap om zijn oren gegeven, maar in plaats daarvan riep ik zijn naam: 'Warren Lodge', en ik wees naar hem en zei: 'Wij weten wat jij hebt gedaan.'

Of tenminste, dat wilde ik zeggen. Ik weet niet of ik al die woorden eruit heb gekregen, want toen ik mijn arm ophief om naar hem te wijzen, week Warren Lodge achteruit. Misschien dat zijn ogen hem parten speelden; misschien dat hij bij de aanblik van mijn vinger dacht dat ik een pistool op hem richtte. Maar hoe dan ook, hij deed een stap achteruit, en toen nog een, en nog een en nog een. Bij de vierde stap belandde hij op het wegdek, en op dat ogenblik werd hij geraakt door de bestelwagen.

Er ging niets aan vooraf, geen getoeter of gejank van remmen; opeens kwam er van opzij iets groens aanrazen dat met een klap tegen Warren Lodge op reed en hem meesleurde. Hij had het geen moment zien aankomen; zijn aandacht was uitsluitend op mij gericht, totdat hij plotseling verdween.

Er volgden een paar verwarde ogenblikken. Ik hoorde iets van gegil of gekrijs, en toen nog een klap en brekend glas, en ook een paar andere geluiden, maar het viel niet mee om die allemaal thuis te brengen. Mijn ogen konden het niet goed bijbenen: het was net alsof ik naar een slecht gemonteerde film stond te kijken.

De eerstvolgende duidelijke indruk was dat ik weer in de richting van het viaduct stond te kijken. Iemand had een groene bestelwagen midden op het viaduct geparkeerd, zo dat hij schuin op twee rijbanen tegelijk stond, en aan het eind van een lang remspoor; de neus van de auto was helemaal ingedeukt, en vanonder de zwaar gehavende motorkap ontsnapte sissende stoom. Dichterbij had iemand aan mijn rechterhand – wie weet dezelfde onverlaat die de bestelwagen in de prak had gereden – een van de grote ruiten van de meubelzaak ingegooid.

Ik wist wel een logisch verband te leggen tussen de bestelwagen en dat groene iets dat was komen aanvliegen, maar de betekenis van die kapotte ruit ontging me. Elk moment verwachtte ik Warren Lodge op het wegdek of het trottoir te zien staan, en toen ik hem nergens kon ontdekken, vroeg ik me ongerust af of hij er soms weer vandoor was gegaan. Maar misschien hield hij zich wel verborgen achter de bestelwagen. Ik liet me neer op handen en knieën om te proberen eronderdoor te kijken, maar ik stond er te ver vandaan, dus kwam ik weer overeind en liep al een paar passen die kant op, toen ik rechts van me een geluid hoorde.

Ik stond nu voor de kapotte etalageruit van de meubelzaak. Daar binnen was op een verhoging een zithoek van een huiskamer; om het wat echter te laten lijken hadden ze een etalagepop met een blauwe trui in een slaaphouding op de bank geïnstalleerd. Het was niet gek gedaan, maar alles lag vol met glasscherven, en de meubels waren nat geworden, zodat de kleuren van de bankbekleding al begonnen door te lopen.

Nee, wacht eens, dat klopte niet... Ik miste iets. 'Adam, wat mis ik toch?' zei ik, en de etalagepop ging rechtop zitten, en ik zag dat hij de kop van een poema had, en de snuit van de poema was kapot en zat onder het bloed, en in zijn hals stak een grote scherf, die zich dwars door de stof van de blauwe trui heen had geboord. De poema probeerde zich met een sprong boven op me te storten, maar hij struikelde over de salontafel, en terwijl hij viel opende hij zijn bek om te grommen, maar er kwam geen geluid uit, alleen maar een rode golf, en toen volgde er weer zo'n slecht gemonteerd stuk in de film.

Er klonk geklots van water, dat overging in het geronk van een dieselmotor. Ik merkte dat ik neerkeek op mijn handen, en stukje bij beetje drong het tot me door dat mijn handen in mijn schoot lagen, dat ik zat, en dat datgene waarop ik zat in beweging was.

Ik keek op en zag dat ik in een metrobus zat. Buiten deinde een vertrouwd gedeelte van de 90 voorbij; de bus had net Issaquah aangedaan en was nu op weg naar Autumn Creek. De lucht, een ogenblik eerder in Seattle nog grotendeels onbewolkt, was nu betrokken.

Ik richtte mijn aandacht op de andere passagiers in de bus. Zo te zien keek niemand er verbaasd of zelfs maar geïnteresseerd van op dat ik plotseling in hun midden was verschenen.

Dus misschien was ik hier níét plotseling beland. Misschien was ik gewoon in slaap gevallen en werd ik nu wakker. Om in de bus in slaap te vallen had ik natuurlijk wel eerst moeten instappen, en dat was iets wat ik me niet meer kon herinneren. Niettemin stond dat idee me bijzonder aan: als ik had geslapen, dan had ik misschien gedroomd, en dat zou kunnen betekenen dat die hele belevenis met Warren Lodge maar een nachtmerrie was geweest...

Maar nee hoor. Toen ik aan het ongeluk dacht, kwam het weer haarscherp terug: ik zag de bestelwagen Warren Lodge raken, ik hoorde de winkelruit aan diggelen gaan, ik voelde gebroken glas onder mijn schoenen knarsen toen ik erheen liep om te kijken...

Ik zat weer op mijn handen neer te staren.

'Eindpunt,' riep de buschauffeur. 'Autumn Creek, eindpunt.'

Ik keek op. We stonden in Bridge Street. Ik kwam overeind en wankelde de bus uit. Buiten stond een koele, vochtige wind – het regende of motregende nog niet, ik voelde alleen piezeltjes vocht in de bries, net denkbeeldige dauwdruppeltjes – en die wind blies de wazigheid uit mijn hoofd. Een dof gebonk kwam ervoor in de plaats.

Ik leunde tegen een lantaarnpaal en sloot mijn ogen. 'Adam?' riep ik.

Mijn vader antwoordde: 'Ga naar huis, Andrew.'

'Ja, goed,' zei ik, te moe om er nog meer aan toe te voegen.

Dit was precies het soort dag waarop ik zou hebben verwacht dat mevrouw Winslow me stond op te wachten bij de voordeur, maar nee. Ik tastte naar mijn sleutel en deed de voordeur open.

'Mevrouw Winslow?' Ergens stond een televisie aan met het geluid loeihard. Ik liep in de richting van de herrie en kwam uit in de keuken. Midden in het vertrek stond mevrouw Winslow naar de televisie te kijken, terwijl ze met beide handen steun zocht bij de rugleuning van een van de keukenstoelen. Ze was in tranen, maar aan haar gezicht kon ik niet zien of het tranen van verdriet of van vreugde waren. 'Mevrouw Winslow, is alles...'

'Sst!' siste mevrouw Winslow. Zo fel had ik haar nog nooit gezien.

Ik richtte mijn blik ook op de televisie en zag een beeld in zwartwit van het trottoir in het centrum van Seattle waar ik net was geweest. Daar had je het bushokje, en de kapotgeslagen winkelruit; iets verderop, half buiten beeld, stond de bestelwagen met de ingedeukte motorkap.

'... toriteiten achten het niet onmogelijk dat Lodge zelfmoord heeft willen plegen,' zei een televisiestem. Het beeld versprong naar een close-up van de in de vernieling gereden bestelwagen. 'Charles

Daikos, de bestuurder van het voertuig, heeft tegenover de politie toegegeven dat hij onder zijn stoel naar zijn mobieltje tastte op het ogenblik dat het ongeluk zich voordeed; hij kan niet zeggen of Lodge met opzet voor de bestelbus is gestapt. Daikos liep bij de botsing enkele lichte verwondingen in het gezicht op, maar is verder ongedeerd gebleven...' Nu verscheen de ruit van de meubelzaak weer in beeld. Politieagenten liepen druk rond voor het grillig gevormde gat in het glas, terwijl aan de binnenkant een paar ziekenbroeders een langwerpige grijze zak op een brancard tilden.

Toen was de televisie uit en ik zat aan de tafel en warmde mijn handen aan een beker koffie. Mevrouw Windsor had haar tranen afgewist en zat in een kop thee te roeren.

'Zo,' zei ik, en de vraag die ik nu stelde voelde vreemd en misplaatst aan, 'dus Warren Lodge is dood? Dat staat vast?'

'Ja,' zei mevrouw Windslow. 'Heb je honger, Andrew?'

We aten samen zonder veel te zeggen, en ik trok me terug op mijn kamer. Dit was een tijdstip dat ik het lichaam meestal een poosje afstond aan andere zielen, zodat ze konden spelen of lezen of naar muziek luisteren. Maar die avond schoot me dat helemaal door het hoofd, en urenlang beende ik doelloos op en neer. Niemand beklaagde zich over die afwijking van de normale gang van zaken, zelfs Simon niet.

Buiten werd het donker. Om een uur of negen ging de telefoon; mevrouw Winslow klopte bij me aan en zei dat het Penny was. 'Zegt u maar dat ik niet thuis ben,' zei ik.

Nog meer tijd verstreek. Op een gegeven ogenblik drong het tot me door dat mijn vader vanaf het spreekgestoelte mijn naam riep. Het leek erop dat hij al behoorlijk lang stond te roepen zonder dat ik iets had gehoord, en dat was vreemd, want het is onmogelijk om dingen die vanaf het spreekgestoelte worden gezegd niet te horen – dat is niet eens een huisregel, dat *ís* gewoon zo. Mijn verbazing maakte opeens plaats voor afgrijzen toen ik moest terugdenken aan het bloed dat uit Warren Lodge' mond was gegulpt.

'Andrew...! Andrew!'

'Zoveel bloed,' mompelde ik. 'En *ík* heb hem vermoord, hè? Dat heb ik gedaan.'

'Welnee, Andrew,' zei mijn vader. 'Dat was een ongeluk.'

'Ik joeg hem op...'

'Je volgde hem.'

'... ik heb hem van het trottoir gejaagd.'

'Je herkende hem, en hij werd bang. Je hebt hem niet voor die bestelwagen gedúwd. Hij had niet achteruit hoeven te stappen.'

'Dat deed hij omdat hij bang voor mij was. Hij...'

'Het was een ongeluk, Andrew. Het enige waar je verkeerd aan hebt gedaan is dat je je eigen veiligheid op het spel zette – of ónze veiligheid – door zelf op Warren Lodge af te stappen en niet naar een politieagent op zoek te gaan, zoals ik je toch had gezegd. Dat was stom. Dat was héél stom, en heel gevaarlijk. Maar een staaltje van pure slechtheid – nee.'

'Ik weet het niet,' zei ik. Ik harkte door mijn haar. 'God, de politie... Ik zal ze moeten bellen, hè? En ze vertellen...'

'Nee,' zei mijn vader resoluut.

'Maar ze weten niet wat er echt is gebeurd. Op het nieuws zeiden ze dat ze denken dat Warren Lodge zelfmoord heeft gepleegd...'

'Ze denken dat hij misschíén zelfmoord heeft gepleegd.'

'Maar dat is niet zo!'

'Ja, maar dat is toch best. Ze hóéven ook niet te weten wat er precies is gebeurd.'

'Maar getuigen horen zich toch te melden? Die horen toch niet... toch niet weg te lopen als er een ongeluk is gebeurd, zonder te vertellen wat ze hebben gezien?' Ik haperde even, want ik vroeg me af: hóé was ik daar eigenlijk weggelopen? Hoe was ik op de bus gestapt? 'Dat is voorschrift.'

'Dat is zo, maar als je nu teruggaat om je overtreding te herstellen, dan zou dat weleens onnodig veel vervelende toestanden kunnen opleveren.'

Ik fronste. 'Vervelende toestanden voor ons, bedoel je.'

'Ja.'

'Dus jij wilt dat ik de waarheid voor me hou, omdat je geen trek hebt in vervelende toestanden. Maar is dat niet egoïstisch?'

'Dat is de beste oplossing, Andrew. Wat er vandaag gebeurd is, dat was een ongeluk. Een ongeluk!'

Ik schudde mijn hoofd, maar zei niets.

'Volgens mij,' zei mijn vader, 'moet je nu proberen wat slaap te krijgen.'

'Nee,' zei ik. 'Nee, ik ben nog niet moe.' Dat was gelogen – ik kon niet meer, het lichaam kon niet meer –, maar de gedachte dat ik dan mijn bewustzijn kwijt was, joeg me angst aan.

'Andrew. Je bent nu heus aan rust toe...'

Hoe was ik in die bus gekomen? Waarom kon ik me dat niet herinneren?

Kennelijk had ik hardop gedacht.

'Je bent in het meer gevallen,' zei mijn vader.

'Hè?'

'Toen Warren Lodge... Toen hij opstond en uit het raam probeerde te klimmen, ging jij het lichaam uit en viel in het meer. Seferis moest de zaak overnemen. Hij heeft ons daarvandaan geloodst en het lichaam veilig op de bus gezet.'

'Ik ben gevallen?'

'... in het meer, ja. Daarom weet je niet meer wat er gebeurd is. Je hebt onder water gelegen, diep in slaap. Ik heb kapitein Marco moeten vragen om je eruit te vissen.'

'Wil je nu zeggen dat ik een stuk tíjd kwijtgeraakt ben?'

'Iets meer dan een uur, ja. Niet dat je zo lang in het meer hebt gelegen, maar het kostte wel even tijd om je wakker te krijgen, en ook om je wakker te houden.' Hij zuchtte. 'Sorry dat ik je dat niet eerder heb verteld, maar ik dacht dat ik daar beter mee kon wachten totdat je een beetje was uitgerust.'

'Maar dat kan toch niet? Ik kán toch geen stukken tijd verliezen?'

'Dat is niet de bedoeling, nee,' verbeterde mijn vader me. 'Maar wat daar gebeurde met Warren Lodge... dat was iets afschuwelijks om bij te moeten toekijken, een afschuwelijke schok.'

'Dat is vreselijk,' zei ik. 'Vreselijk! Als ik stukken tijd ga verliezen...'

'Het stemt me wel een beetje ongerust,' gaf mijn vader toe. 'Maar je kon daar niets aan doen, Andrew. Jij had nog nooit iemand zien st...'

'Ik ben verantwoordelijk voor het lichaam. Dat heb je me duizend keer voorgehouden: ik mag nooit de zeggenschap over het lichaam afstaan, wat er ook gebeurt.'

'Dat weet ik wel, maar...'

'Wat er ook gebeurt. Dat heb je mij áltijd voorgehouden.'

Er viel een langdurige stilte. Eindelijk zei mijn vader: 'Als je morgen thuiskomt van je werk, dan wil ik dat je dokter Eddington belt om een afspraak te maken.'

'Dokter Eddington?'

'Dokter Grey had gelijk,' zei mijn vader, op een toon alsof het hem enige moeite kostte om dat toe te geven. 'Jij hebt inderdaad iemand nodig om mee te praten – een deskundige, bedoel ik.'

Daar dacht ik over na. 'Mag ik... Mag ik hem dan vertellen over Warren Lodge? Over wat er vandaag is gebeurd?'

'Ja hoor,' zei mijn vader. 'En ook over andere dingen, wat je maar wilt... Over Penny, Julie, alles.'

'Goed dan.'

'Maar nu moet je proberen te gaan slapen, Andrew.'

'Nee.' Ik schudde mijn hoofd. 'Ik geloof niet dat dat gaat. Dat doet me dan te veel denken aan weer zo'n black-out...'

'Probeer het gewoon. Wees maar niet bang, ik blijf wel bij je.'

'Goed dan.'

Ik deed het licht uit en ging liggen, al dacht ik dat ik nooit de slaap zou kunnen vatten – en als zo vaak wanneer je dat denkt, werd ik algauw heel doezelig. Mijn vader bleef op het spreekgestoelte en praatte zachtjes met me terwijl ik langzaam wegzeilde.

'Vader?' vroeg ik op een gegeven ogenblik, nog net niet in slaap.

'Ja?'

'Het wás toch een ongeluk, hè?'

'Jazeker.'

'Oké,' zei ik, want eindelijk geloofde ik het. Maar toen drong er zich een andere vraag aan me op, en waar die zo opeens vandaan kwam weet ik niet, en nog steeds zou ik niet kunnen zeggen of ik dat echt heb gevraagd of het alleen heb gedroomd: 'Vader...? Heeft Andy Gage' stiefvader ook een ongeluk gehad?'

En daar kwam geen antwoord op, alleen het gekabbel van het water tegen de oever van het meer, waarbij ik ongemerkt insluimerde.

15

Toen ik de volgende ochtend wakker werd, vroeg ik me voor de tweede keer af of ik die hele geschiedenis soms had gedroomd, of de dood van Warren Lodge niet enkel een nachtmerrie was geweest; maar uit de ongewone stilte op het spreekgestoelte en in het huis maakte ik op dat ik niet had gedroomd en dat het geen nachtmerrie was geweest. Toen ik naar de badkamer ging om aan het ochtendritueel te beginnen, wilde Jake niet tevoorschijn komen om het tandenpoetsen voor zijn rekening te nemen; tijdens zijn vaste oefeningen raakte Seferis tot twee keer toe de tel kwijt bij zijn sit-ups; en Adam en tante Sam zagen dan wel niet af van hun doucherechten, maar ze deden geen pogingen om me, zoals anders, wat extra tijd af te troggelen.

Zelfs mevrouw Winslow gedroeg zich alsof ze haar hoofd er niet goed bij had: toen ik kwam ontbijten had ze alleen één grote portie roerei met geroosterd brood voor ons klaarstaan. 'O, lieve help,' riep ze uit. Ze had het bord nog niet voor me neergezet, of haar vergissing drong tot haar door.

'O, dat is niet erg, hoor,' zei ik. 'Ik geloof niet dat de anderen zo'n honger hebben vanmorgen.'

'Echt niet, Andrew?'

'Nee, hoor.' Eigenlijk liet Adam al een protest horen, maar toen ik geen aandacht aan hem schonk hield hij daar vlug mee op, en niemand anders gaf een kik.

Mevrouw Winslow begon nu ook aan haar ontbijt. Onder het eten praatten we over koetjes en kalfjes, net als altijd – waar we het over hadden; ik heb werkelijk geen idee, ik weet alleen dat Warren Lodge geen ogenblik ter sprake kwam – en nadat ik mijn bord had afgewassen, kwam mijn vader naar buiten voor zijn vaste beker koffie. Dus wat dat betreft ging alles zijn normale gang. En toch miste ik iets, en toen ik opstond besefte ik wat dat was: mevrouw Winslow had het ochtendnieuws helemaal niet aangezet.

'Denk je dat ze het weet?' vroeg ik Adam.

'Wat er gisteren echt is gebeurd?' reageerde Adam spottend. 'Hoe zou ze dat nu kunnen weten?'

'Geen idee. Maar...'

'Ze luistert niet altíjd naar het nieuws, hoor.'

'Maar om nu uitgerekend vandaag...'

'Waarschijnlijk heeft ze gewoon geen zin om voor de miljoenste keer aan te horen hoe hij zijn kinderen heeft vermoord – je weet best dat ze die hele geschiedenis nu eindeloos gaan herkauwen.'

'Tja...' Ik moest toegeven dat dat plausibel klonk. 'Waarschijnlijk wel, ja.'

'Maar zal ik je eens wat anders vertellen?' voegde Adam eraan toe. 'Ik krijg nog een ontbijt van jou.'

'Adam...'

'Want ík ben niet van slag, hoor, door wat er is gebeurd.'

Maar volgens mij was hij wel degelijk van slag. Misschien dat mijn vader hem ervoor had gewaarschuwd, maar ik had zo'n idee dat als Adam echt in zijn nopjes was geweest over de manier waarop Warren Lodge was omgekomen, hij daar alle mogelijke grappen over had gemaakt.

Ik zei mevrouw Winslow gedag en vertrok naar mijn werk. Toen ik Bridge Street insloeg, schrok ik me wezenloos: ik zag een groene bestelwagen voor café Autumn Creek staan. Hij was van een verkeerde kleur groen en hij had een imperiaal en een verchroomde sierrand die hadden ontbroken aan de bestelwagen waardoor Warren Lodge was aangereden, maar toch bleef ik stokstijf staan toen ik hem in het oog kreeg. Ik wachtte even; toen de auto niet als een luchtspiegeling vervaagde, liep ik er behoedzaam naartoe. Ik legde een hand tegen de zijkant.

Een overweldigend kabaal van brekend glas weerklonk. Razendsnel draaide ik me om. Een frisdrankbezorger had net een heel aantal kratten met flesjes ijsthee van zijn open vrachtauto laten vallen. Een groepje schoolkinderen dat voorbijkwam, barstte in applaus uit.

Ik boog me voorover en gaf het grootste gedeelte van mijn ontbijt over op het trottoir. Dat ontketende nogmaals een luid applaus onder de schooljeugd. Ik verwachtte half en half dat Adam ook mee zou doen, maar het bleef stil op het spreekgestoelte.

Penny zat al in mijn tent te wachten toen ik bij de Fabriek arriveerde. Zo te zien was ze uit op een langdurig gesprek, en ik probeerde haar daarvan af te brengen: midden onder mijn begroeting begon ik geweldig te gapen, en ook kneep ik in mijn neusbrug alsof ik hoofdpijn had.

'Voel je je niet goed?' vroeg Penny.

'Ik heb niet al te best geslapen,' zei ik. 'Maar kan ik je ergens mee helpen?'

Ze beet zenuwachtig op haar lip. 'Ik ga dokter Eddington opbellen,' deelde ze mee.

'Dat weet ik. Mijn vader heeft me verteld dat je besloten had een afspraak met hem te maken. Dat is geweldig nieuws.'

'Nee,' zei Penny. 'Ik bedoel, ik ga hem vanmorgen bellen – nu meteen. En ik vroeg me eigenlijk af of... of je zin had om ook mee te doen.'

'Met jou?'

'Nou ja... Ik herinner me dat dokter Grey wilde hebben dat jij ook een afspraak met Eddington zou maken, dus ik dacht dat we dan misschien samen...'

'O,' zei ik. 'O... Nou nee. Nee, dank je.' Natuurlijk was ik wél van plan Eddington te bellen, maar op dat ogenblik voelde ik daar niet voor. 'Zover ben ik nog niet, om hem te bellen.'

'O...'

'Zeg, maar Penny,' zei ik. 'Daar is niks engs aan, hoor. Eddington is een bovenstebeste man. Je hoeft niet bang te zijn.'

'Oké,' zei ze. 'Goed dan.' Haar tanden klemden zich weer om haar onderlip. Ze beet er niet alleen in, ze kauwde erop, en ik wist dat ze me nu ging vragen of ze mijn vader mocht spreken. Maar daar hadden we geen van tweeën trek in, dus zei ik haastig: 'Wou je me nog iets anders vragen?' en ik maakte een gebaar naar mijn bureau alsof daar een belangrijk project op me lag te wachten. Penny begreep de wenk en schudde haar hoofd.

Ik voelde me schuldig, en zodoende ging ik ongeveer een uur later bij Penny's tent langs om te kijken of alles goed met haar was. Ze was aan het bellen toen ik mijn hoofd naar binnen stak; zonder dat ik werd opgemerkt luisterde ik een tijdje, totdat ik de naam Eddington hoorde. Zo, dat zit dus wel snor, dacht ik bij mezelf toen ik mijn hoofd weer terugtrok. Nu is Penny in goede handen. Wat ik tegen haar had gezegd was waar: Eddington was inderdaad een bovenstebeste man én een goede dokter. Ik zou hem zelf ook gauw bellen... maar waarschijnlijk niet diezelfde dag nog. Die dag voelde ik me niet al te best.

Ik was zelfs zo beroerd dat ik besloot om er wat vroeger tussenuit te knijpen. Midden op de middag, toen ik terugkwam van een tochtje naar een kuil achter de loods om een lading inhoud van de Doos te lozen, zag ik de takelwagen van Reggie Beauchamps voor de Fabriek staan. Met een verveeld gezicht zat Reggie in zijn eentje in de cabine te roken en naar de radio te luisteren, en ik dacht... Nou ja, wat ik dacht is niet echt belangrijk. Maar wat ik wíst, was dat ik niet nog eens wenste toe te zien hoe Julie tegen hem op sprong. Ik had nu werkelijk hoofdpijn, en mijn maag voelde hol doordat ik mijn ontbijt had uitgekotst en er tussen de middag niet aan gedacht had iets te eten. Ik besloot mijn hielen te lichten en ging er via een gat in de omheining aan de achterkant vandoor, zodat ik niet langs Reggies takelwagen hoefde.

Thuis bleek mevrouw Winslow net een chocoladetaart te hebben gebakken. Toen ik me in de keuken vol zat te stoppen zei ik tegen haar dat ik me niet al te goed voelde, en ik vroeg haar om, als er iemand mocht bellen, te zeggen dat ik niet te spreken was.

'Weet je wat, Andrew?' zei mevrouw Winslow. 'Ik voel me ook niet lekker. Dus ik denk dat ik vanavond de hoorn maar van de haak leg.' En dat deed ze.

Die nacht droomde ik dat ik boven het landschap zweefde in Andy Gage' hoofd. Van bovenaf gezien vormde het droomgebied een schietschijf van concentrische cirkels: van de buitenste, in een donker bosgroen, tot en met het grijs van de roos, het ruige Coventry. Ik bleef een tijdje boven het eiland hangen en verwachtte elk ogenblik Gideons gezicht kwaadaardig omhoog te zien loeren. Maar Gideon verscheen almaar niet, en ik vroeg me af hoe dat zat. In die droom was Coventry een kaal, rotsachtig geheel, zonder gebouwen of grotten waarin een ziel zich kon verschuilen. Waar zat hij? Ik ging wat lager vliegen om alles zorgvuldig af te speuren, maar op hetzelfde ogenblik kwam de mist opzetten, een kolkende massa die opsteeg van het wateroppervlak; ik kon niets meer zien, en het volgende moment werd ik wakker van het geluid van regen die tegen de ramen van mijn slaapkamer kletterde.

Tegen de ochtend was het weer droog. Het was nog betrokken toen ik naar mijn werk liep, maar het weerbericht had beloofd dat de zon halverwege de ochtend zou doorbreken, en zo te zien werd het wolkendek inderdaad al dunner. Ik stelde vast dat ik me beter voelde dan gisteren en zei bij mezelf dat ik dokter Eddington beslist diezelfde dag nog zou bellen, die middag op z'n laatst.

Ik arriveerde bij de Fabriek en zag Julie daar in haar Cadillac zitten, net zoals Reggie Beauchamps daar de dag tevoren in zijn takelwagen had gezeten. Julie rookte alleen niet en luisterde ook niet naar de radio, ze zat gewoon maar wat te zitten. Zo te zien had ze gehuild.

'Julie?' vroeg ik, terwijl ik langzaam op de auto toe liep om haar niet te laten schrikken. Zonder enige fut draaide ze haar hoofd om en deed haar raampje open. Haar ogen waren bloeddoorlopen en hadden rode randjes: ze had inderdaad zitten huilen.

'Julie... wat is er gebeurd?'

Stomme vraag. Julies wangen kregen een kleur en ze trok met haar lippen; dat laatste deed ze altijd wanneer ze op het punt stond een flink sarcastische opmerking te debiteren. Deze keer hield ze die echter voor zich. Ze haalde een paar keer diep adem en wist zich te vermannen. 'Niks,' zei ze ten slotte. En toen: 'Reggie.'

'O.'

'Alles volgens verwachting.'

'O.'

Er volgde een ongemakkelijke stilte en toen zei Julie: 'Heb je soms zin om vandaag gewoon weg te blijven?'

Ik wist niet goed of dat een voorstel was of een toespeling op de dag tevoren, toen ik er te vroeg vandoor was gegaan. 'Eh...'

'Waarom zouden we onze snor niet drukken?' zei Julie. 'Gewoon ergens heen gaan, een hele dag. Nou?' Ik had waarschijnlijk een blik in de richting van de loods geworpen, want ze voegde eraan toe: 'Maak je maar niet druk om Dennis en Irwin; die redden zich heus wel zonder ons.'

'Dat weet ik wel,' zei ik, ietwat al te prompt – niet zo tactisch. 'Ik bedoel... Oké. Goed.'

Ik stapte in. Toen ik het portier dichttrok, zei Julie: 'Alleen spreken we één ding af: geen gepraat over Reggie.' Daar stemde ik maar al te graag mee in. 'Nou, waar zullen we eens heen gaan?' vroeg Julie.

'Ik heb geen idee,' zei ik. 'Had jij al iets in gedachten?'

Ze schudde haar hoofd. 'Ik heb geen zin in Seattle, en ik wil graag even weg uit deze contreien, maar verder...'

'Mount St.-Helens.' Het floepte er zomaar uit. Mount St.-Helens was zo'n trekpleister voor toeristen waarvan ik altijd had gedacht dat ik er eens heen moest, zonder dat ik nu direct stond te trappelen om daar rond te kijken, als je begrijpt wat ik bedoel. Eigenlijk zei ik zomaar iets.

Maar Julie nam het voorstel serieus. 'Oké,' zei ze en knikte. 'Mount St.-Helens dan.' Ze boog zich voorover en draaide het contactsleuteltje om; de motor sloeg aan zonder te haperen. 'Goed teken,' zei Julie lachend. 'Volgende halte: Mount St.-Helens...'

In Bridge Street kwamen we, vlak voor de Oosterbrug, Penny's Buick tegen. Ik zwaaide, en ik geloof dat Penny me zag, maar voordat ze terug kon wuiven gaf Julie flink gas.

'Eh... Julie,' zei ik toen we over de brug scheurden, 'geloof je niet dat we even hadden moeten stoppen om Penny te zeggen waar we heen gaan?'

'Neu,' zei Julie. 'Dit is óns dagje uit, hoor.'

Aangezien Julie geen wegenkaarten in de auto had – althans niet van de staat Washington – moesten we maar zo'n beetje gissen hoe we er kwamen; via de 5 naar het zuiden, totdat we een bord zagen dat nationaal park Mount St.-Helens vermeldde, dan linksaf, of wie weet rechtsaf (hopelijk gaf dat bord uitsluitsel), de weg op die naar de vulkaan leidde. Het was veel verder rijden dan we hadden gedacht, en allebei kreunden we hardop toen we eindelijk bij de afslag kwamen en ontdekten dat we nog maar liefst vijfenzeventig kilometer voor de boeg hadden. Maar het was een welgemoed soort kreunen – op dat ogenblik was alles nog rozengeur en maneschijn.

Bij een bezoekerscentrum hoog in de bergen hielden we tussen de middag stil om een hapje te eten. Op een uitkijkpunt vingen we af en toe een glimp op van onze eindbestemming: Mount St.-Helens, telkens door dikke wolken belaagd, liet zich heel af en toe even zien aan het eind van een langgerekt rivierdal. Het was een prachtig gezicht, zonder dat het nu direct uitnodigend aandeed, en we besloten niet verder te rijden maar te blijven waar we waren, in de zon. Uit de kofferbak van de Cadillac haalden we een deken, die we op het gras legden, en daarop ginen we gewoon maar wat om ons heen zitten kijken.

'Wat is dit zalig,' zei Julie met een innig tevreden zucht. 'Laten we hier nooit meer weggaan, Andrew.'

'Oké,' antwoordde ik. 'Ik bouw wel een hutje.'

'Ja...' Ze slaakte nog een zucht en ging erbij liggen, met haar hoofd op mijn schoot. Ik probeerde niet te bewegen – ik zat achterover op mijn armen geleund, geen prettige houding om een hele tijd vol te houden, maar ik dacht dat als ik me nu maar stil hield, Julie misschien wel in slaap zou vallen.

Het weer liet me in de steek voordat mijn bovenarmen daar kans toe hadden gezien. De wolken onttrokken Mount St.-Helens nu compleet aan het oog en kwamen langzamerhand onze kant op. Julie ging weer rechtop zitten; ze rook een stortbui in de wind. 'We kunnen maar beter teruggaan,' zei ze. 'Als het weer zo gaat regenen als vannacht, dan wordt de auto daar niet blij van.'

Het ging niet regenen; de wolken hingen nog in de bergen toen we weer de snelweg pakten. Maar er was veel verkeer: vanaf Olympia was het telkens rijden en dan weer stilstaan geblazen, dus nu werd de auto dáár niet blij van, en wij ook niet. Toen we langs Tacoma kwamen begon de motor te sputteren, waarna hij de geest gaf. Julie kreeg hem wel weer gauw aan de praat, maar dat was pas de eerste van een hele reeks keren dat het ding afsloeg, en de reanimatiepogingen duurden steeds langer. Na de vijfde of zesde keer – we zaten inmiddels ter hoogte van Boeing Field; nog even en de wolkenkrabbers van Seattle zouden in zicht komen – bleven we zo lang staan dat ik zeker wist dat we zouden moeten uitstappen om op zoek te gaan naar een telefooncel.

Maar Julie wilde er niet van horen om de wegenwacht te bellen; ze wist precies wat haar dan te wachten stond, welke takelwagen ze ons dan op ons dak zouden sturen. 'Als het moet stap ik uit en dúw deze auto terug naar Autumn Creek,' zei ze. Daar nam de Caddy blijkbaar genoegen mee; bij de volgende poging sloeg hij aan en de rest van de terugweg deed hij niet meer moeilijk.

Iets voor vijven waren we terug in Autumn Creek. Ik had gedacht dat Julie regelrecht door zou gaan naar haar huis, of anders misschien nog even bij de Fabriek aan zou leggen; maar nee, ze keek uit naar een parkeerplekje voor haar lievelingscafé in Bridge Street.

'Ik ben hard toe aan iets te drinken,' zei ze. 'Jij ook?'

Het juiste antwoord op die vraag luidde natuurlijk: 'Nee, dank je.' Drinken druiste nog steeds in tegen de regels van het huis, en de levenservaring die ik langzamerhand had opgedaan pleitte er ook tegen: elke keer dat ik alcohol had genuttigd – al die drie keren samen met Julie – had ik daar naderhand spijt van gehad. Ik had toch heus beter kunnen weten.

Ik heb dus geen enkel excuus voor de keus die ik op dat ogenblik maakte. Waarschijnlijk zou ik het wel op de schok kunnen gooien waar ik nog onder gebukt ging, namelijk dat ik getuige was geweest van Warren Lodge' einde; of ik had de schuld op Adam kunnen gooien, of op mijn vader, of op de andere zielen in het huis, van wie er niet eentje zijn mond opendeed om me tegen te houden – het spreekgestoelte was leeg, de hele dag al, en toen ik daar zo zat in de auto, voelde ik me ongeveer zoals een niet-meervoudig iemand zich moet voelen, zonder andere ikken om verantwoording aan af te leggen over mijn doen en laten. Maar geen van al deze overwegingen snijdt ook maar enig hout als verklaring, dus laat staan als rechtvaardiging. De echte reden – geen excuus – was Julie zelf: mijn gevoelens voor haar. Mijn gevoelens voor haar toen ze haar hoofd in mijn schoot had gelegd, daar op de berg, en de gevoelens die zij, naar ik nog altijd hoopte, misschien wel voor mij zou gaan koesteren als de omstandigheden maar wilden meewerken.

'O ja,' zei ik, 'ik doe mee.'

'We begonnen met een kan bier, waarna we op aanbeveling van Julie overschakelden op dieptebommen: glazen pils waarin een borrelglaasje whisky was gemikt, net een onderwatermijn. Tegen de tijd dat we overgingen op pure scotch, had Julie haar eigen taboe doorbroken en vertelde ze me alles over het einde van haar relatie met Reggie Beauchamps. Het viel me zwaar om te luisteren. Julie ging tekeer over die zak van een Reggie en maakte zich verschrikkelijk nijdig... en hoewel dat tegen elke logica inging voelde ik me jaloers worden, kreeg ik last van afgunst op de intensiteit van haar gevoelens voor hem, ook al ging het om een negatieve intensiteit.

Julie kreeg mijn onbehagen in de gaten en hield op. 'Sorry,' zei ze. 'Ik zou niet over hem praten.'

'Geeft niet,' zei ik.

'Jawel, dat geeft wel. Jij wordt er beroerd van.'

'Helemaal niet,' loog ik. 'Alleen... Ik snap het niet. Als hij je volgens jou zo rottig behandelt, en als je wíst dat hij je rottig zou behandelen, omdat dat de vorige keer toen jullie met elkaar gingen ook is gebeurd... waarom heb je het dan nog een keer met hem aangelegd? Ik bedoel, het hele idee van met iemand gaan, dat is toch dat je op z'n minst dénkt dat je het fijn gaat vinden?'

Julie schonk me een droevige glimlach. 'Nu ga je op de rationele toer...'

'Maar serieus, Julie...'

'Maar seriéús, Andrew... Hoor eens, ik wil niet de indruk wekken dat het alléén maar vreselijk was. Ik bedoel, we hadden heus weleens lol, voordat Reggie weer die etterbak van de eerste keer werd...'

'Nou, oké,' zei ik. 'Ik snap het nog steeds niet helemaal, maar oké.'

Julie zuchtte. 'Je snapt dat niet omdat jij verstandiger bent dan ik, Andrew. Je bent slimmer.' Ik trok een gezicht bij die woorden, maar Julie hield vol: 'Dat is echt zo. Jij bent verstandiger dan ik. En ik ben niet de enige die dat zegt. Volgens Penny ben jij echt verstandig... Volgens Penny ben jij geweldig.'

Ik fronste. 'Waarom doe je dat toch steeds weer, Julie?'

'Wat dan?'

'Over Penny praten alsof wij tweeën iets met elkaar hebben?'

'Nou, ze is anders erg op je gesteld...'

Ik schudde mijn hoofd. 'Volgens mij niet, Julie. Niet op die manier.'

'Toe nou, Andrew. Ik heb toch gezien hoe ze je kuste?'

'En ik heb je toch gezegd: dat was zíj niet?'

'Nou, dan was het één van haar,' bracht Julie daartegen in. En toen: 'Eerlijk waar, denk je niet dat jullie prima bij elkaar zouden passen?'

'Op grond waarvan zou ik dat moeten denken? Omdat we allebei meervoudig zijn?'

'Nou...' Julie haalde haar schouders op. 'Je moet toch toegeven...'

'Penny verkeert in een labiele toestand, Julie. Dat zou net zoiets zijn als een relatie beginnen met een zenuwpatiënt. Ik weet niet, misschien is ze wel eerder iets voor jóú.'

Ik was bang dat ik misschien te ver was gegaan met die opmerking, maar Julie reageerde met een grijns, die liet doorschemeren dat ik geen ongelijk had. 'Wie weet,' erkende ze. 'Alleen is Penny mijn type niet.'

'Tja, het mijne ook niet. Ik bedoel, volgens mij is ze eigenlijk best aardig, en als ze die therapie eenmaal achter de rug heeft is er vast iemand die een prima vriendin aan haar krijgt, maar... Dat ben ik dan niet.'

'Oké,' zei Julie. Ze keek naar haar lege glas. 'Zin in nog een rondje?'

'Dat moet ik niet doen... Wil jij er nog eentje?'

'Ik heb thuis nog een fles staan,' stelde Julie voor. 'Ga je mee?'

'Oké.'

We rekenden af en gingen naar buiten. De zon stond nog aan de hemel, en dat was erg verwarrend; ik was nog nooit dronken geweest op klaarlichte dag. Ik wilde een blik op mijn horloge werpen om te zien hoe laat het was en zette grote ogen op: mijn pols was leeg. In de veronderstelling dat ik mijn horloge in het café had laten liggen, maakte ik al rechtsomkeert.

Toen zag ik Julie naast haar auto staan.

'Zeg, hé!' riep ik. 'Kom nou, Julie... Je kunt nu niet achter het stuur kruipen, dat weet je best.'

'Hmm?' Ze keek even mijn kant op en maakte een wegwerpgebaar. 'Wees maar niet bang hoor,' zei ze. 'Dat kloteding zou waarschijnlijk toch niet willen starten.' Haar mond werd een boze streep. 'Dat kloteding... een teringauto, een teringvriend, een teringbedrijfsplan. Ik ben zo'n type dat altijd alles compleet verkloot, ja toch?'

'Als je dat bent, Julie, dan is dat niet omdat daar niks aan te doen is.' Kennelijk drong dat niet tot haar door, en bij nader inzien vond ik dat maar beter ook.

'Kloteding,' tierde Julie nog eens tegen haar auto. Toen zei ze: 'Kom mee, laten we wegwezen voordat ik dat misbaksel nog een paar deuken bezorg.'

En we liepen naar haar huis. Eenmaal thuis stevende Julie linea recta naar het kastje boven de gootsteen en haalde er een nog ongeopende fles whisky uit. Toen ze de capsule verbrak en twee glazen inschonk, dacht ik erover om te bedanken; het was duidelijk dat ik al ruimschoots genoeg had gehad. Maar ze overhandigde me een glas, zei: 'Daar ga je', en ik nam een slok.

Met de fles in de hand ging Julie haar slaapkamer in. Ik liep achter haar aan.

'Ik ga even onder de douche,' deelde Julie mee.

'Hè?'

'Ik ga even onder de douche.' Julie zette de fles en haar glas op de ladekast en haalde een kamerjas uit haar hangkast. 'Doe alsof je thuis bent,' zei ze. 'Ik ben zo terug.'

Ze verdween naar de badkamer, en ik had alle tijd om me af te vragen of het niet verschrikkelijk raar was dat ze het op dat ogenblik in haar hoofd had gekregen om onder de douche te gaan – of dat het alleen maar zo raar leek omdat ik aangeschoten was. Ik nam een slokje van mijn whisky, die plotseling afschuwelijk smaakte. 'Gatver,' zei ik. 'En nu is het uit.' Resoluut zette ik het glas op de ladekast.

Ik ging op de futon zitten en staarde uit het raam. De hemel was nog steeds licht, je kon amper zien dat het zo meteen donker zou worden. Ik keek op Julies wekker: 18:47. Mevrouw Winslow was intussen gaan eten, dacht ik, en toen schoot me te binnen dat ik niet had gebeld om haar te laten weten waar ik was. Ze maakte zich nu vast ongerust.

Ik veegde mezelf de mantel uit. Het was het beste als ik haar nu belde om te zeggen dat alles goed met me was... Of misschien moest ik maar naar huis gaan. Maar als ik nu naar huis ging, dan zou het mevrouw Winslow natuurlijk niet ontgaan dat ik had gedronken. Waarschijnlijk zou ze er niets van zeggen, maar ze zou wel teleurgesteld zijn; ze kende mijn vaders regels net zo goed als ik. Dus misschien toch maar niet naar huis. Misschien moest ik hier eerst nog een tijdje blijven zitten en de drank wat laten zakken.

Afwezig nam ik nog een teugje whisky. Deze keer smaakte het niet zo beroerd – eigenlijk smaakte het nergens naar –, maar op het ogenblik dat het spul door mijn keelgat gleed, betrapte ik mezelf erop dat ik in verwarring naar het glas in mijn hand zat te staren. Ik dacht: wat klopt er toch niet aan dit beeld?

Misschien dat ik erachter was gekomen als Julie niet net was teruggekeerd van haar douchepartij en haar eigen logische puzzel had meegebracht. Het stond me nog duidelijk voor de geest dat ze met een kamerjas naar de badkamer was gegaan, maar nu kwam ze terug met alleen een handdoek om. Het was een modieuze keus waar niets tegen in viel te brengen – met de blote huid van haar decolleté en schouders nog nagloeiend van de warme douche was ze haast onbeschrijflijk mooi – maar de vraag bleef: wat was er met die kamerjas gebeurd?

Julie liep naar de ladekast en pakte haar glas. Toen ze eruit dronk, werd ik gebiologeerd door de welving van haar hals; ik probeerde de woorden te bedenken om haar te zeggen hoe fantastisch ze eruitzag, zonder dat er ongewenste gevoelens van mijn kant in zouden doorklinken.

'Zo,' zei Julie, en ze keek me aan, 'dus volgens jou ben ik zo'n type dat alles verkloot.'

Ik knipperde. 'Hè?'

'Dat zei je daarstraks voor het café, toen ik vroeg of ik niet iemand was die altijd alles compleet verklootte...' O, geweldig. Ze had het dus toch gehoord. '"Als je dat bent, dan is dat niet omdat daar niks aan te doen is ..." Als je dat bent. Met andere woorden, ik bén zo'n type. Ja toch?'

'Welnee! Nee, Julie, ik...'

'Laat maar,' zei Julie. 'Ik heb liever dat je me alles eerlijk zegt, en als jij denkt...'

'Ik denk dat helemaal niet, Julie. Ik denk alleen... dat je niet al te praktisch bent...'

'Niet al te praktisch. Hmm.'

'... en soms lijkt het wel alsof je het erop toelegt om jezelf in de weg te zitten, en dat snáp ik dan niet, maar ik weet ook dat je echt een kei bent in een hoop dingen, en echt slim, en... en mooi, en als je leven op dit ogenblik niet helemaal aan je verwachtingen voldoet, dan komt dat niet doordat je daartoe veróórdeeld bent... Jij hebt alles in je wat ervoor nodig is om de boel in betere banen te leiden, je hoeft alleen maar... voor een andere aanpak te kiezen, meer niet...'

'Een andere aanpak. O jee.' Julie zat nu besmuikt te glimlachen, een teken dat ze me maar wat had geplaagd, maar ik rebbelde door. Nu eens kwam ik met verontschuldigingen aanzetten en dan weer met nog meer complimentjes, totdat ze op het laatst medelijden met me kreeg.

'Och Andrew,' zei Julie ten slotte, en ze zette haar glas op de ladekast en kwam naar het bed. 'Zo is het wel goed...'

'Nee, dat is niet waar... Jij zat in de put, en ik wilde iets zeggen waar je je beter van zou gaan voelen, maar nu...'

'Ik begreep wel wat je probeerde te zeggen, Andrew... zo min of meer.'

'Sorry, Julie.'

'Sst, Andrew, hou daarmee op, met die verontschuldigingen.' Ze ging naast me op het bed zitten en legde een arm om mijn schouders. 'Godsamme, jij bent mijn beste vriend, dat weet je toch wel...?' Met haar andere hand streelde ze de zijkant van mijn gezicht, en toen – ik kon er niets aan doen – boog ik me naar haar over en kuste haar.

Julie trok zich niet terug; zachtjes kuste ze mij ook. En toen vatte ik moed, boog mijn hoofd en liet mijn lippen langs de bovenkant van haar borsten glijden. Julie verstijfde. 'Andrew,' protesteerde ze. 'Andrew, wacht...' Ik wachtte niet. Ik richtte mijn hoofd weer op en drukte een kus in het holletje van Julies hals, precies het goede plekje, denk ik; opeens verstrakte ze weer, maar op een heel andere manier. 'Andrew,' herhaalde ze, en ook haar stem klonk nu anders. 'Ah, verrek...'

Uiteindelijk lagen we naast elkaar op het bed. Mijn hand lag op Julies blote huid en streelde de welving van haar schouder.

'Dit is géén goed idee, Andrew,' zei Julie. Ze zei dat op een toon alsof ze het geloofde, maar eventueel ook wel bereid was geen acht te slaan op dat feit, en meer aanmoediging had ik niet nodig. Mijn wens was uitgekomen: de gelegenheid deed zich opnieuw voor, en deze keer zou het me niet gebeuren dat ik te verlegen of te besluiteloos was om er gebruik van te maken.

Ik ging op mijn zij liggen, steunde op mijn ene elleboog en kuste Julie op de mond, op haar hele gezicht, op haar borst. Eerst liet ze zich dat passief aanleunen, maar toen kwam ik weer uit bij dat wonderbaarlijke plekje in haar hals, en ze zei: 'Ah, verrek...', en liet zich nu ook niet meer onbetuigd. Ze pakte me bij mijn boord, duwde me op mijn rug en ging boven op me liggen. Ze kuste mij ook in het holletje van mijn hals, en knabbelde eraan. Haar vingers zochten en vonden het bovenste knoopje van mijn overhemd, maakten het los en tastten naar het tweede; ik greep naar haar handdoek, die toch al half was weggegleden. We begonnen te worstelen. Het werd een gevecht dat moest uitmaken wie wie het eerst mocht uitkleden. Ik was in het voordeel – handdoeken worden nergens mee vastgemaakt, en bovendien had ik meer kracht in mijn bovenlijf. Maar Julie was listiger; ze maakte haar ene hand vrij en liet die naar beneden glijden met de bedoeling me uit mijn evenwicht te brengen door me tussen de benen te grijpen.

En dat was het ogenblik dat het fout ging. Julie pakte me in mijn kruis... en hield op. Er verscheen een beteuterde uitdrukking op haar gezicht – het soort lichte verwondering wanneer je een sleutelbos wilt pakken waarvan je zeker weet dat je die zojuist op die plek hebt gelegd, en dan tot de ontdekking komt dat hij niet ligt waar je dacht dat hij zou liggen. Julies hand tastte nog eens rond, wat vastberadener nu, en haar verwondering nam toe... Waar waren die sleutels toch?

'Zeg Andrew,' zei Julie, en ze schoof iets bij me weg, ook al bleef haar hand rondtasten, 'ben je dan niet... Heb je geen...'

'Wat?'

Ze dwong zichzelf om het te zeggen.

'O,' antwoordde ik achteloos, alsof ze zojuist haar verbazing had uitgesproken over het ondergoed dat ik droeg. 'O ja, nee. Ik heb niet zo'n... geval.'

'Je hebt geen...' Julie knipperde met haar ogen en deed haar uiterste best om geen spier te vertrekken. 'Is dat... Komt dat ook door dat misbruik? Heeft je stiefvader...?'

'Hè?' Toen snapte ik het, en ik schoot in de lach. 'O nee! Nee, zo erg was het ook weer niet. Er is niets... afgesneden. Het lichaam is vrouwelijk, dat is alles.'

'Wát?'

'Het lichaam is vrouwelijk,' herhaalde ik. 'Wat...'

'Nee,' protesteerde Julie. 'Nee, dat kan toch niet...? Je zei "hij". Je zegt altijd "hij".'

'Wat?'

'Als je het over Andy Gage hebt... de oorspronkelijke Andy Gage... dan zeg je altijd "hij", niet "zij".'

'Tja... Nou ja.'

'Maar als Andy Gage een meisje was, dan...'

'Julie...' Om uitgerekend op dat ogenblik over zulke pietluttigheden te beginnen... Maar kennelijk was dit belangrijk voor haar, dus beteugelde ik mijn ongeduld. 'Dat ik "hij" zeg als ik het over Andy Gage heb, dat komt doordat... tja, doordat mijn vader dat altijd doet... en Adam en tante Sam ook, en verder ook alle anderen in het huis.'

'Maar als Andy Gage van het vrouwelijk geslacht was...'

'Zijn lichaam was van het vrouwelijk geslacht, maar zijn ziel was mannelijk.' Niet dat ik dat zo zeker wist, maar dat leek me het meest aannemelijk – en ik had geen plannen om mijn vader naar buiten te roepen om hem dat te laten bevestigen.

'Maar je hebt ooit gezegd dat ziel en lichaam een tweeling vormden. Dat ze elkaar weerspiegelden.'

'Bij mensen met één persoonlijkheid, ja. Maar...'

'Maar Andy Gage wás toch een enkele persoonlijkheid? Ik bedoel, hij was toch de oorspronkelijke ziel? Hij... zij... bestond al voor de afsplitsing. Dus...'

'Zeg Julie,' viel ik haar in de rede, 'niet om het een of ander, maar... waarom doet dat er eigenlijk iets toe? Ik bedoel, ik wil er best over praten hoor, maar dan straks, niet...'

'Maar waarom...?' Ze liet een waanzinnig lachje horen, een halfgesmoord gegrinnik. 'O, god...'

'Ik bedoel, het spijt me als het lichaam... als niet alles erop en eraan zit wat je graag had gewild, maar ik kan je... compensatie verschaffen voor alles wat eraan ontbreekt, dat geef ik je op een briefje.'

Ik glimlachte, want ik geloofde nog steeds dat dit een onbeduidend misverstandje was, dat we zonder moeite uit de weg zouden ruimen. 'Zeg maar wat je wilt.' Ik wilde haar beetpakken, maar ze kronkelde weg. Ze trok zich terug aan de andere kant van het bed en wikkelde haar handdoek strak om zich heen.

'Julie?' zei ik, en eindelijk sloeg de schrik me nu om het hart. 'Julie, wat is er?'

Ik ging rechtop zitten en greep weer naar haar, maar Julie schreeuwde: 'Niet doen!', en sloeg mijn hand weg, en hard ook. Ik was volslagen verbijsterd.

'Sorry, Andrew,' zei Julie stijfjes. 'Sorry, maar... blijf alsjeblieft van me af.'

'Julie...' Ik voelde een bekende plens ijskoud water op mijn hart, een plens die uitdijde tot een stortvloed. Het was weer gebeurd: het ene ogenblik hadden we onze diepste gevoelens de vrije loop gelaten, waren we open en een en al liefde geweest, en het volgende ogenblik was alles opeens verkeken, naar de maan, onherroepelijk naar de haaien. En ik begreep er niets van. 'Doet dat er dan echt zoveel toe? Ik bedoel, ik ben nog steeds ík hoor, ook al heb ik dan geen...'

Julie liet dat waanzinnige lachje weer horen. 'Jawél, Andrew,' zei ze. 'Dat doet er wel degelijk toe.'

'Maar... je stond toch op het punt om... om te vrijen met míj, ja toch? En je wist dat het lichaam geen volmaakt spiegelbeeld is van mijn ziel, dus...'

'Och, Andrew...'

'... dus dan gaat het toch alleen om een miniem verschilletje, ja? Degene die hier zit, dat ben ík immers nog steeds, Julie...'

'Ik ben niet lesbisch, Andrew.'

Dat was zo'n absurde opmerking dat ik een ogenblik helemaal de kluts kwijt was. 'Hè?'

'Ik ben niet lesbisch. Ik...'

'Maar... ik óók niet, hoor.' Heel even voelde ik een sprankje irrationele hoop opgloeien, maar dat doofde meteen weer toen ik zag dat er niets aan Julies uitdrukking was veranderd. Het deed haar niets of ik al dan niet lesbisch was; dat Andy Gage' lichaam vrouwelijk was, dát deed haar iets. Einde verhaal.

En toch deed ik nog mijn uiterste best om het over een andere boeg te gooien, om haar op de een of andere manier te laten inzien dat het er heus niets toe deed. Omdat ik met mijn mond vol tanden zat probeerde ik haar weer naar me toe te trekken, maar Julie ontweek mijn handen en stond met zo'n ongelooflijke vaart op van het bed dat het wel leek alsof ze in rook was opgegaan.

'Het spijt me, Andrew,' zei Julie. Ze stond bij de ladekast, met haar rug naar me toe, en ik kon er niet bij hoe ze zo snel al haar kleren weer aan had gekregen. 'Het spijt me... Ik weet wel dat het geen verschil zou moeten maken, en ik wou dat ik er wat minder bevooroordeeld over kon denken... over... maar het doet er wél toe. Het doet er een hoop toe. Het doet er nu eenmaal toe, en ik, ik kan gewoon niet... En bovendien,' voegde ze eraan toe, en ze wierp me over haar schouder een blik toe, 'wat ik eerder heb gezegd, dat geldt nog steeds: dat het geen goed idee is als wij tweeën iets met elkaar beginnen, ik bedoel, ook al... Dat zou een vergissing zijn. Dus wie weet is dit wel een teken, hè? Het zoveelste teken dat het de bedoeling is dat het enkel bij vriendschap blijft tussen ons, dat we góéie vrienden blijven, voorgoed...'

'Vrienden.' Het woord kwam droog krassend uit mijn keel. Ik pakte mijn glas, nam een fikse slok whisky, en voelde dat het spul me warmte en tegelijkertijd verdoving schonk. 'Vrienden,' herhaalde ik bitter. 'Ik hóú van je, Julie... Ik hou van je, en je weet best dat ik altijd aardig voor je zou zijn, en toch kies je voor hém... voor hem en voor al die anderen vóór hem, die jou allemaal behandelen als oud vuil...'

'Ik heb niet voor hem gekozen, Andrew,' zei Julie hoofdschuddend. 'Ik ben met hem naar bed geweest, oké, maar nu zijn we uit elkaar, en hij is uit mijn leven verdwenen...'

'Ja hoor, tot de volgende keer.'

'Zou je dan echt liever in Reggies schoenen staan, Andrew? Met me naar bed gaan, maar dan géén vrienden met me zijn?'

'Ik wil allebéí!' riep ik uit. Ik voelde dat mijn ogen vochtig werden. 'Eeuwig en altijd loop je me op te hemelen, zeg je dat ik zo geweldig ben, zo verstandig... Als dat allemaal waar is, als je dat echt meent, waarom kun je dan niet van me houden? Waarom niet?'

Ze gaf geen antwoord, en ik bracht de fles naar mijn lippen en lurkte er langdurig aan. De whisky bleef me in de keel steken en ik stikte half. Toen ik weer uit mijn ogen kon kijken, stond Julie niet langer bij de ladekast; ze zat op de vloer bij het raam. Haar ogen waren rood, net als die ochtend.

'Waarom toch niet, Julie?' herhaalde ik schor. 'Waarom kun je niet van me houden?'

Ze vertikte het me aan te kijken. 'Andrew,' zuchtte ze, en zo te horen balanceerde ze op het randje van de totale uitputting. 'Ik heb... Ik heb geen idee wat je nu nog meer van me wilt. Ik bedoel, ik heb m'n best gedaan om...'

'Ik wil weten waaróm niet. Ik wil van je horen...'

'Andrew, toe nou... Het spijt me, oké? Het spijt me dat ik je zo beroerd heb behandeld, het spijt me als... als je denkt dat ik met opzet zo keihard tegen je ben. Dat is niet zo –tenminste, dat geloof ik niet, maar... Ik weet het niet meer. Maar ik ben zo móé, Andrew... Ik ben doodop, en ik heb het gevoel dat ik je al tig keer tekst en uitleg heb gegeven, maar jij wilt er nog steeds niet aan, en ik heb gewoon de energie niet om het nog een keer uit te leggen... Dus kunnen we nu niet gewoon ophouden? Alsjeblieft?'

'Tig keer?' zei ik. 'Je hebt nog niks uitgelegd, Julie...'

Julie legde twee handen tegen haar gezicht.

Ik nam nog een slok uit de fles.

'Julie...' begon ik weer, en toen zweeg ik, afgeleid door het licht van een straatlantaarn dat door het raam boven Julies hoofd naar binnen viel. Toen ik mijn aandacht eindelijk losmaakte van het schijnsel en mijn blik weer liet zakken, was Julie weg.

'Julie?' Ik keek naar de ladekast, maar ze was niet op haar oude plaatsje gaan staan; ze was niet meer in de kamer. Waar was ze gebleven? 'Julie?'

Ik stond op; of eigenlijk stond ik twee keer op; mijn eerste poging liep op niets uit toen de vloer plotseling omhoogschoot en me met Julies matras een opdonder gaf tegen de zijkant van mijn hoofd. De tweede keer ging ik langzamer te werk, concentreerde me op mijn evenwicht en slaagde erin me op de been te werken.

Ik zocht het hele huis af en riep telkens Julies naam. Ze was nergens te bekennen. Op het laatst viel het me op dat de voordeur op een kier stond.

'Julie?' Ik strompelde naar het overloopje boven aan de krakkemikkige trap, waar ik voetstappen meende te horen die net naar beneden gingen. Maar er liep geen mens op de trap en de deur beneden, die ik maar net zo'n beetje kon onderscheiden, was dicht. Ik begon aan de afdaling, maar te snel, en al na een paar stappen liet mijn evenwichtsgevoel het weer afweten; ik struikelde en viel, en het was net alsof de wanden aan weerskanten van de trap ook omlaagstortten, zodat ik buiten neerkwam, voorover op het asfalt.

'Ju-ulie,' bracht ik uit terwijl ik daar hulpeloos lag. Mijn overhemd, dat niet meer in mijn broek zat, was beklemd geraakt onder mijn heup; ik hoorde een zacht getikkel toen er een afgerukt knoopje wegrolde. Er droop iets van nattigheid over mijn pols.

Ik draaide me op mijn zij. Mijn hand omklemde nog steeds de whiskyfles, zag ik. De fles had de valpartij heelhuids doorstaan, maar door de schok was een deel van de inhoud eruit gelopen. Dat was de nattigheid die ik had gevoeld. De whisky bezorgde mijn pols een tintelend gevoel, zodat het net was alsof dat gedeelte van mijn lijf wakkerder was dan de rest. Ik bracht mijn pols naar mijn gezicht en maakte mijn wangen en voorhoofd nat. Ik nam nog een slok.

'Julie?' Op de een of andere manier wist ik weer overeind te krabbelen. Ik stond ergens midden in een straat, de straat voor Julies huis, of wie weet een andere, ik had geen idee. Het was inmiddels helemaal donker, en mijn ogen lieten me nogal in de steek. Het viel niet mee om afzonderlijke contouren te onderscheiden, zelfs niet als ze door lantaarnlicht werden beschenen. Op het trottoir aan mijn linkerhand meende ik iemand te zien – een vrouw? Julie? –, maar toen ik haar kant op liep, loste ze op als een eidolon die overging in een zwerm duiven.

'Julie...' Waar was ik? Ik moest een straatnaam zien te vinden, iets wat me een beetje houvast zou geven. Ik redeneerde bij mezelf dat ik zoiets waarschijnlijk wel op een straathoek zou vinden en begon in het wilde weg te lopen.

Of liever gezegd: te slingeren. Mijn ziel bungelde los in het lichaam, alsof hij aan Andy Gage bevestigd was met een netwerk van elastieken. Vooruitkomen was zoiets als proberen een marionet te hanteren van binnenuit – ik zwabberde en zwalkte van links naar rechts, en gebruikte een rij geparkeerde auto's als leuning en vangrail ineen. Opeens stond ik op de hoek, waar ik me vastklemde aan een metalen paal en opkeek naar twee smalle groene bordjes die loodrecht op elkaar waren aangebracht: het ene vermeldde IRVINE STREET het andere OSWEGO STREET.

Irvine en Oswego, Irvine en Oswego, waar was dat? Aan de noordkant van Bridge Street of aan de zuidkant? Ik probeerde het kruispunt thuis te brengen op een plattegrond in mijn hoofd, maar daarbij werd ik afgeleid door een andere overweging: mocht ik eruit komen waar ik was, waar wilde ik dan heen? Naar het huis van mevrouw Winslow, of naar dat van Julie? 'Julie...' zuchtte ik. Mijn arm, het enige van mijn ledematen dat nog tot gecoördineerde bewegingen in staat was, kwam omhoog; ik hield hem nog net op tijd tegen, vlak voordat de fles mijn lippen bereikte.

Ik besloot tot een aanpak die me op dat ogenblik praktisch voorkwam: ik zou gewoon blijven lopen. Autumn Creek was tenslotte maar klein; als ik bleef rondsjouwen, als ik telkens nieuwe straten probeerde en goed oplette dat ik niet over bruggen kwam, dan moest ik vroeg of laat wel op Julies huis stuiten, of op dat van mevrouw Winslow, of op een ander oriëntatiepunt waar ik iets aan had. En waarschijnlijk zwierf Julie zelf ook nog ergens hier rond; met een beetje geluk liep ik haar tegen het lijf. Vooral die laatste gedachte dreef me weer verder.

Een stap, een stap, nog een stap, nog een. Ik weet niet hoe lang of hoe ver ik heb gelopen. Ik raakte natuurlijk stukjes tijd kwijt: tussen passen die ik bewust beleefde vlogen hele minuten en blokken voorbij. Een stap, een stap, nog een stap; en toen hield ik plotseling stil, want ik had het gevoel dat ik op het punt stond om weer ergens in te tuimelen. Ik wendde de steven, zwenkte vlak voor een ongeziene afgrond een andere kant op, struikelde over een stoeprand, stak een eindeloos breed trottoir over en kwam slingerend tot stilstand op een stuk gemaaid gras.

Een stem riep mijn naam, en ik steeg op naar een betrekkelijk nuchtere toestand. Ik stond op het gazon voor mevrouw Winslows huis. Mevrouw Winslow stond op de veranda; zij was degene die naar me had geroepen. 'Mevrouw Winslow!' gilde ik, en mijn opgetogen stemming omdat ik bij mijn huis was beland, werd bijna onmiddellijk overschaduwd door schaamte. Ik moest wel een verschrikkelijke aanblik bieden... Liep ik nog rond met die whiskyfles? Jawel. Ik dacht er al serieus over om de benen te nemen, vlug weg te duiken voordat mevrouw Winslow me van top tot teen in ogenschouw kon nemen, maar toen zei ze nog eens: 'Andrew', en dat klonk zo ongerust dat het blijkbaar al te laat was.

Mevrouw Winslow was niet alleen op de veranda. Er stond daar ook een man, een politieman, dacht ik eerst, en nu schaamde ik me nog erger: ze had zich zo ongerust gemaakt dat ze de politie had gebeld en mij als vermist had opgegeven. Alleen droeg die agent geen uniform. En ook geen pak, dus hij was ook niet van de FBI...

Het was dokter Eddington, besefte ik. Wat deed die nu in Autumn Creek?

Op eigen kracht zou ik het nooit hebben geraden; ik was nog te dronken. Maar nu keek er een andere ziel vanaf het spreekgestoelte naar buiten, en die vermoedde iets. Er diende zich een gedachte aan die niet van mij was, maar niettemin volkomen duidelijk: er is iets gebeurd met dokter Grey. De vorige keer dat hij hier kwam, was dat om dezelfde reden.

Ik wilde het niet horen. Het is mijn taak om de buitenwereld tegemoet te treden, wat voor vreselijks zich daar ook mag voordoen, maar ik wilde het niet horen. Ik had de ene klap na de andere geïncasseerd, en nu was het te veel. Ik had Warren Lodge vermoord; mijn vriendschap met Julie had ik waarschijnlijk ook om zeep geholpen; als nu bleek dat ik dokter Grey óók nog had vermoord door haar over te halen zich weer op haar oude werk te storten terwijl ze daar de kracht niet toe had, dan wilde ik dat niet weten. Ik weigerde het te horen.

'Andrew...' begon Eddington, maar ik bleef niet staan luisteren. Ik rukte me los uit het lichaam, zodat alle banden knapten. Er klonk kabaal van rinkelend glas, van splijtende balken, van zielen die het in koor uitgilden van ontzetting en angst. En dat alles werd gesmoord door de kolkende golven mist die kwamen opzetten op het ogenblik dat ik in het meer viel. Ik stortte als een baksteen in de diepte, helemaal tot op de bodem, waar het water zwart is en er geen slecht nieuws bestaat.

Ik tuimelde in het meer, maar iemand moet het lichaam runnen. En dat deed ook iemand. Hij runde het en hij rende ermee weg: iemand die al tijdenlang op zo'n kans had gewacht. Het water had zich nog niet boven me gesloten, of Andy Gage' lichaam vloog er alweer vandoor, de straat op, de nacht in. Het rende ver weg, eindeloos ver.

BOEK ZES

Muis

16

Muis’ eerste afspraak met dokter Eddington is om halfacht ’s avonds, nogal laat op de dag dus, maar hij had geen andere tijd meer vrij. Toen Muis belde om de afspraak te maken, verbaasde het haar dat ze hem zelf aan de lijn kreeg; hij legde uit dat zijn vaste assistente over twee dagen ging trouwen, en dat haar tijdelijke vervangster niet was komen opdagen, ‘vandaar dat ik op het ogenblik alles zelf doe... Hoe zei u dat u heette?’ Muis noemde haar naam en hij antwoordde opgewekt: ‘O, Penny! Danielle – dokter Grey – zei al dat je waarschijnlijk zou bellen. En het gaat om een behandeling vanwege een meervoudigepersoonlijkheidsstoornis, hè?’

Muis was onthutst door die nuchtere vraag; op dezelfde toon had hij ook kunnen informeren of ze een gat in een kies had, dan wel of haar autobanden nagekeken moesten worden. ‘J-ja,’ zei ze.

‘Oké, prima,’ zei hij. Er klonk geritsel van papieren op de achtergrond. ‘Goed, een datum voor onze eerste sessie – wat zou je zeggen van woensdag over een week?’

‘Een wéék...’ riep Muis uit.

‘Sorry, eerder zal het niet gaan,’ zei Eddington verontschuldigend. ‘Morgen zit ik al helemaal vol, woensdag is de bruiloft van mijn assistente en donderdag vlieg ik naar San Francisco, vanwege een conferentie die tot en met het weekend duurt. Dus ik zie gewoon geen kans iets voor je te doen voor volgende week. Tenzij...’

‘Tenzij?’

‘Ja, ik bedenk net iets... Mijn laatste afspraak voor morgen is afgelopen om vijf uur, en daarna heb ik karate om kwart voor zes. Als ik dan vlug even een hapje eet en terug ben om, laten we zeggen, rond halfacht. Is dat iets... Penny?... Ben je er nog?'

'Ja,' dwong Muis zichzelf te zeggen. Haar teleurstelling vanwege het bericht dat ze eerst moest wachten, had in een oogwenk plaatsgemaakt voor een enorme weerzin, een laatste verlangen om elke gedachte aan therapie gewoon uit haar hoofd te zetten en op de oude voet door te gaan met alles – een ongelukkig leven, goed, maar wel een leven dat ze volkomen gewend was. Maar dat zat er niet in. 'Ja, oké... morgen om halfacht sta ik bij u op de stoep.'

'Oké,' zei Eddington. 'Ik zal je even uitleggen hoe je er komt.'

Eddingtons praktijk bevindt zich in Fremont, de enclave van hippies en bohemienachtige types langs de noordkant van het kanaal naar Lake Washington. Strikt gesproken is het geen achterbuurt, maar Fremont is wel het soort woonwijk waar Muis' moeder haar neus voor zou hebben opgetrokken; het is tevens een buurt waar Muis het afgelopen jaar twee keer wakker is geworden in het bed van een wildvreemde na een hele nacht te zijn kwijtgeraakt. Tijdens haar gangen van en naar Eddingtons praktijk zal ze moeten oppassen dat ze niet de aandacht trekt van iemand die haar 'kent'.

Muis vindt het niet erg dat ze pas 's avonds bij de dokter terechtkan; het enige vervelende is dat ze de tijd zal moeten doodslaan tussen haar werkdag en haar afspraak. Sinds die hypnosesessie bij dokter Grey is het Genootschap steeds brutaler geworden. Ze stellen zich er niet meer tevreden mee haar memoranda te sturen, of boodschappen in te spreken op haar antwoordapparaat; Muis hoort nu ook stemmen. Soms komen ze fluisterend door, als gedachten in een dagdroom die niet de hare zijn. Maar andere keren laten ze zich luid en duidelijk gelden, alsof er iemand vlak achter haar staat te praten. De stemmen kunnen zich op elk willekeurig ogenblik voordoen, maar ze zijn vooral geneigd zich te laten horen op ogenblikken dat ze niets speciaals omhanden heeft, als Muis alleen is met zichzelf. Vandaar dat ze had gehoopt die paar uur voor haar afspraak te kunnen doorbrengen in het gezelschap van Andrew, of dat van zijn vader. Maar Andrew is ergens heen, samen met Julie, en als hij er niet is, dan is Aaron er per definitie ook niet.

Het is verbazingwekkend hoe alles binnen één week kan veranderen. Toen Andrew aanbood haar voor te stellen aan zijn 'vader', had Muis daar alleen uit wanhoop mee ingestemd; nu *wíl* ze graag met hem praten. Dat ze het fijn vindt om met hem te praten is te sterk uitgedrukt – Aaron Gage is niet wat je noemt een gezellige causeur –, maar ze is blij dat ze hem heeft ontmoet. Ten eerste is het gewoon een opluchting om te ontdekken dat als je eenmaal over je eerste onwennigheid vanwege het verschijnsel dat er iemand anders in Andy Gage' lichaam zit heen bent, het eigenlijk niet zó vreemd is; en als Andrew ondanks zijn vele persoonlijkheden geen volslagen engerd is, dan is er misschien ook wel hoop voor Muis.

En verder is het waar wat Andrew zei: zijn vader begrijpt inderdaad wat Muis moet doormaken. 'Ja, natuurlijk ben je eerst als de dood. Je hebt altijd al stiekem gedacht dat je gek was, en nu lijkt het wel of de bewijzen zich opstapelen, zodat je het niet langer verborgen kunt houden. Nog even en iedereen komt erachter. En je maakt je niet alleen bang, maar je voelt je ook nog eens schuldig, omdat je denkt dat je het allemaal aan jezelf te wijten hebt, dat je het op de een of andere manier verdient, ook al kun je je niet herinneren wat je hebt uitgehaald... Dus de hele wereld komt er nu niet alleen achter dat jij geschift bent, maar ook dat je een slecht mens bent...'

'Ja... Dus wat moet je dan doen?'

'Als je zo iemand bent als ik, dan verspil je een hoop tijd aan in de rats zitten. Jaren, minstens. Maar dan bedenk je op een dag dat je daar schoon genoeg van hebt, dat je geen zin meer hebt in die angst en schuldgevoelens, en je probeert hulp te vinden. En als je geluk hebt, en je vindt de hulp die je nodig hebt, en je wordt niet in de steek gelaten... dan kom je er uiteindelijk overheen. Als het niet langer doodeng is, alleen nog iets strontvervelends, dan weet je dat je echt een heel stuk vooruit bent gegaan.'

Muis kijkt uit naar de dag dat die stemmen alleen nog 'strontvervelend' zijn. Nu zijn ze nog eng. Maar ze doet haar best om Aarons advies op te volgen: 'Dokter Grey heeft zeker gezegd dat je je Genootschap als bondgenoten moet beschouwen? 't Is waar, dat zijn ze ook. Maar je kunt ze ook zien als onbeschofte gasten. Als ze zich onmogelijk gedragen, probeer dan niet doodsbang te worden of je te schamen, maar je te ergeren, net zoals je je zou ergeren als een gast je zou laten zitten met een gootsteen vol afwas. Dat is geen volmaakte oplossing, maar het zal je helpen jezelf ervan te weerhouden uit het raam te springen voordat je een vorm van echte therapie hebt gevonden – en dat is iets waar jij achteraan moet gaan, en gauw ook.'

Nou goed, dat doet ze nu dus. Maar ze moet nog wel een paar uur zoekbrengen. Muis gaat niet naar huis na haar werk; ze gaat naar het University District in Seattle en kijkt wat rond in de winkels aan University Avenue. Daarbij raakt ze een stukje tijd kwijt – het is gauwer zeven uur dan ze voor mogelijk houdt, en als ze in haar portefeuille kijkt, komt ze minstens vijftien dollar tekort – maar ze hoort maar één keer stemmen. Het gebeurt even voor zevenen, in een bijna uitgestorven pizzeria, waar Muis naar binnen is gegaan om een hapje te eten voordat ze koers zet naar Fremont. Ze wil alleen een kaasburger en een glas fris, maar de man achter de toog gaat helemaal op in een telefoongesprek en wenst haar niet te bedienen of zelfs maar te erkennen dat ze daar zit. Muis begint haar geduld te verliezen en betrapt zichzelf op de gedachte wat een vette, luie lul die vent is... waarop ze tot haar schrik beseft dat dat helemaal niet háár gedachte is; het is Pokkenkop, die zich schuilhoudt in de ingang van de grot. 'Schei uit daarmee!' zegt Muis, en tot haar intense verlegenheid trekt ze nu eindelijk de aandacht van de man achter de tap. 'Zeg, hou je gemak, hè,' zegt hij, en voordat ze weet wat haar overkomt rijdt ze op Fremont Avenue met de restanten van een McKroket op het dashboard. Zo, ik heb me geërgerd, wat een succes, denkt ze.

Met behulp van de instructies van Eddington komt ze uit voor een houten huis met twee verdiepingen. Aan de voorkant ligt een tuintje met een hek van harmonicagaas eromheen; als Muis naderbij komt – ze heeft de Buick al een straat terug geparkeerd en is nu te voet – ziet ze een man op zijn hurken voor een bloemenperk zitten, dat hij geduldig van onkruid ontdoet. Hij draagt een kakibroek en een licht katoenen overhemd met de mouwen opgerold; zijn blote onderarmen zijn bruin en gespierd, en zijn haar – kort, donker en zo'n beetje met de vingers gekamd – is zo te zien pas gewassen.

'Dokter Eddington?' spreekt Muis hem aan.

Hij kijkt op, en voor de tweede keer in twee weken ziet Muis zich geconfronteerd met de geest van haar vader. Alleen is die indruk deze keer veel indringender dan toen ze Andrew zag staan lachen voor de Harvest Moon. Eddington lijkt zowaar ook fysiek op Morgan Driver: hij heeft net zulke ogen, net zo'n neus, net zo'n kaaklijn. Hij is ouder dan Morgan Driver ooit is geworden – Muis schat hem op halverwege de veertig –, maar als je het eerste begin van kraaienpootjes wegstreek en een sigaret in zijn mondhoek liet bungelen, zou je een redelijk nauwkeurige kopie krijgen van het gezicht op het vlak na zijn eindexamenfeest genomen kiekje van haar vader.

'Hallo, Penny,' zegt Eddington, en Muis moet haar vingers door het hek haken om niet omver te tuimelen. Ze weet niet hoe haar vaders stem heeft geklonken, maar zoals Eddingtons stem klinkt – zo had die móéten klinken. 'Penny toch, hè?'

Muis weet een knikje op te brengen. Eddington staat op en wil zijn handen al afvegen aan zijn broek, maar bedenkt zich en veegt ze af aan elkaar. Dan geeft hij Muis een hand, en die is zo warm, vriendelijk en stevig dat ze het gevoel krijgt alsof ze twee is.

'Zo,' zegt hij, 'kom verder.'

Zijn praktijk bevindt zich op de eerste verdieping, in een verbouwd appartement met twee slaapkamers. Hij gaat haar voor door een gang met aan de ene kant een kamer waarin het bureau en de archiefkasten die er staan torenhoge stapels bruidstijdschriften torsen. Aan het eind van de gang ligt nog een kamer, een grotere, met langs drie muren boekenkasten en aan de ene kant een schrijftafel. Net als dokter Grey biedt Eddington zijn patiënten de keus uit verschillende zitplaatsen: er staat een chique, met leer beklede stoel met zwenkwieltjes, en verder een onmiskenbaar minder chique ligstoel, bekleed met een zachte stof met afbeeldingen uit *Stennis met Dennis*. 'Van een uitverkoop,' legt Eddington uit, en vanachter het bureau pakt hij een tweede stoel met zwenkwieltjes voor zichzelf. 'Zo, ga zitten, waar je maar wilt.' Muis kiest voor de chique stoel, niet omdat ze niet van *Stennis met Dennis* houdt, maar omdat ze zo dichter bij Eddington komt te zitten.

'En,' zegt Eddington, 'vertel me eens wat over jezelf.'

Muis knippert: ze begrijpt niet goed wat hij bedoelt. 'Heeft... heeft dokter Grey u niet al verteld wat...'

'Ze heeft me verteld dat je misschien bij me zou aankloppen om therapie, en ook waarom,' zegt Eddington. 'En dat je bevriend bent met Andrew. Maar ik bedoelde: vertel me eens wat over je karakter. Wat voor iemand ben je?'

Wat voor iemand is ze? 'Ik ben...' begint Muis, van plan om te zeggen: 'Ik ben maar een grijze muis', maar het wordt: 'Ik ben niemand.'

Eddington schenkt haar een gepijnigde glimlach, alsof hij dat niet echt kan geloven. 'Waar kom je vandaan?'

'Uit Ohio.'

'Heb je daar nog familie?'

Muis schudt haar hoofd. 'Die zijn allemaal dood.'

'Wat naar voor je,' zegt Eddington. 'Sinds kort?'

'Sinds kort...?'

'Wanneer zijn ze gestorven?'

'O. Mijn vader is gestorven toen ik nog heel klein was, en mijn grootmoeder – mijn vaders moeder – stierf toen ik negen was. Mijn andere grootouders heb ik nooit gekend.'

'Ah,' zegt Eddington. 'En je moeder?'

'Die... is pas later gestorven,' zegt Muis. 'Zeven jaar geleden.' Ze wendt haar blik af, bang dat hij om nadere bijzonderheden zal vragen, maar nee, hij zegt: 'Dus nu sta je alleen op de wereld.'

'Ja,' zegt Muis. Dan herinnert ze zich waarom ze hier ook alweer zit: 'Tenminste...'

'Juist.' Eddington glimlacht. 'En vriendinnen of kennissen? Heb je die nog, in Ohio?'

'Nee. Maar die heb ik eigenlijk ook nooit gehad...'

'En hier in Seattle dan?'

Muis wil alweer 'nee' zeggen, maar dan bedenkt ze zich. 'Hier heb ik Andrew, om zo te zeggen.' Ze kijkt de dokter aan alsof ze om bevestiging vraagt. 'Dokter Grey zei dus dat hij een vriend van me was?'

'Ja.'

'Goed, Andrew dus, en verder... verder nog, ik weet niet, Julie Sivik misschien. Hoewel die ook mijn baas is.'

'Wat voor werk doe je?'

'Het is een bedrijf dat aan virtuele werkelijkheid doet.'

'Gaaf!' zegt de dokter. 'Dus jij bent computerprogrammeur?'

'Ik geloof het wel,' zegt Muis. 'Ik bedoel, ja, zo heet mijn baan. Ik ben programmeur, alleen... ik weet eigenlijk net goed wat ik daar dóé, op m'n werk. Kijk, ik ga er 's morgens heen en 's avonds kom ik weer thuis, en daartussenin heb ik m'n middagpauze om te eten, en verder praat ik met de andere mensen op de Fabriek, maar ik kan me nooit herinneren dat ik echt aan het wérk ben geweest. En zo is het altijd geweest, met elke baan die ik ooit heb gehad: het werk wordt uitgevoerd, en goed ook, maar ik, ik heb er nooit iets van in de gaten dat ik ermee bezig ben. Maar dat is misschien maar goed ook, want de meeste banen die ik ooit heb gehad, daar had ik niet echt de papieren voor – als ik over m'n werk zou moeten nadenken, bewust, dan zou ik het waarschijnlijk niet aankunnen.' Ze zwijgt, helemaal verbaasd dat ze dit zo zonder enige terughoudendheid zit op te biechten.

Eddington hoort het allemaal zonder enige verbazing aan. 'Weet je,' zegt hij, 'er zijn mensen die je daar enorm om zouden benijden... maar ik begrijp wel dat het voor jou niet zo'n leuke toestand is.'

'"Niet zo'n leuke toestand", dat is het niet,' zegt Muis. 'Het is de gewone gang van zaken.'

'Dus je raakt stukken tijd kwijt op je werk,' zegt Eddington. 'En ook wel bij andere gelegenheden, neem ik aan?' Muis knikt. 'En als dat gebeurt, krijg je dan een black-out, of merk je ook weleens dat je dan naar jezelf kijkt, alsof je een toeschouwer bent van je eigen doen en laten?'

'Nou, vroeger had ik dat nooit,' zegt Muis. 'Vroeger was het altijd zo dat ik... gewoon verdween. Maar sinds dokter Grey me heeft gehypnotiseerd...' Ze ziet zijn gezicht van uitdrukking veranderen en valt stil. 'Wat is er?'

'Heeft dokter Grey je gehypnotiseerd?'

'Ja,' zegt Muis. 'Hoezo?'

'Wat gebeurde er toen je onder hypnose was?'

Muis brengt hem verslag uit: dat de kamer veel groter werd, dat ze opeens in de ingang van een grot stond, waar ze die afschuwelijke tweelingzussen vond, en dat ze, in een poging te ontsnappen aan het geluid van haar eigen stem, steeds dieper de grot in was gegaan. Ze vermeldt de slapers ook, maar het kleine meisje met het buideltje laat ze weg. Ze zegt alleen: 'Het beviel me niks daar binnen. Toen ik eruit kwam, weer in het... in mijn lichaam, zei ik tegen dokter Grey dat ik daar nooit meer naartoe wilde. En zij zei dat dat ook niet hoefde, zolang ik daar niet voor voelde, maar toen is er me, op de terugweg...' En ze beschrijft hoe Maledicta onderweg naar de veerboot heel even de touwtjes in handen nam.

Eddington zit er nu fronsend bij. 'Hebben er zich sindsdien nog andere incidenten voorgedaan?'

'Een paar,' zegt Muis. Eigenlijk is ze maar een paar keer in de ingang van de grot beland – meestal zijn haar black-outs enkel en alleen black-outs, niet meer en niet minder –, maar ze heeft zo'n idee dat de stemmen ook als 'incident' gelden. 'Wat is er dan?' vraagt ze. 'Heeft dokter Grey daar niet goed aan gedaan? Had ze me niet meten hypnotiseren?'

'Zoiets is altijd een persoonlijke afweging,' zegt Eddington, maar hij klinkt niet zozeer oprecht als wel diplomatiek. 'Zelf ga ik liever pas over tot hypnotiseren als er sprake is van een geregelde vorm van therapie. Voor een eenmalige sessie komt zoiets naar mijn mening niet in aanmerking. En al helemaal niet als het vermoeden bestaat dat er sprake is van een meervoudigepersoonlijkheidsstoornis.'

'Waarom dan niet?'

'Tja, in de regel waag je het er niet op om van alles bij de patiënt overhoop te halen, tenzij je weet dat je beschikbaar bent om hem of haar te helpen zulke toestanden weer tot rust te brengen. Maar Danny is... een gedreven iemand. Al te gedreven, soms.'

'O,' zegt Muis. Het is een verontrustende gedachte dat dokter Greys hooggespannen verwachtingen misschien de overhand hebben gekregen op haar inzicht als psychiater, maar Muis kan zichzelf onmogelijk het gevoel aanpraten dat ze onzorgvuldig is behandeld. Ze beseft heel goed dat dokter Grey oprecht haar best deed om haar te helpen; en ook beseft ze dat als ze die hypnose niet had gehad, het Genootschap nog steeds volop in de weer zou zijn om haar het leven zuur te maken.

Toch kan ze het niet laten hem te vragen: 'Kunt u dat ongedaan maken? Me mijn oude toestand terug bezorgen?'

'Wil je dat dan?' vraagt Eddington.

Een week eerder zou het antwoord nog 'ja' zijn geweest. Maar vooral dankzij haar gesprekken met Andrews vader is Muis' houding veranderd. Ze heeft nog steeds geen trek in de therapie zelf – ze hoeft dat kleine meisje in de grot niet zo nodig terug te zien –, maar ja, het eindresultaat, hè...

'Nee,' zegt Muis. 'Eigenlijk niet, geloof ik.' En terwijl ze hem recht in de ogen kijkt: 'U zou het anders toch niet ongedaan kunnen maken, hè?'

'Nee,' geeft Eddington toe. 'Waarschijnlijk niet.'

'Dan wil ik graag therapie,' beslist Muis vastberaden. 'Ik wil graag... een huis bouwen, of wat maar het beste is. Als u bereid bent mij te helpen.'

'Dat ben ik zeker,' zegt Eddington. In een andere kamer gaat een telefoon. 'Goed, dan gaan we geregelde sessies instellen, en volgende week beginnen we.' De telefoon blijft maar overgaan, en Eddington staat op. 'Een ogenblik,' zegt hij. 'Ik geloof dat ik het antwoordapparaat niet heb aangezet.'

Terwijl Eddington iemand te woord staat, leunt Muis achterover, luistert naar het doffe geluid van zijn stem in de andere kamer en draait voldaan heen en weer met haar stoel. Haar gedachten zwerven weg en ze laat zich gaan in fantasieën over een ander leven, een leven waarin haar moeder is omgekomen bij dat vliegtuigongeluk en haar vader is blijven leven. Ze stelt zich een man voor zoals Eddington, die hand in hand loopt met een meisje zoals zij. Dat is heel slecht, maar het geeft haar een heerlijk gevoel.

In de andere kamer legt Eddington de hoorn op de haak. Als hij de spreekkamer weer in komt, staat zijn gezicht ontsteld.

'Wat is er?' vraagt Muis, nog half verloren in haar dagdroom.

'Dat was Meredith Cantrell,' zegt hij.

'De vrouw die dokter Grey helpt?'

Eddington knikt. 'Danny heeft vanmiddag nog een beroerte gehad. Ze is overleden.'

Het duurt een momentje voordat het bericht tot haar doordringt, en als het zover is, stelt Muis vast dat ze eigenlijk niet verbaasd staat. 'O nee,' zegt ze, eerder uit beleefdheid tegenover Eddington dan omdat ze dat meent. Dan merkt ze dat Eddington haar staat op te nemen – hij kijkt of ze nu instort, of in iemand anders verandert. 'Ik kan het wel aan, hoor,' verzekert ze hem. 'Ik... Het is droevig dat ze dood is, maar ik had niet zo'n band met haar. Daarvoor heb ik haar niet lang genoeg gekend.'

'Ik had wel een band met haar,' zegt Eddington, en heel even trekt hij zich terug in zijn eigen hoofd. Dan zegt hij: 'Afijn, het was niet mijn bedoeling om onze sessie voortijdig af te breken, maar ik zal nu naar Autumn Creek moeten om het Andrew te vertellen.'

'Andrew... O, god.'

'Ja,' zegt Eddington. 'Ik moet erop letten dat de klap niet te hard aankomt... Dat valt onder de belofte die ik dokter Grey heb gedaan.'

'Natuurlijk,' zegt Muis, en ze staat al op. 'Goed. Dan ga ik maar...'

'Voel je er misschien voor om mee te gaan?'

'O ja. Als u denkt...'

'Ik denk dat het goed zou zijn voor Andrew als hij op zo'n ogenblik een vertrouwd iemand in de buurt had,' zegt Eddington. Hij glimlacht tegen haar, en Muis kan er niets aan doen: ze voelt zich helemaal blij worden. Hij lijkt toch zoveel op haar vader.

'Oké,' zegt ze.

'Oké,' zegt Eddington. 'Ik zet het antwoordapparaat nog even aan en dan gaan we...'

17

Muis zat in haar eerste semester aan de Universiteit van Washington toen haar moeder een beroerte kreeg. Het duurde een poosje voordat het bericht haar bereikte, en in de maanden daarna wenste ze heel wat keren dat het haar nooit had bereikt.

Dat ze aan de staatsuniversiteit van Washington studeerde, had ze te danken aan het Genootschap, dat wist ze wel. Natuurlijk had Muis' moeder willen hebben dat ze 'naar de universiteit ging', dat deden alle jongedames van goeden huize tegenwoordig, maar oorspronkelijk was het plan geweest dat Muis naar een of andere instelling dichter bij huis ging, het liefst op nog geen halve dag rijafstand, zodat haar moeder een oogje in het zeil kon houden. Geholpen door haar moeder vroeg Muis een plaats aan op Oberlin, Antioch, Notre Dame en Northwestern; tegelijkertijd gingen er door Muis ondertekende aanvraagformulieren naar Oxford, Stanford en de Universiteit van Washington... en dat waren alleen nog maar de universiteiten waar Muis achteraf pas van hoorde dat ze ze had aangeschreven.

Stanford wees haar af, en ze kwam er nooit goed achter hoe het met Oxford was afgelopen. Maar de Universiteit van Washington accepteerde haar niet alleen, ze kreeg ook nog een bescheiden beurs aangeboden. Dankzij een door het Genootschap gefabriekt begeleidend schrijven werd die beurs opgeklopt tot een enorme eer – het soort eer dat uitsluitend de meest uitzonderlijke kandidaten te beurt viel. Vandaar dat Muis naar de UW vertrok.Haar moeder vond het maar niets dat ze zo ver weg kwam te zitten, maar ze kon moeilijk doordrijven dat Muis bedankte voor de 'grote eer', vooral niet aangezien ze in de waan verkeerde dat Muis door die instelling was geselecteerd zonder dat ze er zelf achteraan had gezeten.

Muis' blijdschap omdat ze uit haar moeders huis ontsnapt was (een blijdschap die ze alleen voelde, maar nooit openlijk liet blijken of ter sprake bracht) werd getemperd door haar spontane afkeer van haar kersverse kamergenote Alyssa Geller, in haar ogen een iets volwassener versie van Cindy Wheaton. Alyssa was ook niet erg van Muis gecharmeerd. Dat lag voor een deel aan de frequente uitbarstingen van Maledicta, en verder aan Muis' moeder, die bijna elke dag opbelde en achterdochtig en grof werd wanneer Muis niet thuis was. In de loop van de eerste helft van dat semester raakten de betrekkingen tussen Muis en Alyssa steeds verder in het slop, om een dieptepunt te bereiken toen Alyssa's bed en het grootste gedeelte van haar bezittingen op onverklaarbare wijze op de gang belandden. Niet lang daarna woonde Muis opeens in een appartement in een souterrain ergens buiten de campus.

Het souterrain vertoonde weliswaar een onvermijdelijke neiging tot vochtplekken, maar was verder verrassend gezellig, met licht geverfde muren en een overdaad aan lampen om alle schaduwen te verdrijven. Het was klein, maar altijd nog groter dan haar kamer op de campus, en het was helemaal van haar alleen: toen ze eenmaal over de schok van de overgang heen was, genoot Muis zo enorm van die woonruimte die ze met niemand hoefde te delen dat ze zich pas een hele week later afvroeg of haar moeder eigenlijk wel wist waar ze zat. Er waren alweer een paar dagen verstreken toen ze zich realiseerde dat ze geen telefoon had in haar nieuwe appartement, dus dat haar moeder, al zou ze weten waar ze zat, haar onmogelijk kón bellen. Dat was het ogenblik dat Muis met de gedachte speelde een telefoon aan te schaffen, of om op z'n minst naar huis te bellen vanuit een telefooncel, maar allebei die stappen liet ze achterwege; in plaats daarvan ging ze naar een bloemenzaak op University Avenue en kocht daar een grote krans van paarse droogbloemen, die ze bij wijze van bordje VERBODEN TOEGANG op haar voordeur hing.

Er verstreek nog een week. Het was inmiddels november; op een koude, natte dag sjokte Muis ergens op de campus, toen Alyssa Geller haar probeerde te onderscheppen. Aan haar gezicht zag Muis al wat Alyssa haar te vertellen had, maar ze had geen zin om aan te horen dat Verna Driver dag en nacht had gebeld omdat ze met alle geweld wilde weten waar haar dochter toch uithing, en dus maakte ze zich vlug uit de voeten. Toen ze een uur later in een collegezaal zat te wachten tot er een college psychologie begon, kwamen er een paar beveiligingsbeambten van de campus de gehoorzaal in, die haar naam riepen; Muis, die op de achterste rij zat, hield zich stil, en toen het tweetal overleg pleegde met een assistent, glipte ze er via een deur aan de achterkant vandoor.

Ze maakte dat ze wegkwam van de campus, rende naar huis en hield zich de eerstvolgende zes dagen schuil alsof de politie achter haar aan zat. Natuurlijk begreep ze best dat ze zich belachelijk gedroeg – ze kon zich niet eeuwig voor haar moeder blijven verstoppen –, maar terwijl ze zo in haar eentje in haar appartement zat, met de deur op slot en zonder iemand om zich heen die haar van achteren kon besluipen, stelde Muis vast dat het haar niets kon schelen of ze zich belachelijk gedroeg.

Vroeg op de avond van de zesde dag werd er hard op Muis' voordeur geklopt. Muis moest zich met geweld bedwingen om niet onmiddellijk al haar lampen uit te doen; daarmee zou ze zichzelf alleen maar hebben verraden.

Er werd nog eens geklopt. Aan de andere kant van de deur riep een mannenstem: 'Mevrouw Driver?... De politie hier. Wilt u opendoen? Mevrouw Driver, bent u daar?'

Muis hield haar adem in. Ga weg, dacht ze, maar nadat er voor de derde keer was geklopt, zei de stem tegen iemand anders die daar ook stond: 'Maak maar open', en ze hoorde een sleutel in het slot knarsen. Muis kreeg nog even het wilde idee om vlak voor de deur een boekenkast om te gooien bij wijze van barricade, maar het was al te laat. Er kwamen vier mannen binnen: twee agenten, een van de beveiligingsbeambten die in de collegezaal waren geweest, en Muis' huisbaas. Met z'n allen vulden ze zo'n beetje Muis' hele zitkamer; een van de agenten was zo lang dat hij vanwege het lage plafond zijn hoofd moest intrekken.

'Mevrouw Driver?' zei de lange agent. Toen Muis langs hem heen staarde naar de opengebleven deur – ze verwachtte haar moeder – vroeg hij de huisbaas: 'Is zij het?' De huisbaas knikte en de agent vervolgde: 'Mevrouw Driver, is alles goed met u?'

'Waar is ze?' vroeg Muis.

'Waar is wie, mevrouw Driver?'

'Mijn moeder,' zei Muis. 'U bent toch zeker door haar op mij af gestuurd, of niet soms? Staat ze buiten?'

'Nee,' zei de lange agent verlegen, en hij aarzelde.

De beveiligingsbeambte schraapte zijn keel. 'Uw moeder maakte zich inderdaad nogal ongerust,' zei hij, 'omdat ze u almaar niet kon bereiken. Ze, eh... drong er erg op aan dat we u zouden opsporen. Ze dacht dat u misschien iets was overkomen.'

'Nee,' zegt Muis. 'Nee, ik ben alleen maar verhuisd...'

'Dat vertelde uw kamergenote ons ook al,' zei de beveiligingsman. 'Maar, eh... helaas wenste uw moeder daar geen genoegen mee te nemen. Ze zinspeelde er zelfs op dat mevrouw Geller misschien wel... tja, iets met u had uitgehaald.'

'O mijn god,' zei Muis. Het was nog erger dan ze had gedacht; Alyssa was natuurlijk razend. 'Nou, wilt u haar dan zeggen dat dat niet zo is? Dat er niets met me...'

'Eh...'

'Alleen één ding,' zei Muis. 'Als u haar nog niet hebt verteld waar ik woon, zou u dat dan voor u kunnen houden? Zegt u maar dat er niets aan de hand is, dat alles oké met me is, maar zegt u niet...'

Nu nam de lange agent weer de leiding: 'Mevrouw Driver,' zei hij, 'we kunnen op dit ogenblik niets tegen uw moeder zeggen, ben ik bang. De reden waarom we hier zijn gekomen...'

'Waarom niet?' vroeg Muis. Ze nam aan dat er een of andere wettige regel in het spel was. Misschien mochten ze zich er verder niet mee bemoeien, nu ze wisten dat Alyssa haar niet had vermoord. 'Ik betaal wel voor dat telefoontje, als dat het probleem is. Ik...'

'Mevrouw Driver,' zei de agent, 'dat we uw moeder niets kunnen vertellen komt doordat ze in het ziekenhuis ligt. Ze heeft een beroerte gehad.'

'Een beroerte?' vroeg Muis. 'U bedoelt dat ze dood is?'

'Nee nee,' zei de beveiligingsman, en hij maakte even een geruststellend gebaar. 'Ze is niet dood, ze is alleen in het ziekenhuis opgenomen.'

'Maar...' Verward schudde Muis haar hoofd. 'Mijn grootmoeder heeft ook een beroerte gehad,' zei ze. 'En zíj ging toen dood.'

De beide agenten wisselden een blik. Toen zei de lange: 'Ik weet niets van uw grootmoeder, mevrouw Driver, maar uw moeder leeft nog.'

'Maar gáát ze dan dood?'

'Haar toestand werd omschreven als zorgwekkend maar stabiel. Dat is echt alles wat ik erover kan zeggen. Het ziekenhuispersoneel kan u vast meer vertellen...'

'In welk ziekenhuis ligt ze?'

'In het Holy Family-ziekenhuis,' zei de lange, nadat hij een notitieboekje had geraadpleegd. 'In Spokane.'

'Spokane, in Washington?' Nog meer verwarring. 'Wat doet ze dáár nou?'

'Ze was aan boord van een vliegtuig,' legde de agent uit. 'Op weg hierheen, waarschijnlijk om naar u op zoek te gaan.' Er klonk een verwijtend toontje in zijn stem door. 'Boven de grens tussen Idaho en Washington kwam het vliegtuig in een gebied met nogal wat turbulentie terecht, en daar heeft uw moeder een soort aanval gekregen.'

Met 'een soort aanval' bedoelde de agent haar moeders beroerte, nam Muis aan. Later zou ze erachter komen hoe het in werkelijkheid had gezeten: haar moeders vliegangst (minder hevig dan haar fobie voor paars, maar desondanks nog intens genoeg) had, in combinatie met haar ongerustheid over Muis plus nog eventuele andere duistere aandriften die in haar hersens rondspookten, een fikse vlaag van paranoia bij haar ontketend, waarvan de beroerte niet meer dan de finale was geweest. Terwijl het toestel op een hoogte van 87.000 meter slingerend en schuddend voortvloog, was Verna Driver opgestaan van haar stoel om met luide stem haar medepassagiers te verwijten dat ze met z'n allen onder één hoedje speelden tegen haar; de stewardessen, die haar hadden willen overmeesteren, waren twee keer door het hele vliegtuig achter haar aan gerend, totdat ze op het laatst in elkaar was gezakt in het keukentje van de eerste klas.

'Spokane,' herhaalde Muis, en ze probeerde zich voor de geest te roepen waar die plaats lag ten opzichte van Seattle, en vooral hoe ver ervandaan precies.

'Het vliegtuig heeft een noodlanding moeten uitvoeren,' besloot de lange agent zijn verhaal. 'Uw moeder is overgebracht naar het Holy Family en uiteindelijk hebben ze contact opgenomen met ons. Twee dagen geleden.' Nogmaals een verwijtend toontje. 'We hebben ons een ongeluk gezocht naar u.' Daar ging Muis niet op in, en de agent vervolgde: 'Mevrouw Driver, niet om het een of ander, maar hadden uw moeder en u misschien... problemen met elkaar?'

'Problemen?' zei Muis.

– en de deur viel achter hen dicht. Muis, nu weer alleen, ging op de bank zitten totdat er een memorandum opdook met het adres en het telefoonnummer van het Holy Family-ziekenhuis. Ook stonden daarin de vertrektijden vermeld van de diverse vliegtuigen, bussen en treinen van Seattle naar Spokane, maar merkwaardig genoeg zat er geen lijstje bij van dingen die ze moest doen, met concrete aanwijzingen wanneer Muis moest vertrekken.

Natuurlijk was zo'n lijstje nergens voor nodig. Haar moeder lag in het ziekenhuis en zou misschien – maar dat stond niet vast – komen te overlijden. Muis hoorde haar stante pede op te zoeken: dat was iets wat iedere goede dochter zou doen. Maar Muis was geen goede dochter, ze was een waardeloos stuk stront, en hoewel de politie woensdagavond bij haar aan de deur was geweest, stapte ze pas die vrijdagmorgen op een trein die vanaf station King Street naar het oosten vertrok.

Officieel moest de trein om zeven uur 's avonds aankomen in Spokane, maar in het Cascade-gebergte werd er twee keer aan de noodrem getrokken. Na het tweede incident bleef de trein meer dan een uur stilstaan: iedereen in Muis' rijtuig werd aan de tand gevoeld door een ploegje conducteurs. De boosdoener werd echter niet gevonden, en uiteindelijk zette de trein zich weer in beweging. Om halfzes kwam hij in Wenatchee aan en in Spokane om twaalf uur 's nachts. Maar toen was het te laat om nog naar het ziekenhuis te gaan, en dus zocht Muis een hotel op.

De volgende ochtend versliep ze zich, vervolgens verdwaalde ze op weg naar het ziekenhuis en uiteindelijk kwam ze pas tussen de middag aanzetten in het Holy Family. Zaterdag tussen de middag: drie dagen nadat ze van haar moeders beroerte had gehoord en zes dagen nadat die zich had voorgedaan: haar moeder had dus alle tijd van de wereld gehad om dood te gaan als haar beroerte ook maar in de verste verte zo erg was geweest als die van oma Driver.

Maar nee, Verna Driver leefde nog. 'Haar toestand is stabiel,' zei de verpleegster, die via een lange gang met Muis meeliep.

Stabiel: dat woord had die lange agent ook gebruikt. Muis nam aan dat dat betekende dat haar moeders toestand de eerste tijd niet achteruit zou gaan, maar ook niet vooruit. 'Maar hoe erg is ze eraan toe? Kan ze praten?'

'Uw moeder is niet volledig bij kennis,' legde de verpleegster uit. 'Sinds haar opname heeft ze een paar keer de ogen geopend, maar zo te zien heeft ze geen idee waar ze is of wat haar is overkomen. En verder – bereidt u zich daar maar liever vast een beetje op voor – heeft ze een verlamming opgelopen, dus ook al zou ze klaarwakker zijn, dan nog is het niet zeker of ze kan praten.'

'Een verlamming,' zei Muis. 'En is dat iets tijdelijks, of...'

'Dat zou u aan een arts moeten vragen. Als ik u haar kamer heb gewezen zal ik iemand gaan zoeken die u iets kan zeggen over haar prognose... Hier is het.'

Er stonden twee bedden in de kamer. Het bed dat het dichtst bij de deur stond was niet bezet; in het andere, naast een raam met uitzicht op het centrum van Spokane, lag Verna Driver, roerloos als een lijk.

Muis had ook haar grootmoeder na haar beroerte opgezocht in het ziekenhuis. Muis' moeder had haar eigenlijk niet willen meenemen, maar Muis had zich daar voor één keer niet bij neergelegd en had zowaar haar zin weten door te drijven. Wat ze toen te zien had gekregen, had haar een steek in het hart bezorgd: haar oma kleintjes en verschrompeld in dat bed, aan een beademingsapparaat, en bovendien hing de ene helft van haar gezicht er helemaal slap bij. Muis was in tranen uitgebarsten, waarop haar moeder in een vlaag van kwaadaardigheid een vinger in oma's afhangende mondhoek had gestoken, de zaak had opgetrokken tot een zogenaamde brede lach en opgewekt had gezegd: 'Nou, kijk toch eens aan! Helemaal beter, hoor!'

Maar goed, het rad van de tijd was verder gedraaid en nu was het haar moeders beurt.

Verna Driver ademde op eigen kracht, maar ook bij haar hing de rechterkant van haar gezicht er verlamd bij. Of liever gezegd: die hing niet zozeer; het woord dat het eerst bij je opkwam was 'gesmolten': de slappe huidplooien vertoonden een onnatuurlijke glans die aan was of stopverf deed denken. En ook haar rechterarm, die op het laken was gevlijd, leek niet op een echt lichaamsdeel, maar eerder op een beschadigde prothese, met kromme vingers in de vorm van iets wat het midden hield tussen een vuist en een klauw.

Muis, die aan haar grootmoeder moest denken, probeerde een harde houding aan te nemen, deze toestand te zien als enkel haar verdiende loon – een poging die precies twee seconden standhield. 'Mama,' zei ze en barstte in snikken uit. 'O, mama...'

'Arm kind,' zei de verpleegster. 'Ik zal de dokter gaan zoeken...'

'Hmm?' snufte Muis, die op het nippertje besefte dat de verpleegster van plan was haar alleen te laten in de kamer. 'Nee, alsublieft niet, wacht u even...'

Te laat. Toen Muis zich omdraaide was de verpleegster de kamer al uit. Muis snufte nog wat na, maar de tranenvloed kwam tot stilstand, want opeens week haar verdriet voor een gespannen gevoel. Met een zenuwachtige zucht keerde ze zich weer om naar het bed.

Haar moeders ogen stonden open.

– en Muis zat op haar hurken op de gang, helemaal in elkaar gedoken, angstig platgedrukt tegen de wand aan de andere kant. Er stonden mensen om haar heen en ze zat op haar knokkels te bijten; daaruit maakte ze op dat ze gegild moest hebben.

'Wat is er, kind?' zei de verpleegster, en zachtjes legde ze een hand op Muis' schouder. 'Is er iets gebeurd?'

'Zo, hallo,' zei een man in een witte doktersjas, die aan haar andere kant neerhurkte. 'Alles goed met je?'

Muis zag kans haar handen net lang genoeg voor haar mond weg te halen om te kunnen uitbrengen: 'Ze is wakker!'

De dokter en de verpleegster keken allebei om, alsof ze Verna Driver in de deuropening van haar kamer verwachtten te zien.

'In het bed,' verduidelijkte Muis. 'Ze deed haar ogen open.'

'Och, schat,' zei de verpleegster. 'Ik heb je toch gezegd dat ze dat al wel eerder heeft gedaan? Maar...'

'Nee,' zei Muis. 'Ze keek naar me. Ze zág me.'

'Echt waar?' zei de dokter. 'Dat is dan een goed teken. Kom, we gaan eens kijken.' Hij stond op en keek even naar het toegestroomde publiek. 'Loopt u maar weer door, hoor.'

Verna Drivers ogen stonden nog open, maar haar blik was wazig geworden, vaag en dof. 'Mevrouw Driver?' riep de dokter, en hij bewoog een hand heen en weer voor haar gezicht. 'Verna, hoor je mij?' Ze liet op geen enkele manier blijken dat ze hem opmerkte. Haar ogen draaiden alle kanten op, wel parallel aan elkaar, maar zonder zich ergens op te richten.

Muis schudde haar hoofd. 'Zonet was het heel anders,' zei ze. 'Toen keek ze naar míj.' Ze huiverde nog bij de herinnering: aan haar moeders ogen, klaarwakker, opmerkzaam en volslagen misplaatst in dat slap neerhangende gezicht – alsof ze voor de grap een goedkoop rubberen masker met haar eigen gelaatstrekken had opgezet en door de ooggaten naar buiten had gegluurd.

De dokter haalde een zaklampje uit zijn borstzak en scheen ermee in elk van Muis' moeders ogen. Haar pupillen trokken samen toen het licht erop viel, maar haar blik bleef ongericht rondzwerven.

Muis raakte geërgerd en flapte eruit: 'Ze doet maar alsof!'

De verpleegster fronste haar wenkbrauwen, maar de arts glimlachte. 'Je wilt zeggen dat ze ons in de maling neemt, dat ze me wel degelijk ziet? Dat zou dan ook een goed teken zijn, als het waar was. Maar ik geloof niet...'

Muis verstrakte. 'Kijk dan!' zei ze, en ze wees. De dokter keerde zich weer om naar het bed.

Verna Drivers blik, die maar wat kriskras door de kamer was gegleden, was op Muis gevallen... en daar gebleven. Haar ogen richtten zich op één punt en kregen weer dat oplettende. Het was duidelijk dat ze wist naar wie ze nu keek.

Of althans, voor Muis was dat duidelijk. De dokter was nog steeds sceptisch. 'Mevrouw Driver?' riep hij weer. Net als de eerste keer kwam er geen reactie. Maar ditmaal was er toch iets anders aan de hand; daarvoor had ze hem misschien helemaal niet gezien, maar nu (Muis wist het zeker) nam ze domweg geen notitie van hem. Ze was zo op haar dochter geconcentreerd dat ze geen aandacht kon schenken aan zwaaiende handen of lichtjes.

'Ze ziet me,' zei Muis, en ze zette een halve stap naar rechts. Haar moeders ogen volgden haar op de voet.

Bij wijze van experiment liet de dokter Muis de kamer uit gaan. Muis' moeder volgde haar zo ver als ze kon zonder haar hoofd te draaien en bleef toen nog een paar minuten lang vanuit haar ooghoeken liggen staren, alsof ze erop rekende dat Muis zo meteen weer zou komen opdagen. Op het laatst werden haar ogen wazig en zwalkten ze weer doelloos rond. De dokter riep Muis terug. Er verstreek enige tijd, waarna de blik van Muis' moeder toevallig opnieuw op Muis viel... en zich aan haar vastzoog.

'Ja, oké,' zei de dokter, eindelijk overtuigd. 'Het is duidelijk dat ze iets aan je herkent... maar zolang we geen duidelijke reactie krijgen op onze vragen, weten we niet echt in hoeverre er daar binnen sprake is van een coherent denkproces. Maar goed,' – hij knikte optimistisch – 'het is wél een positief teken.'

'Dus ze wordt weer beter?'

'Tja,' hield de dokter een slag om de arm. 'Dit is een stapje in de goede richting, en laten we hopen dat er binnenkort nog meer volgen. Maar ik moet je eerlijk zeggen: als je de zwaarte van de beroerte in aanmerking neemt, dan is het niet realistisch om je hoop te vestigen op een volledig herstel. Ze zal de rest van haar leven gehandicapt blijven en hoogstwaarschijnlijk heeft ze straks dag en nacht verzorging nodig.'

'U bedoelt,' zei Muis, 'dat ik voor haar moet gaan zorgen?'

'Nee, niet als je dat niet wilt,' zei de dokter, terwijl de verpleegster een nog diepere frons trok. 'En zeker niet helemaal alleen. Er kan van alles geregeld worden op het gebied van professionele hulpverlening, bij jou thuis, of anders in een instelling.'

'In een instelling,' zei Muis onmiddellijk. 'Of misschien... Misschien kunt u haar gewoon hier houden?'

'Hier in het Holy Family doen we niet aan langdurige zorg,' liet de verpleegster haar kortaf weten.

'Bovendien,' zei de dokter, 'ik heb begrepen dat je uit... Kentucky komt, is dat zo?'

'Uit Ohio,' zei Muis. 'Daar komt mijn moeder vandaan, maar ik woon nu in Seattle.'

De dokter knikte. 'Er zijn diverse geschikte instellingen in en om Seattle waar je moeder uiteindelijk naar overgebracht zou kunnen worden. Ik weet wel zeker dat het voor jou gemakkelijker zou zijn om je moeder daarginds te hebben...' Er volgde een langdurig stilzwijgen van zijn kant en Muis zei ook niets, waarna de dokter vervolgde: 'Afijn, de komende dagen is er ruimschoots tijd om de verschillende mogelijkheden te bespreken.'

De komende dagen. Ze verwachtten van Muis dat ze in Spokane zou blijven zolang haar moeder in het ziekenhuis lag. De dokter was van mening dat haar moeders herstel, hoe goed of hoe armzalig dat uiteindelijk ook mocht uitpakken, bevorderd zou worden door Muis' aanwezigheid. Muis besefte dat hij wel gelijk zou hebben, en sterker nog: dat het haar plicht was om te blijven... Maar ook al had ze die tranen gestort, ze wílde niet blijven. Bij die moeder van haar, die haar aan één stuk door aanstaarde als ze in de kamer was – en al helemaal niet als ze eventueel beter werd. God, stel je voor dat ze ging praten en dan de vreselijkste dingen zei? Of nog erger: als ze bij wijze van spelletje alleen praatte wanneer Muis en zij alleen waren? Dan zouden de dokter en de verpleegster denken dat Muis gek was, en het zou maar even duren, of dat wás ze ook.

Ze bleef zo lang als ze het kon volhouden: vijf dagen. Van al die dagen bracht ze maar een klein gedeelte in haar moeders kamer door. Wanneer het gestaar haar te veel werd – vaak al binnen een halfuur, als ze niemand van het ziekenhuispersoneel zover kon krijgen om bij haar in de kamer te blijven –, nam Muis de benen en ging ze een ommetje maken in de stad. Op een van die wandelingen kwam ze langs een toekomstig bouwterrein, een braakliggend stuk grond in de buurt van de rivier waar, volgens de borden die er stonden, het volgende voorjaar zou worden begonnen met de bouw van een hotel. Muis stond er op dat ogenblik niet speciaal bij stil, al bleek later dat het beeld ergens in haar achterhoofd was blijven hangen.

De vierde dag dat Muis naar het ziekenhuis kwam, vroeg de dienstdoende verpleegster haar om bij haar vertrek even bij de financiële administratie langs te gaan, want er was een probleem met haar moeders ziektekostenverzekering. Het probleem, zo bleek, was dat haar moeders verzekering was verlopen, en al zo lang geleden dat het de verzekeringsmaatschappij bijna een week had gekost om na te trekken of ze ooit een polis had gehad; ze had al meer dan tien jaar lang geen premie meer betaald. Toen Muis dat te horen kreeg, vroeg ze zich vluchtig af of haar moeder soms blut was geraakt zonder haar dat te vertellen. Maar nee, dat kon het niet zijn; Verna Driver had de afgelopen tien jaar steeds ruimschoots genoeg geld gehad voor andere zaken. Ze moest gewoon vergeten zijn om haar premies te betalen, of besloten hebben om ermee op te houden. Misschien, dacht Muis, had ze zich in het hoofd gehaald dat een ziektenkosteverzekering iets was voor armoedzaaiers.

'Wil dat zeggen dat u haar nu op straat zet?' vroeg Muis.

De man van de financiële administratie haastte zich haar te verzekeren dat nee, ook volslagen onvermogende mensen recht hadden op medische zorg. 'We kunnen een afbetalingsregeling opstellen op grond van wat uw moeder – en u – zich kan permitteren. Maar dit zou weleens tot complicaties kunnen leiden als we gaan proberen haar geplaatst te krijgen in een verpleeginrichting.'

Muis' gêne vanwege die verlopen verzekering maakte algauw plaats voor boosheid. Toen ze weer op haar hotelkamer zat, zwol de boosheid aan tot woede, en een groot gedeelte van de nacht had ze een black-out. Toen ze de dag daarop weer in de ziekenkamer van haar moeder kwam, in het blikveld van die starende ogen, kreeg ze weer een black-out... waarna ze opeens naast het bed stond, met haar ene hand over de mond van haar moeder. Ze drukte niet hard – haar moeder kon nog ademhalen –, maar de conclusie die ze hieruit trok joeg haar zo'n angst aan dat ze achteruit de kamer uit schuifelde (waarbij haar moeders ogen haar tot het laatste ogenblik volgden) en het ziekenhuis het ziekenhuis liet zonder ook maar een woord tegen iemand te zeggen. Voordat ze wist wat haar overkwam, zat ze weer in Seattle.

De weken die volgden waren een wazig geheel. Doordat ze zich een tijdje verborgen had gehouden en daarna nog naar Spokane was geweest, was Muis hopeloos achteropgeraakt met haar studieopdrachten, en ze was totaal niet klaar voor de kersttentamens die voor de deur stonden. Maar zonder ook maar één dagje te stampen – en trouwens ook zonder maar één examen af te leggen, voor zover ze zich naderhand herinnerde – haalde ze op de een of andere manier al haar vakken. Toen er omstreeks de 16de of 17de december een eind kwam aan de tentamenperiode, werd haar leven weer wat samenhangender, zodat ze eindelijk kans zag telefoon te laten aanleggen in haar appartement.

Ze belde het Holy Family-ziekenhuis. Haar moeder leefde nog, maar was niet verder vooruitgegaan. In Muis' afwezigheid had het ziekenhuis haar overgebracht naar een gemeentelijk verpleegtehuis. Dat was maar een tijdelijke maatregel; als haar moeders naaste verwant kon ze altijd nog een regeling van meer permanente aard treffen.

Muis talmde en treuzelde nog een week en vertrok toen nogmaals naar Spokane, deze keer met de bus. Een paar uur voordat er een sneeuwstorm zou opsteken stapte ze op een Greyhound. De storm kwam eerder dan voorspeld en Muis' bus had nog maar net de bergen achter zich gelaten, of hij moest een noodstop maken in Ellensburg. Alles bij elkaar nam de tocht naar Spokane bijna twee dagen in beslag.

Het verpleegtehuis oogde minder aangenaam dan het ziekenhuis, maar het was er schoner dan Muis had verwacht, en het personeel maakte een vriendelijke indruk. Daarom vatte ze al meteen bij haar aankomst het idee op dat haar moeder hier misschien maar voor onbepaalde tijd moest blijven. Muis wist best dat haar moeder tegen dat idee gekant zou zijn – niet-particuliere inrichtingen waren voor armelui, punt uit –, maar in de toestand waarin ze nu verkeerde zou ze waarschijnlijk toch niets in de gaten hebben. En mocht ze wel iets merken – tja: wie had die verzekering laten verlopen? Muis niet.

In haar moeders nieuwe kamer stonden vier bedden in plaats van twee, en het uitzicht verschilde hemelsbreed. Alle bedden waren bezet: twee door patiënten die beademd werden en het derde door een jonge vrouw die er zo op het oog gezond uitzag, maar nooit een vin verroerde als Muis erbij was.

Muis' moeder leek er nog net zo aan toe als eerst: haar ogen stonden open en ze fixeerden zich onmiddellijk op Muis, met weer diezelfde onheilspellend starende blik.

'Mama,' hoorde Muis zichzelf zeggen. 'Versta je mij? Weet je waar je bent?'

Niets: geen ooglid dat ook maar even knipperde, geen wimper die trilde, alleen maar een strakke blik, zo intens dat Muis al heel gauw de kamer uit moest om lucht te krijgen.

Toch was er iets veranderd. In de loop van Muis' volgende bezoekjes leek het erop dat haar moeder er telkens iets langer over deed om haar op te merken – één keer gleed haar blik wel een stuk of vijf keer over Muis heen voordat hij op haar bleef rusten. Dus wie weet ging ze toch wel achteruit; wie weet was ze wel bezig dood te gaan. Maar dan heel langzaam.

Muis wist te regelen dat haar moeders opname in het verpleegtehuis van permanente aard werd. Daar gingen een paar dagen mee heen, want het hoofd van de administratie maakte aanvankelijk nogal bezwaar tegen dat idee. Maar op de een of andere manier kwam het voor elkaar en werden de nodige maatregelen getroffen.

Nog één keer ging Muis naar haar moeders kamer. Bij wijze van uitzondering lag haar moeder te slapen, en nu die starende blik ontbrak raakte Muis veel minder gespannen, zodat ze weer in huilen kon uitbarsten. In tranen beloofde ze haar moeder dat ze vaak langs zou komen, en toen boog ze zich over haar heen en kuste haar zorgvuldig op de wang.

Ze zag haar moeder niet meer levend terug.

Niet dat ze het daarop had toegelegd, althans niet bewust. Muis was oprecht van plan geweest één keer in de maand naar Spokane te gaan, of in ieder geval eens in de twee maanden. Maar toen ze eenmaal weer terug was in Seattle en helemaal opging in het nieuwe semester, kwam er eigenlijk niets van die voornemens terecht. Voortdurend zóú ze haar moeder gaan opzoeken, heel gauw. Heel gauw, maar nu even niet.

Wel belde ze geregeld. Iedere vrijdagavond, zonder mankeren, belde Muis naar het verpleegtehuis om naar haar moeders toestand te informeren. Ze maakte zichzelf wijs dat ze blijk gaf van haar medeleven door middel van die telefoontjes, maar het lag iets gecompliceerder. De waarheid gebiedt te zeggen dat Muis last had gekregen van nachtmerries – ongetwijfeld het gevolg van schuldgevoelens – waarin haar moeder, die als door een wonder weer op de been was gekomen, in het holst van de nacht het verpleegtehuis uit sloop om haar dochter nog eens flink de stuipen op het lijf te jagen. Soms eindigde zo'n nachtmerrie als haar moeder nog onderweg was, al legde ze de afstand tussen Spokane en Seattle veel sneller af dan Muis ooit had gekund; maar andere keren kwam ze wél aan, zocht Muis op en bezorgde haar zo'n doodschrik dat Muis een beroerte kreeg en voorgoed verlamd aan haar bed gekluisterd bleef, overgeleverd aan de genade van haar moeder.

Muis' wekelijkse telefoontjes naar het verpleegtehuis waren dus wel iets meer dan enkel een uiting van dochterliefde; ze fungeerden ook als angstige blik achterom.

Op een dag – op 2 mei 1990, iets voor negen uur 's morgens, toen Muis net aanstalten maakte om naar college te gaan – belde het verpleegtehuis om haar te laten weten dat haar moeder 'er slecht aan toe' was en dat men niet verwachtte dat ze het nog veel langer zou maken. Veertig minuten later – Muis was nog thuis, ze probeerde te bedenken, of zat af te wachten, wat ze zou doen – belde het verpleegtehuis alweer: haar moeder was overleden.

Deze keer liet Muis er geen gras over groeien. Nog geen twee uur later zat ze op luchthaven Sea-Tac in een vliegtuig; iets meer dan een uur later stond ze in Spokane voor een balie van Avis en vroeg of er een stationwagen te huur was (een van de dingen die Muis in de afgelopen paar maanden had gedaan in plaats van haar moeder opzoeken, was leren autorijden, en het was haar niet meegevallen; ze had drie keer examen moeten doen, maar sinds 12 april had ze haar rijbewijs). Er bleek inderdaad een stationwagen beschikbaar; Muis sprong erin en jakkerde naar het verpleegtehuis.

Maar niet snel genoeg. 'Uw moeder is er niet meer,' deelde de receptioniste haar mee toen ze binnenkwam.

'Ja, ik weet al dat ze is overleden. Maar waar...'

'Nee, ik bedoel dat ze híér niet meer is,' zei de receptioniste. 'In het huis.'

'Wat bedoelt u, ze is hier niet meer?' riep Muis uit. 'Ze is toch dóód? Hoe kan dat dan, dat ze hier niet meer is?'

De receptioniste staarde onaangedaan naar haar computerscherm. 'Volgens mijn gegevens is ze een halfuur geleden opgehaald door uitvaartcentrum De Aartsengel.'

'Hoe konden ze dat dan doen? Hebben ze geen toestemming nodig voor zoiets?'

'Ik neem aan dat ze in de veronderstelling verkeerden dat ze die hadden,' zei de receptioniste. 'Als er sprake is van een vergissing, dan kan ik u wel in contact brengen met iemand van de directie.'

'Nee, laat u maar,' zei Muis. Ze besefte dat dat geen enkele zin had; wie weet hád ze wel toestemming gegeven. 'Zou u me het adres van het uitvaartcentrum willen geven?'

Het uitvaartcentrum bevond zich in een gedeelte van Spokane dat Muis akelig sterk aan Prollendorp deed denken. De directeur, Filchenko genaamd, was een gedrongen onderdeurtje in een gekreukeld zwart pak. Toen Muis zo discreet mogelijk probeerde uit te vissen of ze hem al eerder had gesproken, ontweek Filchenko haar vragen; ook deed hij pogingen haar uit het hoofd te praten naar haar moeders stoffelijk overschot te gaan.

'Geeft u ons toch even de tijd om haar eerst wat toonbaarder te maken,' stelde Filchenko voor. 'Dan komt de schok minder hard aan...'

'Nee, dank u,' zei Muis. 'Ik zou haar graag nu meteen zien.'

'Het is alleen wel zo dat de dood, al is die nog zo vredig ingetreden, soms gevolgen heeft voor het uiterlijk van de overledene die... niet zo sympathiek zijn. En wanneer het om iemand gaat die ons na heeft gestaan, een goede vriend of vriendin, een vader of moeder...'

'Ik zou mijn moeder nú graag zien,' hield Muis vol; ze was blij dat Filchenko niet veel langer was dan zijzelf.

Filchenko zuchtte. 'Als u erop staat...'

Hij nam haar mee naar zijn werkruimte, waar net als in het mortuarium in een politiefilm twee rijen koellades in een muur te zien waren. 'Ik denk toch heus dat het prettiger voor u zal zijn als u ons eerst gelegenheid geeft tot enkele cosmetische ingrepen,' zei Filchenko toen hij voor de koelladen bleef staan. 'Laten we haar aardig opmaken voor de begrafenis, haar netjes aankleden, haar in een fraaie kist leggen, met bloemen erbij... Op die manier bewaart u een mooie laatste herinnering aan haar, niet...'

'O,' zei Muis. Er ging haar een lichtje op. 'U wilt mij een fikse prijs berekenen.'

Filchenko zweeg even; zijn mond viel open bij die brutale opmerking, en vervolgens probeerde hij door te praten alsof Muis niets had gezegd. 'Zoals ik al opmerkte...'

'Ik vind het niet nodig dat ze wordt opgemaakt,' zei Muis. 'Er kómt geen begrafenis.' Ze voelde even aan het lijstje in haar zak; daar stond heel specifiek op vermeld wat er moest gebeuren. 'Ik wil dat ze gecremeerd wordt.'

'Gecremeerd, uitstekend, dat kan.' Filchenko boog even hoffelijk het hoofd. 'Maar' – en hij keek weer op – 'misschien wilt u dan eerst een bescheiden herdenkingsdienst, bij wijze van...'

'Nee,' zei Muis. 'Het enige wat ik wil is haar zien, één keer, en dan wil ik dat ze gecremeerd wordt. Verder niets.'

'O-ké... dan gaan we nu even kijken.' Filchenko gebaarde naar de koelladen. 'En in mijn kamer kunt u dan een kist uitzoeken...'

'Waarom zou ze een kist nodig hebben als ze toch gecremeerd wordt?'

'Goeie genade!' zei Filchenko ontzet. 'U wilt toch niet... U zou toch niet willen dat we uw moeder gewoon maar in de oven gooien als een zak vuilnis, wel?'

Daarna hield de tijd op. Naderhand had Muis maar één concrete herinnering: aan een koellade die werd geopend en een laken dat een eindje werd teruggeslagen. Ze zag haar moeders gezicht, nu aan twee kanten helemaal slap. Verna Drivers ondersnijtanden staken heksachtig naar buiten; haar open ogen stonden star en wezenloos, eindelijk van alle kwaadaardigheid ontdaan. 'Kijk eens aan, helemaal beter,' hoorde Muis een stem zeggen.

– en toen was het opeens veel later, misschien wel een hele dag, en Muis stond achter het uitvaartcentrum toe te kijken hoe een assistent van Filchenko een plastic tonnetje met een deksel achter in haar huurauto zette. Filchenko keek ook toe; hij stond vlak voor de achteruitgang van een gebouw waarvan Muis aannam dat het het crematorium van het uitvaartcentrum was, en er lag een chagrijnige uitdrukking op zijn gezicht.

'Dit is echt bijzonder verwerpelijk,' klaagde Filchenko. 'Hier wordt inbreuk gemaakt op staatsverordeningen.'

Muis keek hem aan en zag tot haar voldoening én schrik dat hij even ineenkromp. Hij had zichzelf echter meteen weer in de hand en zei: 'Zo, mag ik het nu dan hebben?'

'Het?'

'Mijn geld,' zei Filchenko onomwonden. 'Het mag dan een kale bedoening zijn geweest, voor niks gaat de zon op.'

Zonder erbij na te denken stak Muis een hand in haar jaszak en haalde de envelop tevoorschijn die ze daar vond. Ze gaf hem aan Filchenko, die hem onmiddellijk openmaakte, er het bundeltje biljetten uit haalde en begon te tellen. In Muis' ogen was het een hoop geld, maar zo te zien dacht Filchenko daar anders over. Hij telde de biljetten tot vier keer toe en keek nog eens in de envelop om zich ervan te vergewissen dat hij daar niets had laten zitten. Eindelijk legde hij zich er blijkbaar bij neer dat dit alles was wat hij zou krijgen, en hij stopte het geld weer terug.

'En toch vind ik dat u voor de urn had moeten kiezen,' mopperde Filchenko. 'Ik zou een prima aanbieding voor u hebben gehad.'

Dat waren de laatste woorden die hij tot haar richtte. Zijn assistent had het achterportier van de auto inmiddels gesloten en was weer naar binnen gegaan; Filchenko volgde nu zijn voorbeeld en sloeg de deur van het crematorium achter zich dicht. Muis stapte in haar auto.

In de achteruitkijkspiegel keek ze naar de plastic pot met haar moeders as. Ze vond het geen prettig idee dat hij achter haar stond, maar zo kon ze hem tenminste in het oog houden. Als hij ergens had gestaan waar ze hem niet kon zien, al was het in een afgesloten kofferbak geweest, zou ze zich veel zenuwachtiger hebben gemaakt.

Ze draaide het contactsleuteltje om –

– en het was weer een poos later, duidelijk een andere dag. Muis leunde tegen de afrastering om het bouwterrein waar het hotel zou verrijzen dat ze in november op de borden had gezien. Er heerste nu grote bedrijvigheid. Een lange stoet betonmolenwagens stond tot ver voor de hoofdingang van het terrein. Er werd beton gestort voor de fundering.

Muis had pijn in haar rug en ze was heel moe, alsof ze die hele nacht niet naar bed was geweest. Ook was ze vies: haar schoenen zaten onder de modder en er zat aarde aan haar kleren, aan haar handen en zelfs in haar haar. Maar hoewel ze zich op een afstandelijke manier bewust was van dat alles, schonk ze geen aandacht aan haar smerige uiterlijk en had ze alleen oog voor de werkzaamheden aan de andere kant van de omheining. Bij iedere lading beton die in de bouwput werd gestort, voelde Muis haar stemming verder opklaren en alle angstige spanning van de afgelopen zes maanden van zich af vallen.

Uren verstreken. Eindelijk, de zon stond inmiddels hoog aan de hemel – stortte de laatste wagen zijn molen leeg en de bouwvakkers streken vlug het oppervlak van de fundering glad voordat de zaak hard werd. Voldaan draaide Muis zich om. De Navigator hielp haar de auto terug te vinden; Muis kroop achter het stuur en wierp weer een blik in de achteruitkijkspiegel. Haar moeders as was verdwenen.

Muis reed naar het vliegveld, leverde de auto in en nam het eerste het beste vliegtuig terug naar Seattle. In de loop van de volgende maanden bracht ze haar moeders zaken op orde. Ze keerde niet één keer terug naar Willow Grove; ze nam een notaris in de arm om de verkoop van haar moeders huis en inboedel te regelen en om haar bankrekeningen op te heffen. Het grootste gedeelte van het geld ging op aan haar moeders ziekenhuisrekeningen en andere nog uitstaande schulden; wat er overbleef werd in een fonds gestort dat diende om Muis' studie te bekostigen.

In september van dat jaar brak er een dag aan dat het tot Muis doordrong dat ze aan een heel nieuw leven was begonnen. De laatste banden met haar verleden waren doorgesneden; ze was in feite een onbeschreven blad geworden, en ze kon van zichzelf maken wat ze maar wilde. Dat besef werkte weliswaar bevrijdend, maar luidde tegelijkertijd het begin in van een nieuwe reeks black-outs. Tot dan toe was Muis meestal stukken tijd kwijtgeraakt na traumatische gebeurtenissen, maar nu dienden de black-outs zich aan op ogenblikken van betrekkelijke rust – tijdens een wandeling bijvoorbeeld, of in de bibliotheek, of in een winkel.

Vanaf ongeveer diezelfde tijd kwam Muis steeds allerlei spullen tegen in haar appartement – kleren, sieraden, speelgoed – waarvan ze zich niet kon herinneren dat ze die ooit had gekocht. Soms slingerden die artikelen gewoon zichtbaar in haar huis rond, maar meestal waren ze weggestopt in laden en kasten, of ergens achter op een plank gelegd, waar Muis er dan toevallig op stuitte. Er was één kast bij, in het doorgangetje tussen haar keuken en haar badkamer, waar ze, door ervaring wijs geworden, nooit een blik in wierp als ze daar niet een heel goede reden voor had.

Een derde verschijnsel dat zich in die tijd ging voordoen was dat Muis' financiële toestand in de versukkeling raakte. In de loop van haar tweede jaar leek het wel alsof haar speciale studiepotje helemaal vanzelf tot niets wegslonk. Toen ze aan haar derde jaar begon moest ze, ondanks haar beurs, aanvullende financiële hulp aanvragen om haar collegegeld te kunnen betalen. In diezelfde tijd nam ze ook deeltijdbaantjes aan om de eindjes aan elkaar te knopen – het ene baantje na het andere.

In de jaren daarna deed Muis haar uiterste best om haar nieuwe leven in ordelijke banen te leiden, en ze probeerde zo weinig mogelijk aan haar moeder te denken. Ze bewaarde er weliswaar geen regelrechte herinnering aan, maar ergens diep in haar binnenste wist ze wat ze met haar moeders as had gedaan. Ze stond daar niet graag bij stil. Het was iets schandaligs wat ze had uitgehaald.

Iets schandaligs, maar ook troostrijks. Af en toe kreeg Muis nog nachtmerries waarin haar moeder, dood maar niet echt dood, in duistere nachten via achterafweggetjes steeds dichter op haar toe sloop. En iedere keer wanneer Muis doodsbang wakker schoot uit zo'n droom, had ze een kant-en-klaar tegengif bij de hand. Ze had het telefoonnummer van de receptie van het Spokane Charter Hotel – inmiddels al lang en breed voltooid – uit haar hoofd geleerd, zodat ze dat altijd kon draaien, en zodra de receptioniste opnam en zei: 'Spokane Charter. Waarmee kan ik u van dienst zijn?', wist Muis dat het hotel er nog stond – en nog steeds met het volle gewicht van zijn dertien verdiepingen op alles neerdrukte wat er onder de fundering lag.

Ze was een slechte dochter, een waardeloos stuk stront; ze had haar moeder abominabel behandeld in de laatste maanden van haar leven. Maar ze wist waar haar moeder nu was – voorgoed –, en dat besef, die zekerheid, was alle schaamtegevoelens van de wereld dubbel en dwars waard.

18

Onderweg naar Autumn Creek, een eindje achter Eddingtons Volkswagen Jetta, vraagt Muis zich af wat voor maatregelen dokter Grey zou hebben getroffen voor het einde van haar leven. Niet dat dat iets is waar Muis zich druk om zou moeten maken – ze hoort aan Andrew te denken –, maar ze kan er niets aan doen.

Dat de dokter haar eigen begrafenis heeft georganiseerd – als ze tenminste begraven wordt – en van tevoren heeft geregeld (waarschijnlijk ook financieel) wat er met haar stoffelijk overschot moet gebeuren, is iets wat als een paal boven water staat. Hoewel Muis haar maar één keer heeft ontmoet, weet ze wel zeker dat dokter Grey er niet de vrouw naar was om dergelijke details aan anderen over te laten. En Muis kan bijna – bijna! – medelijden opbrengen voor de arme directeur van de uitvaartonderneming die haar, net als Filchenko, allerlei vormen van dienstverlening probeerde aan te smeren waar ze niets voor voelde.

Wat zou ze gewild hebben? Een bescheiden afscheidsceremonie, denkt Muis – met alleen haar partner erbij, dokter Eddington, nog een paar goede vriendinnen en collega's, en Andrew misschien. En een begrafenis, geen crematie – Muis' intuïtie zegt haar dat de dokter erop gebrand was op de een of andere manier enige ruimte in beslag te blijven nemen, dat ze niet wenste te worden prijsgegeven aan de wind, of te worden samengeperst in een urn. Goed, een begrafenis: in een eenvoudige kist, op een niet al te duur plekje, maar wel op een begraafplaats waar zerken zijn toegestaan. Het wordt een simpele steen, zonder tierelantijnen en zonder bloemrijk opschrift, maar wel iets wat op de een of andere manier indruk maakt, een enigszins donkere steen, iets wat in het oog valt... of de schenen schaaft van lieden die erlangs lopen zonder het vereiste respect te betuigen.

Muis glimlacht flauwtjes bij deze bespiegelingen, totdat ze beseft dat het graf dat ze in gedachten voor zich ziet dat van haar grootmoeder is, en dat de overwegingen die ze nu aan dokter Grey toeschrijft gebaseerd zijn op een paar opmerkingen van haar grootmoeder toen die het erover had hoe ze begraven wilde worden.

Door die herinnering wordt Muis een paar minuten verdreven, lang genoeg om Malefica de gelegenheid te bezorgen even op de rem van de auto te gaan staan, om zo de bestuurder van de Toyota wakker te schudden die al een paar kilometer boven op hen zit. De Toyota slaat af. Malefica grijnst en graait in het handschoenenkastje om een paar feestelijke slokken wodka te nemen. Maar het flesje is verdwenen, en Malefica maakt plaats voor Maledicta, die een reeks schunnige verwensingen uitbraakt aan het adres van die bemoeial van een Duncan.

– en Muis wordt weer wakker als de Buick achter Eddingtons Volkswagen stilstaat voor een verkeerslicht in Bridge Street.

Andrews hospita staat op wacht op de veranda als ze voorrijden bij het huis. Haar waakzaamheid is nog een graadje intenser dan anders; ze loopt te ijsberen als zij verschijnen, en ze komt op een holletje naar het trottoir om hen te begroeten.

'Dokter Eddington,' zegt mevrouw Winslow als de dokter uit zijn auto stapt. Ze knikt nadenkend, alsof zijn komst haar iets duidelijk maakt in verband met een raadsel dat haar bezighoudt.

'Dag mevrouw Winslow,' begroet Eddington haar. 'Is Andrew thuis?'

'Nee,' zegt ze, en ze schudt haar hoofd. 'Nee, en ik maak me ongerust over hem. Hij is niet thuisgekomen na zijn werk, en hij heeft niet gebeld...'

Muis zegt: 'Misschien is hij nog bij Julie.'

Eddington en mevrouw Winslow kijken haar aan.

'Julie en hij zijn vanmorgen samen vertrokken in haar auto,' legt Muis uit. 'En ze zijn niet meer terug geweest op het werk.'

Het gezicht van mevrouw Winslow neemt een moeilijk te duiden uitdrukking aan. 'Nou,' zegt ze dan, 'ik geloof dat ik Julies nummer heb. Maar kom binnen. Allebei.' Op het tuinpad zegt ze tegen Eddington: 'Ik neem aan dat u akelig nieuws komt brengen.'

'Ja, helaas...' Hij vertelt haar over dokter Grey.

'Die arme vrouw,' zegt mevrouw Winslow. 'Ik ben bang dat dat een zware klap voor Andrew wordt.' Ze zucht. 'Ik weet wel dat zoiets nooit gelegen komt, maar ik wou dat het niet net nu was gebeurd.'

'Is er dan nog iets anders met Andrew aan de hand?' vraagt Eddington.

'Ja, dat geloof ik wel.' Mevrouw Winslow kijkt Eddington aan bij die woorden, maar Muis heeft het gevoel dat die opmerking eigenlijk op haar slaat.

Ze gaan naar binnen, naar de keuken aan de achterkant, waar mevrouw Winslow het koffieapparaat aanzet en water opzet voor thee. Als de koffie doorloopt en het theewater aan de kook raakt, verontschuldigt mevrouw Winslow zich en gaat naar boven. Net als de ketel begint te fluiten komt ze weer terug.

'Er wordt niet opgenomen bij Julie,' zegt ze. Ze schenkt Eddington een kop koffie in en zichzelf een kop thee; Muis bedankt beleefd voor allebei.

'Zo,' zegt Eddington, 'dus Andrew heeft de laatste tijd problemen?'

'Ja,' zegt mevrouw Winslow, en Muis zet zich al schrap. Ze weet zeker dat mevrouw Winslow nu een klaaglied gaat aanheffen over haar. Maar nee, mevrouw Winslow laat een naam vallen die Muis nooit eerder heeft gehoord. 'Het heeft iets te maken met Warren Lodge, volgens mij... Hebt u het nieuws over dat geval een beetje gevolgd?'

Eddington knikt. 'Sommige van mijn patiënten zijn geïnteresseerd in dat verhaal. Andrew dus ook, neem ik aan?'

'Wij allebei. Ik dacht dat ik degene was die er het ergst van ondersteboven was, in het begin. Maar zondagavond kwam Andrew thuis, een paar uur nadat Lodge dat ongeluk had gekregen, of zelfmoord had gepleegd, of wat er in werkelijkheid ook gebeurd mag zijn. Andrew had er al over gehoord en was... helemaal beroerd, geloof ik. Zelf was ik ook nogal van streek, en daarom heb ik daar eerst niet zo bij stilgestaan. Maar sindsdien is hij een ander mens. Zo verstrooid – erger dan anders, bedoel ik. Ik had me voorgenomen het er eens met hem over te hebben... en daarnet, om een uur of halfzes, toen hij nog niet thuis was en ook niet had gebeld, kreeg ik zo'n akelig gevoel, en ik bedacht... Andrew was in Seattle toen Warren Lodge omkwam.

Dus misschien dat hij er niet alleen over heeft gehoord. Misschien dat hij het zelf heeft gezien.'

'Dat zou kunnen,' zegt Eddington. 'Maar als hij iets had gezien, waarom zou hij u daar dan niets van hebben verteld?'

'Dat weet ik niet.'

'Wie is Warren Lodge?' vraagt Muis. Mevrouw Winslow kijkt naar haar alsof ze vergeten was dat Muis ook bij hen aan de tafel zit, en weer zet Muis zich schrap voor een reprimande. Maar mevrouw Winslow trekt alleen haar schouders bij elkaar en op kalme toon vertelt ze Muis een vreselijk verhaal.

'Dus u denkt dat Andrew heeft gezien hoe die Warren Lodge werd aangereden door die bestelbus?' vraagt Muis als mevrouw Winslow is uitverteld.

'Nee, waarschijnlijk is hij langs de plaats van het ongeluk gekomen toen het al was gebeurd,' denkt mevrouw Winslow hardop. 'Of wie weet is het iets heel anders. Ik weet het niet. Maar er ís iets met hem gebeurd, zondag. Ik...' Midden in haar zin valt ze stil. Zwijgend houdt ze haar hoofd schuin, en dan veert ze op van haar stoel. 'Andrew?' roept ze. Via de gang stuift ze naar de voorkant van het huis. Eddington werpt Muis een vragende blik toe – hij heeft niets gehoord – en met z'n tweeën gaan ze mevrouw Winslow achterna.

Wanneer ze haar inhalen, staat ze op de rand van de veranda de donker geworden straat af te turen als een zeeman die de horizon afspeurt naar een streepje land. Eén ogenblik denkt Muis dat mevrouw Winslow zich maar iets verbeeldt, maar dan ziet ze hem. Daar loopt Andrew, nog iets van een straat bij hen vandaan, midden op de weg.

Als hij dichterbij komt, valt het Muis op hoe verfomfaaid hij eruitziet: zijn overhemd is schots en scheef dichtgeknoopt en zijn haar staat aan de ene kant recht overeind. Je zou zijn voorkomen haast komisch kunnen noemen, maar er is iets mee aan de hand waarvan Muis koude rillingen krijgt. In zijn ene hand heeft Andrew een fles, maar hij wekt niet de indruk dat hij dronken is. Hij beweegt zich alsof hij op de automatische piloot is overgeschakeld, alsof hij slaapwandelt. Hij laat de fles afwezig tussen zijn vingers bungelen, alsof hij er geen erg in heeft dat hij hem bij zich heeft. Er ligt een wezenloze uitdrukking op zijn gezicht.

Zo te zien loopt hij zo meteen gewoon voorbij – maar nee, als hij ter hoogte van de voordeur komt houdt hij met een ruk stil, net alsof hij aan een onzichtbare lijn vastzit, en voert dan een keurige kwartpirouette uit – ook weer zo'n komisch detail dat niet leuk is. Nog steeds wezenloos voor zich uit starend werkt hij zich tussen Muis' Buick en Eddingtons Volkswagen door en stapt met een hupje op het trottoir.

Het tuinpad ontgaat hem. Hij strompelt het grasveld op en blijft dan weer abrupt staan. Zijn oogleden gaan snel op en neer, en nu roert er zich daarachter toch een iets hoger bewustzijnsniveau. Muis, langzamerhand op van de zenuwen, betrapt zichzelf erop dat ze zich probeert te verstoppen achter Eddington.

'Andrew?' zegt mevrouw Winslow. Andrew kijkt glazig haar kant op, nog niet helemaal bij zijn positieven. 'Mevrouw Winslow?' zegt hij met dikke tong.

Muis verplaatst haar gewicht van het ene been op het andere, zodat de veranda even kraakt. Het is een zacht geluidje, maar Andrew vangt het op; zijn hoofd draait in Muis' richting.

Hij ziet Eddington.

'Andrew...' begint Eddington, maar meteen schuifelt Andrew hoofdschuddend achteruit. Hij struikelt over een spleet in het trottoir en laat de fles los; bij het geluid van brekend glas gaat hij er in volle vaart vandoor, alsof er een startpistool is afgegaan. Hij draait zich om en vliegt weer terug de straat in.

Mevrouw Winslow springt van de veranda en rent hem achterna, maar als ze de straat bereikt, ligt Andrew al een heel eind op haar voor. Ze roept zijn naam nog eens, maar haar stem begeeft het, en dan loopt ze snel naar een oude Dodge die voor Eddingtons auto staat. Er klinkt wat gerammel en gerinkel van sleutels; mevrouw Winslow laat een verwensing horen en bukt zich.

Terwijl mevrouw Winslow haar sleutels opraapt, zegt Eddington tegen Muis: 'Ik denk dat ik beter met haar mee kan gaan. Kun jij hier blijven, voor het geval dat Andrew uit zichzelf terugkomt?'

'Oké.'

Mevrouw Winslow heeft haar auto inmiddels open gekregen, zit al achter het stuur en probeert te starten. Eddington rent ernaartoe en klopt verwoed op het raampje; de motor van de Dodge komt brullend tot leven, en heel even is het de vraag of mevrouw Winslow Eddington zal laten instappen of dat ze wegrijdt zonder hem. Dan springt het portier open, Eddington stapt vlug in, en nog voordat hij het portier dicht heeft geslagen, rijdt mevrouw Winslow al achteruit en bonkt tegen de bumper van de Volkswagen op. Ze rijdt weer naar voren, trapt het gaspedaal in en scheurt ervandoor, achter Andrew aan, met een voorportier dat kleppert als een tuinhekje in de wind.

'Nou zeg, godverdomme!' roept een stem. Muis schenkt er geen aandacht aan. Ze gaat op de schommelbank zitten.

Andrew keert niet meer terug, maar in de loop van het volgende halfuur komt de Dodge wél tot twee keer toe langs. Beide keren mindert mevrouw Winslow heel even vaart; Muis staat dan op en schudt haar hoofd, waarop de Dodge er weer vandoor schiet om verder te zoeken. Eindelijk – het is inmiddels al halftien geweest – komt de Dodge voor de derde keer terug en parkeert lukraak voor het huis. Mevrouw Winslow stapt uit en beent het huis in met amper een blik in Muis' richting. Eddington, die er na die rit ietwat afgetobd uitziet, komt wat langzamer het tuinpad op.

'U hebt hem niet gevonden,' zegt Muis. Het is eerder een constatering dan een vraag.

'We dachten dat we hem zagen in de buurt van de lagere school,' zegt Eddington. 'Maar toen we hadden gekeerd' – hij kijkt om naar de Dodge, die een gloednieuwe deuk in de rechtervoorbumper vertoont – 'was hij alweer verdwenen. Hier ook geen teken van hem gezien?'

Muis schudt haar hoofd.

Eddington beklimt het trapje naar de veranda en leunt zwaar op de reling. 'Zo,' zegt hij, 'gaat het hier een beetje?'

'Ja hoor, prima,' zegt Muis. 'Denkt u... Er is toch niets mis met Andrew, hè?'

'Och nee, hij moet alleen de gelegenheid krijgen om een beetje tot rust te komen.' Eddington knikt in de richting van de voordeur. 'Mevrouw Winslow belt op het ogenblik de politie, dus die gaan nu naar hem uitkijken... hoewel het volgens mij eerlijk gezegd het beste zou zijn als hij uit eigen beweging terugkwam zodra hij weer zichzelf is.'

'Eigenlijk hoort zoiets Andrew niet te overkomen, hè?' vraagt Muis. 'Ik bedoel, ik weet wel dat hij... hetzelfde... hetzelfde heeft als ik, maar hij vertelde me dat hij geen black-outs heeft. Officieel is hij toch... stabieler.'

'Officieel wel, ja. Maar weet je wat het is met Andrew...' Eddington aarzelt en kiest dan zorgvuldig zijn woorden. 'Hij, of hij en zijn zielen zouden eigenlijk nog steeds therapie moeten krijgen.'

'Op mij maakt hij anders een heel gewone indruk,' merkt Muis op. 'Behalve vanavond dan.'

'Er zitten een paar zorgwekkende kanten aan Andrews ziektegeschiedenis waar hij geloof ik geen weet van heeft,' zegt Eddington. Hij schudt zijn hoofd als hij de vraag in Muis' ogen ziet. 'Sorry, daar kan ik verder niets over zeggen. Laten we het erop houden dat het eerste gedeelte van de therapie van dokter Grey... niet het gewenste resultaat heeft gehad.'

'O ja, dat weet ik wel, dat dokter Grey haar eerste beroerte heeft gehad toen Aaron nog bezig was het huis te bouwen. Dat heeft hij me zelf verteld: dat hij het in zijn eentje heeft moeten afmaken, met wat hulp van u dan...' Maar Eddington kijkt haar alleen aan, zijn lippen op elkaar geknepen, en Muis beseft dat er meer aan die geschiedenis vastzit dan zij heeft gehoord. 'Nou,' vervolgt ze, 'misschien dat Andrew na vanavond dan een afspraak met u maakt, zoals dokter Grey graag wilde.'

'Dat hoop ik maar,' zegt Eddington. Deze avond zou kunnen uitpakken als een geluk bij een ongeluk, als Andrew niet al te veel gekke dingen uithaalt voordat we hem vinden...'

'Zoals Andrew zich vanavond gedroeg, hè,' zegt Muis. 'Doe ik... doe ík ook zo als het Genootschap de touwtjes in handen neemt?'

'Je vond dat griezelig.'

Muis knikt.

Eddington schenkt haar een warme glimlach. 'Zal ik je eens wat zeggen?' merkt hij op. 'Ik ben drieënveertig, ik rook niet, ik ben niet te dik, en tot nu toe komen er geen hart- en vaatziekten voor in mijn familie. Dus de kans is groot dat ik geen beroerte krijg als je bij mij in therapie bent.' Hij kijkt naar de gedeukte Dodge, die schots en scheef bij de stoeprand staat. 'Wat auto-ongelukken betreft kan ik je niet zoveel garantie bieden,' voegt hij eraan toe, 'maar na vanavond ga ik voortaan denk ik alleen nog in een auto zitten als ik zelf kan rijden.'

Muis glimlacht ook, zij het eerder vanwege zijn zorgzame houding tegenover haar dan om zijn grapje.

'Goeie hemel, het is bijna tien uur,' zegt Eddington met een blik op zijn horloge. 'Moet je morgen werken?'

'Ja,' zegt Muis. 'Daar kan ik niet onderuit.'

'Dan moest je er misschien maar eens over denken om naar huis te gaan.'

'O nee. Ik moet hier blijven...'

'Het kan nog wel uren duren voordat Andrew thuiskomt, áls hij al komt. Ik denk dat ik zelf nog heel even blijf, maar...'

'Mevrouw Winslow wil me hier eigenlijk niet heben, hè?'

Eddington schiet in de lach bij dat idee. 'Ik zou zeggen dat mevrouw Winslow haar hoofd op het ogenblik zo compleet bij Andrew heeft dat ze andere mensen niet eens opmerkt,' – hij werpt weer een blik op de Dodge – 'laat staan dat ze ze weg wil hebben. Dus blijf gerust nog wat hangen, alleen valt er hier niet al te veel voor je te doen, en zeker niet als Andrew de hele nacht wegblijft...'

'Misschien moest ík maar eens naar hem op zoek gaan,' oppert Muis.

'Ja, waarom niet? We hebben zo'n beetje heel Autumn Creek doorkruist, maar misschien heb jij wel meer geluk.' Eddington schenkt haar een bemoedigende glimlach. 'Je weet het nummer van het huis hier, mocht je hem inderdaad vinden?' Muis knikt. 'Hier heb je nog het nummer van mijn huis,' zegt Eddington, en hij geeft haar een kaartje. 'Ik hou er anders de regel op na dat patiënten me na elven niet meer mogen bellen, maar ik denk niet dat er vannacht veel slaap in zit, dus ook al vind je Andrew niet, als je later op de avond het gevoel krijgt dat je met iemand moet praten...'

'Dank u,' zegt Muis. Ze springt het trapje af en dan draait ze zich om en zegt, ze kan er niets aan doen: 'U doet me denken aan mijn vader.' Eddington knippert even. Hij kijkt verbaasd maar ook gevleid, en voordat hij iets heeft kunnen zeggen is Muis al naar haar auto gerend.

Ze kent Autumn Creek niet goed genoeg om ook maar een enigszins systematische speurtocht te kunnen ondernemen. Als ze Andrew vindt, dan is dat puur geluk. Niettemin – en wie weet komt dat alleen door die glimlach van Eddington – is Muis ongewoon optimistisch gestemd. Ze heeft wel een idee waar ze eerst eens moet gaan rondkijken: in Maynard Park, het park waar zij naartoe rende om zich te verstoppen op die dag dat Andrew haar voorzichtig vertelde aan wat voor aandoening ze leed. Er is geen speciale reden waarom

Andrew zich daar ook schuil zou houden, maar toch is Muis geneigd om daar een kijkje te nemen.

Die ingeving levert niets op. Het park ligt er verlaten bij – het open, verlichte gedeelte althans, waar Muis 's avonds wel durft rond te lopen. Misschien dat Andrew zich ergens verderop schuilhoudt tussen de bomen, maar Muis brengt niet de moed op om daar in het donker te gaan rondzwerven. Ze voelt zich een angsthaasje, maar stapt weer in haar auto en rijdt terug naar Bridge Street.

En daar krijgt ze hem in het oog: bij de halte van de metrobus, waar hij zich open en bloot verstopt. Muis kan het haast niet geloven. Hij staat er nog maar net, dat kan niet anders, want het bushokje wordt geflankeerd door twee straatlantaarns, en Andrew is van verre zichtbaar. Mevrouw Winslow zou hem onmogelijk over het hoofd hebben kunnen zien.

Muis is bang dat Andrew ervandoor gaat als hij haar auto ziet aankomen, maar Andrew let niet op haar als ze langs hem rijdt, keert en vlak voorbij de halte parkeert. Zelfs als ze uitstapt en naar het bushokje loopt, neemt hij geen notitie van haar, niet op een welbewuste manier, maar zo'n beetje achteloos, zoals je dat doet als er nog iemand een wachtruimte in komt en je geen zin hebt in een praatje.

Toch wil ze hem in geen geval een doodschrik bezorgen, en daarom blijft ze voor het hokje staan en roept: 'Andrew?'

Geen reactie. Andrew staat de andere kant op te kijken. Hij staart in de verte alsof hij zijn best doet om louter met zijn wilskracht een bus naar zich toe te halen. Zijn handen kloppen een ongeduldig ritme tegen zijn bovenbenen.

Muis komt iets dichterbij. 'Andrew?' herhaalt ze.

Zijn handen houden abrupt stil; zijn hoofd wendt zich met een ruk haar kant op.

'Hé,' zegt Andrew. 'Weet jij hoe laat de volgende bus komt?'

Zijn stem klinkt anders dan anders: hij praat hoger en sneller.

'De volgende bus?' vraagt Muis. 'Nee, ik...'

'Er hoort hier toch een dienstregeling te hangen,' klaagt hij, en hij wijst naar een rechthoekige lijst aan een van de palen van het bushokje. 'Het is toch godgeklaagd dat er niks hangt terwijl er wél eentje hoort te hangen.'

Hij praat niet meer met een dikke tong. Muis ruikt nog wel alcohol in zijn adem – een hoop alcohol –, maar zijn *fast forward*-uitspraak is gearticuleerd en goed verstaanbaar. Hij heeft zichzelf ook een beetje gefatsoeneerd: zijn overhemd is nu goed dichtgeknoopt en bij zijn broek ingestopt, en zijn haar ligt weer plat op zijn hoofd.

'Waar ga je heen?' vraagt Muis.

Hij neemt haar even achterdochtig op. Dan haalt hij zijn schouders op en zegt: 'Naar Michigan.'

'Naar Michigan? Waarom?'

Hij zucht en wendt zijn blik af. 'Dus je weet niet hoe laat de volgende bus komt?'

'Volgens mij kómen er vanavond geen bussen meer.'

'O nee?' Met een ruk wendt hij zich weer haar kant op, helemaal verontwaardigd. 'Hoezo niet?'

'Nou... het is al laat, hè,' zegt Muis. Dat zegt hem niet al te veel, dus stuntelt ze door: 'Het is al laat, en die bussen zijn eigenlijk bedoeld voor mensen die in de stad werken...'

'Nou en?'

'En... de meeste mensen hoeven om deze tijd niet naar hun werk.'

'O,' zegt hij. 'O, oké.' Hij roffelt een snel riedeltje op zijn buik en vraagt dan op een geforceerd achteloos toontje: 'Welke stad, eigenlijk?'

'Seattle,' zegt Muis. En voor alle zekerheid: 'In Washington.'

'Juist.' Hij knikt, alsof hij dat allang wist. 'Hoe ver is het vandaar naar Michigan?'

'Een heel eind. Wel drieduizend kilometer.'

Zijn reactie op die mededeling is moeilijk te peilen. Het lijkt wel alsof er een ogenblik niets in hem omgaat, maar dan knikt hij abrupt, fronst zijn voorhoofd en slaat weer aan het trommelen. 'Zo... dat zal wel te ver zijn om te lopen, hè?'

'Eh... ja,' zegt Muis. 'Jazeker.'

'Maar met een vliegtuig,' zegt hij listig. 'Met een vliegtuig kom je wel zo'n eind... Ja toch?'

'Ja, dat wel.'

Fronsend: 'Maar vliegen, dat is duur.'

'Ja, dat is zo,' zegt Muis. 'Maar waarom wil je dan naar Michigan?'

Hij klopt op zijn kontzakken, kijkt even verward, knikt dan, steekt een hand in zijn ene zijzak en haalt een portefeuille tevoorschijn. Hij maakt hem open en haalt er een bundeltje bankbiljetten uit: een stuk of wat briefjes van twintig, een paar van tien en een stel van één dollar. 'Is dat genoeg voor een vlucht naar Michigan?'

'Nee,' zegt Muis. 'Zelfs een ticket met speciale korting zou nog meer kosten.'

'En dan heb ik dit ook nog,' zegt hij, en hij haalt een creditcard uit zijn portefeuille. 'Die zat goed verstopt,' voegt hij er trots aan toe, en hij laat haar een geheim vakje zien, 'maar ik heb hem toch gevonden.' Zijn trotse air begeeft het. 'Alleen weet ik niet hoeveel krediet ik nog heb... Als ik een vliegticket zou proberen te kopen en ik zou de limiet overschrijden, denk je dat dat dan problemen geeft?'

'Dat weet ik niet,' zegt Muis. 'Maar waarschijnlijk niet, als... als dat jouw creditcard is.'

Daar gaat hij niet op in. Hij stopt het geld en de creditcard weer terug in zijn portefeuille.

'Maar weet je,' vervolgt Muis, 'als je meer contant geld nodig hebt, dan weet ik wel waar je daaraan kunt komen. Een paar straten hiervandaan maar heb je zo'n huis, en als je met me meegaat, dan weet ik wel zeker dat de mevrouw die daar woont je wel...'

'Ik moet een taxi zien te krijgen, denk ik,' zegt hij, en hij bergt de portefeuille weer weg. 'Als er vanavond geen bussen meer rijden.'

'Ik kan je anders wel ergens heen brengen,' biedt Muis aan.

Hij fronst weer ardwanend. 'Hoeveel vraag je daarvoor?'

'Niks... en zoals ik al zei: als je meer contant geld moet hebben, dan gaan we wel even bij dat huis langs...'

Maar hij schudt zijn hoofd. 'Nee, geen omwegen. Ik moet echt zo snel mogelijk naar Michigan.'

'Waarom dan?' vraagt Muis voor de derde keer. Ze verwacht inmiddels geen antwoord meer, maar haar vasthoudendheid werpt vrucht af.

'Ik moet de erfenis gaan ophalen, oké?' Hij zucht ongeduldig. 'Het geld dat ik eigenlijk van de stiefvader had moeten krijgen.'

'De stiefvader... Andrews stiefvader?'

'Andy's stiefvader – ja, natuurlijk.' Zo te zien verbijstert die vraag hem. 'Van welke stiefvader zou ik dan anders geld krijgen?'

'Dus hij is overleden?'

Op dezelfde toon als waarop hij klaagde over de ontbrekende

dienstregeling van de bus: 'Dat móét wel. Hij zag eruit alsof hij elk ogenblik dood kon gaan. Hij lag op de vloer in de huiskamer, en het kleed zat onder het bloed...' Ongelukkig: 'Maar ik ben toen niet gebleven. Ik had het koud en ik wou weg, anders niks.' Hij slaat zijn armen om zijn bovenlijf. 'Dus jij denkt niet dat ik problemen krijg als ik die creditcard gebruik?'

'Dat... Dat weet ik niet,' zegt Muis, en ze doet haar uiterste best om rustig te blijven. 'Maar, eh... hoor eens, zullen we dan...'

Hij stapt van het trottoir en tuurt links en rechts de straat af. 'Waar kan ik een taxi vinden?'

'Dat weet ik niet. Ik weet niet of je die hier wel kunt krijgen.'

'Ook al geen taxi's? Wat ís dit voor oord?'

'Het is maar een klein plaatsje,' zegt Muis. Het blijft even stil. Dan gaat zijn hoofd op en neer. 'Waar ik heen ga in Michigan, daar is het ook zoiets,' zegt hij. 'Ze hebben daar zelfs geen bussen.' Hij fronst weer. 'Hoe ver is het naar het vliegveld?'

'Aardig ver,' zegt Muis. 'Te ver om te lopen. Maar ik kan je wel brengen.'

Hij kijkt haar aan: 'Zonder alle mogelijke omwegen?'

'Zonder omwegen,' liegt Muis. Bij zichzelf denkt ze dat als hij moet vragen in welk deel van het land hij zit, hij het vast niet merkt als ze met hem naar mevrouw Winslow rijdt voordat ze daar aankomen. Desnoods rijdt ze regelrecht het gazon op, helemaal tot aan de veranda, waar mevrouw Winslow met haar paranormale gaven en haar bionische oor vast nog zit te wachten, en met z'n drieën – zij, Muis en Eddington – zouden ze toch moeten kunnen voorkomen dat Andrew nog eens aan de haal gaat.

'Zonder dat je er iets voor vraagt?' informeert hij, nog steeds onzeker.

'Ja hoor,' zegt Muis. Ze gebaart naar haar auto. 'Toe maar.'

Het aanbod van een gratis rit maakt nu vlug korte metten met zijn argwaan; in een mum van tijd zitten ze in de Buick. 'Mooie wagen,' zegt hij, om zich heen kijkend.

'Dank je,' zegt Muis.

'Als je moet tanken,' voegt hij er grootmoedig aan toe, 'dan kan ik denk ik ook wel iets bijdragen. Als het een heel eind is naar het vliegveld, bedoel ik.'

‘Oké,’ zegt Muis. Een halve straat voorbij de bushalte moet ze stoppen voor een rood licht. Ze probeert zich een nonchalant air aan te meten als ze haar richtingaanwijzer aanzet.

Het licht springt op groen. Muis geeft gas en wil al rechts afslaan… en dan pakt een derde hand het stuur beet en duwt het terug naar links. Muis moet snel op de rem trappen om te voorkomen dat ze tegen de stoeprand aan de overkant van het kruispunt op bonken.

‘Wa…’ begint Muis, maar haar stem gaat over in gepiep als ze ziet hoe het ervoor staat met haar passagier.

Hij is opnieuw veranderd. Op de een of andere manier lijkt hij nu forser, en de wispelturige, manische ziel in hem met wie Muis bij de bushalte heeft staan babbelen, heeft plaatsgemaakt voor een heel wat sinisterder type. Muis herkent de duistere ziel waarvan ze een glimp heeft opgevangen op haar eerste dag in de Werkelijkheidsfabriek: degene die Julie Sivik uitmaakte voor bemoeiziek kankerwijf.

Hij zegt: ‘Zo ga je niet de kant op van Michigan… Múís.’

Muis verdwijnt in een maalstroom van angst. Maledicta dient zich aan; ze laat haar tanden zien… maar zij knijpt ’m ook. Die klootzak op de stoel naast haar heeft dezelfde glans in zijn ogen die Muis’ moeder vroeger altijd kreeg voordat ze er serieus tegenaan ging. Vandaar dat Maledicta ’m knijpt, maar dat laat ze niet merken. ‘Haal godverklote eens als de fokking bliksem die poot van m’n stuur,’ snauwt ze.

‘O, neem me niet kwalijk,’ zegt hij grijnzend, en hij laat het stuur los. Dat is hem geraden ook. Nu verschijnt Malefica, en die is níét bang, die is pisnijdig. Maar Andrew – of wie hij verdomme maar mag zijn op dat ogenblik – heeft geen zin in enge toestanden. Nog sneller dan Malefica haar vuist kan ballen doet hij zijn portier open en stapt uit. ‘Bedankt voor de lift,’ zegt hij, ‘maar verder vind ik het zelf wel.’ Met een gespeeld hoffelijk gebaar doet hij het portier voorzichtig dicht, zwaait naar Muis en draaft de nacht in.

‘Nou en of,’ zegt Maledicta, die nu weer opduikt. ‘Rennen maar, gore lul!’

– en Muis zit naar een lege stoel te gapen, terwijl er naast haar luid getoeter klinkt. Ze legt een hand op de stoel om vast te stellen dat Andrew werkelijk weg is; ze werpt ook een blik op de achterbank. Daarna kijkt ze pas naar buiten om te zien wie daar staat te toeteren.

Haar auto staat nog midden op het kruispunt, met afgeslagen motor. Het late-avondverkeer in Bridge Street is met een boog om haar heen gereden, maar nu wil er een bestelwagentje langs haar heen om links af te slaan. Muis start de motor en rijdt achteruit; met nog een laatste claxonnade rijdt het bestelwagentje verder.

Muis parkeert de Buick bij de hoek. Ze blijft even rustig zitten om haar gedachten te ordenen, werpt dan een blik in de achteruitkijkspiegel en ziet dat het bushokje, zo'n halve straat achter haar, nu leeg is. Ze stapt uit en tuurt nog eens uitgebreid naar beide kanten Bridge Street af, en vervolgens ook de zijstraten, maar Andrew ziet ze nergens. Ze ademt opgelucht op, maar prompt verwenst ze zichzelf: Andrew heeft zich zo uitgesloofd om haar te helpen, en als dank laat zij hem nu stikken. Ze stapt weer in de auto.

Wat moet ze doen? Haar black-out heeft niet lang geduurd – hooguit een paar minuten, denkt ze –, dus als Andrew nog steeds lopend onderweg is, kan hij nog niet ver weg zijn. Met een beetje geluk kan Muis hem waarschijnlijk wel terugvinden. Maar dan?

Een tweede mogelijkheid, en waarschijnlijk de verstandigste, is dat ze teruggaat naar zijn huis en mevrouw Winslow en Eddington vertelt wat er zonet is gebeurd. Maar dat zou inhouden dat ze hun vertelt dat ze Andrew al bij zich in de auto had, maar hem nota bene heeft laten ontsnappen, voor de tweede keer al. Bovendien, vorige week, toen de rollen omgedraaid waren en Muis degene was die de benen had genomen, heeft Andrew ook geen tijd verdaan aan pogingen andere mensen in te schakelen; hij is toen zelf achter haar aan gehold. Als hij dat niet had gedaan, wie weet liep ze dan nu nog rond te zwalken in het bos achter de Fabriek.

Dan maar een tussenoplossing, misschien: ze blijft nu nog een kwartier of zo in haar eentje naar Andrew zoeken. Als ze hem niet vindt, gaat ze de dokter en mevrouw Winslow vertellen wat er is gebeurd. Als ze hem wél vindt, zal ze geen pogingen doen hem aan te klampen. Ze zal hem enkel volgen, kijken waar hij heen gaat totdat hij ergens stilhoudt; dan zal ze op zoek gaan naar een telefoon en Eddington bellen.

Een redelijk plan. Maar voordat ze het kan uitvoeren, moet ze nog aan een stukje informatie komen, en daarvoor zal ze iets moeten uitvoeren wat haar moed op de proef stelt.

Muis laat haar handen luchtig op het stuur rusten, haalt diep adem en kijkt in de achteruitkijkspiegel. Erín, niet alleen maar ernaar. Ze kijkt zichzelf in de ogen en stelt zich voor dat de spiegel zo groot is dat haar hele gezicht erin te zien is, haar hele lichaam zelfs; en ze stelt zich voor dat zich daar achter haar niet de achterbank van haar auto vertoont, maar de ingang van een donkere grot.

'Goed,' richt Muis zich tot de types die daar komen aanlopen, de leden van het Genootschap die gehoor geven aan haar oproep, 'ik weet niet wie van jullie het heeft gezien, maar zeg me eens: welke kant is hij op gegaan?'

II

CHAOS

BOEK ZEVEN

Naar de Badlands

19

Ik deinde op en neer in het donker.

Ik was in het meer gevallen, dat wist ik. Het had zich in een soort waas voltrokken, ik was maar half bij mijn positieven, maar voor mijn gevoel was het nog maar net gebeurd, en daardoor wist ik het zeker, en ook dat ik nog steeds ergens in de diepte lag, in het pikzwarte water op de bodem van het meer, met mijn ziel in elkaar gekropen als een ongeboren kind, heen en weer gewiegd door de stroming daar beneden.

Het water was ijskoud. Het omgaf me aan alle kanten als een kille wind die me over mijn huid streek en mijn haar in de war maakte. Het trok steeds aan mijn hele ziel en probeerde die mee te slepen, maar mijn handen zaten vast in de planten op de bodem van het meer. Elke hand had een soort liaan beet, en een derde sliert van waterplanten had zich om mijn linkerarm geslingerd, zich er strak omheen gesnoerd. De lange ranken werden telkens uitgerekt maar begaven het niet, en op het eb en vloed van de stroming die aan me trok werd ik heen en weer gewiegd, heen en weer, heen en weer.

Ik deed mijn ogen open.

Ik lag niet op de bodem van het meer. Ik was buiten, in het lichaam, in de openlucht, en het was licht. Ik zat in een of ander schommelend geval, en een dinosaurus keek me lachend aan.

Ik knipperde met mijn ogen.

Er lachte écht een dinosaurus naar me: een groen-met-paarse brontosaurus. Tegen zijn zijkant was een laddertje aangebracht en over zijn rug en staart liep een glijbaan.

Ik keek om me heen en zag nog meer dinosaurussen: een knalrode pteranodon waarvan de vleugels een wipwap vormden; een drietal kleine triceratopsjes, geel, oranje en blauw, elk op een dikke veer gemonteerd en met een zadeltje op de rug; vlak achter hun schubbenkraag stak aan weerskanten een handvatje uit.

En vlak naast me, in een hoge boog tot boven mijn hoofd: een tirannosaurus. Een sullig lachende, kindvriendelijke tirannosaurus met zijn voorpoten uitgestrekt; in zijn klauwen hield het beest de kettingen waaraan de schommel hing waar ik op zat. Om te voorkomen dat er kleine vingertjes tussen de schakels bekneld zouden raken, was om elk van de beide kettingen een plastic huls aangebracht, die soepel en glad aanvoelde.

Ik liet mijn benen zakken om de schommel tot stilstand te brengen. Ik liet mijn handen over het plastic omlaagglijden en trok mezelf overeind. Daarbij voelde ik even een stekende pijn in mijn linkerarm. Ik liet mijn blik voorbij de brontosaurus dwalen, voorbij de omheining van harmonicagaas die het speeltuintje omgaf (ik was in een speeltuintje: ik was buiten, in het lichaam, in een speeltuintje – maar wáár?) en zag een met gras begroeide vlakte die zich uitstrekte tot aan een rij grillig gevormde heuvels. De heuvels waren kaal, het leek haast alsof ze op de maan thuishoorden, en hun dorre, verweerde hellingen vertoonden horizontale, dofgrijze en -bruine strepen.

Strata, zei ik bij mezelf. Die strepen heten strata. Dat woord, tot dan toe alleen een definitie uit het woordenboek, kreeg nu een nieuwe betekenis voor me, en ik werd bang. Het was een volslagen onbekend landschap waarop ik uitkeek: ik wist niet waar het was, maar wel wist ik dat het niet in Autumn Creek lag, en ook niet in de buurt van Autumn Creek.

Er kwam een nietig wit ietsje uit de lucht dwarrelen. Het danste een ogenblik op de luchtstromingen vlak voor mijn gezicht, streek even neer op mijn neus en zweefde weer verder.

Een sneeuwvlok, dacht ik. Een sneeuwvlok? Het was de eerste week van mei – of dat was het geweest. Het snéé́uwde niet in mei... Nee, wacht, dat was niet waar, het kón sneeuwen in mei, het was alleen niet zo gewoon, tenminste niet in Autumn Creek. Dus oké, ik was niet in Autumn Creek, zoveel stond intussen vast. Misschien zat ik ergens verder naar het noorden, of anders in een hoger gelegen gebied; misschien was dit een of ander uitzonderlijk voorjaarskoufront; of misschien was die 'sneeuwvlok' enkel een op de wind meegevoerd pluisje geweest.

Misschien. Of misschien was het geen mei meer. Ik wist dat ik een stuk tijd was kwijtgeraakt, maar als ik nu eens een enorme hoeveelheid tijd kwijt was? Als het nu november was? Als ik nu eens zes maanden kwijt was geraakt... of sterker nog, erger nog: als ik járen kwijt was geraakt? Hoe oud was het lichaam dan nu?

Mijn benen werden helemaal slap en ik moest de schommelkettingen beetgrijpen om mijn evenwicht niet te verliezen. De pijn in mijn arm liet zich weer gelden; blij met een beetje afleiding keek ik deze keer wat er toch aan de hand was. Mijn onderarm was verbonden; bijna tot aan de elleboog was er verbandgaas omheen gewikkeld. Zo te zien had degene die dat had gedaan een hele rol gebruikt: er zat zo'n dikke laag omheen dat de mouw van mijn overhemd opgerold had moeten blijven tot boven mijn elleboog.

Mijn hemdsmouw!

'O, godzijdank,' riep ik uit, en ik viel neer op de schommel.

Mijn hemdsmouw: het was het overhemd dat ik aanhad toen ik mijn black-out kreeg!

Wacht. Wacht. Wás dat wel zo? Ik wist nog dat ik dronken en wel midden op straat onderuit was gegaan. Ik herinnerde me het geluidje nog waarmee er een knoopje was weggesprongen. Ik keek... en jawel! Er ontbrak een knoopje. Ik boog mijn hoofd, snuffelde aan de stof... Ja! Die stonk naar whisky. En mijn broek, sokken en schoenen: ook precies wat ik die nacht had gedragen.

Oké. Oké. Dus het waren geen jaren of maanden geweest. Een paar dagen misschien, waarschijnlijk wel, maar meer niet. Ik was niet een enorm stuk van mijn leven kwijt.

Lachend van pure opluchting schommelde ik even heen en weer.

Dat wilde natuurlijk nog niet zeggen dat er geen vuiltje aan de lucht was. Ik was nog steeds een heel eind van huis, letterlijk en waarschijnlijk ook figuurlijk. Ik wist nog steeds niet waar ik was. En ook wist ik niet wat het lichaam allemaal had uitgespookt, voor wat voor daden ik straks verantwoordelijk zou blijken. Wel wist ik dat ik, voordat ik die complete black-out had gekregen, willens en wetens de huisregels had overtreden en mezelf voor schut had gezet tegenover mevrouw Winslow én Julie.

Julie... o, mijn god.

Nee. Niet aan haar denken. Oriënteer je nu eerst eens.

'Waar ben ik?' vroeg ik hardop, en toen binnenin nog eens: 'Waar zijn we? Hallo?'

Geen antwoord. Het was echter niet zo dat er niemand op het spreekgestoelte stond: het leek erop dat het spreekgestoelte zelf er niet meer was. Dat joeg me angst aan. Ik was graag naar binnen gegaan om poolshoogte te nemen, maar ik kon het lichaam hier niet zomaar zonder toezicht achterlaten.

Ik stond weer op.

Al die tijd had ik min of meer een en dezelfde kant op gekeken. Nu draaide ik me om, want ik moest weten wat er achter me lag.

Er schoof een motel in mijn blikveld. Het speeltuintje lag aan het schuin toelopende uiteinde van een V-vormig parkeerterrein; twee rijen kamers zonder verdieping vormden de twee benen van de V en op een driehoekig eilandje middenin bevonden zich de administratie en de receptie. Een langzaam ronddraaiend neonbord op het dak van het kantoor vermeldde: BADLANDS MOTEL.

Voorzichtig zette ik een paar stappen op het parkeerterrein, alsof daar ijzel lag in plaats van asfalt. Het terrein liep door tot aan een vierbaansweg. Aan de andere kant van de weg lagen een paar fastfoodrestaurants, en daarachter zag ik huizen – woonhuizen dacht ik – en daar weer achter nog meer gebouwen en daken, maar niets van dat alles was meer dan twee verdiepingen hoog. Een of ander klein plaatsje dus; ik zat ergens aan de rand van een klein plaatsje in de Badlands... waar dat ook wezen mocht.

Ik probeerde me de keten van gebeurtenissen voor de geest te halen die me hier had gebracht – niet de hele geschiedenis, enkel de laatste tien minuten of zo. Logeerde ik in dat motel, of was ik erlangs gekomen, had ik het speeltuintje gezien en was ik toen gaan schommelen? Dat laatste zou typisch iets voor Jake zijn geweest – net als de meeste kleine kinderen was hij verzot op dinosaurussen –, maar aan de andere kant was hij ook weer niet zo'n held dat hij in zijn eentje zou gaan rondlopen in onbekende contreien, en ik kon me gewoon niet voorstellen dat hij maar zo'n beetje doelloos langs die weg was gaan kuieren. Maar als alle huisregels compleet naar de maan waren, dan kon er natuurlijk ook best iemand anders aan de wandel zijn geweest, en dan was Jake misschien naar buiten gestormd toen hij die dinosaurussen zag.

Ik overwoog het kantoorgebouw in te gaan om te kijken of de bedrijfsleider me zou herkennen. Misschien dat dat iets zou opleveren, tenzij ik hier mijn intrek had genomen op een tijdstip dat er iemand anders dienst had. Maar als de bedrijfsleider me niet herkende, zou ik ook regelrecht kunnen vragen of ik daar ingeschreven stond – alleen, naar welke naam moest ik dan vragen?

Opeens kreeg ik een ingeving: een sleutel. Als ik stond ingeschreven in dat motel, moest ik een sleutel hebben.

Ik doorzocht mijn zakken. In een ervan, ergens anders dan waar ik hem doorgaans bewaarde, vond ik mijn portefeuille. Hij voelde licht aan; de vorige keer dat ik hem tevoorschijn had gehaald, in dat café in Autumn Creek, had ik iets van honderd dollar gehad, en nu zat er nog minder dan de helft in. Ook zag het ernaar uit dat iemand mijn creditcard had gebruikt; ik had een 'geheim' vakje waarin het onzichtbaar bewaard hoode te worden, maar het kaartje was in het middengedeelte gestopt, bij het geld dat nog over was. De rest van de inhoud van de portefeuille – de pasjes van de bibliotheek en de videotheek, mijn vaders verlopen rijbewijs en een foto van Andy Gage' moeder – was zo te zien niet aangeraakt.

Toen ik in mijn andere zakken voelde, vond ik mijn huissleutel, maar geen hotelsleutel. Het viel me in dat het probleem daarmee nog steeds niet opgelost was – het kon best zijn dat ik de sleutel in de kamer had laten liggen toen weet-ik veel wie het in zijn hoofd had gekregen om naar het speeltuintje te gaan. Ik speurde de kamers aan weerskanten van het parkeerterrein af op een openstaande deur. Alle deuren waren dicht.

Voor de eerste keer kreeg ik nu een concreet idee van de chaos waarmee mijn vader had geleefd voordat het huis gebouwd was – de chaos waar Penny Driver nog steeds mee moest leven.

Penny... Wacht eens even. In een van de vakken aan mijn linkerhand stond een zwarte auto die me bekend voorkwam: een zwarte Buick Centurion met – jawel! – een nummerbord uit de staat Washington. Ik liep erheen om nog eens beter te kijken, en op dat ogenblik zwaaide de deur van de dichtstbijzijnde motelkamer open en Penny zelf kwam naar buiten rennen. Ze was op blote voeten, droeg een rulle groene badjas met dinosaurussen erop, en haar natte haar plakte tegen haar hoofd. Toen ze mij bij de auto zag, bleef ze abrupt staan en slaakte een schril gilletje.

'Penny?' zei ik.

Bij het horen van haar naam keek Penny weer verschrikt... en toen plotseling hoopvol. 'Andrew?' vroeg ze. Ik knikte. 'O, goddank! Andrew! Eíndelijk!'

'Eindelijk,' herhaalde ik, me afvragend op hoeveel verloren gegane tijd dat woord sloeg. 'Welke dag is het vandaag, Penny?'

'8 mei,' zei ze. 'Het is ongeveer tien uur 's morgens plaatselijke tijd. Niks aan de hand hoor, het is pas twee dagen geleden. Eergisteravond ben je weggegaan uit Autumn Creek.'

Ik knikte maar weer, en intussen dacht ik bij mezelf dat er wel degelijk iets aan de hand was, maar dat de toestand nog stukken erger had kunnen zijn. Ik keek om naar het speeltuintje en naar het landschap erachter. 'Waar zijn we eigenlijk?'

'In South Dakota,' zei Penny. 'Ik weet niet hoe dat plaatsje heet, maar we zijn in de buurt van Rapid City.' Ze fronste. 'Dat zeiden ze tenminste.'

'South Dakota...' Ik verzonk even in gedachten, want ik probeerde me voor te stellen waar dat ongeveer was – ten oosten van het Rotsgebergte, meende ik me vaag te herinneren, en minstens twee, drie staten bij Washington vandaan. Maar dat was louter getreuzel, bedoeld om de hamvraag voor me uit te schuiven: 'Hoe zijn we hier gekomen?'

'Dat...' zei Penny met een zucht, 'is een ingewikkeld verhaal.'

20

Achter de vrachtwagen aan rijden ze naar de andere kant van Washington. Maledicta en Malefica kruipen om beurten achter het stuur en Muis moet zich maar tevredenstellen met de status van achterbankpassagier; ze zit in de ingang van de grot en kan geen kant op. Dit is wel iets anders dan wat Muis in gedachten had toen ze het Genootschap om hulp vroeg. Maar ze leert haar lesje al: dat ze een hoge prijs moet betalen als ze het Genootschap om assistentie verzoekt.

'Welke kant is Andrew op gegaan?' had ze in Autumn Creek gevraagd. Een simpele vraag, en Muis had het antwoord gemakkelijk zelf kunnen raden: naar het westen. Hij liep in de richting van de snelweg, waarschijnlijk met de bedoeling naar het vliegveld te liften.

'Maar wat ga je in godsherenaam doen als je hem inhaalt?' informeerde Maledicta toen Muis de motor startte en op weg ging. 'Hem tegen de vlakte rijen? De lul verrot slaan?'

'Nee,' zei Muis koeltjes; ze had geen zin meer om met zichzelf te praten nu ze had wat ze wilde. 'En laat me nu met rust, wil je.'

'Kutwijf.'

Muis kwam uit bij het verkeersplein zonder Andrew ergens te hebben gesignaleerd. Hopend en biddend dat hij niet al door iemand was meegenomen, reed ze de oprit op voor de snelweg naar het westen. Boven aangekomen minderde ze even vaart om de bermen naar twee kanten af te speuren, en zag aan de andere kant van de middenberm remlichten opgloeien – een achttienwieler was bezig naar de kant te rijden op de vluchtstrook van de weg naar het oosten.

'O god,' zei Muis, toen er een gestalte naar de truck rende, die heel even beschenen werd door de achterlichten. Het was Andrew. Muis stond op de verkeerde kant van de snelweg. 'Hij zei dat hij naar het vliegveld wilde!'

'Hij zei dat hij naar Michigan wou,' verbeterde iemand. 'Jij had tegen hem gezegd dat hij zich geen vliegticket kon veroorloven.'

Muis wierp een blik op de hobbelige, met stenen bezaaide strook tussen de twee rijbanen van de snelweg. Ze herinnerde zich weer hoe ze, toen ze de eerste keer naar de Werkelijkheidsfabriek moest, de afslag naar Autumn Creek had gemist en toen kilometers had moeten doorrijden voordat ze kon omkeren.

'Laat mij maar rijen,' stelde Maledicta voor vanuit de ingang van de grot. 'Ik breng je d'r zó heen.'

Andrew was ingestapt. De remlichten van de enorme vrachtwagen gingen uit en hij zette zich weer in beweging. Op hetzelfde moment kwam er opeens veel meer verkeer vanuit het oosten aanzetten; de auto's raasden zo dicht op elkaar voorbij dat het nu zelfs een hele toer zou worden zich er aan deze kant tussen te voegen. Muis werd doodsbang.

'Toe nou, mens!' dramde Maledicta. 'Laat mij nou rijen, godverklote. Zo meteen is hij weg!'

De vrachtwagen was de vluchtstrook inmiddels af gereden, kreeg steeds meer vaart en zou zometeen om een bocht verdwijnen.

'Godverklote, straks ben je hem kwijt!'

'Oké dan,' zei Muis en liet het stuur los. De werkelijkheid schoof in elkaar; Muis vloog linea recta de ingang van de grot in. Daar zette ze zich schrap, in de verwachting dat Maledicta plankgas zou geven en zich midden in de verkeersstroom zou storten. Ze vroeg zich af hoe een botsing zou voelen als je in de grot zat.

Maledicta reed echter niet de snelweg op, maar schakelde in z'n achteruit en begon zo de afrit af te rijden. 'O god,' zei Muis, in elkaar duikend toen er achter hen een auto verscheen. 'Hé, pokkenlul,' riep Maledicta. Met maar één hand aan het stuur week ze uit voor de andere auto; de bumper van de Buick schampte tegen de vangrail, maar een botsing bleef uit. Een paar seconden later voerde ze dezelfde manoeuvre nog eens uit om weer een auto te ontwijken. En vervolgens zaten ze onder aan de oprit en reden ze met een sukkelgangetje achteruit West Bridge Street in. 'Godverklote, dat doet geen mens me na,' prees Maledicta zichzelf.

Ze remde en schakelde in z'n één. Nu hoorde ze gewoon rechtdoor te rijden en de onderdoorgang te nemen naar de kant van de snelweg die naar het oosten liep, maar weer haalde ze een onverwachte stunt uit: ze maakte een U-bocht en reed terug naar Autumn Creek.

'Zeg, hé!' riep Muis, 'wat doe je nou? Je gaat de verkeerde kant op!'

Ze probeerde de grot uit te lopen om zich het lichaam weer toe te eigenen, maar merkte dat dat niet ging. Het kwam niet eens tot een gevecht, zoals de vorige keer toen Maledicta had geprobeerd haar buiten het lichaam te houden; Muis zag domweg geen kans om de ingang van de grot uit te komen.

'Je gaat de verkeerde kant op!' herhaalde Muis verontwaardigd. 'Zo raken we Andrew kwijt!'

'Zeik toch niet, mens,' zei Maledicta. 'Dat is een langeafstandstruck, waar hij nu in zit; die blijft nog tijden op de snelweg, dus die halen we zo weer in. Maar' – ze knipte even met haar vingers naar de wijzertjes op het dashboard – 'voordat we aan die kut-Cascades beginnen, moeten we tanken. Tanken en voorraden inslaan.'

'O,' zei Muis. 'O, oké, goed dan... maar laat mij dan rijden...'

Maledicta lachte. 'Je kunt m'n rug op.'

Vlak naast de westerbrug lag een benzinestation met een winkeltje; Maledicta reed erheen en parkeerde bij de pompen. Ze kreeg een pomp aan de gang met behulp van een Shell-creditcard die Muis nooit eerder had gezien (nu ze er eens bij stilstond, kon Muis zich trouwens niet concreet herinneren dat ze ooit eerder had getankt). Terwijl de tank volliep, ging ze de winkel in om junkvoer en sigaretten in te slaan; in het voorbijgaan graaide ze een paar spullen mee uit een rek met snoep.

Intussen deed Muis nogmaals een poging om het lichaam weer in handen te krijgen, maar het mocht niet baten. Het was net alsof er een onzichtbare barrière voor de ingang van de grot was aangebracht, een krachtveld dat alleen maar meer weerstand bood naarmate ze zich harder inspande om erdoorheen te breken.

'*Give it up, fucking give it up, baby...*,' zong Maledicta. Ze liep naar de kassa en gooide twee doosjes negerzoenen op de toonbank. 'En Winstons,' zei ze tegen de figuur achter de kassa. 'Zonder filter.'

De man greep naar een plank boven zijn hoofd. Muis, die nog steeds tegen de barrière stond te duwen, probeerde hem aan te roepen: 'Help! ... Help!' Hij legde Maledicta's Winstons naast de negerzoenen en tikte de bedragen aan op de kassa.

'Hé,' vroeg Maledicta, 'hoor jij ook iets?'

De man keek haar wazig aan. 'Wat voor iets dan?'

'Het klonk net alsof er een muis piepte, verdomd als 't niet waar is.'

'Waarschijnlijk mijn nieuwe schoenen,' zei de man. Voor de duidelijkheid liet hij een hak over de vloer piepen.

'Ah ja,' lachte Maledicta, 'dat zal het geweest zijn.'

Maledicta betaalde en liep terug naar de auto. Een uit het veld geslagen Muis probeerde zich erbij neer te leggen dat ze gevangenzat in haar eigen hoofd. Maar toen Maledicta nog steeds niet koers zette naar de snelweg, kreeg Muis het weer op de zenuwen: 'Wat dóé je nou!'

'Jezuschristus, zeikwijf,' zei Maledicta, een van haar kersverse Winstons wegpaffend, 'kanker toch een eind op.'

'Maar we moeten toch achter Andrew aan? We...'

'Ik moet godverklote eerst wat drank scoren, hoor.'

'Daar hebben we geen tijd voor!'

'En als jij niet snel een eind opkankert, stuk zeiksnor,' waarschuwde Maledicta, 'dan zet ik de auto stil en dan rij ik geen centimeter verder voordat ik alle sigaretten in dit pakje op heb, goed begrepen, gore zenuwelijer? En daarna ga ik dan nog wat innemen. Als jij daar problemen mee hebt, ga dan in de grot liggen maffen – dat is godverklote toch het enige waar jij goed voor bent.'

In Bridge Street was een slijterij, maar die was om negen uur dichtgegaan; daarom toog Maledicta naar een café. Toen ze met een boog voorreden, herkende Muis Julie Siviks Cadillac tussen de andere auto's langs de stoeprand. Ze meende Julie erin te zien zitten, maar Maledicta benam haar het uitzicht, zodat ze het niet met zekerheid kon vaststellen.

'Zeg, hé,' zei Muis toen Maledicta weer een sigaret opstak en uitstapte. 'Zeg, wacht even, kijk eens naar rechts. Is dat Julie, daar?'

'Wie kan dat nou ene reet schelen?' zei Maledicta en ging het café in.

Op dit late uur van een doordeweekse avond was het café bijna leeg – hier en daar zat een stel aan een tafeltje (onder wie een lawaaiig paar zuipschuiten achterin), en bij de toog zat geen mens, behalve de vrouw die tapte.

De barkeepster was een vampier: witte huid, zwart haar, zwarte oogschaduw, zwarte lippenstift, zwarte nagellak en piercings in haar neus, wenkbrauwen en beide wangen. In Muis' ogen was ze wanstaltig. Maledicta dacht er net zo over, maar vond haar daarom juist sympathiek – heel even dan.

'Een Popov,' zei Maledicta, op de toog toe lopend. 'Zonder ijs.'

'Ah,' zei de vampier nors. 'Het beste van het beste.'

Terwijl de vampier haar een glaasje goedkope wodka inschonk, vroeg Maledicta: 'Wat moet een fles van dat spul kosten, om mee te nemen?'

'Daar doen we hier niet aan,' gaf de vampier te kennen. 'Een slijterij vind je verderop in de straat.'

'Die is dicht,' zei Maledicta.

'Nou, jammer dan, hè?'

'Ik geef je veertig fokking dollar,' bood Maledicta aan en ze hield Muis' portefeuille in de hoogte.

'Goh!' riep de vampier spottend. 'Veertig fókking dollar maar liefst! Even denken... Nee!'

'Goor klotewijf,' mompelde Maledicta terwijl de vampier de fles weer in de kast zette. Ze pakte het glaasje en sloeg het nijdig in één keer achterover. Muis hoorde een zacht, schurend geluid in de ingang van de grot en zag Malefica als een panter naar voren sluipen.

Toen zei iemand achter hen: 'Muis?'

Muis keek om. Het was Julie Sivik. 'Pleur toch op,' begroette Maledicta haar, en ze draaide zich weer om naar de toog.

'Maledicta,' zei Julie.

Maledicta draaide zich nogmaals om. 'Zo,' zei ze, 'iemand heeft hier een verdomd grote bek, zie ik.' Ze haalde haar schouders op en hield haar glaasje in de hoogte. 'Iets drinken?'

'Hè?' zei Julie, alsof ze niet had gemerkt dat ze in een café stonden. 'O... O god, nee, ik hou het verder voor gezien vanavond. De laatste paar uur heb ik me... tja, schuilgehouden, zal ik maar zeggen... maar nu ben ik op weg naar huis, dus ik dacht: laat ik even hier langsgaan en m'n auto ophalen, en toen zag ik jou hier naar binnen gaan...'

'Hmm,' zei Maledicta, die allang genoeg had van dat verhaal.

'Afijn, maar hoor eens, heb je Andrew ook gezien? Niet dat ik hem wil spreken,' voegde Julie er haastig aan toe, 'maar ik maak me een beetje ongerust over hem, en ik zou graag weten dat hij goed is thuisgekomen. En ik dacht zo: als jíj op dit late uur nog in de stad rondloopt...'

'Zo, dan ben jij zeker degene die hem strontlazarus heeft gevoerd?' begreep Maledicta. 'Nou, petje af, mens.'

'Strontlazarus,' echode Julie. 'Dus dan heb je hem gezien...'

'Godverklote, reken maar,' zei Maledicta grijnzend. 'Nou en of we hem gezien hebben.'

'En is alles goed met hem? Is hij thuisgekomen?'

'Hij is iets van tien seconden thuis geweest,' zei Maledicta. 'En toen heeft hij 'm weer als een scheet gesmeerd.'

'Hem gesmeerd?'

'Hij zei dat hij wegging uit de stad... Wat heb jij godverklote toch met hem uitgevreten? Ik heb nog nooit iemand gezien die er zo hondsberoerd aan toe was.'

'Laat dat,' zei Muis vanuit de ingang van de grot. 'Dat is misselijk van je.'

'Hij zei tegen je dat hij de stad uit ging?' zei Julie. 'Wat moet dat... Je bedoelt toch niet dat hij voorgoed wegging, hè?'

Maledicta gaf Julie met een gekromde wijsvinger te kennen dat ze zich dicht naar haar over moest buigen. Toen Julie daar gevolg aan gaf, fluisterde Maledicta haar in het oor: 'Godverklote, zeg, doe me even een lol, ja? Zie je dat kutwijf achter me? Nou, die moet je even achter de bar weg zien te krijgen.'

'Wat?' vroeg Julie.

'Ga even naar de wc en kom dan na een paar seconden terug om te zeggen dat er godverdegodver geen pleepapier meer is. Of verrek – nee, wacht, dat is misschien niet goed genoeg. Wie weet kan dat haar geen flikker schelen... Ik weet het al! Zeg tegen haar dat er iets mis is met de wasbak, dat het hele zootje daar blank staat...'

'Muis – Maledicta!' zei Julie. 'Wat heeft Andrew tegen je gezégd?'

'Ach wat!' poeierde Maledicta haar geërgerd af. Ze wendde zich weer om en bonkte met haar glaasje op de houten toog om de aandacht van de vampier te trekken. 'Schenk nog eens in.'

'Met alle plezier,' zei de vampier. Ze maakte al aanstalten, maar plotseling klonk er een harde dreun achter in het café, gevolgd door bulderend gelach. Het waren de twee lawaaiige zuipschuiten, die op de een of andere manier kans hadden gezien de lamp boven hun tafel naar beneden te halen. 'Godverdomme!' stoof de vampier op. Ze liet de wodka op de toog staan en ging naar het dronken stel toe om ze stijf te schelden. Maledicta was opgetogen; de vampier had haar nog niet de rug toegekeerd, of ze greep de fles en stoof het café uit.

'Hé!' piepte Muis machteloos vanuit de ingang van de grot. 'Dat kun je niet maken! Dat is stelen!'

'Lul toch niet,' zei Maledicta. 'Dan had dat stomme kutwijf die veertig dollar maar moeten aanpakken. Ze heeft haar kans gehad.'

'Maar... straks krijg ík dat op m'n brood!'

'Jazeker.' Maledicta lachte. 'Dat is dan niet de eerste keer, hè?

Ze stonden nu bij de auto. Julie Sivik kwam hen achterna rennen: 'Maledicta! Maledicta, wacht even! Je moet me nog vertellen wat er met Andrew gebeurd is!'

'Maak je niet zo te sappel, mens,' zei Maledicta, naar haar sleutels wroetend. 'We gaan hem terughalen.'

'Hem terughalen? Wou je zeggen dat je weet waar hij is?'

'We weten hoe we hem moeten vinden en we gaan er nu als de sodemieter achteraan.'

'Ik ga met je mee...'

'Krijg de tering, jij.'

'Maledicta...'

De voordeur van het café vloog met een klap open; de vampier kwam eraan. 'Hé!' schreeuwde ze.

'Ik rot maar eens op,' zei Maledicta, en ze slingerde zich achter het stuur. Toen ze wegscheurde, zag ze in de achteruitkijkspiegel hoe Julie ook naar haar auto sprintte, maar door de vampier getackeld werd. Die twee zouden ongetwijfeld een interessant gesprek met elkaar aanknopen.

'Ha, ha – fokkerdefók!' joelde Maledicta uitgelaten. Ze hield de wodkafles, die nog van een speciale schenktuit voorzien was, schuin en goot een precies afgepaste dosis in haar open mond. 'Aaah... was me dat even lachen, godskolere zeg!'

'Je bent een afgrijselijk wezen,' zei Muis.

'Ja hoor, ik ben echt een waardeloos stuk stront, hè?' zei Maledicta en ze barstte weer in lachen uit.

Dat alles is nu tweeënhalf uur geleden. Toen ze eenmaal op de snelweg zaten, hadden ze de vrachtwagen binnen een uur ingehaald (tenminste: volgens Maledicta is het dé vrachtwagen; Muis hoopt maar dat ze de goeie te pakken hebben). Sindsdien rijden ze er in een nogal laag tempo achteraan, een achtervolging die na al die voorafgaande opwinding allang een eentonige bedoening is geworden.

Maledicta en Malefica wisselen elkaar sinds ongeveer een uur steeds af achter het stuur; zo'n beetje om de tien minuten neemt de een het van de ander over. Muis heeft zo'n idee dat ze zich er tijdens zo'n wisseling van de wacht wel tussen zou kunnen wringen, maar ze voelt er niet voor om een ongeluk te riskeren, en dus blijft ze in de ingang van de grot een veiliger gelegenheid zitten afwachten. Het ziet er echter niet naar uit dat ze binnen afzienbare tijd zullen stoppen, en naarmate de saaie kilometers zich aaneenrijgen, valt het haar almaar zwaarder om op haar qui-vive te blijven –

– en dan is ze terug in het lichaam.

Het is 's ochtends vroeg, de wolkenlaag aan de hemel wordt iets lichter. De Buick staat op een parkeerplaats langs de snelweg, op een afstandje van een International House of Pancakes. Een memorandum, boven Muis' hoofd achter de zonneklep gestoken, vermeldt: WEGRESTAURANT AAN I-90, 15 KM VOORBIJ GRENS IDAHO.

Muis gaapt en rekt zich uit, wrijft over haar gezicht. Ze kijkt op het klokje op het dashboard: 5:31.

In zekere zin heeft ze de laatste paar uur slapend doorgebracht, maar tegelijkertijd heeft ze geen ogenblik slaap gehad. Haar ziel is min of meer uitgerust, maar haar lichaam is de hele nacht in touw geweest. Niet dat dat een nieuwe ervaring voor haar is, maar dit is de eerste keer dat ze het verschijnsel ten volle begrijpt, en dat inzicht bezorgt haar een ontregeld, groggy gevoel.

Of zou ze gewoon dronken zijn? Ze snuffelt eens. Haar adem, haar kleren, haar auto – alles stinkt naar wodka en sigaretten. Het pakje Winstons dat Maledicta in Autumn Creek heeft gekocht, ligt verfrommeld op het dashboard, leeg. De fles Popov, die in de buurt van haar voeten ligt, is ook leeg, maar als ze beter kijkt meent ze te zien dat de inhoud voor het grootste gedeelte ongeconsumeerd is weggelopen: de mat is doorweekt.

Muis pakt het memorandum en leest nu het hele bericht: WEGRESTAURANT AAN I-90, 15 KM VOORBIJ GRENS IDAHO. KETTING-

BOTSING, 4 AUTO'S OP ELKAAR = KLOTETOESTAND OP DE WEG, HAD JOU MOETEN LATEN RIJEN, GODVERDEGODVER. TRUCK HEEFT ANDROE HIER AFGEZET + TOEN DOORGEREDEN ZONDER HEM DUS DOE IETS VERKLOOT DE BOEL NOU NIET.

Maledicta's gemekker over het verkeer schenkt Muis een grimmig soort voldoening. Haar verdiende loon, denkt ze: dankzij haar stinkt het hier een uur in de wind. En Andrew... Andrew beweegt zich blijkbaar weer lopend voort. Maar waar is hij? Daar staat niets over in het memorandum.

'Waar is Andrew?' vraagt Muis hardop. 'Is hij die pannenkoekententin gegaan?'

Geen antwoord. Maledicta en Malefica zullen wel terug zijn naar de grot en liggen te slapen om bij te komen van het rijden, en de leden van het Genootschap die wel wakker zijn, weten het niet of doen geen mond open.

Muis pakt het lege sigarettenpakje en de doosjes van de negerzoenen bij elkaar; de wodkafles neemt ze tussen twee vingers bij de hals. Ze stapt uit. Buiten is het guur, maar dat kan haar niets schelen. Nadat ze haar afval heeft weggegooid, blijft ze gewoon een tijdje staan met haar armen uitgestrekt, en laat zich door de kille wind van haar dranklucht ontdoen. Niet dat dat erg veel helpt; wat ze eigenlijk nodig heeft is een warme douche en schone kleren. Eens flink haar tanden poetsen zou ook geen kwaad kunnen. Maar eerst zijn er andere dingen aan de orde.

Ze loopt naar het restaurant en gluurt door een raam naar binnen. En jawel, daar zit Andrew: hij heeft een grote tafel helemaal voor zichzelf en neemt de koppen van een krant door terwijl hij twee verschillende stapels pannenkoeken wegwerkt – die van het ene stapeltje zwemmen in de boter en de stroop en op de andere zit niets.

Vlak voor het restaurant staat een telefooncel. Muis heeft niet genoeg kleingeld voor een langeafstandsgesprek, dus belt ze Eddington collect. Ze krijgt echter zijn antwoordapparaat en de telefoniste wil niet hebben dat ze een boodschap inspreekt. Vervolgens probeert ze het nummer van mevrouw Winslow. Die is in gesprek. Muis hangt maar op. En nu? Ze kan wel 911 bellen, het alarmnummer, maar ze vraagt zich af of de politie haar verhaal zou geloven, vooral nu ze in deze toestand verkeert; wie weet zetten ze haar achter slot en grendel omdat ze dronken achter het stuur heeft gezeten en laten ze Andrew gewoon lopen. Bovendien wil ze Andrew niet in de problemen brengen: stel je voor dat de politie hem gaat uithoren en hij over zijn stiefvader begint?

Nog steeds nadenkend over een plan loopt Muis terug naar het raam. Andrew heeft intussen het ene stapeltje pannenkoeken op en het andere weggeschoven. Hij zit zijn krant te lezen en neemt af en toe een slok koffie. Nu zet hij het kopje neer, pakt een theelepel en begint ermee op de tafel te slaan.

Nee, dat is geen slaan... Hij zit te trommelen, het is een bepaald ritme...

'Hoi,' zegt Muis, en ze laat zich neer op een stoel aan Andrews tafel.

'Hallo,' zegt hij met een nieuwsgierig gezicht, maar ook weer niet zó verbaasd haar te zien. 'Wat doe jij hier?'

Een hoge, snel pratende stem... Muis had het al gedacht: dit is degene die ze de vorige avond bij de bushalte heeft gesproken, degene die haar aanbod om hem een lift te geven aannam. Als ze de volgende fase van het gesprek nu maar op een handige manier kan aanpakken, zodat die andere gast niet tevoorschijn komt...

'O, ik kwam hier gewoon langs,' zegt Muis luchtig, en hij knikt – alsof het totaal niet toevallig is dat ze zojuist vijfhonderd kilometer heeft gereden en uitgerekend bij het wegrestaurant gestopt is waar hij zit. 'Maar jij dan? Ik dacht dat je gisteravond het vliegtuig wilde nemen naar Michigan.'

'O,' zegt hij, net een seconde te laat. 'O, eh... ik kon geen plaats krijgen.'

'O,' zegt Muis. 'Goh, wat vervelend.'

'Ja... Nadat jij... Nadat jij me had afgezet bij het vliegveld heb ik... waren er geen... kon ik op geen enkele vlucht meer een plaats krijgen.' Hij is even de draad kwijt, en vervolgt dan: 'Maar goed, het is allemaal goed gekomen, ik kon meerijden met een truck.'

'O.' Muis kijkt demonstratief om zich heen. 'Is de chauffeur...'

'Nou ja, het is niet helemáál goed gekomen,' valt hij haar in de rede. 'Ik had begrepen dat die truck me zou meenemen tot aan Chicago – en dat is niet ver van Michigan, hè –, maar toen kregen die vrachtwagenchauffeur en ik een... hoe moet ik het noemen, een botsing... een conflict... en hij wou hebben dat ik hier uitstapte. Niet zo netjes, hè, om een eenmaal gedane belofte zomaar te verbreken, ook al kom je tot de conclusie dat je iemand niet mag... Dus wat denk je: zou het me moeite kosten om weer een lift te krijgen?'

Muis aarzelt, ze probeert te peilen hoe subtiel ze nu te werk moet gaan. Waarschijnlijk helemaal niet zó subtiel. 'Ik kan je wel een lift geven,' zegt ze.

'Ja?' Hij aarzelt ook, en Muis ziet wel dat hij in tweestrijd verkeert over de vraag of die rit hem iets gaat kosten.

'Voor niks, hoor,' zegt Muis, om hem die vraag te besparen. 'Ik vind het een akelig idee dat het je niet gelukt is om het vliegtuig te nemen.'

'O, nou ja... Dat is jouw schuld niet, hè. Dus jij bent nu op weg naar Michigan?'

Muis knikt. 'Ik wil daar een vriendin opzoeken.'

'Nou, oké dan... Gaan we?' Hij zit op hete kolen om te vertrekken en staat al op, maar merkt dat Muis niet hetzelfde doet en zwijgt even verward. 'O,' zegt hij, na even te hebben nagedacht. 'Heb je... Wou je soms eerst iets eten?' Hij gebaart naar het stapeltje pannenkoeken dat hij heeft laten staan. 'De serveerster heeft me per ongeluk twee porties gebracht. Dus mocht je zin hebben...'

'Nee, dank je,' zegt Muis. De sigaretten die Maledicta heeft gerookt, hebben tijdelijk al haar eetlust de kop ingedrukt, en ze is bang dat als die weer terugkomt, ze zo misselijk als een kat zal worden, dus waarschijnlijk is het geen goed idee om de restjes van een ander op te eten. 'Alleen is er één ding,' zegt ze. 'Ik weet wel dat jij niet voor omwegen voelt, maar ik zal een stop moeten inlassen om een paar uur te rusten.'

'Hè?'

'Ik heb de hele nacht achter het stuur gezeten. Ik móét slapen, of op z'n minst een dutje doen. Niet nu meteen – waarschijnlijk hou ik het nog wel een uur vol –, maar dan zal ik even een motel moeten opzoeken.'

Hij fronst. 'Een motel?'

Muis knikt en denkt bij zichzelf: ergens een eindje van de snelweg af, waar jij geen kant op kunt terwijl ik Eddington bel.

'En hoe lang wil je daar dan blijven?'

'Niet lang,' belooft Muis. 'Een paar uurtjes.'

'Een paar uur... Hmm...'

'Ik snap wel dat je geen zin hebt in oponthoud, maar als je hier blijft, dan zou ik me er ongerust over maken dat je misschien geen lift krijgt... of tenminste geen grátis lift...'

Ze hoeft niet lang in die trant door te gaan om hem over de streep te trekken. Als hij er eenmaal mee heeft ingestemd, vraagt Muis: 'Hoe heet je trouwens?'

'Xavier,' zegt hij. 'Xavier Reyes.'

'Hallo, Xavier, ik ben Penny.' Muis geeft hem een hand en zegt dan: 'Zeg, wacht je hier even? Ik ga naar de wc en ben zo terug, oké?'

Muis is van plan zich vlug even op te frissen en dan naar buiten te glippen om nog eens te proberen mevrouw Winslow te bellen, maar wanneer ze de toiletten uit komt, staat Xavier haar al voor de deur op te wachten. Hij maakt een ongeduldige beweging met zijn hoofd om te kennen te geven dat ze nú weg moeten, en er zit niet veel anders op voor Muis dan achter hem aan te lopen.

Buiten stevent hij, zonder te vragen waar ze staat, linea recta naar haar auto – en in plaats van dat hij ernaast blijft staan wachten tot ze de wagen van het slot heeft gedaan, stapt hij naar de kant van de bestuurder en houdt zijn hand op voor de sleutels. 'Ik denk dat ik maar een tijdje ga rijden,' zegt hij. 'Jij bent immers zo moe?'

'Jij gaat...'

'... Múís,' voegt hij er met een meedogenloze grijns aan toe.

O, díé weer. Muis trekt zich angstig terug en het scheelt maar een haar, of ze verdwijnt; dat ze het lichaam niet in de steek laat, komt alleen doordat het haar nog maar al te vers in het geheugen ligt hoe ze opgesloten zat in de grot. Wel maakt ze aanstalten om met lichaam en al aan de haal te gaan. Maar hij werpt zich niet boven op haar en doet geen pogingen haar bij de arm te grijpen; eigenlijk doet hij niets engs als je die hatelijke grijns buiten beschouwing laat.

'Zeg, hoor eens,' zegt hij. 'Ik ben er niet op uit om je auto te stelen, oké? Als jij met me mee wilt hobbelen, prima – maar ik ga níét terug naar Autumn Creek en ik ga ook niet duimen zitten draaien in een of ander motel terwijl jij de mannetjes in de witte jassen belt.'

'Wie ben je nu?' vraagt Muis.

Daar gaat hij niet op in; met zijn hand uitgestrekt maakt hij een ongeduldig gebaar. 'Geef me de sleutels nou maar.'

Ze schudt haar hoofd.

'Prima,' zegt hij en haalt zijn schouders op. 'Dan peuter ik wel een lift los bij een ander. Geneer je niet om me te volgen, als je wakker kunt blijven...' Hij loopt al weg.

'Wacht even!'

Hij draait zich om.

'Ik... Ik vertrouw je niet,' stamelt Muis.

'Ik jou ook niet,' zegt hij, 'en daar heb ik meer reden toe. Maar ik zal je niets doen, als je daar soms bang voor bent – tenzij jij míj iets doet.' Hij houdt zijn hand weer op.

'Sleutels.'

Muis haalt haar sleutels uit haar zak, maar geeft ze nog niet. 'Je... Je kúnt toch wel rijden, hè?'

'Ik ben er misschien wel een beetje uit,' geeft hij toe, 'maar ik val beslist niet in slaap achter het stuur.'

'En je hoofd dan? Je was verschrikkelijk dronken, gisteravond...'

'Dat was ik niet.'

'Het was je lichaam.'

'Nou, dat van jou ook, zo te ruiken.' Hij haalt zijn schouders op. 'Goed, ik heb vanochtend misschien wel een beetje een kater – maar ik ben een taaie, dat doet me niks. Het is niet míjn kater. En ik heb tenminste een tijdje geslapen in die truck, toen ik de bestuurder eindelijk zover had dat hij zijn bek een keer hield...' Dan verliest hij zijn geduld weer: 'Nou, komt er nog wat van, ja of nee?'

Nog steeds een en al onzekerheid, maar bij gebrek aan een idee wat ze anders moet, geeft Muis hem de sleutels. Wanneer hij ze uit haar hand grist, slaat de paniek weer toe: ze is gek, hij heeft haar bij de neus gehad, nu jat hij de auto natuurlijk mee; hij rijdt gewoon weg en laat haar hier staan...

Hij leest de angst in haar ogen en lacht. 'Ja, ik kán er wel zonder jou vandoor gaan,' zegt hij, 'maar dat doe ik niet. Ik wil jou namelijk achter het stuur hebben als ik moe word.' Hij doet een achterportier voor haar open. 'Toe maar, ga maar liggen – ik maak je wel wakker als jij aan de beurt bent.'

Ze stapt in, maar gaat niet liggen. Ze is nog net zo moe als vijf minuten geleden, maar kan zich op dit ogenblik niet voorstellen dat ze ook maar een oog zal dichtdoen. Ze blijft rechtop zitten en frunnikt aan de veiligheidsgordels op de achterbank, die in de knoop zitten en half versleten zijn, en trouwens nooit echt in orde zijn geweest.

'God,' zegt hij, als hij achter het stuur kruipt, 'wat een rotlucht!' Hij kijkt om. 'Maar dat zal jóúw schuld wel niet zijn.'

'Ik...' begint Muis, en daar laat ze het maar bij. Wat kan het hem schelen wiens schuld het is dat het zo stinkt in de auto? Hij plaagt haar maar een beetje.

Langzaam, als een piloot voor het bedieningspaneel van een vliegtuig dat hij niet kent, start hij de motor van de Buick en dan bestudeert hij uitgebreid de controlemetertjes en -lampjes op het dashboard, de richtingaanwijzers en de versnellingspook. Muis verwacht dat hij wel als een beest zal gaan rijden, net als Maledicta, maar nee. Integendeel – als hij de auto eindelijk van de handrem haalt en hem in beweging zet, ontpopt hij zich als een nog voorzichtiger bestuurder dan Muis zelf. Op weg naar de uitgang van het parkeerterrein geeft hij voorrang aan elke auto die zijn pad kruist, en boven aan de oprit blijft hij zo lang staan aarzelen voordat hij zich op de snelweg waagt, almaar wachtend op precies het goede gat in de verkeersstroom, dat een paar auto's en trucks achter hem beginnen te toeteren. Eenmaal op de weg blijft hij steeds op de rechterstrook en hij zorgt dat de snelheidsmeter op tachtig kilometer blijft staan, veertig minder dan het op de borden vermelde maximum.

'Zo,' begint Muis, met het idee een praatje aan te knopen om zo misschien achter zijn naam te komen en nog een paar dingetjes over hem uit te vissen, maar hij valt haar in de rede.

'Leid me niet af als ik achter het stuur zit,' zegt hij.

'Sorry,' verontschuldigt Muis zich. In haar wiek geschoten laat ze zich een beetje onderuitzakken –

– en de auto staat weer stil, en ze wordt wakker geschud. Wanneer Muis haar ogen opent en ziet dat hij over haar heen gebogen staat, met zijn ene hand op haar been, slaakt ze een schril gilletje, en hij schrikt en stoot zijn hoofd onzacht tegen het dak van de auto.

'Au!' brult hij, achteruit de auto uit strompelend, zijn ene hand tegen zijn achterhoofd gedrukt. 'Verdomme zeg, stomme trut! Ik heb niks gemeens in de zin, het is alleen maar jouw beurt om te rijden, anders niks...'

Muis gaat rechtop zitten. Ze staan weer bij een wegrestaurant. Dit is kleiner dan het vorige en het ligt in een breed, groen dal tussen bergen met besneeuwde toppen, de Rockies waarschijnlijk. Muis kijkt op het klokje voorin: 11:25. 'Waar zijn we?'

'In Montana,' zegt hij met een pijnlijk vertrokken gezicht. 'Voorbij Missoula, niet ver van Butte. Ik heb net getankt... Au!'

'Sorry,' zegt Muis, al meent ze daar niets van. Ze voelt eens voorzichtig aan haar nek; intussen is ze weer zo'n beetje hersteld van haar aanvaring met die boom, maar het is daar nog steeds een beetje gevoelig en ze zal moeten oppassen dat die plek niet weer gaat opspelen. Maar op dit ogenblik heeft ze nergens last van.

Verder komt ze om van de honger. Ze stapt de auto uit en kijkt om zich heen wat er hier aan eten te krijgen valt.

'Er is voor gezorgd, hoor,' zegt hij.

'Hè?'

'Je hebt toch zeker honger?' Hij wijst naar een witte papieren zak op het dak van de auto. 'Ik heb een hamburger met patat voor je gehaald. Er zit ook een Pepsi bij.'

'O... dank je.' Natuurlijk is dat niet echt een attent gebaar van hem: hij wil 'm alleen maar niet hoeven te knijpen dat zij stiekem ergens gaat bellen. Muis speelt even met de gedachte om gewoon tóch een restaurant binnen te gaan, enkel en alleen om hem dwars te zitten – nu ze hem zijn hoofd heeft zien stoten, is hij niet meer zo'n engerd. Maar eng of niet, hij heeft de autosleutels, en als hij kwaad wordt, rijdt hij misschien wel weg zonder haar.

Ondanks die besneeuwde toppen is het hier zowaar warmer dan bij dat wegrestaurant in Idaho. De hemel is onbewolkt en de zon staat bijna recht boven hun hoofd; de middagwind is zoel, veel minder koud. Muis eet staande, naast de auto. Hij leunt tegen de motorkap en rookt een sigaret – een Winston, Maledicta's merk.

'Ga je me nog vertellen hoe je heet?' vraagt Muis tussen twee happen door.

Hij schudt zijn hoofd en blaast een wolk rook uit.

'Hoe moet ik je dan noemen?'

'Nou, "Andrew" bijvoorbeeld.'

'Nee,' zegt Muis. 'Dat vind ik geen goed idee.'

Hij kijkt haar chagrijnig aan. 'Ik bén anders Andy Gage, hoor,' zegt hij. 'Dat is meer dan al die anderen kunnen zeggen. Die zijn niet eens echt, dat zijn enkel... hersenschimmen met een ik.'

'En Xavier dan?'

'Wat Xavier?'

'Nou, volgens mij... werken jullie tweeën zo'n beetje samen. Is hij ook een hersenschim?'

'Xavier is een werktuig,' zegt hij. 'Een wáárdeloos werktuig, dat wel,' voegt hij er geïrriteerd aan toe. 'Ik bedoel, je hebt hem toch ontmoet? Hij zou zogenaamd een slimme kerel zijn, maar hij is niet veel gehaaider dan een wieldop. De eerste de beste vlieg neemt hem zó in de maling. En bovendien is hij een angsthaas...'

'Een angsthaas?' vraagt Muis.

Hij neemt een hijs.

Muis gooit het over een andere boeg. 'Heb jij Xavier eigenlijk gemáákt?' vraagt ze. 'Heb je hem naar buiten geroepen, net zoals Aaron Andrew?'

Hij grinnikt, alsof ze een grappige opmerking heeft gemaakt, maar geeft geen antwoord.

'Ben je haast klaar?' zegt hij even later, en hij gooit zijn peuk op de grond en trapt hem uit. 'Ik wil door.'

'Oké...' Muis steekt nog een laatste frietje in haar mond en kijkt om zich heen, op zoek naar een bak voor het afval... maar hij pakt haar de zak en het nog halfvolle blikje cola af en mikt het hele zaakje naast zijn peuk op de grond. 'Toe nou,' zegt hij.

Hij geeft haar de autosleutels en stapt achterin. Muis kruipt achter het stuur. Ze vindt het geen prettig idee om hem achter zich te hebben, al is het nu geen angst meer die haar dwarszit, alleen een onbehaaglijk gevoel. Ze weet wel bijna zeker dat hij niets kwaads in de zin heeft. En ook al mocht hij proberen iets met haar uit te halen, ze voelt dat Maledicta en Malefica ergens voor in de grot rondhangen, steeds paraat om haar te verdedigen.

Op dat ogenblik wordt ze overvallen door een bepaalde gedachte waarvan ze in de lach schiet.

'Nou?' vraagt hij. 'Wat valt er te lachen?'

'Niks,' zegt Muis. Dankzij het geluid waarmee de motor start weet ze een tweede lachkriebel te verdoezelen. Nee, er is niets leuks aan de hand, alleen heeft ze, tegen al haar verwachtingen in en zonder het te willen, dokter Greys raad opgevolgd: ze is het Genootschap als een stel bondgenoten gaan zien.

Dat besef leidt tot nog zo'n inzicht: zij heeft bondgenoten, maar hij kennelijk niet. Hij noemde Xavier 'waardeloos', en zo te horen beschikt hij niet over andere zielen waarop hij een beroep kan doen in een crisissituatie. Dus als Muis nu een crisissituatie zou kunnen bewerkstelligen die hij niet op eigen kracht aankan, misschien dat er dan wel iemand anders naar buiten zou komen, een niet-bondgenoot – Andrew bijvoorbeeld, of Andrews vader, of althans iemand die haar in contact zou kunnen brengen met hen.

Dit is echt iets om onder het rijden over na te denken. Dat doet ze dan ook, en ze gaat zelfs zover om het idee in alle stilte te bespreken met Maledicta. Aan Maledicta heeft ze echter niet veel; wanneer Muis vraagt of ze niet een goede manier weet om hun passagier zo erg de stuipen op het lijf te jagen dat hij Andrews lichaam in de steek laat, antwoordt Maledicta: 'Vraag toch aan Malefica om hem vast te binden aan de achterbumper, dan sleep je hem zo een paar kilometer mee.' En dat komt er niet uit op een toon alsof ze een grapje maakt.

'Nee, ik wil hem geen pijn doen,' zegt Muis. 'Of liever gezegd: ik wil Andrew geen pijn doen.'

'Weet je wat je moet proberen?' doet nu een ander lid van het Genootschap een duit in het zakje, 'Je moet hem aan de praat zien te krijgen over zichzelf. Erachter zien te komen waar hij bang voor is.'

Dat is een goed idee, alleen heeft hij geen zin om te praten, en al helemaal niet over zijn angstgevoelens. 'Rij nou maar gewoon,' zegt hij.

En zij rijdt en praat dus maar met zichzelf. Het Genootschap kijkt uit zijn collectieve doppen of er zich niet een gelegenheid voordoet tot een of andere listige truc, waardoor hij zich genoodzaakt ziet van identiteit te wisselen.

Om 2:45, volgens het dashboardklokje, zijn ze in Billings, waar Muis stilhoudt om weer te tanken. Ze heeft geen zin om Maledicta's Shell-kaart op te snorren en dringt erop aan dat híj betaalt. Na het benzinestation gaan ze naar een Arby's om een hapje te eten – ook daar betaalt hij, met een van Andy's briefjes van twintig dollar – en naar de wc te gaan. Muis doet weer haar best om op te schieten, maar als ze de dames-wc's uit komt, staat hij haar al op te wachten. Ze gaan terug naar de auto. Hij is bereid om weer te gaan rijden, maar Muis voelt er weinig voor om de touwtjes weer uit handen te geven en zegt dat ze nog wel een paar uur mee kan.

Om 4:52 steken ze de grens met Wyoming over. Om 6:39 merkt Muis dat de zon al bijna ondergaat, en dat vindt ze wel erg vroeg, totdat ze bedenkt: ze rijden immers in oostelijke richting en hebben Seattle al bijna vijftienhonderd kilometer achter zich gelaten, dus ze zitten hier in een andere tijdszone. Ze wil het dashboardklokje al bijstellen, maar Maledicta praat haar dat uit het hoofd: 'Je moet het ding juist verkeerd laten staan, dan heb je die klootzak op de achterbank lekker te grazen. Als je dat kutding zo nodig bij moet stellen, zet het dan nóg fouter. Stel het godverklote in op de Tokyose tijd.' Uiteindelijk laat Muis het klokje maar staan zoals het staat.

Het Rotsgebergte hebben ze al lag en breed achter de rug; ze komen nu door een uitgestrekte grasvlakte tussen de Bighorn Mountains en de Black Hills. Er is hier maar heel weinig verkeer op de weg, en het eentonig golvende landschap maakt het rijden tot een saaie bedoening. Het grootste gedeelte van de middag heeft Muis steeds een brave honderd kilometer per uur aangehouden, maar nu laat ze de snelheid langzaam oplopen tot honderdtwintig, het hier toegestane maximum. Malefica, die zich verveelt en zin heeft om de boel eens op stelten te zetten, kruipt echter naar buiten op een ogenblik dat Penny Driver niet goed oplet en zorgt ervoor dat haar rechtervoet 'm van katoen geeft.

– en net op het ogenblik dat de zon achter de einder zakt, verschijnt er een zwaailicht achter hen, er gilt een sirene en Muis ziet dat de wijzer van de snelheidsmeter tegen de honderdzestig aan zit.

'O, god,' zegt Muis.

'... niet zo snel, idioot!' schreeuwt de figuur op de achterbank, een hele tijd al. 'Niet zo snel, niet zo snel, niet zo snel...'

Ze mindert al vaart – haar voet heeft het gaspedaal losgelaten en de wijzer loopt terug, naar 140, 130, 90, 60. De patrouillewagen zit haar nu vlak op de hielen, nog steeds met zwaailicht en al, en geeft aan dat ze moet stoppen. Gehoorzaam stuurt Muis de auto naar de kant.

Op de achterbank slaan de stoppen door.

'Stom stuk – ' sputtert hij, maar er wil hem zo gauw geen passende betiteling te binnen schieten. 'Waarom reed je met zo'n rotgang?'

'Het...' sputtert Muis op haar beurt. 'Ik geloof niet dat ík dat was.'

'Nee hoor, natuurlijk niet.'

'Ik ben anders degene die het nu voor z'n kiezen krijgt, hoor,' brengt Muis in het midden. 'Ik snap niet waarom jij je zo dik maakt.'

'Pas op dat je niks uithaalt,' waarschuwt hij. 'Pas op dat je niks zegt over...'

'Wees maar niet bang.' In feite heeft Muis die mogelijkheid al overwogen, en prompt verworpen. Bij dat wegrestaurant in Idaho leek het haar al geen goed idee om 911 te bellen, dus nu laat ze het wel helemaal uit haar hoofd om haar situatie uit te leggen aan een diender die haar heeft aangehouden omdat ze te snel reed.

De agent van de staatspolitie van Wyoming staat nu naast zijn auto; in zijn ene hand heeft hij een zaklantaarn en de andere ligt op de kolf van zijn pistool. Hij komt dichterbij en klopt met zijn knokkels op Muis' raampje. Ze draait het omlaag.

'Goeienavond,' zegt de agent. Hij houdt zijn gezicht voor het open raampje en laat het licht van zijn zaklamp door de auto spelen. Geduldig en verbazend bedaard wacht Muis af tot hij haar om haar rijbewijs en autopapieren vraagt, maar haar passagier zit zenuwachtig heen en weer te schuiven op de achterbank en houdt hoorbaar zijn adem in als het licht over hen heen glijdt.

De agent snuffelt.

O god, denkt Muis. Dat is waar ook. De auto is wel enigszins gelucht sinds die ochtend – in Montana heeft ze bijna aldoor de voorraampjes op een kiertje laten staan –, maar het ruikt er nog steeds als in een destilleerderij.

De agent richt zijn zaklamp op Muis' gezicht, schijnt haar in de ogen. 'Hebt u vanavond alcohol gedronken, mevrouw?' vraagt hij.

'Nee,' antwoordt Muis, en tegelijkertijd hoort ze achter zich iemand weer zenuwachtig ademhalen. 'Nee, sorry, ik weet dat het hier zo ruikt, maar... nee, ik heb niet gedronken.'

De agent wacht af, nog steeds met zijn lamp op haar gezicht.

'We... Ik ben gisteravond op een feestje geweest,' vervolgt Muis.

'U hebt gisteravond een feestje gehad in uw auto?'

'Nee!' zegt Muis, en nu slaat haar stem een beetje over. 'Nee, ik was naar een feestje, ik stond geparkeerd, en toen... is er een ongelukje gebeurd. Er is een fles wodka omgevallen en ik heb de boel nog niet zo gauw kunnen schoonmaken. Ik.. We... We hebben de hele dag gereden.'

'Juist,' zegt de agent. Hij doet een paar stappen achteruit. 'Wilt u zo goed zijn uit te stappen, mevrouw?'

'Oké,' zegt Muis. 'Het spijt me, ik weet wel dat ik nogal snel reed...'

'Ja, mevrouw. Komt u hier even staan, achter uw auto? ... Zo ja, en nu verzoek ik u om uw arm uit te steken, zo, en dan met uw ogen dicht uw neus aan te raken.'

Muis doet wat haar gezegd wordt. Met haar vinger op het puntje van haar neus en haar ogen nog dicht wacht ze de volgende opdracht af. Maar als de agent zijn mond weer opendoet, zijn zijn woorden niet tot haar gericht: 'Meneer!' roept hij, en zijn stemgeluid gaat een andere kant op. 'Meneer, wilt u in de auto blijven zitten? Menéér!'

Muis doet haar ogen open. Haar anonieme passagier is in paniek geraakt en wil uitstappen. Maar de agent loopt naar het achterportier en barricadeert het met zijn lichaam. Muis' passagier laat een angstig, jankerig geluidje horen en duwt hard tegen het portier; de agent laat zijn zaklamp zakken en duwt terug. 'Meneer!' zegt hij, en zijn stem verraadt de inspanning die het hem kost om het portier dicht te houden. 'U moet in de auto blijven zitten, meneer!'

'O, god,' zegt Muis. 'Hij heeft... Hij heeft last van claustrofobie! Laat u hem toch...' Ze doet een stap in de richting van de auto; de agent trekt zijn pistool.

– en alles is weer rustig. Muis zit weer achter het stuur. De Buick staat nog langs de kant van de weg, maar de patrouillewagen is verdwenen. Het klokje staat op 7:48.

Met bevende hand knipt Muis het licht in de auto aan. Achter de zonneklep zit een bekeuring wegens te hard rijden. Muis grijpt ernaar, werpt er een nietsziende blik op en legt hem weg.

'Andrew?' zegt ze en kijkt om. Het lijkt erop dat de achterbank leeg is – maar dan verschijnt er een hoofd.

'Waarom staan we stil?' vraagt hij. 'Zijn we al in Michigan?'

'Xavier?'

'Sorry, ik ben blijkbaar in slaap gevallen.' Xavier kijkt naar het in duisternis gehulde landschap. 'Waar zijn we? Is dit Michigan?'

'N-nee,' zegt Muis. Haar hart gaat bonkend tekeer. 'Nee, dit is... We zitten zo'n beetje halverwege.'

'Halverwege nog maar? Waarom staan we hier dan stil?'

'Eh... een probleempje met de auto,' zegt Muis. 'Ik... Ik geloof dat het nu weer oké is, maar ik zal wel even bij een garage langs moeten om ernaar te laten kijken...'

'Alwéér ergens stoppen!' zegt Xavier.

'Niks aan de hand hoor, echt niet,' zegt Muis. 'We schieten geweldig op.' Ze draait zich om en reikt naar het contactsleuteltje.

'Múís,' zegt hij, 'niet doen!'

Muis blijft roerloos zitten, haar hand om het sleuteltje. Ze zou zo in huilen kunnen uitbarsten.

'Stap eens uit,' zegt hij. 'Ik ga rijen.'

Muis worstelt met haar tranen. 'Dat kún je niet,' zegt ze.

'O nee? Dacht je dat?'

'Als we nu wéér worden aangehouden door de politie?'

'Ik ga niet rijen alsof ik in een racewagen zit.'

'Maar mochten we toch aangehouden worden,' zegt Muis, 'heb je dan eigenlijk wel een rijbewijs?'

'Heb ik...' Hij zwijgt even. Muis hoort hem zijn portefeuille tevoorschijn halen en het ding doorzoeken. 'Ah!' roept hij triomfantelijk, maar halverwege die kreet stokt hij. 'Wacht,' zegt hij. 'In welk jaar leven we?'

'1997,' zegt Muis.

'Godverdomme!'

'Dus je hebt geen rijbewijs,' zegt Muis. 'En als we nog eens aangehouden worden, dan arresteren ze je waarschijnlijk, vooral omdat het zo stinkt in de auto.'

'Prima,' zegt hij. Hij grijpt naar de hendel van het portier. 'Dan stap ik hier maar uit en...'

'We zitten ergens midden in de rimboe,' brengt Muis hem onder het oog. 'Het wordt al koud. Je vernikkelt voordat je weer een lift krijgt.'

Hij trakteert haar op een vernietigende blik. 'Nou, goed dan,' zegt hij. 'Als jij zo graag wilt rijen, ga je gang – tot aan de eerste de beste grote plaats. Dan stap ik uit.'

Muis aarzelt. 'Hoor eens,' zegt ze, nu wat vriendelijker, 'ik was er heus niet op uit om aangehouden te worden. Als je nog langer met me mee wilt rijen, dan beloof ik je dat ik niet...'

Hij valt haar in de rede. 'Ga eens rijen... Pas op, hoor.'

Ze rijdt.

De eerstvolgende grote plaats is Rapid City, South Dakota – zo'n anderhalf uur rijden nog, als Muis kalm aan doet. Ze heeft nog negentig minuten om iets te verzinnen. Aanvankelijk ziet het er hopeloos uit: elke keer als ze een blik in de achteruitkijkspiegel werpt, zit hij naar haar te staren alsof hij kan horen dat ze snode plannen zit te beramen.

Maar zoals Muis inmiddels aan den lijve heeft ondervonden: het is vermoeiend om almaar op je qui-vive te zijn. Niet lang nadat ze weer een nieuwe staat in zijn gereden, ziet ze als ze voor de zoveelste keer in de spiegel kijkt dat hij slaapt.

Voor het grootste gedeelte althans: zijn lichaam is onderuitgezakt en zijn hoofd hangt achterover. Muis blijft echter kijken; ze verdeelt haar aandacht tussen de spiegel en de weg, en nu gaat zijn rechterarm omhoog als een cobra die zich opricht uit een mand, totdat zijn hand het dak van de auto beroert. Even maakt zijn hand een schrikbeweging, verstart hij, maar dan begint hij weloverwogen tegen het dak te bonzen, nu eens hard, dan weer zacht.

Pats-boink-boink-pats... pats... boink-pats... boink-pats... boink-pats-boink-boink...

'Xavier?' zegt Muis. Maar dit is niet zo'n drumsolo van Xavier; het is iets anders.

... pats-boink-boink...pats-pats-pats-pats... pats... pats... pats-boink-pats... pats...

Code, beseft Muis. Dit is een bericht in code.

'Ik snap het niet,' zegt ze.

De bonzende hand houdt even op, begint dan opnieuw: *pats-boink-boink... pats-pats-pats-pats...*

'Nee,' zegt Muis, 'ik bedoel, ik ken geen morse. Of... Maledicta? Ben jij...'

Plotseling wordt hij wakker, zijn hoofd schiet naar voren. 'Wat...?' roept hij uit, naar zijn opgeheven arm starend. Woedend kijkt hij naar Muis. 'Wat is hier aan de hand, goddorie?'

'Niks,' zegt Muis, op een niet erg overtuigende toon. 'Je lag je alleen maar uit te rekken in je slaap.'

'O.' Ze komen langs een bord: RAPID CITY – 60 KM. 'Ga eens wat sneller,' zegt hij.

'Ik zit op tachtig,' zegt Muis. 'Ik dacht dat je niet wou hebben dat ik...'

'Sneller. Ik heb er genoeg van om almaar in deze auto te zitten.'

Hij leunt weer achterover, en zijn linkerarm houdt de rechter omklemd alsof hij die in bedwang wil houden. Muis kan zien dat hij nu bang is. De confrontatie met die politieagent moet hem echt een dreun hebben bezorgd; hij dreigt de greep op zichzelf kwijt te raken. Maar als ze niet nog een tweede keer worden aangehouden door de politie, heeft Muis geen idee hoe ze hem in de weinige tijd die haar nog rest uit zijn tent moet lokken.

Uiteindelijk knapt de VVV van South Dakota het karwei op.

Behalve langs borden waarop afstanden staan aangegeven, komen ze ook langs grote hoeveelheden enorme reclameborden waarop alle mogelijke bezienwaardigheden worden aangeprezen: Mount Rushmore, het monument voor Crazy Horse, Wounded Knee, Petrified Gardens en verder iets wat Wall Drug heet. Muis heeft er nog nooit van gehoord, maar het is kennelijk een grote trekpleister in deze contreien. VIND JE GELUK... IN WALL DRUG roept een reclamebord, een ietwat raadselachtige uitnodiging. Weer een ander, met een afbeelding van een etalage die uitpuilt van alle mogelijke koopwaar, vermeldt: WALL DRUG – DIT ALLES EN NOG VEEL MEER, EN BOVENDIEN GRATIS IJSWATER!

'Goeie hemel,' zegt de figuur op de achterbank. 'Is dat dé Wall Drug?'

Het is een nieuwe stem. 'Dat...Dat weet ik niet,' zegt Muis. 'Maar dat zal wel. Wat is dat dan, een winkelcentrum of zo?'

'Volgens de verhalen is dat een van de meest fantastische winkelcentra van heel Amerika,' zegt hij. 'Ik wed dat het stukken beter is dan Westlake Center.'

'O. Tja...'

'Laatst mocht ik naar het winkelcentrum, en toen ging het opeens niet door,' voegt hij er vertrouwelijk aan toe. 'Wat denk je, kunnen we even bij Wall Drug langsgaan? Niemand anders hoeft er iets over te horen.'

'Ja hoor,' zegt Muis. 'Ja, mij best, alleen – denk je dat ik eerst even met Andrew kan praten?'

Er vaart een schok door Andrews lichaam, en hij komt weer tevoorschijn. 'Zet de auto stil!' schreeuwt hij. 'Zet de auto...'

Er komt weer een reclamebord voorbij. 'Ooo!' roept hij met een hoog jongensstemmetje. 'Wolharige mammoeten!'

Muis zegt niets, wacht alleen maar af. Ze komen langs nog een groot reclamebord, ditmaal voor Camel-sigaretten.

Snel met zijn ogen knipperend buigt hij zich naar voren. 'Zeg schat,' zegt hij met een vrouwenstem, 'heb je misschien een sigaret voor me, ik heb zo'n hoofd...'

'Nee!' Zijn lichaam begint weer te schokken. 'Zet de auto stil! Stop!'

Muis rijdt door.

'Stop!' loeit hij, en hij schopt tegen de achterkant van haar stoel. 'Stop, stop, stóp...'

Er verdwijnt een stukje tijd, en daarna staan ze stil in een bocht van de snelweg. Muis, die zich half heeft omgedraaid, vangt nog net een glimpje op van haar passagier voordat hij als een haas uit de auto springt. Het portier laat hij openstaan.

'Andrew!' roept Muis –

– en het volgende ogenblik staat ze aan de rand van een diepe greppel, evenwijdig aan de berm. Ze hoort hem schreeuwen.

'Andrew?' roept Muis. 'Andrew?'

De greppel is minstens twee meter diep, en bij het schijnsel van de achterlichten van de Buick onderscheidt Muis daar in de diepte met enige moeite een wild met armen en benen spartelende Andrew. Hij zit ergens in vast en zijn bewegingen zijn zo heftig en er ontsnappen hem zulke bloedstollende kreten dat Muis bang is dat hij in een berenval beklemd is geraakt, of in iets anders monsterlijks. Dan komt er een auto voorbij en als de lichtbundels van de voorkant door de greppel glijden, ziet Muis waar hij in terecht is gekomen: in prikkeldraad.

Iemand heeft een hoop prikkeldraad in de greppel gedumpt en daar is hij in vast blijven zitten. Hij had rustig moeten blijven staan om zichzelf stukje bij beetje los te maken, maar hij is volkomen de kluts kwijt en gaat als een wildeman tekeer. Muis ziet de hele berg prikkeldraad en de bijbehorende paaltjes op en neer dansen.

'O god, Andrew!' zegt Muis. 'Andrew, niet doen, je maakt het zo alleen nog maar erger...' Ze zou graag naar beneden klimmen om hem te helpen, maar ze is bang dat hij zo wild om zich heen maait dat ze zelf ook nog in dat prikkeldraad belandt. Ze blijft vlak aan de rand staan en roept hem met klem toe dat hij moet ophouden met zijn gespartel.

Hij slaakt nog één doordringende kreet en valt stil. Muis wacht nog tien tellen en klautert dan naar hem toe.

Het is minder erg dan ze had gedacht. Ze had de indruk dat Andrew met zijn hele lijf in het prikkeldraad vast was geraakt, maar nu blijkt dat het enkel zijn linkerarm is. Toch ziet het er niet al te best uit: er zit een heel stuk om zijn onderarm, wel twee keer eromheen gedraaid, en door zijn geruk en getrek is het strak komen te zitten, zodat de stekels zich in zijn vlees hebben geboord. Als Muis zijn mouw aanraakt, voelt die kleverig aan van het bloed.

'Andrew...' Het lijkt wel of hij flauw is gevallen, en dat komt wel goed uit, al heeft ze geen idee hoe ze hem dan weer in de auto moet krijgen. Maar eerst moet ze hem lospeuteren. Voorzichtig laat Muis in het donker haar vingers over de lussen om zijn arm glijden om na te gaan of er ergens een beetje speling zit waar ze haar voordeel mee kan doen. Ze voelt inderdaad ergens iets in die richting, maar als Muis even zachtjes aan dat gedeelte trekt om te zien wat dat oplevert, komt Andrew weer tot leven.

Zijn vrije hand grijpt haar ruw bij de schouder. *'Pou eimaste?'* wil hij weten. *'Ti symbainei?'*

Muis slaakt een schril gilletje.

21

'… en verder herinner ik me niets,' besloot Penny. 'Voordat ik wist wat me overkwam, waren we hier.'

Terwijl zij haar verhaal deed, waren we naar haar motelkamer gelopen; nu pakte ze een blad met een dinosaurus getooid briefpapier van het televisietoestel. 'Het Genootschap heeft me een briefje geschreven,' zei ze en gaf het me.

Het briefje luidde:

Penny,
We zitten in een plaatsje aan de rand van het Badlands National Park, ten zuidoosten van Rapid City; het leek me geen slim idee om daar stil te houden, of om naar Wall Drug door te rijden. Vandaar dat ik van de snelweg af ben gegaan en hier ben blijven staan (zie kaartje op achterkant). Andrew heeft bijna al die tijd buiten westen gelegen, en hopelijk slaapt hij nog een poosje door. Ik heb zijn arm zo goed mogelijk schoongemaakt en verbonden, maar hij zal naar een dokter moeten voor een tetanusprik. Bel dokter Eddington.

Duncan

'Duncan,' zei Penny toen ik uitgelezen was. 'Ik weet niet wie dat is.'

'Ik wel. Ik heb hem een keer ontmoet. Hij is…' Ik zweeg even toen ik zag met wat voor gezicht ze me aankeek. 'Niks aan de hand, Penny,' zei ik. 'Duncan is een van je lijfwachten. Hij is volkomen betrouwbaar.' Ik wierp weer een blik op het briefje. 'En, heb je Eddington al gebeld?'

'Dat heb ik geprobeerd,' zegt Penny. 'Maar de telefoon deed het niet' – ze gebaarde naar het nachtkastje – 'en ik was bang dat als ik de kamer uit zou gaan om ergens anders te bellen, dat jij er dan weer vandoor zou gaan. Dus ben ik maar in de stoel gaan slapen, en toen ik wakker werd was jij nog volslagen van de wereld, dus dacht ik dat ik wel snel even onder de douche kon, maar...'

Ze was bijna in tranen. 'Penny,' zei ik, 'maak je maar niet druk. Je hebt je prima geweerd.'

'Nee, dat heb ik níét!' zei Penny, en ze stompte zich op haar bovenbeen. 'Ik was je bijna weer kwijtgeraakt. Ik wou even douchen, maar ik wou de deur niet openlaten, voor als híj misschien wakker zou worden...'

'Nou, niks aan de hand, Penny. Ik bén er niet vandoor gegaan. En waarom zou ik je een douchepartij misgunnen, na al die... Echt waar, ik weet gewoon niet hoe ik je ooit genoeg kan bedanken omdat je dat hele eind steeds bij me bent gebleven... Ik bedoel, als ik aan de afgelopen paar weken denk, dan vraag ik me af waaraan ik dat heb verdiend.'

Hoofdschuddend veegde ze dat idee van tafel. 'Jij bent mij ook achternagegaan toen ik ervandoor ging.'

'Wat, die keer toen je het bos in rende, bedoel je? Dat was een paar kilometer, Penny. Terwijl dit... Wat ik voor jou heb gedaan, valt hier echt niet mee te vergelijken.'

'Jij hebt mij geholpen,' hield Penny vol, 'en dus heb ik jou geholpen. Maar ik had je niet alleen moeten laten, geen moment, zolang ik niet wist...'

'Ach, kom toch, Penny... Je weet best dat als íémand zich hier de haren uit het hoofd moet rukken, dat ík dat dan ben. Dit is allemaal mijn schuld.'

'Welnee. Jij kon er toch niets aan...'

'O ja, zeker wel,' zei ik. 'Ik had nooit zoveel mogen drinken. Dat is tegen mijn vaders regels – ik geloof niet dat ik ooit echt heb begrepen waarom dat tegen de regels is, maar nu weet ik het wel. Ik heb de touwtjes niet in handen gehouden.' Ik zuchtte, geteisterd door alle mogelijke schuldgevoelens en wroeging – vanwege al die drank, vanwege Julie, vanwege dokter Grey (dokter Grey! ... was die echt dood?) – die op een kansje wachtten om onstuitbaar aan te zwellen en me op te slokken. Maar dat kon ik me op dat ogenblik onmogelijk permitteren.

'Weet jij soms,' vroeg Penny, 'wie die hatelijke figuur is? Dat type dat me niet wilde zeggen hoe hij heette?'

'Nee. Ik ken geen van de zielen die jij hebt ontmoet. Ik heb nooit eerder gehoord van ene Xavier. En die ander... Zo te horen is dat Gideon, maar dat is onmogelijk.'

'Gideon,' zei Penny. 'Die deugt niet?'

'Die denkt alleen aan zichzelf.' Ik voelde aan het verband om mijn arm. 'En verder is hij doodsbang voor scherpe dingen, voor messen, spijkers, doorns – écht bang, hè. Daar weet hij totaal geen raad mee. Maar het punt is, eigenlijk hoort hij niet meer naar buiten te kunnen, dus als híj degene was die het lichaam in handen had...'

'Goed, wat doen we nu?' vroeg Penny. 'Jij bent nu toch weer de baas over je lichaam, hè?'

'Dat hoop ik maar... Volgens mij moeten we allereerst een telefoon zien te vinden die het doet en dokter Eddington en mevrouw Winslow bellen. God, mevrouw Winslow! Die moet langzamerhand wel verschrikkelijk ongerust zijn.'

'Nou,' zei Penny, 'Maledicta heeft anders tegen Julie gezegd dat wij achter jou aan gingen. Dus wie weet, als Julie met mevrouw Winslow heeft gepraat...'

'Ja, wie weet,' zei ik aarzelend. Om de een of andere reden kon ik me niet voorstellen dat het bericht dat Julie Maledicta had gesproken mevrouw Winslow rustiger had gestemd. 'Maar ik kan haar toch maar beter gaan bellen. En daarna zal ik naar binnen moeten om met mijn vader te praten en om te kijken hoe het huis eraan toe is. Misschien zou jij dan intussen op het lichaam kunnen passen.'

'Eh... oké,' zei Penny. Ze pakte de kraag van haar badjas even tussen twee vingers. 'Wacht even, dan kleed ik me aan en ga met je mee.'

Terwijl ik buiten voor de motelkamer op Penny wachtte, probeerde ik mijn vader te roepen. Eerst kwam er geen enkele reactie – het spreekgestoelte ontbrak nog steeds –, maar toen hoorde ik mijn naam, van ergens heel ver weg, leek het wel: '... drew? ...'

'Vader?' zei ik.

De deur van de motelkamer ging open en daar kwam Penny halsoverkop naar buiten, hinkend op haar ene voet terwijl ze moeizaam haar schoen probeerde aan te krijgen. Ze zag de wazige uitdrukking op mijn gezicht en werd bang. 'Andrew?' vroeg ze.

'Niks aan de hand, hoor,' zei ik, en ik liet mijn poging om in contact te komen met het huis varen.

We gingen naar de receptie en zeiden tegen de bedrijfsleider dat de telefoon in onze kamer het niet deed. Hij haalde zijn schouders op, alsof het hem niet duidelijk was waarom dat hem iets zou moeten aangaan; maar toen ik een beetje druk op hem uitoefende, ging hij er schoorvoetend mee akkoord dat ik de telefoon van de balie gebruikte.

Ik draaide het nummer van mevrouw Winslow en tot mijn verbazing kreeg ik een antwoordapparaat. 'Met mevrouw Winslow. Als ik Andrew, Aaron of iemand anders van de familie aan de lijn heb, spreek dan een berichtje in om me te laten weten waar jullie zijn. Als je niet weet waar je bent, moet je onmiddellijk 911 bellen; zeg tegen degene die je te woord staat dat je verdwaald bent en geef die iemand mijn telefoonnummer...'

De ingesproken boodschap brak met een bliepje midden in de zin af. 'Mevrouw Winslow?' zei ik. 'Er is niets aan de hand, mevrouw Winslow, ik ben...' Weer een bliepje, wat geruis en de verbinding viel weg.

'Wat is er?' vroeg Penny.

'Ik kreeg een antwoordapparaat,' zei ik. 'Dat wist ik niet, dat mevrouw Winslow dat had... Ik bedoel, dat is best verstandig, denk ik, alleen is ze bijna altijd thuis.'

'Heb je geen berichtje ingesproken?'

Ik schudde mijn hoofd. 'Er ging iets mis...' Ik draaide het nummer nog eens en kreeg de ingesprektoon. Geërgerd hing ik op en begon Eddingtons nummer te draaien.

'Ahum.' De bedrijfsleider schraapte zijn keel. 'Hoeveel gesprekken gaat u eigenlijk precies voeren?'

'Eentje nog maar,' zei ik. De telefoon ging twee keer over en daarna kwam Eddingtons antwoordapparaat in actie. Maar het wekte tenminste de indruk dat het werkte. Ik sprak een uitvoerig bericht in.

'Goed,' zei ik tegen Penny nadat ik had opgehangen. 'Laten we teruggaan naar de kamer en...'

De bedrijfsleider schraapte nogmaals zijn keel. 'Dat is dan vijftien dollar.'

'Vijftien... Waarvoor?'

'Voor drie interlokale gesprekken,' zei de bedrijfsleider. 'Dus vijf dollar per stuk, had ik gedacht.'

'Het eerste telefoontje duurde maar dertig seconden,' merkte ik op. 'En bij het tweede kreeg ik een ingesprektoon.'

De bedrijfsleider haalde zijn schouders op. 'Zo'n toon heb ik niet gehoord.'

'Wat bent u...' Ik gaf het op; ik had de energie niet om het op een marchanderen te zetten.

'Sorry,' zei Penny verontschuldigend toen we naar de kamer terugliepen. 'Duncan heeft blijkbaar het verkeerde motel uitgekozen.'

'Hij had wel belangrijker zaken om zich druk over te maken – jullie allebei trouwens. Nou ja, dat geld zit me anders minder dwars dan dat ik niet met mevrouw Winslow heb kunnen praten.'

Eenmaal terug in de kamer overwoog ik even vlug onder de douche te gaan, maar tegen mijn zin besloot ik toch maar van niet. Iets anders ging voor. Ik legde Penny uit wat ik van plan was.

'Dus dan ben je weer buiten westen?' zei ze.

Ik knikte. 'Maar het ziet eruit alsof ik ligt te slapen,' zei ik. 'En je mag me wakker schudden als er echt iets aan de hand is, maar dan zal ik er wel een paar seconden over doen om wakker te worden.'

'En als er dan iemand anders wakker wordt?' vroeg Penny. 'Als híj nu eens tevoorschijn komt?'

'Dat gebeurt heus niet.'

Ze keek me alleen maar aan.

'Nou, goed,' zei ik. 'Goed dan...' En ik ging op zoek naar iets met een scherpe punt, maar ook weer niet té scherp; in de la van het nachtkastje vond ik behalve een bijbel en een Boek van Mormon een briefopener. 'Hier,' zei ik, en ik liet haar het ding zien. 'Mocht Gideon werkelijk komen opdagen, zwaai hem dan gewoon hiermee in z'n gezicht...'

Penny knipperde met haar ogen. 'Wou je me godverklote een beetje in de maling nemen of zo?' zei Maledicta. 'Wou je hebben dat ik je die tussen de ribben steek?'

'Je moet er niet mee stéken,' zei ik. 'Je hoeft het ding ook niet echt te gebruiken, je moet hem alleen laten zien dat je het hebt. Ermee dreigen dat je er een por mee kunt uitdelen...'

'Een por uitdelen met dat ding?' zei Maledicta. 'Ik weet wel wat beters. Ik keil gewoon dat raam aan stukken en dreig dan dat ik hem met zo'n scherf ga kietelen.'

'O-kéé,' zei ik, 'misschien is dit toch niet zo'n goed idee...'

Ze knipperde weer. 'Nee,' zei Penny. 'Nee, sorry, dat is best. Ik doe het wel.'

Ik was er nu niet meer zo zeker van of ík dat wel wilde. 'Het hoeft niet per se, Penny. Als je het een beetje eng vindt om hier te blijven zitten terwijl ik...'

'Nee hoor, mij best. Geef me die briefopener nu maar.'

Ik gaf hem, zij het met enige tegenzin. 'Alleen... wees wel voorzichtig, hè,' zei ik. 'Móćht Gideon tevoorschijn komen... Misschien, misschien is het dan toch maar beter om gewoon niks te doen en hem maar te laten lopen.'

Penny ging daar niet op in; met de briefopener onbeholpen in haar hand zat ze in de stoel.

Ik ging op het bed liggen en sloot mijn ogen.

Het was veel moeilijker dan anders om naar binnen te gaan. Toen ik uit het lichaam wilde stappen, bespeurde ik weerstand; het voelde alsof ik me achterwaarts door een tunnel vol watten probeerde te werken. Maar ik verzamelde al mijn kracht en duwde door, totdat er op het laatst iets meegaf; en opeens stond ik beneden, in een zo volslagen veranderd landschap dat ik dacht dat ik per ongeluk in een verkeerd gebied verzeild was geraakt.

De nevel die altijd om Coventry heen hing, was in een dikke, kolkende mist veranderd die nu het hele meer aan het zicht onttrok, en ook een groot gedeelte van de oever; een wat dunnere, maar nog altijd behoorlijk dichte mist hing helemaal tot in het bos eromheen, zodat de bomen niet meer waren dan schimmige silhouetten. Ik stond op de heuvel waar de zuil van licht op rustte, en vanaf die plek was het huis niet te zien.

'Vader?' riep ik, maar mijn stemgeluid ging teloor in de mist. 'Adam? ... Is daar iemand?'

Er kwam geen antwoord, maar ergens in de verte hoorde ik een soort gedempte hamerslagen. Ik liep die kant op en opeens stond ik voor het huis.

Het was een puinhoop. Het stond er nog wel, maar het zag eruit alsof het was opgetild en vervolgens neergesmeten: overal eromheen lagen kapotte planken, glasscherven en stukken gevelbekleding. Zoals ik al had verwacht, was het spreekgestoelte verdwenen, helemaal weggerukt; de deuropening naar de galerij op de eerste verdieping was dichtgemaakt met dikke planken.

Op het voorgazon stond mijn vader de bende in ogenschouw te nemen. Toen hij mij naast zich opmerkte, was zijn reactie merkwaardig ingetogen. 'Andrew,' zei hij. 'Dus je bent weer wakker. Eindelijk.'

'Ja,' zei ik, onthutst door zijn houding. 'Nog maar net. Ik... Ik heb het nu ook weer voor het zeggen in het lichaam.'

'En waar is het lichaam?' vroeg hij, op een toon alsof hem dat niet al te veel kon schelen. 'Een heel eind van Autumn Creek, heb ik zo'n idee.'

'Ja,' zei ik. 'We zitten in South Dakota. Het is donderdag.' Ik wachtte op een reactie van zijn kant; toen die uitbleef, flapte ik eruit: 'Het spijt me verschrikkelijk, dat ik te veel gedronken heb.'

'Juist, dat mag ook wel.' Er verschenen diepe rimpels in zijn voorhoofd, en ik dacht dat ik nu de wind van voren zou krijgen; maar het volgende ogenblik was zijn boosheid alweer overgedreven. 'Tja, dat het zo is gelopen, is denk ik ook mijn schuld.'

'Ben je dan niet... Ga je me niet uitkafferen?'

Hij schudde zijn hoofd, met een lachje dat zijn teleurstelling verried. 'Wat voor zin heeft dat, hè? Je wist dat het verkeerd was; je wist dat al voordat je eraan begon en het was niet de eerste keer. Maar toch heb je het gedaan.'

'Nou ja, ik had niet gedacht dat er zóiets van zou komen, of...'

Nog steeds met dat lachje: 'Waarom denk je dat ik dat had verboden, Andrew? Had je het idee dat ik alleen maar wilde voorkomen dat jij je zou amuseren?'

'Ik weet niet wat ik dacht. Volgens mij heb ik gewoon helemaal niks gedacht.' Ik liet mijn hoofd hangen, maar toen hij nog steeds niet tegen me tekeerging, keek ik weer op naar het huis. 'Wat is hier gebeurd?'

'Het deed erg denken aan een aardbeving,' zei mijn vader. 'Alleen kwam de hemel ook in beweging. En toen die mist op het meer... Nou ja, dat zie je zelf.'

'Is alles goed met de anderen? Waar zijn ze?'

'De Getuigen zijn binnen, in de kinderkamer. De anderen... zitten hier en daar. Ik heb al een paar keer geprobeerd ze bij elkaar te krijgen voor een bespreking, maar ze zwalken steeds alle kanten op, ze verdwijnen almaar in de mist.' Hij zweeg even. Toen vroeg hij: 'In South Dakota?'

'Ja. In de buurt van Rapid City.'

'En je bent samen met Penny Driver?'

'Ja. Hoe wist je dat? Heb je...'

'Gekeken? Nee. Sinds het spreekgestoelte eraf gerukt is, heb ik alleen nog maar een vage indruk van wat er buiten gebeurt; ik wist dat we onderweg waren, maar dat is zo'n beetje alles. En ik kon ook niet naar buiten, behalve één keer dan, en toen lukte het ook nog maar gedeeltelijk. Het lichaam zat in Penny's auto, op de achterbank, en we reden op een snelweg en het was nacht.'

'Dat bericht in morse. Dat was jij dus.'

Hij knikte. 'Eigenlijk wel stom van me – ik had moeten seinen dat ik een pen wilde, of een potlood. Niet dat daar tijd voor zou zijn geweest... Ik had amper iets van contact gemaakt, of ik werd eruit geschopt door iemand. Wie was dat trouwens? Wie heeft het lichaam een tijdje in handen gehad? Weet jij dat?'

'Nou, nee.' Ik gaf hem een heel summiere samenvatting van wat Penny me had verteld over de tocht van Autumn Creek naar de Badlands.

'Ik ken geen ziel die Xavier heet,' zei mijn vader toen ik uitverteld was. Hij staarde de mist in, de kant op van het meer. 'Het zal wel een nieuwe zijn...'

'Dat geloof ik niet. Van Penny kreeg ik de indruk dat hij al eerder in Michigan was geweest, en dat hij... de stiefvader weleens had gezien.' Ik zweeg even, want er drong iets tot me door. 'Maar wacht eens – als dat waar is, dan moet jij hem toch kennen? Ik bedoel, het bouwen van het huis, dat hele proces hield toch ook in dat je een lijst opstelde van alle zielen?'

Mijn vader stond nu heel geconcentreerd de mist in te turen. 'Zei hij dat zijn achternaam Reyes was?'

'Ja... dat geloof ik wel.'

'Dat is interessant,' zei mijn vader. 'We hebben daar in Michigan een man gekend die Oscar Reyes heette, toen we nog klein waren. Hij hield er een ongediertebestrijdingsbedrijf op na in Seven Lakes.'

'Ongediertebestrijding... Je bedoelt dat hij ratten en zo verdelgde?'
Mijn vader knikte. 'Eén keer per jaar kwam hij bij ons om de keuken te behandelen. En op een gegeven ogenblik had onze moeder ook last van konijnen die haar groentetuin plunderden...' Hij raakte in gedachten verzonken, en dat vond ik wel best; ik hoefde niet zo nodig te horen hoe die konijnen waren aangepakt.

'En die andere ziel dan?' vroeg ik. 'Degene die niet wou zeggen hoe hij heette. Kan dat Gideon zijn geweest?'

'Gideon zit vast op Coventry.'

'Ik weet wel dat hij theoretisch geen kant op kan,' zei ik, 'maar...' Maar als er in en om het huis zielen rondliepen zonder dat mijn vader daar iets van wist, dan stond alles op losse schroeven.

'Juist, maar...' Mijn vader zuchtte. 'We kunnen maar beter eens poolshoogte gaan nemen.'

'We?' zei ik.

'Dit is evengoed jouw plicht. Kom mee.'

We daalden het pad af naar de steiger. Kapitein Marco wachtte ons al op; hij hield het veerbootje in het oog, dat – althans, dat was het idee – de enige verbinding vormde tussen de oever en Coventry. Natuurlijk besefte ik ook toen al dat dat niet zo was. Het meer mocht dan aandoen als een geducht obstakel, wat Gideon in werkelijkheid vasthield waar hij zat, was mijn vaders ijzeren greep op het hele gebied. Als die ook maar een beetje was verslapt, zou het een weerbarstige ziel als Gideon niet veel moeite hebben gekost om een ontsnapping op touw te zetten.

Het veerbootje, een platboomd, licht schuitje, zocht vanzelf een ander evenwicht toen wij aan boord stapten. Mijn vader ging voorin zitten en ik in het midden, en kapitein Marco ging achterin staan met een lange vaarboom. De oversteek was maar kort: kapitein Marco duwde ons af van de steiger, die bijna onmiddellijk in de mist verdween, en liet drie keer de vaarboom in het water zakken. Toen volgde er een geringe koersverandering en de voorsteven bonkte tegen de grijze oever van Coventry op.

Als Coventry een echt eiland was, zou het niet meer dan tweehonderd meter lang zijn van het ene uiteinde tot het andere, en een oppervlakte beslaan van ruim drie hectare. Binnen dat beperkte gebied had mijn vader Gideon een minieme mate van autonomie verleend;

zo had hij zijn eigen huis mogen bouwen. En daar was hij voortdurend mee in de weer: de vorige keer dat mijn vader het eiland had bezocht, was Gideons huis een houten vissershut geweest, de keer daarvoor een vuurtoren, en de keer dáárvoor een middeleeuwse donjon. Zelf was ik pas één keer op Coventry geweest, vlak nadat ik was geboren, en toen bleek Gideon alle registers te hebben opengetrokken: hij had het hele eiland volgebouwd met een enorm gevangeniscomplex. Toen mijn vader en ik ons geduldig een weg hadden gezocht door een wirwar van muren en veiligheidspoortjes, had hij, afgezien van een scheldpartij, elk contact geweigerd.

'Wat denk je dat het deze keer is?' vroeg ik toen we uit het bootje stapten.

Mijn vaders hoofd stond niet naar raadspelletjes. 'Dat zullen we gauw genoeg zien,' zei hij. We gingen op weg naar het wat hoger gelegen middelste gedeelte van het eiland, waar de kans het grootst was dat we Gideon zouden vinden.

Hier op het eiland was de mist intussen veel dunner geworden. Bij elke stap die we zetten werd hij nog dunner, totdat er iets ongelooflijks gebeurde: de nevel woei uit elkaar en er vertoonde zich een stuk blauwe lucht – het enige stuk onbewolkte hemel in het hele gebied, voor zover ik kon zien.

Vanuit de wolkeloze lucht viel een zacht licht neer op een met minutieuze zorg vervaardigde ruïne. Geblakerde en kapotte stenen lagen in een wijde kring om een rond fundament, alsof een ronde toren van binnenuit was geëxplodeerd; ik moest aan mijn droom denken, waarin Coventry de roos van een schietschijf was geweest. Midden tussen de ravage, zo te zien niet gedeerd door de natuurkracht die de toren had verwoest, zat een ziel moederziel in zijn eentje aan een tafel een potje te dammen. Het licht wierp een dramatische glans over zijn haar.

'Gideon,' riep mijn vader terwijl hij zich stap voor stap over de kring van puin heen werkte. Ergens halverwege bleef hij staan, bukte zich en trok iets tevoorschijn uit de massa stenen: een metalen tralierooster, zo eentje als in gevangeniscellen. De symboliek was niet al te moeilijk te duiden. 'Gideon!'

Gideon boog zich nog wat dieper over het dambord en voerde een reeks sprongen uit – *beng, beng, beng, beng béng!* –, waarmee hij alle nog resterende vijandelijke stukken sloeg. Grijnzend veegde hij de tegenpartij van het bord en verklaarde zichzelf tot winnaar.

'Gídeon.'

'Goeiemórgen,' zei Gideon, met een blik op de hemel. 'Kan ik je ergens mee van dienst zijn?' Toen hij ons zijn gezicht toe wendde, gaapte ik hem onwillekeurig aan; Gideons ziel en Andy Gage' lichaam lijken zo opvallend op elkaar dat het gewoon eng is. Eigenlijk is het geen wonder dat hij vindt dat híj het lichaam hoort te besturen.

Gideons grijns werd nog breder toen hij mijn reactie opmerkte. 'Zo,' zei hij tegen mijn vader, 'dus kindje schim heb je ook meegebracht, zie ik.' Bij wijze van reactie slingerde mijn vader het metalen rooster op de tafel. Het belandde midden op het schaakbord, zodat Gideons stukken alle kanten op vlogen en zijn kersverse koning onthoofd werd. Gideon schoot in de lach, maar mijn vader knipte met zijn vingers en het rooster kreeg lange ijzeren punten die alle kanten op wezen en gaten boorden in het tafelblad. Gideon deinsde met een vloek achteruit en viel van zijn stoel.

'Goed, nu ik je onverdeelde aandacht heb...' zei mijn vader. De ijzeren punten schoven weer terug en het rooster verdween.

Gideon stond langzaam op; hij hield zijn linker- in zijn rechterhand en wreef over een pijnlijk plekje vlak boven de muis. 'Maak dat je wegkomt,' zei hij, witheet van woede. 'Ik heb jullie tweeën niets te zeggen.'

Mijn vader maakte geen aanstalten om op te stappen. 'Lange mouwen,' zei hij, met een blik op het ruim vallende overhemd waarin Gideons ziel gehuld was. 'Opmerkelijk.'

'Maak dat je wegkomt,' herhaalde Gideon. 'Dit is mijn eiland.'

'Het is van jou als je hier blijft,' zei mijn vader. 'Ik heb je twee jaar geleden de keus gegeven: het eiland of de pompoenenakker. Als je van gedachten bent veranderd, dan wil ik dat nu weten.'

Ik schuifelde onbehaaglijk met mijn voeten bij dat giftige dreigement. Gideons ogen schoten heel even mijn kant op en zijn ene mondhoek trok. Maar toen zei mijn vader: 'Nou?', en Gideons aandacht richtte zich weer op het punt waar die vereist werd.

'Ik ben nergens over van gedachten veranderd,' zei hij. 'Ik weet wel dat jij problemen hebt met het beheren van je speelhuisje, maar daar heb ík niets mee te maken.'

'Dat hoop ik van harte. Wat weet jij af van een ziel die Xavier heet?'

'Wat?'

'Gideon...'

'Jíj bent degene die over het bevolkingsregister gaat, ik niet. Als jij niet weet wie dat is, hoe zou ik dat dan moeten weten?'

'Gideon, ik zweer je...'

'Ik ken geen ziel die Xavier heet.'

Hij wist dat heel goed; het stond met koeien van letters op zijn voorhoofd geschreven. Ik was er ook redelijk zeker van dat hij van het eiland was geweest, in het lichaam, en dat we de wonden van het prikkeldraad zouden zien als hij zijn linkermouw oprolde. Maar mijn vader dreef de zaken niet op de spits. 'Goed,' zei hij. 'Maar voortaan wens ik geen toestanden meer met Xavier... of met andere zielen, met of zonder naam.' Hij wachtte een ogenblik om die waarschuwing goed te laten doordringen, waarna hij zich omdraaide om te gaan.

'Is het weleens bij je opgekomen,' vroeg Gideon, 'dat zich hier misschien een probleem voordoet vanwege een gebrek aan eerlijkheid?'

Mijn vader bleef staan.

'Ik bedoel,' zei Gideon, 'een huis dat gebouwd is op leugens kan toch niet al te solide zijn, wel?' Hij keek mij aan en glimlachte. 'Aaron heeft het je zeker nooit verteld?'

'Wat niet?'

Mijn vader wendde zich weer om. 'Gideon,' waarschuwde hij.

'Wat niet?' vroeg ik.

'Ach, toe nou zeg,' foeterde Gideon tegen mijn vader. 'Je gaat me toch zeker niet afstraffen als ik iemand de waarheid vertel?'

'Welke waarheid?' vroeg ik. 'Waar heeft hij het over?'

'Over het grote, slimme plan heb ik het,' zei Gideon. 'Over het plan dat onze Aaron heeft uitgebroed, samen met die ouwe Grijsbek. Jij denkt nog steeds dat je daar deel van uitmaakt, hè? Maar dat heb je mis.'

'Ik snap niet... "Grijsbek"? U bedoelt dokter Grey?'

'Dat mens dat net dood is gegaan. Aaron en zij hadden het tot in de puntjes uitgestippeld: de grote massa zou aan banden worden gelegd, er zou een huis worden gebouwd, een nieuwe stroman gecreeerd – alleen maakte dat laatste programmapunt geen deel uit van het oorspronkelijke plan.'

Ik kon het nog steeds niet volgen en schudde mijn hoofd.

'Híj had het lichaam zullen besturen,' zei Gideon, naar mijn vader wijzend. 'Dát was het plan.'

'Nee, hoor.' Ik schudde mijn hoofd weer. 'Nee, dat zou mijn werk worden. Mijn vader was moe...'

'We waren allemaal "moe". Maar Aaron wilde de baas worden. En kijk eens aan!' Gideon stak zijn met littekens overdekte linkerhand op. 'Hj bewees dat hij een taaiere gast was dan ik... of tenminste een genadelozer type. Maar goed, hij zou dus de algehele leiding op zich nemen... alleen kwam hij op het laatste ogenblik tot de conclusie dat hij dat toch eigenlijk niet aan zou kunnen. Dus sloeg hij aan het improviseren en riep een hulpje naar buiten...'

Ik wendde tot mijn vader. 'Is dat... Dat is toch niet waar, hè?' Mijn vader gaf geen antwoord, maar dankzij de manier waarop hij naar Gideon keek en doordat Gideon niet prompt verschrompelde en de geest gaf, besefte ik dat het misschien wél waar was. 'Vader?'

'Kom, we gaan terug naar het huis,' zei mijn vader.

'Wacht even. Wil dat zeggen dat het waar is?'

'Dat is niet iets wat we gaan bespreken met hém erbij,' zei mijn vader. 'Kom, laten we teruggaan naar het huis.' En hij draaide zich om en liep weg, de mist in.

'Goed hoor,' zei Gideon, 'ga jij maar terug naar je speelhuisje!' Toen hij zag dat ik nog niet weg was, besloot hij nog één verderfelijk zaadje te planten. 'O ja, over dat huis gesproken,' zei hij, 'er is iets waar jij me misschien mee kunt helpen. Herinner je je toevallig hoeveel deuren er zijn op de begane grond?'

'Wat?'

'De begane grond van Aarons speelhuisje. Hoeveel deuren heb je daar?'

'Drie,' zei ik. 'Voordeur en achterdeur.'

Gideon knikte. 'Voordeur en achterdeur... en dat is samen drie, hè?'

'Andrew!' riep mijn vader.

'Ik... Ik moet gaan,' zei ik, en ik begon al achteruit te schuifelen. Gideon keek me meesmuilend aan.

'Goed hoor, kindje schim, ga maar met je vader mee terug naar het speelhuisje. Maar wie weet zien we elkaar wel gauw weer terug, wat jij!' Opeens stormde hij stampend op me af, met zijn armen wijd alsof hij me wilde grijpen. Ik stoof ervandoor, en Gideons spottende geschater achtervolgde me helemaal tot aan de oever.

Ik stapte bij mijn vader in het veerbootje en kapitein Marco duwde weer af. Deze keer zette hij niet linea recta koers naar de overkant. Hij begreep dat mijn vader en ik een paar vertrouwelijke zaken met elkaar wilden bespreken en voer verder het water op, tot waar we niet meer te zien en te horen waren – vanaf de wal noch vanaf Coventry. Daar hield hij op met bomen. We dobberden maar wat in de mist.

'Het is waar, hè?' vroeg ik.

'Het is niet allemáál waar,' antwoordde mijn vader.

'Niet allemaal... maar wat dan wel?'

'Laten we beginnen met het verzonnen gedeelte,' zei mijn vader. 'Ik ben niet "aan het improviseren geslagen". Ik heb jou niet in een opwelling naar buiten geroepen.'

'Maar wat was dan...'

'Er was meer dan één plan. Dat is steeds zo geweest. Tijdens die therapiesessies hebben dokter Grey en ik een aantal mogelijkheden besproken voor een definitieve strategie. Eén zo'n plan, dat waar ik zelf het meest voor geporteerd was, en dat jij ook kent, hield in dat ik de boel binnenin zou runnen, en dat ik een nieuw iemand in het leven zou roepen – jou dus – om het lichaam onder zijn hoede te nemen.'

'Het plan waar jij het meest voor geporteerd was,' zei ik. 'Maar dokter Grey niet?'

'Dokter Grey dacht... omdat ik problemen had gehad met Gideon, die de macht wilde overnemen, dat het beter zou zijn als ik het gezag niet met iemand anders deelde. Ze wilde dat ik op z'n minst mijn best zou doen om het lichaam op eigen kracht te beheren. Ze hamerde er steeds op dat de beslissing uiteindelijk aan mij was, maar dat dát de optie was die ze mij aanraadde. En het is waar,' voegde hij eraan toe, 'dat ik er tijdens onze allerlaatste sessie mee heb ingestemd om haar plan uit te proberen. Maar na haar beroerte heb ik er nog eens over nagedacht, en toen ben ik daar weer van teruggekomen.'

'Was Eddington het daarmee eens?'

'Nee,' gaf mijn vader toe. 'Volgens hem was dat een verkeerde beslissing van me.'

En dat hield feitelijk in dat mijn hele bestaan een verkeerde beslissing was – maar ik had geen zin om daar uitvoerig bij stil te staan. Daarom vroeg ik: ‘Hoe komt het dat je me dat nooit eerder hebt verteld?’

‘Het leek me nergens voor nodig dat je dat zou horen.’

‘Waren er nog meer van die dingen die ik maar niet moest horen?’

Geen antwoord. Ik vatte dat op als een ja.

‘Gideon vroeg me nog iets raars vlak voordat we weggingen,’ zei ik even later.

‘Wat dan?’

‘Hij wilde weten hoeveel deuren het huis beneden heeft.’

‘Drie,’ zei mijn vader. ‘Een voor- en een achterdeur.’

‘Ja, dat zei ik ook. Alleen... dat sommetje klopt niet, hè?’

Mijn vader keek me bevreemd aan. Ik moest het op mijn vingers natellen: ‘Voordeur is één... achterdeur is twee...’

‘Klopt.’

‘Ja, maar wat is drie dan?’

‘Drie is de voor... Nee. Nee, drie is... Dat is...’

‘Ik weet het ook niet,’ zei ik. ‘Ik weet dat er drie zijn, maar...’

‘Wacht eens,’ zei mijn vader. ‘Wacht eens. Drie is... de deur onder de trap! Klopt, dát is drie!’

‘De deur onder de trap.’ Ik deed mijn uiterste best om me die voor de geest te roepen, en eindelijk had ik het beeld te pakken: een houten deurtje in het halfdonker onder de trap naar de galerij op de verdieping. ‘Ah, ja... en waar komt dat deurtje ook alweer op uit?’

‘Hè...? Dat komt uit op... op...’ Hij knipperde en zweeg.

‘Zit er misschien een souterrain onder het huis?’ vroeg ik.

BOEK ACHT

Lake View

22

Andrew heeft gezegd dat het zou lijken alsof hij sliep wanneer hij naar binnen was, maar Muis heeft eerder het gevoel dat hij in coma ligt: zijn ademhaling gaat zo langzaam dat je er zo goed als niets van ziet, en er beweegt niets aan hem. Als Muis op haar tenen naar het bed sluipt om eens beter naar hem te kijken, merkt ze op dat zelfs zijn ogen roerloos onder de gesloten oogleden liggen, dat er geen sprake is van de snelle bewegingen die op dromen duiden.

Terwijl ze zo zit te wachten tot Andrew weer terugkomt van weg geweest, wordt ze almaar ongeduriger. Ze probeert in de stoel te blijven zitten, maar kan geen rust vinden. Ze staat op, loopt naar het raam en kijkt een tijdje naar het parkeerterrein. Als dat gaat vervelen, drentelt ze naar de deur en speelt even voor Xavier door met het handvat van de briefopener een ritmisch roffeltje tegen de deurpost te slaan. Als dat gaat vervelen loopt ze maar weer terug naar het raam. Nog één keer gaat ze kijken of Andrew echt wel ademt, maar verder blijft ze uit de buurt van het bed.

De tijd verstrijkt. Muis heeft het idee dat deze toestand al minstens een halfuur duurt, maar als ze op het klokje op het nachtkastje kijkt, blijken er pas tien minuten voorbij te zijn. Muis komt tot de conclusie dat ze naar de wc moet.

Ze gaat de badkamer in. De deur laat ze op een kiertje openstaan, zodat ze alles kan horen zonder dat ze in de kamer kan kijken, of iemand vanuit de kamer in de badkamer. Ze gaat zitten.

Intussen laat ze haar gedachten gaan over de vraag wat er verder gaat gebeuren als Andrew wakker wordt. Hij heeft niets gezegd over wat hij van plan is – of hij naar Washington terug wil, of verder trekken naar Michigan, of nog weer iets anders. Waarschijnlijk weet hij zelf nog niet wat hij wil.

Muis zegt bij zichzelf dat ze graag naar huis zou willen, maar als ze er nog eens goed over nadenkt, weet ze dat toch eigenlijk niet zo zeker. In de eerste plaats heeft Maledicta's gedrag in dat café, die dinsdagavond, haar opgezadeld met een rottige toestand waar ze, als en wanneer ze terugkomt, toch echt iets aan zal moeten doen. Muis denkt dat Julie wel begrip zal hebben voor Maledicta's onbeschofte manier van doen en haar daar niet om zal ontslaan, maar als ze wil blijven werken in Autumn Creek, zal ze die gestolen fles wodka moeten vergoeden, en ze heeft geen idee of de vampier zich wel zo vergevensgezind zal opstellen.

En al zou er haar niet zo'n toestand boven het hoofd hangen, dan nog kan ze onmogelijk ontkennen dat ze haar leven in Seattle niet al te geweldig vindt. Dus misschien moet ze dan maar niet teruggaan: als ze Andrew straks veilig heeft afgeleverd in het oord waar hij naartoe wil, waar dat ook mag zijn, misschien moet ze dan maar gewoon verder trekken naar... Nou ja, gewoon verder trekken en maar zien waar ze uitkomt.

Nee.

Nee, dat is een idioot idee; natuurlijk zal ze terug moeten. Ze heeft geen geld om zomaar te verkassen, ervandoor te gaan. En bovendien heeft dokter Eddington – Muis' lusteloze stemming fleurt meteen op als ze aan hem denkt – beloofd dat hij haar zal helpen. Ze kan hem niet teleurstellen. Ze...

In de andere kamer wordt de televisie aangezet, hoort ze.

'Andrew?' wil Muis al roepen, maar dan bedenkt ze dat ze op de wc zit met haar broek naar beneden. Ze pakt een stuk wc-papier en veegt zich vlug af. Ze staat op. Ze trekt niet door, maar loopt zachtjes naar de deur en doet die net ver genoeg open om naar buiten te kunnen gluren.

Andrew zit op het bed met de afstandsbediening in de hand en drukt de ene knop na de andere in. Er ligt een nijdige uitdrukking op zijn gezicht.

'Andrew?' roept Muis zachtjes.

Hij hoort haar niet, of hij wenst haar niet te horen. Hij blijft maar knoppen indrukken, totdat zijn nijdige gezicht eindelijk een tevreden uitdrukking krijgt. 'Ah!' roept hij uit. Op het televisiescherm is een nieuwe zender verschenen.

Muis doet de deur nog wat verder open. 'Andrew?'

'O, sorry,' zegt hij. Met een vettige grijns om de lippen kijkt hij haar aan, en Muis denkt: daar heb je hém weer! Maar dan zegt hij: 'Wees maar niet bang, hoor, ik ben Gideon niet. Die heeft het op het ogenblik druk met allerlei machtsspelletjes om Aaron en Andrew eronder te krijgen... Maar omdat ze allemaal zo opgaan in hun eigen bezigheden, bedacht ik dat het toch zonde zou zijn om zo'n prima lijf gewoon maar te laten liggen. O ja, trouwens,' – hij kijkt even de kamer rond – 'is er hier niet toevallig een minibar?'

'Een minibar? ... Nee!' zegt Muis. 'Dat kun je niet maken, nog een keer te veel drinken!'

Hij trekt een wenkbrauw op, en dat zal wel zoveel willen zeggen als 'O nee?', maar gelukkig doet de kwestie niet ter zake, want er is geen minibar in de kamer. 'Nou, is dat even balen,' zegt hij. Schouderophalend richt hij zijn aandacht weer op de televisie.

Muis kijkt ook – en is prompt ontzet. Op het scherm ziet ze een hotelkamer, niet zo heel anders dan deze... behalve dat er naakte vrouwen op het bed liggen.

'Die indiaanse die zich daar op de achtergrond ligt klaar te maken, dat is Hyapatia Lee,' deelt hij behulpzaam mee. 'En die twee die het samen doen, die ene is Summer Knight, en dat kleintje is Flame.' Hij buigt zich voorover, alsof er hem iets opvalt. 'Weet je,' zegt hij, 'die heeft wel iets van jou weg... Als jij rood haar had, bedoel ik.' Hij grijnst. 'En echt geweldig lenig was.'

'Ik kán anders heel lenig zijn, hoor,' zegt Loins, die nu naar buiten stapt, gewoon langs Muis' afgrijzen heen. 'Alleen zie ik er niet zo goed uit met cowboylaarzen aan.' Het tafereel op het scherm verspringt en nu wordt er een vierde vrouw zichtbaar, die om een of andere reden niet meedoet aan de bezigheden op het bed. 'Goh,' zegt Loins. 'Ik wou dat ik er zo uitzag als zij.'

'Mmm, Christy Canyon,' zegt hij. 'Ik wed dat een hoop mensen wilden dat ze...' Hij zwijgt. 'Wacht eens even,' zegt hij, en hij draait zijn hoofd haar kant op en kijkt haar in de ogen.

Hij grijnst nu niet meer; opeens is hij op zijn hoede. Loins vindt dat wel leuk. Ze gaat naast hem zitten op het bed en moet giechelen als hij schichtig wegschuift. 'Wat is er?' vraagt Loins poeslief. 'Vertel me nu niet dat je alleen maar wilt kijken.' Ze legt haar hand op zijn dij. Hij hapt naar adem, verstijft... en wordt al even vlug weer rustig.

Hij klopt haar op de rug van de hand, een en al genegenheid, maar zonder hartstocht.

'Weet je, schat,' zegt hij, en zijn stem is nu die van een vrouw, 'je bent gewoon mijn type niet.' Hij plukt Loins hand van zijn bovenbeen en deponeert hem op haar eigen schoot. 'Goed, dat is dus duidelijk. Volgende punt: heb je misschien een sigaret voor me?'

'Nee,' zegt Maledicta. 'Die gore lul van een Duncan wou gisteravond niet stoppen om een pakje te kopen. Maar weet je wel zeker dat je er niet nog een paar hebt? Gisteren zat je Winstons te roken.'

'Winstons.' Hij – zij – trekt een vies gezicht. 'Niet direct mijn lievelingsmerk.' Toch keert ze al haar zakken binnenstebuiten, maar dat levert niets op. 'Nou, áls ik ze al heb gehad, dan zou ik niet weten wat ik ermee heb gedaan.'

'Wie weet heb je ze verloren in die klotegreppel. Heb je zin om een pakje te gaan halen?'

'Ja, een uitstekend idee.' En met uitgestoken hand: 'Ik ben trouwens Samantha. Sam voor m'n vrienden en vriendinnen.'

'Maledicta,' zegt Maledicta. 'Ik heb geen vrienden of vriendinnen.' Maar dan grinnikt ze en geeft Sam een hand. 'Oké, Sam, laten we wat te paffen halen voordat dat stel etterbakken van grote mensen terugkomt.'

Ze gaan naar buiten. Als ze over de parkeerplaats lopen, draait Sam een keer in het rond om het uitzicht in ogenschouw te nemen. 'Wat een schitterend landschap,' zegt ze.

'Kut zeg, wou je me in de maling nemen, of zo?' zegt Maledicta. 'Godvergeten kutland met enkel dinosaurussen...'

'Ik heb een zwak voor godvergeten oorden,' zegt Sam. 'Ik heb altijd in een woestijn willen wonen. Als ik het voor het kiezen had, dan ging ik naar New Mexico en begon een galerie in Taos of Santa Fe.'

'Ja? Dus de anderen hebben dat idee weggestemd, of zo?'

Sam lacht. 'Stemmen – niks hoor. Wij zijn geen democratie. Aaron en Andrew nemen alle grote beslissingen; de anderen proberen zich maar zo'n beetje aan te passen.' Een zucht. 'Ja, ik snap wel waarom het zo moet, maar soms zou ik willen... Nou ja...'

'Hmm,' zegt Maledicta ongerust. 'Muis kan het godverklote maar beter uit haar hoofd laten om te verwachten dat ík me maar zo'n beetje aanpas.' Nadrukkelijk schudt ze haar hoofd. 'Dat is toch klote.'

Ze vinden een sigarettenautomaat voor de receptie van het motel. Maledicta begint; ze duwt dollarbiljetten naar binnen en trekt aan de hendel voor Winstons. Er volgt een klikje, maar er komen geen sigaretten naar buiten. 'Godverklóte, wat is hier...?' zegt Maledicta. Ze trekt nog eens aan dezelfde hendel, probeert dan die voor Camels. Er gebeurt niets. Ze geeft een trap tegen de automaat – nog steeds niets.

'Wacht,' zegt Sam. 'Probeer de Kools eens.'

Maar de automaat verstrekt ook geen mentholsigaretten. Maledicta probeert een hendel of knop te vinden die haar haar geld teruggeeft, maar het enige wat ze ontdekt is een handgeschreven mededeling die boven de biljettengleuf is geplakt: DEZE AUTOMAAT GEEFT GEEN GELD TERUG; VERZOEKEN OM VERGOEDING WORDEN AFGEWEZEN. DE DIRECTIE.

'Wat een klóótzak.' Met een moordzuchtige blik in de ogen zet Maledicta al koers naar de deur van de receptie, maar Sam pakt haar bij de arm. 'Wacht even,' zegt Sam. 'Ga nu geen scène maken.'

'Laat me godverklote los!' zegt Maledicta. 'Ik laat me zeker een beetje een poot uitdraaien door die klootzak!'

'Toe nou,' zegt Sam, en ze blijft haar vasthouden. 'Als daar moeilijkheden van komen, dan kan ik waarschijnlijk niet buiten blijven. En als Andrew terugkomt, wil die heus niet een potje roken met jou.'

Maledicta aarzelt, nog steeds schuimbekkend.

'Toe nu maar, schat,' zegt Sam. 'Kunnen we niet gewoon even met de auto naar een benzinestation? Dan betaal ik jouw sigaretten, dat beloof ik.'

'O ja?' zegt Maledicta. 'Met wie z'n geld?'

'Maak je niet ongerust. Ik, eh... leen het gewoon even van Andrew. Later krijgt hij het wel van me terug.'

'Als hij er tenminste iets van merkt, bedoel je... Oké.' Maledicta laat zich vermurwen. 'Dan maar naar een benzinestation. Kut, hoor. Maar als we terugkomen, ga ik toch echt iemand verrot slaan.'

Ze stappen in de auto, waar de lucht van wodka, wel ietwat zwakker geworden maar nog steeds onmiskenbaar, Malefica even naar buiten lokt. Ze kijkt in het handschoenenkastje of daar misschien niet een verse fles is opgedoken, maar nee.

'Duncan, die tyfuslijer,' klaagt Maledicta. 'Zeg Sam, nu we toch sigaretten gaan halen, waarom zouden we dan niet meteen even bij een drankzaak aangaan, wat vind je?'

'Dat zou niet zo verstandig zijn, dunkt me,' zegt Sam. 'Alles welbeschouwd, bedoel ik.'

'Verstandige ideeën steek ik in m'n reet. Weet je wat? We hijsen ons lazarus en we peren 'm als een gek naar New Mexico.'

'Waar zitten we nu dan?'

'In Brontosauruslullenstein, South Dakota. Nog een klote-eind van Santa Fe, maar...'

Sam lacht. 'Dat halen we nooit,' zegt ze, maar haar ogen schitteren bij de gedachte.

'Nee, maar godverklote zeg, waarom zouden we het niet gewoon proberen?'

Maar Sam schudt haar hoofd. 'Het is een verleidelijk idee, schat, maar ik denk dat ik me maar beter tevreden kan stellen met simpeler geneugten. Gewoon een sigaret, of misschien twee, als we daar de tijd voor krijgen.' Ze zwijgt even om na te denken. 'Maar we zullen moeten opschieten – zo meteen komen ze terug.'

'Jezus, geen probleem hoor,' zegt Maledicta en start de motor.

Kijk, natuurlijk meende ze het niet serieus, dat voorstel om 'm te smeren naar New Mexico. Maledicta begrijpt best dat hen dat heus niet zou lukken, maar het zou een goeie grap zijn om Muis' reactie te zien als ze wakker werd in het land van Georgia O'Keeffe. Alleen dat idee om het op een zuipen te zetten – dat was wél serieus gemeend. Maledicta is hard aan een glaasje toe; Malefica snakt naar een glaasje; en die Sam, Maledicta vindt haar wel leuk – achter dat 'schat' en 'me dunkt' vermoedt ze een verwante ziel –, maar ze heeft zo'n idee dat het geen kwaad zou kunnen als Sams tong wat losser werd.

Iets verderop aan de weg is een kleine supermarkt, maar pal ernaast is een café, de Pink Mammoth genaamd. Achterlijke klotenaam, denkt Maledicta; maar goed, zo te zien is de tent tenminste open. Ze rijdt het parkeergedeelte van de Mammoet op. Sam fronst even, maar maakt verder geen bezwaar.

'Kom op,' probeert Maledicta haar te paaien. 'Even iets drinken, moet godverklote toch kunnen. Nou?'

'Denk je dat ze thee serveren?'

'Van die Long Island-thee, misschien.'

Ze gaan naar binnen. De Mammoet blijkt een hopeloos treurige kroeg: met een inrichting à la Wilde Westen, zaagsel op de vloer, jezusmina zeg, en een vage lucht van oeroude kots, alsof een stel sabeltandtijgers hier nog voor de laatste ijstijd over hun nek zijn gegaan en de hele troep in de loop van de eeuwen gewoon in een versteende aardlaag is veranderd. Aan de andere kant: de sigarettenautomaat doet het en ondanks het vroege uur wordt er drank geschonken. Sam en Maledicta hebben het rijk praktisch alleen: de enige andere klant is een oude zatladder die naar tekenfilmpjes zit te kijken op de televisie boven de bar.

Ze kopen sigaretten. Terwijl Sam er eentje opsteekt, bestelt Maledicta twee biertjes. 'Nee, niet voor mij, schat,' zegt Sam, maar Maledicta zegt: 'Ach wat, kom op, zeg', en herhaalt de bestelling. De barkeeper tapt twee glazen Budweiser. Maledicta geeft er eentje aan Sam, die het wel aanneemt, maar er geen slok van wil drinken, zelfs niet als Maledicta het glas heft. Maledicta maakt zich al nijdig, maar draait weer bij als Sam uit zichzelf Andrews portefeuille trekt en de twee biertjes afrekent.

Maledicta wijst met haar duim naar een pooltafel aan de andere kant van de zaal. 'Zin in een potje?'

Sam glimlacht. 'Dat zou ik enig vinden.'

Ze lopen naar de tafel en Maledicta pakt een *rack* van de muur. 'Ben je d'r goed in, kun je een beetje met zo'n kutkeu overweg?' vraagt ze.

'Vroeger wel. Mijn vroegere aanbidder heeft me de kunst bijgebracht, jaren geleden alweer. Hij zei dat ik er slag van had.' Haar glimlach wordt wat onzeker. 'Hij zei natuurlijk zoveel, maar volgens mij was dát wel waar.'

'Hmm, je aanbidder? Was dat voordat Andrew het voor het zeggen kreeg?'

'Tijden daarvoor, ja. We woonden toen nog in Seven Lakes, in het huis waarin we zijn opgegroeid.'

Het rack is vol. Maledicta schuift er een paar keer mee heen en weer om de ballen dicht bij elkaar te krijgen.' Het is wel wat kloterig, maar mag ik je een nogal persoonlijke vraag stellen, Sam?'

'Ga je gang.'

'Heb jij eigenlijk een lul of een kut?'

Sam gooit haar hoofd in haar nek, alsof ze serieus gechoqueerd is, maar ze herstelt zich snel. 'Een kut,' zegt ze stijfjes, 'als je het per se weten wilt.'

'Godverklote, als ik het niet had gedacht.' Maledicta hangt het rack terug en pakt een keu voor zichzelf. 'Het is niet echt duidelijk als Andrew of Aaron het zootje besturen, weet je, maar als jij in het lichaam zit, dan zie je het meteen, verdomd als het niet waar is. Vraag je je nooit af of jij de hele klerezooi niet zou moeten runnen, in plaats van hunnie?'

Sam schudt haar hoofd. 'Ik fantaseer daar weleens over, maar ik ben niet sterk genoeg om dag en nacht de werkelijkheid aan te kunnen. Dat is wel gebleken.'

'O ja? In mijn ogen ben je anders aardig sterk. Niet dat ik nou het meeste inzicht van de wereld heb in andere mensen, ik ben ook maar een truttekut... Is het oké als ik begin?'

Sam knikt instemmend. En als Maledicta haar keu staat te krijten, zegt Sam: 'Ik heb geprobeerd zelfmoord te plegen. Twee keer.'

'O ja? Hoezo?'

'Jimmy Cahill – mijn vriendje – nam dienst in het leger. We hadden afgesproken dat we samen zouden weglopen, maar toen puntje bij paaltje kwam, is hij in zijn eentje weggelopen. Vanuit zijn opleidingskamp heeft hij me een briefje gestuurd waarin hij het uitmaakte... en toen heb ik geprobeerd mezelf van kant te maken. Met pillen, die eerste keer. Ik nam een heel potje slaappillen in, met een halve liter whisky...'

'... en toen kwam je godverklote bij je positieven in het ziekenhuis?'

'Nou nee; ik kwam thuis weer bij, met een kater. Ik ben er nooit achter gekomen wie het heeft gedaan, maar ik weet wel bijna zeker dat een van de anderen me een streek heeft geleverd door de capsules leeg te schudden en vol te stoppen met meel. Ik ben daarna dagenlang verstopt geweest, maar ik ging niet dood. Goed, daarna probeerde ik mezelf te verhangen, maar de knopen in het touw begaven het elke keer – en voordat ik een derde manier had kunnen verzinnen, ben ik in slaap gevallen, en dat heeft tijdenlang geduurd. Ik ben pas weer naar buiten gekomen toen we in Seattle waren, in therapie bij dokter Grey.'

'Hmm,' gromt Maledicta. Ze weet niet goed wat ze moet zeggen. Ze buigt zich over de speeltafel en doet de eerste stoot; een paar ballen rollen vlak langs de pockets, maar geen ervan valt erin. 'Kut.'

'En jij dan?' vraagt Sam. 'Heb jij weleens een aanbidder gehad?'

'Ik?' lacht Maledicta. 'Welnee. Neuken, daar doe ik niet aan.' Sam kijkt alweer gechoqueerd, en daarom voegt Maledicta er nog aan toe: 'En ook niet aan de liefde... Misschien had je het nog niet gemerkt, maar ik ben een asociaal rotwijf.' Ze knikt naar de tafel. 'Jij bent aan de beurt.'

Ze spelen twee partijtjes. Sam kletste niet uit haar nek toen ze zei dat ze er slag van had; in het eerste partijtje veegt ze de vloer aan met Maledicta. In de tweede ronde laat Maledicta Malefica alle krachtige stoten voor haar rekening nemen, en zo weet ze met de hakken over de sloot te winnen.

Onder het spelen drinkt Maledicta haar bier, en ook dat van Sam; samen met Malefica werkt ze ook nog een dubbele wodka weg. Als ze tijdens het tweede partijtje de achtste bal heeft gepot, moet ze weer naar de wc. Ze zegt tegen Sam dat ze heel even moet wachten en verdwijnt naar de plee.

Wanneer Maledicta terugkomt, heeft Sam de pooltafel de rug toegekeerd. Nu zit ze aan de bar, waar ze samen met de oude zuipschuit televisiekijkt. Ze zit te lachen.

Of liever gezegd: íémand zit te lachen – Maledicta heeft Sams lach weleens gehoord, en dit klinkt anders. Sams lach is laag en hees, haast astmatisch; deze lach – eigenlijk eerder een schaterbui – is hoog, helder en heel luidruchtig. De lach van een klein jochie, met andere woorden. Ook de lichaamstaal is die van een klein kind: gevaarlijk gewiebel op de barkruk, grijpbewegingen naar de buik, een wijzende vinger, handen die zich op haar (of zijn) knieën slaan.

Maledicta kijkt omhoog naar het scherm. De tekenfilmpjes zijn voorbij; wat er nu wordt uitgezonden is *Young Frankenstein*, die stompzinnige kloteparodie van Mel Brooks op films over monsters. Gene Wilder als Frankenstein is zojuist van het station in Transsylvanië opgehaald door Igor, gespeeld door Marty Feldman. 'Deze kant op,' zegt Feldman; wanneer Wilder zijn gehompel nadoet en ook een kromme rug maakt, doet het kleine knulletje in Andrew het haast in zijn broek van het lachen.

Dan kijkt Wilder in Igors hooiwagen en ontdekt daar Terri Garr, die Inge speelt, de laboratoriumassistente met de grote tieten. 'Heb je zin in een stoeipartijtje in het hooi?' vraagt ze. Andrews lach krijgt nu eerder het karakter van die van een puber; zonder zijn blik af te wenden van het decolleté van Garr pakt hij een glas dat voor hem op de toog staat en begint eruit te drinken, waarop hij prompt moet kokhalzen als hij beseft dat het geen bier is, maar melk. 'Hé!' roept hij de barkeeper toe.

Maar voordat hij iets kan bestellen, komt er weer een debiel grapje voorbij, deze keer over weerwolven – 'Een heen-en-weerwolf?' –, waardoor het kleine jochie weer tevoorschijn floept. 'Nee, een wéérwolf!' hinnikt hij. Hij slaat zich op de knieën, buigt zich net iets te ver naar voren en tuimelt van zijn kruk.

'Zeg, hé,' zegt Maledicta als hij overeind krabbelt. 'Hé, Sam, ben jij daar nog?'

'Pou eimaste? Ti...'

'Spreek je moerstaal, godverklote zeg. En haal Sam eens naar buiten – we moeten het beslissende potje nog spelen.'

Hij knippert met zijn ogen en verandert – in Andrew. 'Penny?' zegt Andrew verward.

Kut. Het is uit met de pret. Maledicta is zo nijdig dat ze zich met een sprong weer terugtrekt in de grot, Muis zonder plichtplegingen uit de opslag sleurt en haar naar buiten trapt zonder de moeite te nemen haar even bij te praten over de nieuwste ontwikkelingen. Naar adem happend komt Muis tevoorschijn. Haar laatste herinnering was verbonden met de televisie in de motelkamer, en nu ze wakker wordt komen haar ogen vanzelf uit bij het toestel boven de bar. Ze vraagt zich af hoe het komt dat het ding opeens aan het plafond hangt, en wat voor perverse toestanden er nu weer te zien zijn dat dat blijkbaar alleen in zwart-wit vertoond kan worden.

'Maledicta?' zegt Andrew. Hij loopt nog een beetje achter.

'Andrew?' zegt Muis.

'Penny,' zegt Andrew.

En dan, als uit één mond: 'Waar zijn we?'

'Jullie zitten op de planeet Mongo,' zegt de oude zatladder. 'Ik ben

Flash Gordon, en dat lelijke mormel' – hij gebaart naar de barkeeper – 'is Ming de Meedogenloze.'

De barkeeper speelt het spelletje mee, pakt een leeg bierglas en houdt het beleefd groetend in de hoogte.

'Welkom in ons melkwegstelsel,' zegt hij. 'Zin in nog wat van dat witte drankje?'

23

We kregen de deur niet open.

Nadat we hadden afgemeerd aan de steiger, gingen mijn vader en ik regelrecht terug naar het huis (alleen líépen we erheen, we verplaatsten ons niet in gedachten). Naarmate we dichter in de buurt kwamen, kon ik me de deur onder de trap steeds duidelijker herinneren. Tegelijkertijd vroeg ik me echter af of dat niet een trucje van Gideon was, een valse herinnering die hij ons op de een of andere manier in de maag had gesplitst, zodat ik me tot het laatste ogenblik afvroeg of die deur er nu wel of niet zou zijn.

Maar jawel, hij was er. Open en bloot en wel: hij ging niet schuil in het halfdonker, maar was duidelijk zichtbaar aangebracht in de zijkant van de trap. Je kon hem onmogelijk over het hoofd zien.

'Het moet iets met die aardbeving te maken hebben,' peinsde ik hardop. 'Ik bedoel, als hij altijd al zo duidelijk te zien is geweest, dan snap ik niet waarom we er steeds overheen hebben gekeken... en toch wisten we blijkbaar dat hij er was, want we telden hem wel mee...' Ik keek mijn vader aan, ietwat verontrust omdat hij niets zei. 'Weet je heel zeker dat je nooit een souterrain hebt gebouwd, of misschien een flinke voorraadkast?'

'Nou en of ik dat zeker weet, Andrew.'

'Ja, dat lijkt me ook,' antwoordde ik. 'Maar dat Xavier bestond, dat wist je niet...'

Nadat we geconstateerd hadden dat de deur inderdaad bestond, bleven we er een hele tijd voor staan voordat we probeerden naar binnen te gaan. Ik bracht mezelf in verbazing door hem als eerste aan te raken – ik had verwacht dat mijn vader het voortouw zou nemen, maar het leek wel alsof hij in de greep verkeerde van een algehele verlamming, en toen de ene minuut na de andere verstreek besefte ik dat we hier waarschijnlijk zouden blijven staan tot we een ons wogen voordat hij iets zou ondernemen. En dus pantserde ik me tegen een eventuele schok en sloot mijn hand om de deurknop.

Er zat geen beweging in. Ik bedoel niet dat hij gewoon niet te draaien was – er zat een enkele speling in. En de deur zelf was al even onwrikbaar, net alsof het eigenlijk niet echt een deur was, maar een marmeren beeld van een deur, een knap staaltje van schilderkunst dat net echt leek. 'Ik krijg er geen beweging in,' zei ik, en ik deed een stap achteruit. 'Probeer jij het eens.'

Eerst dacht ik dat het er niet van zou komen, maar toen porde hij zichzelf op. Ook hij kreeg de knop niet omgedraaid en de deur bleef potdicht.

Ik begon weer hardop te peinzen. 'Zou er misschien niets achter zitten?' zei ik. 'Zou het misschien alleen maar een pesterige streek van Gideon zijn, om...'

Luidruchtig vloog de voordeur van het huis open en tante Sam kwam binnen. Er lag een uitdrukking op haar gezicht die in de regel aangeeft dat ze overhoop heeft gelegen met Adam of Jake, maar in plaats van haar beklag te doen bij mijn vader of mij, ontweek ze ons: zonder een woord stoomde ze door naar boven. In haar kielzog ving ik een zweempje sigarettenrook op – niet zozeer het luchtje als wel de gedachte eraan. Dat had een duidelijke aanwijzing moeten zijn dat er iets aan de hand was, maar ik werd zozeer in beslag genomen door iets anders dat ik er geen aandacht aan schonk.

'Nou, wat denk je?' zei ik, en ik draaide me weer om naar de raadselachtige deur. 'Is het een pesterijtje?'

Voordat mijn vader antwoord had kunnen geven voelde ik een luchtstroom van ergens uit de diepte en ik hoorde papier ritselen. Ik keek omlaag en zag een hoekje van een blad papier, zacht fladderend op de tocht, onder de deur uitsteken.

Deze keer kwam mijn vader het eerst in actie; hij bukte zich en pakte het papier – eigenlijk waren het twee velletjes, in tweeën gevouwen en met nietjes in de rug, zodat ze samen een dun blaadje vormden – terwijl ik me nog stond af te vragen wat dat kon zijn. Hij hield het ding zo dat ik het niet goed kon zien, maar niettemin onderscheidde ik een kruis op de buitenkant, en verder de woorden IN MEMORIAM.

'Wat is dat?' Ik probeerde naar het blaadje te grijpen om het iets omlaag te trekken, zodat ik kon zien wat er binnenin stond, maar mijn vader hield het buiten mijn bereik. Hij keek het door, en ik kreeg de indruk dat hij het zaakje niet las maar bestudeerde, alsof hij het al eerder had gezien en nu alleen wilde vaststellen of het inderdaad datgene was wat hij zich herinnerde.

'Vader,' zei ik. 'Wat is dat?'

'In het bootje,' zei mijn vader, 'vroeg je of er nog meer was wat ik je niet had verteld. En er ís ook iets...'

Weer vloog de voordeur open. Adam strompelde naar binnen. Jake kwam vlak achter hem aan, met een vaart alsof de duivel hem op de hielen zat; hij vloog Adam voorbij en stormde de trap op naar zijn kamer.

'Wat...' had ik al op de lippen. Toen klonk er buiten een alarmkreet.

'Seferis,' zei mijn vader. 'Narigheid met het lichaam.'

Ik was al weg. Ik stoof de voordeur uit en via de zuil van licht naar boven, en belandde in een omgeving die niet zozeer gevaarlijk als wel verwarrend aandeed. Op de een of andere manier was het lichaam vanuit de motelkamer overgebracht naar een kroeg. Penny was er ook, met een onthutst gezicht. Verder waren er twee onbekende mannen, aan wie we dus niets hadden om enigszins uit te vissen waar we verzeild waren geraakt.

Zo snel als we konden lichtten Penny en ik onze hielen (een van de mannen, degene achter de tap, zeurde dat ik hem een dollar schuldig was voor 'koetjessap' en die gaf ik hem, ook al had ik geen idee waar hij het over had). Gelukkig bleek dat we niet al te ver van het motel zaten; zodra we buiten stonden zag ik de neonletters van het motel iets verderop aan de weg.

'Het spijt me wel,' zei Penny toen we haar auto hadden gevonden.

'Wat spijt je? Weet je dan wat er gebeurd is?'

Ze vertelde wat ze zich herinnerde: ze had op mijn lichaam zitten passen en was heel even naar de badkamer, toen er iemand wakker was geworden die de televisie had aangezet. 'Op een zender voor boven de achttien,' zei ze blozend. 'En toen zei jij, of wie het maar was, dat ik wel wat weg had... van een van de figuren in de film die daar te zien was. En daarna... Ik heb eigenlijk geen idee hoe we toen hier terecht zijn gekomen.'

Adam, dacht ik, inwendig woedend. 'Nou,' zei ik, 'dan moet ik me juist verontschuldigen tegenover jou.'

'Hoe is het daar binnen gegaan?' vroeg Penny, in een gretige poging over iets anders te beginnen. 'Ben je te weten gekomen wat je wilde weten?'

'Nee, niet genoeg,' zei ik. 'Ik zal nog een keer terug moeten – o, wees maar niet bang, niet nu meteen, hoor. Dat kan wel wachten. En de volgende keer zal ik je niet meer vragen om op het lichaam te passen.'

'O, dat is best,' zei Penny. 'Alleen... moeten we de volgende keer misschien maar de stekker van de tv eruit trekken.'

De wodkalucht in de Buick deed me ergens aan denken; ik hield een hand voor mijn mond en rook aan mijn adem om te controleren of ik had gedronken. Mijn adem rook naar... melk.

'Koetjessap,' zei ik.

'Wat?' vroeg Penny.

'O, niks,' zei ik. En toen: 'Raak je daar ooit aan gewend? Aan wakker worden in idiote situaties, zonder dat je snapt wat er in godshenaam aan de hand is?'

'Ik weet niet,' zei Penny. 'Ik bedoel, voor mij is dat doodnormaal. Ik heb er nooit aan hoeven te wennen.'

Ik keek haar aan. 'Weet je, Penny, er is iets waar ik echt spijt van heb.'

'Wat dan?'

'Toen Julie me destijds voorstelde dat ik jou zou helpen... toen jij me vroeg of ik je wou helpen... toen had ik bijna nee gezegd. Ik heb het ook geprobeerd, om nee te zeggen.'

'Och, wat zou dat? Ik heb ook geprobeerd nee te zeggen, weet je nog wel? En uiteindelijk héb je ja gezegd.'

'Jawel, maar...' Maar alleen omdat Julie het wilde; langzamerhand hoefde ik geen verstoppertje meer te spelen voor mezelf. 'Het spijt me dat ik niet eerder ja heb gezegd.'

We stonden weer op het parkeerterrein van het motel. We gingen niet meteen naar de kamer, maar bleven nog wat in de auto zitten, te moe om in beweging te komen. Of eigenlijk denk ik dat er met Penny meer aan de hand was dan dat ze zich moe voelde; háár adem rook niet naar melk.

'Goed, gaan we dan nu terug naar huis?' zei Penny. Ze vroeg dat puur zakelijk, maar ik meende dat er meer achter die vraag stak.

'Jíj moet teruggaan, dat is een ding dat zeker is,' zei ik, en ik probeerde een bemoedigende toon aan te slaan.

'Nee.' Penny schudde haar hoofd. 'Het is niet zo dat ik sta te trappelen om terug te gaan, ik wou het gewoon weten. Als jij nog steeds door wilt naar Michigan, om uit te zoeken... om erachter te komen...'

Om uit te zoeken wat er met de stiefvader was gebeurd. Om erachter te komen of Xavier Reyes hem had verdelgd.

'... of misschien ergens anders heen,' vervolgde Penny. 'Mocht je dat willen, dan breng ik je met alle plezier.'

'Ik heb zo'n idee,' zei ik, me in de ogen wrijvend, 'dat ik aan een warme douche toe ben. En dan aan iets te eten. En ik wil nog eens proberen mevrouw Winslow te bellen. En dan... Dan neem ik een beslissing... Is dat oké?'

Penny knikte. 'Maar ik denk dat ik dan hier blijf wachten, als jij onder de douche gaat,' zei ze.

'Best.' Ik glimlachte. 'En ík zal de televisie in toom houden.'

De deur van de motelkamer zat niet op slot en de televisie stond nog aan, op de sekszender. 'Adam,' zei ik getergd. Ik ging niet zover dat ik de stekker eruit trok, maar ik deed hem wel uit, en ook verstopte ik de afstandsbediening. Toen kleedde ik me uit en ging de douchecel in. Tijdenlang bleef ik onder het neerklaterende warme water staan, haast zonder me te verroeren.

Ik merkte dat mijn gedachten naar Billy Milligan zwierven.

Waarschijnlijk heeft de lezer op z'n minst weleens van die naam gehoord; hij is weliswaar niet zo bekend als Sybil of Eve White, maar hij behoort toch heus tot de gevallen met een meervoudigepersoonlijkheidsstoornis die het nodige stof hebben doen opwaaien. Billy Milligan was een onbeduidende drugsdealer en kruimeldief, die in 1977 was gearresteerd nadat hij drie vrouwen had ontvoerd, beroofd en verkracht. Hij voerde aan dat hij ontoerekeningsvatbaar was, want dat die misdaden waren gepleegd door andere zielen waar hij, Billy, geen zeggenschap over had. Nadat vier verschillende psychiaters – onder anderen Cornelia Wilbur, Sybils arts – voor hem hadden getuigd, ging de rechtbank akkoord met het argument dat de misdaden hem niet aangerekend konden worden.

Vervolgens zat hij dertien jaar lang in diverse psychiatrische inrichtingen. In 1991 werd hij 'genezen' verklaard en ontslagen. In 1996 werd hij echter opnieuw gearresteerd, deze keer omdat hij een rechter zou hebben bedreigd. Dat verhaal haalde het nieuws in Seattle, en Julies nieuwsgierigheid werd erdoor geprikkeld. Het eindigde ermee dat ze van mijn vader *De persoonlijkheden van Billy Milligan* leende.

'Goh zeg,' zei Julie een paar dagen later. 'Dat is echt een fascinerend verschijnsel.'

'Tja,' zei ik zonder veel geestdrift.

'Wat?' zei Julie. 'Jij bent er niet zo van onder de indruk?'

'Onder de indruk? Dat is een rare uitdrukking in dit geval. Hij heeft drie personen verkracht, Julie.'

'Nou, ja en nee.'

'Ik zou zeggen van wel – vooral als je met de ogen kijkt van die verkrachte vrouwen.'

'Denk je dat hij maar deed alsof hij zo'n meervoudige persoonlijkheid was?'

'Nee, dat niet,' zei ik. 'Oké, het valt niet mee om zoiets vast te stellen op grond van een boek erover, maar volgens mij was hij – is hij – waarschijnlijk wel een meervoudige persoonlijkheid. Justitie dacht dat ook. Maar hij was ook een verkrachter.'

'Ja, maar enkel gedeeltelijk. Billy Milligan – de zíél die Billy Milligan heette – was onschuldig.'

'Nou, dat hij onschuldig is wil nog niet zeggen dat hij niet verantwoordelijk is,' zei ik. Ik haalde mijn vader aan: 'Als je aan het hoofd staat van een huishouden, ben jij aansprakelijk voor de handelingen van alle zielen in dat huishouden, ook al halen ze dingen uit die jijzelf nooit zou uithalen.'

'Maar als die verkrachtingen zich voordeden,' betoogde Julie, 'had Billy Milligan niet de touwtjes in handen. Uit dat boek krijg je het idee dat niemand de touwtjes in handen had – zijn huishouden was één grote chaos.'

'En is dat zo fascinerend?'

'Jezus, Andrew. Ik bedoelde niet... Waarom doe je zo spastisch over die kwestie?'

'Ik doe helemaal niet spastisch ' zei ik. 'Het wil er alleen niet bij me in dat Billy Milligan de meervoudige persoonlijkheden als categorie veel goeddoet. Hij is zoiets als... de O.J. Simpson van de club van meervoudige persoonlijkheden.'

Daar moest Julie om lachen. 'Toch kun je ook weer niet zeggen,' merkte ze op, 'dat hij er zonder kleerscheuren vanaf is gekomen. En denk je niet dat hij beter af was in een ziekenhuis dan in de gevangenis?'

'Waar ze je ook mogen opbergen, volgens mij is dertien jaar niet genoeg als je iemand hebt verkracht... of hebt toegelaten dat iemand verkracht werd.'

Julies gezicht kreeg een nadenkende uitdrukking. 'Wat zou jij hebben gedaan?'

'Als ik een oordeel had moeten vellen over de zaak-Billy Milligan?'

'Nee,' zei Julie, 'als je Billy Milligan wás.'

'Pardon?'

'Stel dat je erachter kwam dat een van jouw andere zielen... nou, laten we niet zeggen iemand verkracht had, maar iets minder walgelijks had uitgehaald, een bank had beroofd bijvoorbeeld...'

'Een bank beroofd?'

'Ja. Stel nou...'

'Ik gá geen bank beroven, Julie.'

'Nee, jíj niet. Een andere ziel.'

'Geen van de anderen in het huis zal ooit een bank beroven. Als iemand ook maar iets van een poging in die richting zou wagen, zou mijn vader hem naar de pompoenenakker sturen.'

'Nou, laten we dan zeggen dat er zoiets was gebeurd voordat het huis was gebouwd,' hield Julie vol, 'en dat jij daar nu pas achter was gekomen. Laten we zeggen dat je op een kluis stuitte die vroeger van een andere ziel was geweest, in een tijd toen jij nog niet was geboren. Je breekt hem open en je vindt een zak geld met het opschrift EIGENDOM VAN DE FIRST NATIONAL BANK. En er ligt ook een pistool bij, plus een Ronald Reagan-masker...'

'Een Ronald Reagan-masker?'

'... of wat voor masker modieuze bankrovers maar mogen hebben gedragen, tien jaar geleden. Al die spullen vind je daar, plus nog eens alle mogelijke onomstotelijke aanwijzingen dat jij degene bent geweest – jouw lichaam dan – die die hele zaak in die kluis heeft weggestopt. Wat zou je dan doen?'

'Dat is niet iets wat ooit zou gebeuren, Julie.'

'Dat zeg ik ook niet – het is puur en alleen een veronderstelling. Maar wat zou je dan doen?'

Ik haalde mijn schouders op. 'De politie erbij halen, denk ik. Ze vertellen wat ik had gevonden.'

'Zomaar zonder meer?'

'Wat zou ik dan anders kunnen doen?'

'Dan zou je jezelf dus gewoon uitleveren...'

'Nou, dat zou toch niet per se zo hoeven te zijn? Ik bedoel, wie weet zou er wel een andere verklaring opduiken... maar ik zou het de politie natuurlijk wel moeten vertellen, als ik echt dacht dat dat geld gestolen was.'

'Dus je zou jezelf gewoon op genade of ongenade uitleveren aan het smerissendom? Zonder te aarzelen?'

'Ik zou de verantwoordelijkheid aanvaarden voor de handelingen van het lichaam. Ik zou daar misschien wel geen zin in hebben – wie weet zou ik héél even aarzelen –, maar uiteindelijk zou ik geen keus hebben. Dat is mijn plicht.'

Julie was sceptisch. 'Ik weet niet,' zei ze. 'Dat klinkt heel nobel, hoor, maar volgens mij is dat ook aardig naïef, om van de politie te verwachten dat ze jou netjes zullen behandelen omdat jij overal eerlijk voor bent uitgekomen. En als je werkelijk vervolging boven het hoofd hing vanwege een bankroof...'

'Maar zoiets hángt me niet boven het hoofd,' zei ik geïrriteerd. 'Dat is maar een veronderstelling. En als jij er pistolen en Ronald Reagan-maskers op los kunt veronderstellen, dan kan ik lekker veronderstellen dat ik aan mijn verplichtingen zou voldoen.'

'Tja, dat is anders ook een interessante kwestie. Hoe kun je ooit zeker weten dat het maar een veronderstelling is?'

'Julie...' Ik begon me nu echt kwaad te maken.

'Ik denk heus niet dat jij wél een bank hebt beroofd. Het zou me echt ontzettend verbazen als dat werkelijk zo was. Maar hoe kun je er voor honderd procent zeker van zijn dat je niet, voordat het huis gebouwd was...'

'Adam heeft destijds weleens wat meegejat uit winkels,' zei ik. 'En Seferis heeft ooit in een gevecht in een café iemands vinger gebroken, al was dat pure zelfverdediging. En dan zijn er nog wat toestandjes geweest – wissewasjes van overtredingen en een stuk of wat misverstanden – waar weer allerlei andere zielen bij betrokken waren. Maar zware misdrijven – nee, en zeker geen willekeurig geweld tegen andere mensen.'

'Voor zover je weet... Maar je hebt me verteld dat er nog altijd hiaten zitten in wat je van die jaren af weet, dus...'

'Geen hiaten ter grootte van een bankroof.'

'Maar hoe kun je dat nu zéker weten?'

'Omdat, als er echt zoiets was gebeurd, mijn vader dat dan zou weten. Hij zou daarachter zijn gekomen. Dat is zijn taak, Julie.'

'Maar...'

'Zeg, zullen we nu niet eens over iets anders beginnen?'

Mijn vader zou dat dan weten... Dat is zijn taak, Julie. En dat was ook zo. Maar het was ook mijn vaders taak alle zielen te kennen, de orde te handhaven in het huis en de omgeving... en eerlijk te zijn tegen mij.

En als Xavier – of Gideon – nu wél iets vreselijks had uitgehaald met de stiefvader, iets waar mijn vader niets van wist, of waar hij me niets over wilde vertellen?

In zekere zin was dat een gemakkelijke vraag. Wat ik tegen Julie had gezegd, was waar: als de ziel die Andy Gage' lichaam bestuurde was ik verantwoordelijk voor alle handelingen van dat lichaam, die in het heden én die in het verleden, zelfs voor het gedeelte waar ik technisch gesproken geen schuld aan had. Dat kon niet anders: met het oog op de discipline in het huis én met het oog op het juiste gedrag als staatsburger. Want als er misdaden worden gepleegd die zogenaamd geen mens op zijn kerfstok heeft, dan is het einde zoek.

Dat lag duidelijk. Maar zo gemakkelijk was het ook weer niet, want dit was niet langer een louter theoretische kwestie. Toen ik stilstond bij de consequenties die ik misschien wel zou moeten aanvaarden als mocht blijken dat de allerergste mogelijkheid zich inderdaad had voorgedaan, besefte ik dat althans één ding dat ik tegen Julie had gezegd niet klopte: ik zou niet maar éven aarzelen om de verantwoordelijkheid op me te nemen.

Gesteld dat het allerergste echt was gebeurd: gesteld dat Andy

Gage zijn stiefvader om zeep had geholpen, hem had vermoord, en niet uit zelfverdediging of in een driftbui, maar in koelen bloede. Hoe erg was dat dan? Over het algemeen zou ik natuurlijk zeggen dat moord een van de weinige daden is die erger is dan verkrachting. Maar hoe zat het als je een verkrachter vermoordde? Hoe zat het als je jóúw verkrachter vermoordde? Was dát wel erger? Wraak hoorde geen rechtvaardiging te vormen voor het gebruik van geweld – maar als datgene waar je wraak voor nam nu heel gruwelijk was, mocht dat dan niet wél?

Het ging hier niet, dacht ik, om zoiets als wat Billy Milligan had gedaan. Hij was zomaar, zonder enige aanleiding, een roofdier geworden en hij had wildvreemden kwaad gedaan, mensen die hem nooit een haar hadden gekrenkt. Daar had hij een gewoonte van gemaakt. Als Andy Gage zijn stiefvader had vermoord, dan was dat iets eenmaligs geweest, een uitgelokte en op zichzelf staande handeling, geen onderdeel van een patroon.

Tenzij je wat Warren Lodge was overkomen ook meerekende.

Nee. Nee. Niet aan denken nu. Concentreer je nu op één moord – sterfgeval – tegelijk.

Over een sterfgeval gesproken: ik wist niet eens zeker óf de stiefvader dood was. Ik dacht van wel, zo'n gevoel had ik tenminste, maar ik kon me niet herinneren dat het me ooit met zoveel woorden verteld was. Ik zou dat toch heus moeten uitzoeken, voordat ik me al te veel liet meeslepen door de hele kwestie. Ik moest er ook achter zien te komen hóé hij dood was gegaan – als hij een hartaanval had gehad, of kanker, dan ging ik dus duidelijk vrijuit.

Maar misschien moest ik daar maar níét achter zien te komen.

Voor iets wat ik niet wist, kon ik niet de verantwoordelijkheid op me nemen: een ietwat wringende, maar verleidelijke redenering. Als Xavier iets had uitgespookt met de stiefvader, dan moest dat al een heel aantal jaren geleden zijn – minstens vijf, dacht ik. Na zoveel tijd lag het niet voor de hand dat de waarheid mij nog eens zou gaan achtervolgen, als ik niet zelf de achtervolging inzette. Als ik nu eens besloot om de zaak gewoon maar te laten rusten?

Het hoefde niet eens een permanent besluit te zijn. Ik kon voorlopig weer gewoon in Autumn Creek gaan zitten en alle vraagtekens in verband met Michigan voor me uit schuiven, alle dingen die daar al dan niet gebeurd mochten zijn, totdat ik het huis weer op orde had... hoe lang dat ook nog mocht duren. Als de stiefvader dood was, liep hij niet weg; dan kon ik de verantwoordelijkheid altijd nog op me nemen.

Verleidelijk, hoor. Verleidelijk.

Maar.

Voordat ik onder de douche was gegaan, had ik het verband van mijn arm gehaald. De wonden van het prikkeldraad hadden korstjes gevormd, maar ze prikten nog gemeen onder het hete water. Ik bestudeerde ze, draaide mijn hand om en bekeek het oude litteken van een diep gat aan de binnenkant van Andy Gage' hand. Mijn vader had die wond gemaakt, tijdens zijn laatste gevecht met Gideon.

Het was gebeurd in een eettent – niet de Harvest Moon, maar in eentje dichter bij groothandel Bit. Mijn vader had daar tussen de middag een hapje gegeten en rekende net af, toen Gideon een greep naar de macht deed. Het was geen gewone poging om het heft in handen te nemen: Gideon was van plan mijn vader voorgoed onschadelijk te maken, en mijn vader, die de ernst van Gideons bedoeling onderkende, zag zich gedwongen tot drastische maatregelen. Hij hief zijn arm op en tot ontzetting van de caissière spietste hij zijn eigen hand op de rekeningenprikker naast de kassa. Dat leverde hem wél de overwinning op in de strijd.

Misschien dat de lezer dit niet begrijpt (hoewel, langzamerhand misschien toch wel). In het huishouden van een meervoudige persoonlijkheid valt de dominante positie toe aan degene die in staat is meer letsel te verdragen dan alle anderen. Hoe beter een bepaalde ziel de impuls kan weerstaan om van persoonlijkheid te veranderen, hoe meer macht hij krijgt over degenen die dat niet kunnen. Door zijn eigen hand te doorboren liet mijn vader niet alleen zien dat hij bestand was tegen enorme pijn, maar ook dat hij de moed bezat om die, als het moest, zichzelf toe te brengen. Gideon kon die pijn geen ogenblik verdragen; en het mag dan de gedachte oproepen aan vals spelen dat mijn vader voor een verwonding had gekozen waar Gideon absoluut niet tegen kon, in deze krachtmeting was eerlijk spelen niet aan de orde.

Mijn vader had de strijd om de macht dus gewonnen, en die overwinning bezorgde hem zoveel gezag dat hij Gideon op Coventry kon opsluiten. Later, toen mijn vader mij uit het meer had geroepen en niet langer het lichaam bestuurde, was zijn macht wat afgenomen; daar kwam nog bij dat ik twee avonden tevoren ook tekenen van zwakte had vertoond, en waarschijnlijk had dat Gideon de armslag bezorgd die hij nodig had om van het eiland te ontsnappen.

En daarmee stond ik voor een dilemma: zodra ik nogmaals blijk gaf van zwakte, zou dat waarschijnlijk opgevat worden als uitnodiging tot een serieuze machtsgreep. Als Gideon bereid was om door te reizen naar Michigan, terwijl ik uit angst voor de eventuele consequenties probeerde terug te keren... Nou, maar als ik rechtsomkeert maakte richting Autumn Creek, dan wilde dat nog niet zeggen dat ik daar ook zou áánkomen.

Ik wilde het lichaam niet kwijtraken aan Gideon – dat zou de ultieme nederlaag betekenen. Maar aan de andere kant voelde ik er toch écht niets voor om de gevangenis in te draaien vanwege een moord op iemand die ik nooit had ontmoet.

Ik stelde me voor hoe Billy Milligan, waar hij intussen ook mocht uithangen, nu zou lachen om mijn probleem: ha ha, dat zal je leren een oordeel te vellen over andere mensen!

'Val dood,' zei ik, en met twee vuisten tegelijk stompte ik op de muur. 'Ik gá mijn verplichtingen niet uit de weg. Ik neem mijn verantwoordelijkheid op me.' Ik pakte mijn gewonde arm beet en kneep er zo hard in dat hij weer ging bloeden; vanwege de pijn klemde ik mijn tanden op elkaar, maar tegelijkertijd knapte ik ervan op. Billy Milligan had niks meer te melden.

Ik stapte de douchecel uit en droogde me af. Toen ik me ging aankleden, drong het tot me door dat ik niets schoons had om aan te trekken, alleen maar weer het overhemd en de broek waar ik al meer dan twee dagen in rondliep. Extra verband had ik ook niet, dus wikkelde ik de oude zwachtel maar weer om mijn arm.

Wat minder opgefrist dan ik had gehoopt ging ik terug naar de auto. 'Goed, Penny,' zei ik zodra ik was ingestapt, 'ik geloof dat ik nu weet wat ik wil. Of tenminste, wat ik moet.'

'O ja?' zei ze, en ik zag dat ze zat te roken.

'Maledicta.'

'Godverklote, heb jij even snelle hersentjes, zeg.'

'Maledicta,' zei ik, 'ik moet met Penny praten. Ik heb besloten om verder te trekken naar Michigan en...'

'Dan wil ik concessies,' zei Maledicta.

'Wat?'

'Ik wil concessies, godverklote. Muis heeft je dan wel beloofd om het hele land met je rond te toeren, maar ík ben gekke Gerritje niet. Als jij naar Michigan wilt, dan wil ik ook iets. Niks voor niks, hè.'

'Wat dan, bijvoorbeeld?'

Ze haalde een schouder op. 'Sam en ik moeten nog een partijtje pool spelen.'

'Sam... Tante Sam? Hebben jullie tweeën dan gespeeld?'

'Razendsnelle hersens heb jij, zoals ik al zei, godverklote zeg.'

'Wat wil je nog meer?'

'Nou, je snapt wel dat ik er heel wat keren voor ga opdraaien om achter dat klotestuur te kruipen, toch? Goed, dan wil ik af en toe Sam naast me hebben.'

Ik schudde mijn hoofd. 'Als ik dat doe, dan willen de anderen ook naar buiten. Ik kan me niet veroorloven om daar nu over te gaan ruziën.'

'Wat een klotelulkoek,' zei Maledicta. 'Jezus, daarnet zei je toch tegen Muis dat je nog een keer naar binnen moest, hè? En het is toch godverklote duidelijk dat er weer iemand van buitenaf een oogje in het zeil zal moeten houden als jij 'm hebt gesmeerd? Nou, waarom zou je Sam daar dan niet mee opzadelen?'

Ik dacht erover na. Eigenlijk zat daar wel iets in. Zolang de orde nog niet volledig hersteld was in het huis, zou er inderdaad iemand plaats moeten nemen in het lichaam als ik er niet in zat, en tante Sam was een veel betere keus dan Adam – hoewel Seferis nog beter zou zijn dan die twee. Maar Seferis stelde niet veel voor als reisgezelschap. Toch vond ik het wel merkwaardig dat tante Sam kennelijk dikke maatjes was geworden met Maledicta.

'Nou goed,' zei ik ten slotte. 'Misschien is dat wel iets. Maar dan wil ík ook een concessie.'

Maledicta wierp me een ongeduldige blik toe. 'Wat dan?'

'Kan Penny ons nu horen?'

'Nee. Ze ligt te maffen in die klotegrot.'

'Heb jij haar uitgeschakeld?'

'Ik wou nog een sigaret, godverklote. Het mens wist toch niks beters te verzinnen dan hier maar wat stompzinnig te zitten koekeloeren.'

Ik knikte. 'Als jij een sigaret wilt, of iets anders waar het lichaam aan te pas komt, dan wil ik van nu af niet meer hebben dat je gewoon maar de touwtjes in handen neemt. Ik wil dat je toestemming vraagt.'

'Ja hoor, kus m'n kloten.'

'Maledicta, ik meen het.'

'Nou, schrijf dat maar op je buik,' zei Maledicta. 'Eén: ik hoef godverklote niet om toestemming te vragen, en twee: als ik dat deed, en Muis zei nee, dan zou ik dus niet...'

'Precies. Ik wil niet meer hebben dat jij Penny zomaar tegen haar wil buiten westen mept. Dat ze soms over haar toeren raakt en dan zelf wegraakt, dat is nog tot daaraan toe; maar als jij alleen maar even naar buiten wilt voor een rookpauze, dan is er geen enkele reden waarom ze niet over je schouder zou blijven toekijken.'

Maledicta wendde haar blik af, vol afkeer iets in haar baard mompelend. 'Wat zeik je toch...'

'Ik zeik niet,' zei ik. 'Jij bent indertijd naar me toe gekomen omdat je geholpen wilde worden om al die persoonlijkheden in toom te houden. Nou, daar komt een hoop discipline bij kijken.'

'Discipline!' Maledicta keek me weer aan, nu met een schamper lachje op haar gezicht. 'Moet je toch godverklote horen wie dat woord in zijn bek neemt!'

'Ja, ik heb daar op het ogenblik problemen mee,' gaf ik toe. 'En dat is nog een reden waarom ik je dit vraag. Als jij en ik allebei op hetzelfde ogenblik zomaar onbeheerst van persoonlijkheid gaan wisselen, dan kunnen we wel Joost mag weten waar eindigen. Maar als jij echt je uiterste best doet om de boel op orde te houden, en ik doe hetzelfde, dan mogen we hopen dat er steeds minstens één van ons tweeën stevig in zijn schoenen staat.'

'Eh...' Maledicta bracht haar arm al naar achteren, alsof ze dat idee met een breed gebaar wilde afdoen, maar ik zag wel dat ik een succesje had behaald.

'Dus spreken we dat af?'

'Eh... godverklote.' Ze draaide haar raampje omlaag en mikte haar peuk op het parkeerterrein. 'Ik ga jou godverklote niks beloven,' zei ze. 'Als jij me niks geen tijd wilt geven, of als zij het godverklote in haar hoofd haalt om de arrogante madam uit te hangen, enkel en alleen omdat ik beleefd iets vraag...'

'Ik weet wel zeker dat Penny daar hoffelijk op ingaat.' Ik stak haar mijn hand toe. 'Akkoord?'

Maledicta keek misprijzend neer op mijn hand. 'Hang je nou godverklote Jimmy Stewart uit, of zo? Ik ga geen poten zitten schudden over zoiets. Ik zei je toch al: beloftes, daar doe ik godverklote niet aan. Ik ga enkel... Ik doe m'n best wel. Godverklote, zo goed?'

'Goed,' zei ik. 'Goed genoeg.'

'Ja ja, godverklote, goed hoor,' zei Maledicta. 'Nou, kunnen we dan nu eens iets gaan vreten, godverklote?'

24

Nadat ze de motelrekening hebben voldaan en een hapje hebben gegeten, maken ze de inventaris op van hun financiële toestand. Muis heeft nog iets van zestig dollar bij zich, Andrew niet meer dan vijftien. Geen van beiden hebben ze een pinpas. Andrew heeft wel zijn creditcard, waarmee hij maximaal duizend dollar kan uitgeven, maar hij zal moeten bellen om te horen hoeveel daarvan al opgesoupeerd is (minstens tweehonderd dollar, want ze hebben precies tien minuten te laat hun vertrek gemeld, en de bedrijfsleider van motel Badlands heeft hun nog een nacht berekend).

Ze hebben nog een halve tank benzine, en tenminste één benzinekaart. Ze hebben twee aangebroken pakjes sigaretten. Ze hebben geen schone kleren of toiletartikelen.

Ze gaan terug naar Rapid City en zoeken een Wal-Mart op. Andrew en Muis wijken geen stap van elkaars zijde in de winkel en praten voortdurend met elkaar, zodat ze beter bestand zijn tegen onrechtmatige identiteitswisselingen. Allebei zoeken ze een paar T-shirts uit, ondergoed, sokken en een spijkerbroek; voor Andrew schaffen ze zich verband en jodium aan en voor Muis een pakje aspirine, en voor allebei een tandenborstel en tandpasta. Op een gegeven ogenblik ziet Maledicta, die in de ingang van de grot op de loer ligt, een sjaaltje dat bij haar in de smaak valt – een rood-wit-zwarte halsdoek met een patroontje van vlammende schedels – en ze vraagt Muis of die dat 'alsjeblieft' voor haar wil kopen. Muis zet grote ogen op, zowel vanwege dat verzoek als vanwege de nooit eerder gebezigde (zij het ietwat sarcastisch klinkende) formulering. Aangezien het sjaaltje maar vier dollar negenennegentig kost, stemt ze ermee in, maar ze neemt zich voor het apart af te rekenen, met contant geld.

Bij de kassa heerst er een ogenblik grote spanning als de rest van de aankopen wordt aangeslagen, maar het bedrag wordt door Andrews creditcard geaccepteerd. Ze verkleden zich bij een bezinestation aan de rand van de stad en maken aanstalten om terug te gaan naar de snelweg, wanneer Maledicta zich weer meldt vanuit de ingang van de grot: 'Zou ik een tijdje mogen rijden?'

'Wat is er?' vraagt Andrew, als hij Muis' reactie opmerkt. Muis vertelt wat Maledicta haar zojuist heeft gevraagd. 'O,' zegt hij. 'Ze wil gezelig kleppen met tante Sam. Ik heb tegen haar gezegd dat dat mocht als ze zich beleefd gedroeg – en als jij er niets op tegen had.'

'O ja?' zegt Muis. Ze is in een positie gemanoeuvreerd die haar niet aanstaat.

Andrew komt haar te hulp: 'Laat Maledicta maar weten dat ik heb gezegd dat het vandaag niet mag. Dat is te gauw na wat er vanochtend gebeurd is. Morgen misschien, als ik me dan sterker voel.'

'Oké...' Muis begint aan een herhaling van Andrews weigering, maar Maledicta valt haar in de rede: 'Ik heb al gehoord wat die klootzak zei! Vertel hem maar dat hij een liegbeest van een lul is! Hij had het me godverklote belóófd!' Die boodschap brengt Muis maar niet over.

Die avond arriveren ze in Sioux Falls. Na hun avondmaal is het buiten nog licht, maar Muis voelt zich heel moe. 'Wou je hier blijven overnachten?' vraagt ze Andrew.

Andrew staat in tweestrijd. Hij zou hier wel willen blijven, maar zoals hij Muis probeert uit te leggen: hij wil in geen geval de indruk wekken dat hij de zaak voor zich uit schuift. 'Misschien kunnen we nog een klein eindje verder rijden?'

'Ik weet het niet,' zegt Muis, in haar wegenatlas kijkend. 'Ik vraag me af of we wel een kléín eindje verder kunnen, op deze snelweg... Zo te zien ligt de volgende grote stad ergens aan de andere kant van Minnesota.'

Andrew fronst. Hij wil geen druk op haar uitoefenen, maar tegelijkertijd wil hij er ook nog geen punt achter zetten.

'Misschien...' peinst Muis. 'Zou jíj niet willen rijden?'

Hij schudt zijn hoofd. 'Dat kan ik niet.'

'Nou ja, je hebt niet echt een rijbewijs nodig, hoor,' zegt Muis. 'Ik bedoel, zolang je maar voorzichtig aan doet, niet te snel gaat rijden of ergens tegenop knalt.'

'Het zit 'm niet in het rijbewijs. Ik weet niet hoe het moet, autorijden.'

'Ik laat het je wel zien. Zo moeilijk is het niet. En er is nu ook niet veel verkeer meer, dus het komt er zo'n beetje op neer dat je tussen de goeie strepen blijft.'

Muis is er helemaal niet op uit om Andrew zover te krijgen dat hij zichzelf wil bewijzen – ze is alleen bang dat zij in slaap zal vallen achter het stuur als ze blijft rijden –, maar hij heeft blijkbaar wel dat idee. Hij haalt eens diep adem, slaakte een zucht en zegt: 'Oké. Ik kan het.'

'Het hóéft niet per se,' zegt Muis. 'Als ik eerst even een tukje doe, misschien dat ik dan...'

'Nee, ik kan het wel.'

Ze stappen in de auto en Muis doet hem de essentiële dingen uit de doeken: het gaspedaal, de twee remmen, de versnellingen, de richtingaanwijzer. Als het ernaar uitziet dat Andrew alles min of meer heeft begrepen, laat Muis hem weer naar de andere stoel verhuizen. 'Ik rij nog even tot we de stad uit zijn,' zegt ze.

Ze rijdt Sioux Falls uit, tot aan een wegrestaurant in de buurt van de staatsgrens. Dan neemt Andrew het stuur over. Eerst is hij zenuwachtig – en Muis ook, ze vraagt zich af of dit niet een stomme streek is –, maar algauw krijgt hij zelfvertrouwen. Te veel zelfs: even later moet Muis hem eraan herinneren dat hij de snelheidsmeter in de gaten moet houden.

'Sorry,' zegt hij, en hij trapt het gaspedaal wat minder diep in. 'Maar je had wel gelijk. Het is niet al te moeilijk.'

'Ik sta ervan te kijken dat je het nooit hebt geleerd,' zegt Muis. 'Het is zo handig.'

'Té handig,' zegt hij. 'Net als met een betaalpas op zak lopen. Mijn vader vond autorijden altijd heerlijk, maar het kon ook gevaarlijke toestanden opleveren, als hij een stuk tijd kwijtraakte. Uiteindelijk is hij tot de conclusie komen dat het dat toch niet waard was. Toen ik op het toneel verscheen hadden we er denk ik wel weer mee kunnen beginnen, maar om je de waarheid te zeggen heb ik eigenlijk nooit zo het gevoel gehad dat ik niet zonder auto kon. Zo vaak ga ik helemaal niet weg uit Autumn Creek.' Hij kijkt even door zijn zijraampje. 'Zo ver als nu ben ik nooit eerder van huis geweest.'

'Weet je waar we heen gaan?' vraagt Muis.

Hij knikt. 'Naar Seven Lakes. Zo heet het plaatsje in Michigan waar Andy Gage geboren is. Het ligt aan de westkant van de wand, niet ver van Muskegon en Grand Rapids.'

'Maar jij bent daar nooit eerder geweest?'

'Nee, niet persoonlijk. Maar ik heb het een paar keer opgezocht op een kaart, dus ik weet wel zo'n beetje waar het is, en desnoods kan mijn vader ons altijd nog zeggen hoe we moeten rijden.'

Muis neemt hem vorsend op. 'Ben je bang?'

'Om daarheen te gaan? Ja,' zegt Andrew. 'Maar ik ben ook nieuwsgierig. Ik wil graag het huis zien waar Andy Gage is opgegroeid, als het er tenminste nog staat. En de stiefvader... Ach, diep in m'n binnenste geloof ik niet echt dat ik in staat zou zijn geweest om hem te vermoorden... of het moet een ongeluk zijn geweest.' Hij kijkt haar aan. 'Wat denk jij? Denk jij dat ik, of een van ons, zoiets zou hebben kunnen...'

'Ik heb ooit geprobeerd mijn moeder te vermoorden,' zegt Muis.

'O ja?' vraagt Andrew. Hij klinkt verbaasd, maar niet geschokt. 'Hoe dan?'

'In het ziekenhuis was dat. Ik legde mijn hand op haar mond...' Ze vertelt hem erover. Eerst houdt ze het summier, maar vervolgens laat ze er steeds meer details over los, totdat ze zo'n beetje met de hele geschiedenis van haar moeders sterfbed voor de draad is gekomen – met alles behalve wat ze met haar moeders as heeft gedaan.

'Dat klinkt me niet in de oren alsof je echt je best hebt gedaan om haar te vermoorden,' zegt Andrew als ze is uitgepraat. 'Het klinkt eerder alsof je erover fantaseerde om haar te vermoorden. En volgens mij heb je je als een bovenmenselijk wezen gedragen door dat niet te doen, na alles wat je had doorgemaakt.'

'Het was niet enkel een fantasie. Mijn hand lag op haar mond.'

'Maar je drukte niet zo hard dat ze geen lucht meer kon krijgen, zei je. En je hield meteen op toen je besefte wat je deed.'

'Ik had dat gewoon helemaal niet moeten doen. Dat was puur slecht.'

'Nou, zal ik je eens wat zeggen, Penny?' merkt Andrew op. 'Als we Seven Lakes halen en ik kom er daar achter dat het ergste wat ik heb uitgehaald, is dat ik ooit de stiefvader z'n neus heb dichtgeknepen toen hij lag te slapen – nou, dan kan ik zonder een centje pijn verder leven met het schuldgevoel dat me dat bezorgt.'

'Wat heeft hij je aangedaan?' vraagt Muis. 'Weet je dat?'

'Heeft mijn vader je dat niet verteld?'

Muis schudt haar hoofd. 'We hebben het voornamelijk gehad over wat er is gebeurd nadat hij de deur uit was gegaan – dat hij toen doorkreeg dat hij een meervoudige persoonlijkheid was en daarmee aan de slag ging. Ik had het gevoel dat hij daar nooit eerder over had willen praten.'

'Dat is zo, dat doet hij niet graag,' beaamt Andrew. En dan vertelt hij: 'Ik weet in grote trekken wat de stiefvader heeft uitgehaald. En dat was allemaal een hoop seksueler getint dan wat er tussen jou en je moeder is gebeurd. Ik bedoel, geweld kwam er ook wel aan te pas – hij was altijd in een pesthumeur –, maar meestal kwam het erop neer dat hij Andy Gage als zijn speeltje gebruikt. Als zijn... zijn neukgerei.' Andrew krimpt even ineen bij zijn eigen woordkeus, en Muis, die aan het topje van Loins moet denken, voelt haar oren rood worden. 'Het is al ontzettend vroeg begonnen – hoe vroeg precies, dat kan ik niet zeggen, maar mijn vader denkt dat het zo vroeg was dat je niet eens van obscene handelingen kunt spreken. En daarna is het almaar doorgegaan, de hele jeugd van Andy Gage lang...' Hij zwijgt even en knarst onwillekeurig met zijn tanden, maar gaat dan door over iets anders: 'We... ze... woonden ook behoorlijk geïsoleerd. Seven Lakes is ongeveer net zo groot als Autumn Creek, maar het huis van de Gages stond een eind buiten het plaatsje. Als je aan East Bridge Street woonde, zo'n zes, zeven kilometer voorbij de Werkelijkheidsfabriek, dan zou dat ongeveer hetzelfde zijn.'

'En dat heeft zich allemaal alleen tussen jou en je stiefvader afgespeeld?'

'Ja.'

'En je moeder dan? Is die al gestorven?'

Hij wil al ja zeggen, maar aarzelt dan. 'Ik... Ja, dat neem ik aan,' zegt hij. Muis houdt haar hoofd even schuin bij wijze van onuitgesproken vraag. 'Ik bedoel,' vervolgt Andrew, 'ik herinner me niet dat ik daar ooit over heb gepraat, maar ik weet wel dat mijn vader van haar hield. Hij hield heel veel van haar... en ik kan me niet voorstellen dat hij zulke warme gevoelens voor haar had gehad als ze gewoon de benen had genomen en hem had laten zitten met de stiefvader. Dus ja, ze moet wel dood zijn...' Niet helemaal tevreden met zijn eigen logica fronst hij echter zijn voorhoofd. 'Daar zal ik hem naar moeten vragen.'

Ze praten nog wat. Dan legt Muis, zowat een halfuur na zonsondergang, haar hoofd tegen de leuning, en voordat ze weet wat haar overkomt staan ze weer stil langs de kant van de snelweg.

'Wat is er?' vraagt ze, en ze gaat rechtop zitten. 'Waar zijn we?'

'Vlak bij de grens met Wisconsin,' zegt Andrew. 'Er komt een grote stad aan, dus ik dacht dat jij nu misschien maar beter weer achter het stuur kon kruipen. Ik ben nu wel zover dat ik ergens wil stoppen.'

Wisconsin... Muis kijkt op het klokje. Het staat op 10:29. Ze probeert te bedenken of ze het op de juiste tijd heeft gezet voordat ze vanmorgen zijn weggereden bij dat motel; maar ook al heeft ze dat gedaan, waarschijnlijk zijn ze inmiddels toch in weer een nieuwe tijdzone beland. In werkelijkheid zal het wel over elven zijn, wie weet zelfs over twaalven.

Laat. Muis neemt het stuur over, steekt de Mississippi over en rijdt La Crosse, Wisconsin, in. Ze vinden een motel. Muis zou het liefst zo gauw mogelijk weer onder zeil gaan en let nauwelijks op als Andrew aan de balie het woord voert.

Loins is niet zo slaperig.

'Lits-jumeaux of normale breedte?'

'Hè?' zegt Andrew.

'Eén bed of twee?'

'O... Twee kámers, graag.'

'Nee, dat hoeft niet,' komt Loins ertussen, na Muis met vaardige hand te hebben uitgeschakeld. 'We kunnen best samen één kamer nemen. Maakt mij niet uit.'

'Weet je 't zeker?' vraagt Andrew.

'Ja hoor, heel zeker,' zegt Loins, en ze doet haar best om niets van haar ware bedoelingen te verraden. 'Waarom zouden we geld verspillen aan een tweede kamer?'

'Oké...' Hij wendt zich weer tot de receptioniste. 'Twee bedden dan, graag.'

'Neem me niet kwalijk.' Loins buigt zich over de balie heen en fluistert de receptioniste iets in het oor, waarop ze allebei in de lach schieten.

'Wat is er?' vraagt Andrew.

'O, niks,' giebelt de receptioniste. 'Alstublieft, kamer 230.'

Ze gaan naar de kamer, waar maar één bed staat. Andrew fronst zijn wenkbrauwen als hij dat ziet. 'Sorry,' zegt hij, alsof het zijn schuld is. 'Laten we maar naar beneden gaan en de zaak even rechtz...'

'O, dat geeft toch niet?' zegt Loins, die nu vlak langs hem de kamer in stapt. 'Het is een groot bed.' Ze gaat op een hoekje zitten en veert een paar keer op en neer om de matras uit te proberen. 'We passen er wel met z'n tweeën in.'

'Eh... Penny...'

'Ik ben ontzettend moe, Andrew,' zegt ze. 'Om een andere kamer vragen geeft maar gedoe, en daar heb ik geen zin in. Ik maak me wel heel klein, en ik ga helemaal aan de buitenkant liggen, dan merk je niks van me.'

'Penny...' Hij beseft dat er iets niet klopt, maar weet niet wat het is. 'Maledicta?'

Loins lacht. 'Klink ik soms als Maledicta? Nee hoor, Andrew, ík ben het.' Ze staat vlug op en gaat de badkamer in om haar gezicht en handen te wassen. Als ze er weer uit komt, staat Andrew nog steeds bij de open deur. 'Wat is er?' vraagt Loins. 'Je blijft daar toch niet de hele nacht staan, hè?'

'Penny...'

'Doe dan tenminste de deur dicht.'

'Penny, wat...'

'Weet je waar jij aan toe bent?' vraagt Loins. 'Aan een heerlijke douche.'

'Een douche?'

'Ja.' Ze knikt. 'Dat werkt ontspannend. Spoelt de dag van je af.' Ze werpt haar hoofd in haar nek en glimlacht op een manier waarvan ze weet dat die verleidelijk werkt. 'Of anders misschien een zalig heet bad... Ik ga een blikje fris halen, dus ga gerust je gang, ik ben er toch niet...'

'Je gaat een blikje fris halen? Ik dacht dat je zo ontzettend moe was.'

'O, dat ben ik ook,' zegt Loins. 'Maar ik heb ook een ontzettende dorst.' Ze loopt weer rakelings langs hem heen, en kan de verleiding niet weerstaan even met een vinger zijn wang te strelen. 'Tot zo, hè...'

Vijf minuten, houdt Loins zichzelf voor als ze op weg gaat naar de begane grond. In een open gang tussen twee gedeelten van het motel vindt ze een frisdrankautomaat. Er hangt daar ook een sigarettenautomaat, maar die merkt Loins nauwelijk op. Eigenlijk moet ze niet veel hebben van roken; dat doet ze alleen om een bepaalde indruk te maken. Maar Andrew, zegt haar intuïtie, is niet iemand die roken sexy vindt.

Trouwens, over sexy rokers gesproken... Als Loins bezig is haar keus te maken, vlamt er een eindje verder in de gang een aansteker op in het halfdonker. De roker is een man met een kaalgeschoren hoofd in een joggingpak. Hij ziet er zo appetijtelijk uit dat Loins een ogenblik de hele Andrew vergeet.

'Hallo, zeg,' koert ze. 'Op zoek naar een beetje gezelligheid?'

De roker glimlacht om die onverbloemde versierpoging, maar houdt zijn linkerhand omhoogt en beweegt de vingers; aan een ervan glanst een trouwring.

'Nou, heb jij even pech,' merkt Loins op. Ze haalt een blikje 7-Up uit de automaat, en hoewel de nachtlucht kil is, houdt ze het blikje tegen de zijkant van haar hals, alsof ze het bloedheet heeft. 'Slaap dan maar lekker...'

Als Loins weer boven komt, is de deur van de badkamer dicht en hoort ze de douche lopen. Ze legt het blikje op het bed, doft zich even een beetje op voor de spiegel boven de ladekast en gaat naar Andrew.

'Hallo, zeg,' zegt ze, en zonder eerst te kloppen doet ze de deur open. 'Zeker wel zin in wat gezel...'

De badkamer is leeg. De douchegeluiden die Loins hoorde komen uit de kamer ernaast.

'Wat doe je?' vraagt Andrew ergens achter haar.

Snel draait ze zich om. Andrew zit met zijn armen over elkaar in een stoel vlak naast de deur. Loins moet daarnet vlak langs hem heen zijn gelopen.

'Wat doe je?' vraagt Andrew weer.

Loins schokschoudert en zegt met een lachje: 'Ik wou even kijken of je misschien een beetje hulp kon gebruiken...'

'Jij bent Penny niet.'

'Betrapt!' Loins steekt haar armen in de lucht, een onweerstaanbaar gebaar van overgave, maar Andrew valt er niet voor.

'Zo, vind je dat dat door de beugel kan, om te doen alsof je iemand bent die je niet bent?' vraagt hij.

'Door de beugel...?' vraagt Loins, op een toon die duidelijk uitdrukt: wat een idee! 'Ik vind dat gewoon leuk.'

'Ik vind het onbeschoft. Onbeschoft tegenover mij en ook tegenover Penny. Heb je er eigenlijk aan gedacht om haar toestemming te vragen voordat je zomaar pats-boem naar buiten bent gefloept?'

'Toestemming?' Loins lacht. 'Ze kent mij niet eens. Daarvoor is ze een veel te duffe trut, om mij te kennen.'

'Ik vind haar geen duffe trut. Ik vind haar aardig, en een goeie kameraad – en ik wil graag met haar praten. Wil je haar terughalen?'

'Nee, dat wil ik niet. Nou wil ík weleens een beetje lol. Als jij niet geïnteresseerd bent, prima hoor, dan ga ik wel op zoek naar een ander...'

Gepikeerd loopt ze de kamer uit. Voor de tweede keer daalt ze af naar de tussengang, en onderweg denkt ze: oké, eens zien wat die trouwring nou helemaal voorstelt. Vijf minuten, meer heb ik niet nodig. Maar als ze de gang in loopt, heeft de roker al zijn hielen gelicht – blijkbaar heeft hij zijn sigaret opgerookt en is hij weer teruggejogd naar zijn vrouw. Loins loopt voor de zekerheid de hele gang door, maar ze ziet hem in geen velden of wegen meer, en andere gegadigden dienen zich ook al niet aan.

Dan hoort ze gerinkel achter zich: iemand gooit munten in een van de automaten. Ze haalt haar sexy glimlach tevoorschijn en draait zich om. 'Hallo, zeg...'

De glimlach besterft haar op de lippen; het is Andrew maar. Aan de andere kant – jezus, waarom niet? 'Van gedachten veranderd?' koert Loins, op hem toe lopend.

'Nee,' zegt Andrew. Hij haalt een pakje sigaretten uit de automaat en houdt het omhoog, zodat ze het merk kan zien: Winstons. 'Vang!' zegt hij en gooit het haar toe.

'... klootzak!' snauwt Maledicta, en ze grist het pakje uit de lucht. Ze zwaait ermee: 'Godverklote, je dacht zeker dat je me hiermee kon omkopen?'

'Nee hoor,' zegt Andrew. 'Ik dacht alleen maar dat ik daarmee je aandacht kon trekken. En ik heb er meer vertrouwen in als jij in Penny's lichaam zit dan als dat andere kind zich erin installeert.'

'Vertrouwen!' zegt Maledicta smalend. 'Mag ik godverklote éven een teiltje?' En dan: 'Dat klotewijf van een Loins... Echt waar, zo'n kloteslettebak...'

'Het spijt me dat je vanmiddag geen gelegenheid hebt gekregen om een praatje te maken met tante Sam...'

'Dat mag je zéker spijten, godverklote!'

'... maar ik had je echt niet beloofd dat het er vandaag nog van zou komen. Goed, misschien dat het morgen...'

'Misschien? Is dat alles wat ik terugkrijg voor m'n beleefde houding, zo'n kloterig "misschien"?'

'Ik ben moe, Maledicta. Als ik zweer dat ik je morgen een tijdje samen met tante Sam geef – geen misschiens, hè –, ga je dan nu terug naar de kamer en blijf je daar dan? En let je er dan op dat Penny daar blijft?'

'Ja maar, godverklote, waar ga jij dan pitten?' wil Maledicta weten. 'Niet bij mij.'

'Nee, niet bij jou,' beaamt Andrew. 'Ik neem maar een andere kamer, denk ik. Of misschien ga ik gewoon in de auto slapen...'

'Niks daarvan, godverklote, niet in mijn auto.'

'Dan neem ik wel een andere kamer.' Hij steekt haar de sleutel van nummer 230 toe. 'Oké?'

'Klootzak...'

'Ik zag dat er een minibar in die kamer zit,' voegt Andrew er langs zijn neus weg aan toe. 'Maar maak het niet te bont, hè?'

– vandaar dat Muis zo'n zeven uur later wakker wordt met een sigarettenadem en een lichte kater. Naast haar op het kussen ligt een briefje in Maledicta's handschrift: HIJSER OOK DE LAMLUL. Muis moet al haar denkkracht inschakelen voordat ze doorkrijgt dat hiermee wordt aangeduid waar Andrew zich bevindt.

Muis stapt uit bed, neemt een douche en poetst haar tanden. Ze neemt drie aspirientjes. Ze kleedt zich aan en gaat naar het parkeerterrein, waar ze Andrew bij de auto vindt. Hij wacht al op haar.

'Er is gisteravond iets gebeurd,' zegt ze als ze vlak bij hem is.

'Je bent van identiteit gewisseld,' zegt hij. 'Ik heb Maledicta naar buiten moeten roepen om ervoor te zorgen dat jij niet... aan de zwier ging.'

'Wie was er dan eerst de baas,' wil Muis weten, 'dat jij dacht dat Maledicta béter zou zijn?'

'Nou ja,' zegt Andrew aarzelend, 'ik weet het niet zeker, maar ik geloof dat ze Loins heet...'

'O god,' zegt Muis als ze hoort wat Loins heeft gedaan, of proberen te doen.

'Zo erg is dat niet, Penny.'

'Niet érg?'

'Ik bedoel, het was niet agressief. Ze liet me meteen met rust toen ik duidelijk liet merken dat ik niet van plan was om mee te doen. Ik kreeg het gevoel dat ze meestal te maken had met mannen die zich door haar lieten inpalmen.'

'Nou, geweldig,' zei Muis. En toen: 'Dat is wél erg. Jij weet dat niet, maar die... die Loins... heeft me al een hoop ellende bezorgd. De nacht voordat ik bij de Werkelijkheidsfabriek kwam werken...' Maar dat verhaal is haar toch te gortig.

'Nou, Penny,' oppert Andrew, 'als haar manier van doen je niet aanstaat, dan kun je haar altijd zeggen dat ze moet ophouden.'

'Hè?'

Hij knikt. 'Spoor haar op, daar binnen, en maak haar duidelijk dat je dat gedoe vervelend vindt. Je moet haar de wet stellen.'

'Zou dat iets uithalen?'

'De eerstvolgende honderd keer waarschijnlijk niet, maar als je haar op de huid blijft zitten...' Hij haalt zijn schouders op. 'Het is jouw huishouden, Penny – of tenminste, dat zou het kunnen worden, als je de leiding neemt.'

'Ik zal vandaag trouwens weer naar binnen moeten,' voegt hij eraan toe, 'om mijn vader te vragen hoe we moeten rijden, en ook om een gesprek voort te zetten waar we middenin zaten. En omdat ik Maledicta zo'n beetje heb beloofd dat ze vandaag een tijdje met tante Sam mocht optrekken, kunnen we de boel misschien op elkaar afstemmen: ik ga naar binnen om met mijn vader te praten, jij gaat naar binnen om met Loins te praten, en intussen laten we Maledicta en tante Sam het volgende stuk rijden.'

'Maledicta...' Muis knippert met haar bloeddoorlopen ogen. 'Lijkt je dat een goed idee?'

'Ik zal van tevoren wel met tante Sam praten, haar op het hart drukken dat ze geen leuke zijslingertjes inlast. En Maledicta, als je het haar vriendelijk vraagt...'

Muis is sceptisch, maar ze beseft wel wat de eigenlijke oorzaak is van haar afkeer van dat plan: niet dat ze zich ongerust maakt over wat Maledicta zal uithalen met het lichaam, maar dat ze bang is voor wat ze misschien wel tegenkomt in de grot. Ze denkt aan het kleine meisje in haar feestjurk. 'En als Loins en ik nu niet met elkaar kunnen opschieten?' vraagt ze. 'Of als ik daar binnen iemand anders tegenkom met wie ik helemaal niet wil praten?'

'Dan zeg je dat tegen die iemand, dat je niet met hem of haar wilt praten.' Hij denkt even na. 'Toen je bij dokter Grey was, heeft ze je toen in zo'n toestand gebracht waarin je een mijnwerkershelm moest dragen?'

'Ja.'

'Dat heeft ze ook met mijn vader gedaan,' zegt Andrew. Hij zei dat het echt had geholpen, in de tijd voordat hij wat licht in de duisternis was gaan zien. Neem die helm mee als je naar binnen gaat om met Loins te praten – dan hoef je nergens bang voor te zijn.'

Ze rekenen af met het motel. Na het ontbijt gaan ze naar een Shellstation om te tanken (Andrew was er de avond tevoren zo op gebrand om nog 'een klein eindje' door te gaan dat hij de tank zowat leeg heeft gereden). Aangezien Maledicta zichzelf ooit tot tankvulster heeft benoemd, gaan ze maar meteen over tot de identiteitswisseling – eerst roept Andrew Sam naar buiten, en vervolgens roept Muis, met heel wat minder animo, Maledicta.

De mijnwerkershelm ligt in de ingang van de grot, vlak vooraan. Muis raapt hem op en zet hem op haar hoofd – hij zit weer als gegoten, net als de vorige keer – en het lampje gaat aan.

'Godverklote, Sam, ik heb het allemaal al precies uitgestippeld,' zegt Maledicta buiten, met een sigaret in haar mondhoek. 'We blijven op deze weg zitten tot aan de grens met Illinois, maar enkel en alleen om een brave indruk te maken; dan slaan we schuin af naar het zuiden, en bij St. Louis zakken we regelrecht af naar beneden. Als we een beetje doorscheuren en nergens stoppen om te pissen, godverklote, dan kunnen we morgenochtend al in Santa Fe zitten...'

Hopelijk is dat maar een grapje, denkt Muis. Aan de andere kant: als Maledicta en Sam werkelijk rare streken gaan uithalen, dan is dat een handig excuus om vlug een eind te maken aan het experiment.

Muis daalt af naar de grote grot; bij de ingang blijft ze even staan luisteren of ze voetstappen hoort. Maar nee, het regelmatige in- en uitademen van de slapers is het enige geluid. Toch is ze zenuwachtig, en ze vraagt zich af of het lampje van de helm misschien niet feller kan branden. Ze voelt eens, en jawel: aan de zijkant van het lampje zit een knopje. Muis draait er eens voorzichtig aan en het licht wordt veel krachtiger, helder genoeg om elke naderende herinnering te verblinden.

Prima. Muis draait het licht weer wat lager, want ze wil ook weer niet te veel zien als het niet hoeft.

Het hoopje witte steentjes ligt nog op dezelfde plaats waar ze ze de vorige keer heeft laten vallen. Ze begint ze weer op te rapen, maar aarzelt dan, want ze bedenkt dat het lastig is om met zo'n verzameling steentjes rond te lopen; ze heeft liever op z'n minst één hand vrij voor het geval ze het lampje op haar helm moet bijstellen. Ze kijkt nog eens wat om zich heen en ontdekt nu ergens een rol dik wit pakgaren, om een klos gewonden ook nog.

'Goed, nu de zaak ergens aan vastmaken...' Haar oog valt op een geschikte stalagmiet. Muis bindt het ene uiteinde van het pakgaren eraan vast en trekt er een paar keer hard aan. De knoop houdt het.

'Oké.' Muis besluit om bij wijze van extra veiligheidsmaatregel, voor als het touw het misschien ergens mocht begeven, langs de wand van de grot te blijven lopen. Ze doet iet-wiet-waait-weg om een richting te kiezen en slaat af naar links; onder het lopen wikkelt ze het pakgaren af.

Ze is nog niet al te ver als ze een bekend geluid hoort – en meteen blijft ze stokstijf staan. Deze keer zijn het echter geen naderende voetstappen. Het is water. Gespetter. Er hangt nu ook een bepaalde lucht, een zilte, muskusachtige geur, net warme pekel. Opeens weet Muis dat ze op het juiste spoor zit. Ze loopt verder en komt uit bij een opening in de wand van de grot. De ruimte erachter baadt in een zacht, roze licht.

Muis gaat naar binnen. Het is een spelonk, een soort holte als in een rotswand aan zee, of een door dieren gebruikte schuilplaats in de bergen. Middenin ligt een glanzende kolk, van onderen verlicht, alsof de onbekende kracht die de poel in de bodem heeft uitgehold ergens in de diepte op neon is gestuit. Muis loopt naar de rand en ziet zichzelf ronddrijven in het licht dampende water.

Nee, ze is het toch niet: de ziel in de kolk ziet er wel net zo uit als zij – ook weer niet als een dubbelgangster, al scheelt het niet veel –, maar in wezen verschillen Muis en die ander van elkaar als dag en nacht.

Loins.

Natuurlijk is ze naakt. Ze ligt op haar rug, en haar armen en benen, die zich loom door het water bewegen, veroorzaken kleine golfjes die tegen haar omhoogwijzende borsten kabbelen, en tegen haar... O god, dat is toch walgelijk! Muis staart ernaar, een en al weerzin, maar ook gefascineerd.

Het is de uiterlijke gelijkenis die haar niet lekker zit. Niet dat Muis er ooit een seconde bij stilstaat, maar ze weet dat het waar is: ze heeft de seksuele aantrekkingskracht van een klodder modder. Ze is nooit sexy geweest, haar hele leven niet. Maar Loins is dat wel. Het valt niet mee om te zeggen waar dat 'm precies in zit – eigenlijk doet ze op dat ogenblik niets, ze dobbert alleen maar wat rond –, maar het is onmiskenbaar, op de een of andere manier straalt ze het gewoon uit, andere mensen die hier stonden te kijken zouden het ook zien. En als Loins sexy kan zijn, en Loins op Muis lijkt, dan zou dat toch inhouden, denk je, dat Muis ook sexy kan zijn, dat ze het in zich heeft.

Dit zijn gedachten waar Muis niets van wil weten. Schandalige overwegingen, alwéér een aanslag op haar toch al bezoedelde karakter. En toch bespeurt ze een ogenblik – krap een milliseconde – een verbazing die niet geheel en al onplezierig aanvoelt.

Dan komt de schaamte opborrelen, en Muis hoort haar moeders stem die haar veroordeelt, haar stijf vloekt omdat ze haar goede gesternte te grabbel wil gooien, alles naar de bliksem wil helpen vanwege zo'n jong uit Prollendorp. Het wordt haar haast te machtig – Muis moet haar uiterste best doen om niet in een black-out te vluchten.

Dan merkt Loins haar op. Spetterend werkt ze zich in een verticale positie en haar handen komen omhoog om haar natte haar naar achteren te strijken, een gebaar met als (waarschijnlijk beoogd) neveneffect dat haar tepels goed uitkomen. Haar mond vertrekt zich tot een grijns.

'Zo,' zegt ze, 'dat had ik nooit verwacht, om jóú hier beneden te zien. Kom je ook zwemmen?'

Muis maakt een kokhalsgeluid.

'Nee dus, hè?' giechelt Loins. Ze maakt aanstalten om de kolk uit te komen; Muis deinst haastig terug. 'Nou, wat kom je doen? Gaat het om gisteravond?' Loins stapt uit het water en pakt een handdoek die over een rotsblok hangt. Ze droogt zich af – haar, gezicht, hals, armen, rug, borsten, buik – en steeds weet ze de handdoek zo te hanteren dat Muis zo veel mogelijk blote huid te zien krijgt. 'Er is niks gebeurd, hoor. Ik heb wel geprobéérd om met Andrew te neuken, maar hij wou helemaal niet meedoen...'

Nu haar bovenlichaam droog is, zet Loins één voet op het rotsblok, haalt de handdoek tussen haar benen door en slaat stevig aan het wrijven, veel energieker dan nodig is. Haar hoofd kantelt achterover en ze houdt even op met praten.

Muis doet haar ogen dicht.

'O jéé!' roept Loins, en in haar stemgeluid klinkt een heleboel door wat Muis niet kan zien. 'Ah..! Sorry hoor. Waar hadden we het over? O ja, over Andrew – hij was op en top een heer.' Ze lacht. 'Oersaai, dat wel... Al was hij aan de andere kant ook weer een schatje, vind ik, want hij deed zijn best om jouw kuisheid in bescherming te nemen.' Nog meer gelach. 'Hij heeft me stevig onder handen genomen... in het nette dan.'

Hou óp, denkt Muis.

'Jawel, hij heeft me een fikse uitbrander gegeven. Werd ik best wel pissig van. Maar hij zei een paar aardige dingen over jou... Ik weet niet, misschien moest je eens proberen een potje met hem te neuken.'

'Hou op,' zegt Muis, nu weer met haar ogen open, maar wel afgewend, en dat is niet bepaald de manier waarop je iemand de wet stelt. Ze dwingt zichzelf om Loins recht aan te kijken. 'Zeg niet zulke dingen.'

Loins, die zich intussen helemaal heeft afgedroogd, heeft de handdoek om haar nek gehangen – maar het ding is gekrompen tot de afmetingen van een washandje, dus er wordt niets door bedekt. Ze is nog steeds naakt. 'Wat niet, "een potje neuken"? Ik dacht dat je daar wel aan gewend was geraakt, dankzij je omgang met Maledicta. Maar ja, misschien hoor je het langzamerhand niet meer, wat voor taal ze uitslaat.' Ze gaat op het rotsblok zitten. 'Wat wil je: dat ik dat niet meer zeg, of dat ik dat niet meer doe?'

'Dat je dat niet meer doet.' Moeizaam brengt ze uit: 'Ik heb er genoeg van om... wakker te worden met vreemde kerels naast me.'

'Dus je wilt dat ik ermee ophou om gasten op te pikken in cafés?'

'Ja.'

'Ja,' echoot Loins, en heel even klinkt ze redelijk en plooibaar, alsof dit geen enkel probleem is. Maar dan krijgt haar glimlach weer een vals trekje. 'Tja, we willen allemaal nu eenmaal íéts, hè? Ik wil lol maken.'

'Lol maken.' Alle verachting die ze maar kan opbrengen laat Muis doorklinken in die woorden. 'Is dat de reden dat je zo nodig dronken moet worden? Is dat de reden dat je die kerels 's morgens op mij afschuift, zodat ik me maar met ze moet zien te redden?'

'Die ochtenden zijn maar vervelend,' zegt Loins onverstoorbaar. 'En wat drinken betreft: meestal ben ík dat niet eens, en als ik het wel ben, dan hoort dat gewoon bij de feestvreugde. Dan heeft een mens pas écht lol – dat zou je kunnen weten, als je de moed had om zelf eens zoiets te ondernemen. Maar wil je weten wat het geweldigste is aan het hele gebeuren?'

'Nee, ik wil alleen dat jij...'

'Het is niet zo'n neukpartij zelf – o, ik wil er niet omheen draaien: dat kan ook heel leuk zijn, als zo'n kerel een beetje van wanten weet. Maar echt het geweldigste aan zo'n avondje stappen is de beginfase, als je ze aan de haak probeert te slaan, en als je ze zo hitsig krijgt dat ze nog maar één ding willen: jou. Dát ogenblik, als je weet dat je ze hebt ingepakt, als je weet dat ze tot alles bereid zijn om jou te krijgen... Mmm, daar kan niks tegenop.' Loins sluit haar ogen, alsof ze genietend opgaat in een herinnering. 'O jee...' Ze buigt zich achterover. 'Ik hoef er maar aan te denken, of ik voel het... ah... híér.' Haar voeten komen van de grond, ze nestelen zich onder haar achterste, haar knieën wijken uiteen – en Muis staat daar te gapen, terwijl haar mijnwerkerslampje als een schijnwerper een felle gloed werpt op...

Het is te veel. Muis gaat ervandoor. Wankelend op haar benen loopt ze de spelonk uit en de grote grot in. De mijnwerkerslamp gaat uit – het is haar wil die hem dooft – en blindelings strompelt ze in het donker verder naar het hart van de grot, werpt zich tussen de slapers en laat de schaamte over zich heen walsen.

De tijd verstrijkt. Muis ligt in het donker, af en toe vaag bij zinnen en dan weer wegzwevend, totdat ze een rukje voelt aan het pakgaren dat nog om haar hand gewikkeld zit –

– en dan is het middag, en Muis en Andrew zitten aan een tafel in een restaurant. Te oordelen naar de lege schoteltjes op hun tafel – en het opgeblazen gevoel in Muis' maag – hebben Maledicta en Sam zich zojuist volgestopt met kwarktaart en andere zoetigheid. 'Sam!' roept Andrew uit als hij de rekening bestudeert.

'H-hoe is je gesprek gegaan?' vraagt Muis. Zo'n beetje even goed als haar tête-à-tête met Loins, als je kunt afgaan op zijn manier van doen.

'Ik heb een nieuwe plaats opgekregen waar ik langs wil voordat we naar Seven Lakes gaan,' zegt Andrew. 'Met een beetje geluk is Seven Lakes dan niet eens zo belangrijk meer.'

'Oké,' zegt Muis. Door het raam kijkt ze naar de parkeerplaats van het restaurant, en ze ziet niet al te veel verschil met de andere parkeerterreinen langs de snelweg die de afgelopen drie dagen voorbij zijn gekomen. 'Waar zitten we nu?'

'In Gary, Indiana,' zegt Andrew. 'We zijn er bijna.'

Hij rekent af en ze gaan naar de auto; Muis rijdt. Een halfuur later zijn ze in Michigan. Ze volgen de kustlijn van het grote meer en aan het eind van de middag zijn ze in Muskegon. De geboorteplaats van Andy Gage ligt een eindje verder landinwaarts, maar Andrew laat Muis eerst verder rijden in noordelijke richting.

Op het laatst gaan ze van de snelweg af en nemen een smalle tweebaansweg die vlak langs de oever van Lake Michigan loopt. Na een paar kilometer komt er een splitsing; de ene weg daalt af naar een zandstrand en de andere loopt met een boog omhoog naar een met bomen begroeide landtong. Ze nemen de hoogste weg.

De begraafplaats heet Lake View: een terrein van zo'n honderd bij honderd meter met met gras overwoekerde graven vlak langs de rand van de landtong, omgeven door een laag natuurstenen muurtje. Eromheen staan hier en daar groepjes esdoorns. Vanaf de rand loopt het terrein glooiend op, zodat de rijen zerken doen denken aan de zitplaatsen in een amfitheater. 'Lake View,' merkt Maledicta honend op vanuit de ingang van de grot. 'Godverklote zeg, degene die díé naam heeft verzonnen, die heeft nog eens een bevlogen moment gehad!'

'Hou je mond,' zegt Muis, nog steeds misselijk van al die stukken taart, om maar te zwijgen van alle sigaretten.

'Wat? Wat zei je daar, godverklote?'

'Je hebt me best gehoord.' Tegen Loins mag Muis dan niet op kunnen, voor Maledicta is ze niet bang meer.

Andrew is al uitgestapt. Hij loopt naar de poort van de begraafplaats en blijft daar staan. Het is Muis niet duidelijk of hij bang is, of alleen in gedachten verzonken. Ze trekt zorgvuldig de handrem aan – het parkeergedeelte ligt ook op een helling – en gaat naar hem toe.

'Andrew?' zegt Muis.

'Het doet me hier denken aan de pompoenenakker,' zegt hij. 'Het ziet er niet precies hetzelfde uit – wij hebben niet zoveel graven –, maar toch...' Hij kijkt haar aan. 'Wil je m'n hand vasthouden?'

Ze knikt en legt haar hand in de zijne. Andrew ligt de klink van de poort op. Ze gaan naar binnen.

'Ze zullen niet hier begraven liggen,' zegt Andrew als ze tussen de rijen van het amfitheater door lopen. 'Dit is maar een gedeelte van de begraafplaats, het oudste, en mijn vader zei dat het hier al een hele tijd geleden vol was komen te liggen.' In het voorbijgaan bekijkt Muis een paar zerken wat beter, en jawel: de recentste dateren uit eind jaren vijftig.

Andrew stevent af op een opening in de lage muur; van daaraf kronkelt een pad tussen de bomen omhoog naar nog een dodenakker. Die tweede is veel groter dan het amfitheater, maar heeft geen uitzicht op het meer, tenzij je bereid bent om op een van de hogere grafmonumenten te klimmen.

'Oké,' zegt Andrew, die even is blijven staan om overleg te plegen met een lid van zijn huishouden. 'Oké.' Hij wijst. 'Die kant op.'

In een schuine lijn lopen ze naar de andere kant van de begraafplaats. Andrew telt zachtjes de rijen; bij de vijfentwintigste gaat hij langzamer lopen en bekijkt hij elke zerk afzonderlijk.

'Welke naam zoeken we?' vraagt Muis.

'Die van de stiefvader,' zegt Andrew. 'Daar.'

'Het is een enorme verticale steen van gepolijst graniet, zo een als doorgaans gebruikt wordt ter nagedachtenis van hele families. De ingebeitelde inscriptie luidt:

HORACE GARFIELD ROLLINS
3 februari 1932 – 24 mei 1991
Hier rust ik slechts
Tot ik naar het huis
Mijns Vaders word geroepen

Andrews gezicht verraadt een wirwar van gemoedsaandoeningen. Maar wat hij in de eerste plaats voelt, is boosheid. Zijn handen ballen zich tot vuisten, en Muis' hand wordt haast tot moes geknepen, zodat ze een kreet van pijn slaakt. 'Sorry,' zegt Andrew afwezig, en hij laat haar los.

Hoofdschuddend kijkt hij naar Horace Rollins' grafsteen. '24 mei. Dat is de verkeerde datum.'

'Hoezo?'

'Dat is niet de datum waar ik op had gehoopt,' verduidelijkt Andrew – alleen wordt Muis geen greintje wijzer van dat antwoord.

Andrew blijft nog een poosje naar de zerk staan kijken. Dan zegt hij 'Oké', doet een stap achteruit en keert zich naar het graf rechts ervan, dat volgens de steen toebehoort aan Julian Green, overleden op 5 juni 1996.

Er verschijnen een paar rimpels in Andrews voorhoofd. Hij kijkt naar de plaats links van Horace Rollins, maar die is nog leeg.

'Waar is ze?' vraagt Andrew, maar niet aan Muis. 'Zou ze dan misschien toch niet... Nou, ze ligt dus niet waar ze zou moeten liggen, vader.'

Andrew begint aan een systematische speurtocht langs de naburige graven. Drie rijen verderop vindt hij wat hij zoekt.

Deze steen is veel subtieler: een dunne, witmarmeren plaat met roze aderen. Het opschrift luidt:

Althea Gage
8 december 1944 – 16 december 1994
Innig bemind

'1994,' zegt Andrew, en deze keer verraadt zijn gezicht geen tegenstrijdige gevoelens, maar louter verdriet. 'Het is dus waar.'

Muis hoeft niet te vragen wat hij bedoelt. Het is duidelijk dat Andy

Gage' moeder niet gestorven is toen hij nog klein was; en het feit dat ze hier ligt, zo dicht bij Andy Gage' stiefvader, doet bovendien vermoeden dat ze er niet vandoor is gegaan... al is het wel intrigerend dat ze niet naast de stiefvader ligt, want dat moet toch wel de bedoeling zijn geweest.

Er wellen tranen op in Andrews ogen, eerst langzaam, maar plotseling knakt zijn hele gestalte en wordt hij overmand door een hevige huilbui. 'Mama,' zegt hij, en die stem is niet van Andrew, maar van Aaron.

Muis doet een paar stappen naar hem toe; ze zou hem graag troosten, maar weet niet goed wat ze moet doen. Hij kijkt haar even zijdelings aan en door zijn tranen heen glimlacht hij bitter. 'Zie je dat?' zegt hij. 'Jij dacht dat je niks waard was. Maar jouw moeder had tenminste nog íéts van gevoel voor je, ook al was dat verdorven. Maar onze moeder...'

Hij kijkt weer naar de steen, en nu slaat zijn bitterheid om in woede. 'Waarom kon je niet van ons houden?' vraagt hij dwingend. 'Hoe kon je van hém houden, en niet van ons? Hè?'

Plotseling draait hij zich om en tussen de rijen door stuift hij naar de steen van Horace Rollins, alsof hij van plan is het ding omver te trekken. Maar tegen zo'n massief, onwrikbaar blok kan hij niet op; zijn vuisten schampen af tegen het glanzende oppervlak zonder iets aan te richten, en als hij zich er met zijn volle gewicht tegenaan werpt, trilt de steen amper, terwijl hij zijn evenwicht verliest en achterover tuimelt.

'Aaron!' roept Muis, en ze rent naar hem toe om te kijken of hij zich niet lelijk heeft bezeerd. Hij ligt weer te huilen. Als ze zich over hem heen buigt, heft hij een arm op en grijpt haar hand; zijn geschaafde knokkels bloeden.

'Waarom hield ze niet van ons?' vraagt hij tussen zijn snikken door. Muis weet niet wie daar nu praat. 'Wat konden we nu helemaal hebben gedaan dat ze ons zo volslagen afwees...'

'Ik weet het niet,' is het enige antwoord dat Muis kan bedenken. 'Sorry, Aaron... Andrew... ik heb geen idee.'

Hij laat haar hand weer los, gaat op zijn zij liggen en kruipt helemaal in elkaar.

'Waarom hield ze niet van ons?' jammert Andy Gage. 'Waarom niet?'

BOEK NEGEN

Naar huis

25

'Jij dacht dat onze moeder was gestorven toen Andy nog heel klein was, hè?' vroeg mijn vader.

'Ik heb daar eigenlijk nooit goed over nagedacht,' zei ik. 'Ik bedoel, goed, ik nam geloof ik gewoon aan dat ze al tijden dood was – zo klonk het als jij over haar praatte –, maar ik heb nooit zo stilgestaan bij die vraag. Waarom zou ik? Dat is mijn taak niet, omkijken.'

We zaten op de stoep voor het huis. Bij daglicht: de mist was opeens opgetrokken, al lag het meer er nog wel helemaal in gehuld. Die ochtend had mijn vader in alle vroegte kans gezien het spreekgestoelte te repareren (onmiskenbaar lapwerk, maar het ding vervulde zijn functie weer), en Seferis had zich daar boven geposteerd om het lichaam in het oog te houden – of liever gezegd: tante Sam, die in het lichaam zat en met Maledicta onderweg was door Wisconsin.

'Dit is het programma van de begrafenis van onze moeder,' zei mijn vader. Hij hield het blaadje in de hoogte dat hij de dag tevoren onder de mysterieuze deur vandaan had getrokken. 'Het origineel had ik weggegooid, maar blijkbaar heeft iemand een kopie mee naar binnen genomen toen ik even niet oplette... óf het geheugen is op eigen houtje aan het werk geweest.'

Hij gaf het me. Voorop stond de naam Althea Gage, met een datum erbij.

'December 1994,' zei ik verwonderd. 'Klopt dat? Maar drie jaar geleden?'

'Tweeënhalf.'

'Zo kortgeleden maar?' Met een schok drong er iets tot me door: 'Dat was dus maar twee maanden voordat ik ben geboren.'

Hij knikte. 'Ik kreeg dat bericht over onze moeder in dezelfde week dat dokter Grey haar eerste beroerte kreeg.'

'En heeft dat iets te maken gehad met je besluit om...'

Hij barstte in huilen uit.

Ik had mijn vader al heel wat keren boos gezien, maar nog nooit had ik hem zien huilen. Ik wist niet dat hij daartoe in staat was. Maar nu stroomden de tranen hem uit de ogen, en zijn ziel schokte van de krampachtige snikken. Ik vond het vreselijk om te zien, maar het joeg me ook angst aan, en ik betrapte mezelf erop dat ik telkens naar de lucht keek om te zien of de zon zich nu meelevend terugtrok. De zon deed niets van dien aard, maar ik had er een eed op kunnen zweren dat de mist boven het meer weer dikker werd.

'Ik hield van haar, weet je,' zei mijn vader toen hij weer kon praten. 'Ik hield van haar, en jarenlang heb ik uitgekeken naar een teken, het gaf niet wat, dat zij ook van mij hield. Van alle hoopgevoelens die ik ooit heb gekoesterd was dat het sterkst, en ook het gevoel dat het langst stand heeft gehouden. Haar liefde, daar verlangde ik het allermeest naar, die wilde ik nog liever dan dat ik aan hém wilde ontsnappen.'

'De stiefvader,' zei ik, en er viel weer een kwartje. 'Dus zij was daar ook, ze woonde in hetzelfde huis, al die tijd dat hij...'

'Ja.'

'Wist ze het?'

'Wat een stomme vraag, Andrew. Natuurlijk wist ze het. Zijzelf heeft ons nóóit misbruikt,' voegde hij er met klem aan toe. 'Niet één keer. En wanneer we met z'n tweetjes thuis waren, als híj er niet was, dan hadden we het prima. Geweldig zelfs. Maar als hij er was... Dat wist ze.'

'Dan was zij net zo'n slecht mens als hij,' zei ik.

Woedend viel hij tegen me uit: 'Hoe durf je dat te zeggen! Jij bent er niet bij geweest! Waag het niet om dat ooit nog eens over haar te zeggen!'

'Het spijt me, vader, maar je weet best dat dat zo is. Als zij wist wat er aan de hand was, en geen vinger uitstak om er een eind aan te maken...'

Hij verdween. Zijn gezicht kreeg een hoogrode kleur, totdat ik dacht dat hij me een dreun zou verkopen, en toen was hij opeens spoorloos. En paar seconden later klonk er in het bos achter het huis een reeks doffe klappen: de ene boom na de andere werd uit de grond gerukt en woedend een eind weggesmeten. Dat ging een tijdje zo door, en weer keek ik naar de lucht, deze keer in de verwachting dat er meteoren te zien zouden zijn.

Het lawaai stierf weg. Mijn vader verscheen weer naast me, rustiger nu.

Ik deed geen poging om de draad weer op te pakken. 'Maar waarom heeft ze dat gedaan?' vroeg ik. 'Zou ze echt zoveel van de stiefvader hebben gehouden dat ze hem zijn gang liet gaan met...'

'Ik weet niet wat haar motieven zijn geweest,' zei mijn vader. 'Wat er in haar omging. Nooit geweten. Het enige wat ik erover kan zeggen, is... dat het haar blijkbaar goed uitkwam, dat huwelijk met hem, dat het haar zo goed uitkwam dat ze bereid was om haar ogen te sluiten voor... om door de vingers te zien dat hij...' Zijn zelfbeheersing raakte weer aan het wankelen. 'Ze moet wel van hem gehouden hebben, denk ik, als ze tenminste ooit van iemand heeft gehouden. Meer dan ze van mij hield.

En toch,' vervolgde hij, 'bleef ik hopen en uitkijken naar een teken. En één keer heb ik gedacht dat het zover was. Dat was tegen het eind van de middelbare school, toen het ogenblik kwam om een aanvraag voor een plaats in te dienen bij een aantal universiteiten. De stiefvader wilde niet dat ik de deur uit ging, maar zij is toen tegen hem ingegaan om mij te helpen. Dat is de enige keer geweest dat ik haar ooit met hem heb zien hakketakken. En toen dacht ik: daar heb je het, dat is het bewijs. Misschien is ze niet in staat om te verhinderen dat hij... dat hij dát met me uithaalt, zolang we met elkaar onder één dak wonen, maar nu probeert ze toch me te helpen om te ontsnappen. Ze geeft wél om me. Ze houdt wel degelijk van me...'

Hij schudde zijn hoofd. 'Ik had me daar toen niet in moeten vastbijten; ik had gewoon moeten geloven wat ik zo graag wilde geloven en daar tevreden mee zijn. Maar dat was me niet genoeg; ik moest en zou proberen dat idee bevestigd te krijgen. Dus toen het eenmaal vaststond dat ik ergens anders zou gaan studeren, nam ik haar op een keer apart om haar te bedanken. Ik zei dat ik haar heel dankbaar was en ik zei dat ik heel goed begreep wat dat eigenlijk betekende, dat ze zo voor me was opgekomen.

Maar ze sneed me meteen de pas af. Ze zei dat ik me niet van alles in het hoofd moest halen. Dat dat niet iets was wat ze had gedaan om mij te helpen. Alleen... ze had er genoeg van om met mij te concurreren om zijn aandacht.' Hij zweeg even, en ik dacht dat hij nu weer in snikken zou uitbarsten, maar nee, hij vertoonde een lachje, een afgrijselijk lachje. 'Dus dat... dat was niet de reactie waarop ik had gehoopt.'

'En daarna heb je alle hoop laten varen...'

Hij lachte zowaar. 'Kom nou, Andrew,' zei hij. 'IJdele hoop dooft niet zo snel. Dat zou jij toch moeten weten.'

'Maar toen ze zoiets vreselijks tegen je had gezegd, hoe kon je toen dan nog hopen dat ze misschien toch...'

'Jij hebt de stiefvader nooit gekend. Die man had... een bepaalde macht. Hij was een monster, maar hij kon ook charmant zijn, en als zijn charme niet hielp, zette hij zijn overredingskracht in. Hij kon je zover krijgen dat je bepaalde dingen zei, of juist niet. Pas tijden nadat we aan hem waren ontsnapt zag ik kans andere mensen te vertellen wat hij had uitgespookt; en omdat hij dat soort macht over me kon uitoefenen zonder dat hij zelfs maar in de buurt was, had ik er geen moeite mee om te geloven dat hij ook zoveel macht over onze moeder uitoefende, en dat, als ze zulke dingen zei, die niet echt uit haar mond kwamen, dat ze eigenlijk alleen maar... zijn spreekbuis was.

Maar hij was ouder dan zij. En hij dronk; in de loop van de tijd ging hij steeds meer drinken. En ik bedacht dat ze hem naar alle waarschijnlijkheid zou overleven, en dat er ooit een dag zou komen – wie weet zou het tien jaar duren, of twintig, maar dat gaf niet – dat ze niet meer onder zijn invloed zou staan, en dan... dan zouden eindelijk haar ware gevoelens naar buiten komen.'

'Dat is...'

'Belachelijk?' zei mijn vader. 'Dat zal wel, ja. Maar niet té belachelijk om er al je hoop op te vestigen.'

'En jij was bereid om daarop te wachten?' zei ik. 'Totdat hij dood zou gaan door een natuurlijke oorzaak?'

'Dat was geen kwestie van bereidheid. Ik hád hem niet kunnen vermoorden. Ik had niet eens het lef om hem te laten ophouden mij als zijn neukgerei te gebruiken, dus om een eind te maken aan zijn leven...' Hij schudde zijn hoofd. 'Dat had ik nooit gekund. Me aan zijn greep onttrekken, dat was de enige manier waarop ik het van hem kon winnen. Mijn wraak zou eruit bestaan dat ik hem overleefde en dat ik misschien ooit zou schijten op zijn graf – maar dan wel nadat hij daar uit eigen beweging naartoe was verhuisd.'

'O, trouwens, ís de stiefvader eigenlijk...'

'Ja hoor,' zei mijn vader. 'Hij is dood. Maar dat is iets wat ik tijdenlang niet heb geweten. Dat ik ging studeren, dat was pas de eerste stap van mijn tocht op weg naar de vrijheid. De Universiteit van Michigan, waar ik toen begon, was eigenlijk nog niet ver genoeg van huis. Vandaar was het maar twee uur met de auto naar Seven Lakes. In het eerste semester heeft hij nota bene geprobeerd me op te zoeken, op de campus. Twee keer heeft hij dat gelapt. De eerste keer wist ik dat hij in aantocht was, dus heb ik me toen drie dagen lang verstopt. De tweede keer had hij zich niet aangekondigd, en toen is het erop uitgedraaid dat ik uit een raam sprong om aan hem te ontkomen.

Een derde keer is er niet meer van gekomen. Na dat onverwachte bezoek ben ik daar weggegaan zonder een adres achter te laten...' Hij zweeg even en verbeterde zichzelf: 'Ik zeg nu wel "ik", maar eigenlijk was het Gideon die dat heeft gedaan. Gideon en waarschijnlijk ook Adam. Het enige wat ik heb gedaan, was dat ik op een middag mijn ogen sloot in East Lansing, en toen ik ze weer opende, was het negen maanden later en zat ik in Ann Arbor.

Ik ben nooit meer terug geweest in Seven Lakes. Ik heb ook nooit meer gebeld, zelfs niet vanuit een cel – ik had graag de stem van onze moeder nog eens gehoord, maar ik was altijd bang dat hij me dan op de een of andere manier zou kunnen opsporen, of dat hij zelfs gewoon door de lijn naar me toe zou kruipen. Dus bellen deed ik niet, en schrijven ook niet, maar ik verzon wel een slimme manier, dat vond ik zelf tenminste, om de toestand daar in het vizier te houden: af en toe belde ik inlichtingen om naar het telefoonnummer van de stiefvader te informeren. Ik ging ervan uit dat hij, zolang hij in het telefoonboek stond, nog leefde; het kwam niet bij me op dat onze moeder het nummer ook na zijn dood misschien gewoon op zijn naam zou laten staan.

Maar goed, ik zat dus in Ann Arbor. En dat gedeelte van de geschiedenis ken je grotendeels al: stapje voor stapje kwam ik – kwamen we – van alles aan de weet, kregen we in de gaten dat we aan een meervoudigepersoonlijkheidsstoornis leden. Uiteindelijk kwamen we dus dokter Kroft tegen, en met hem hebben we toen samengewerkt totdat we het met elkaar aan de stok kregen. En daarna verhuisden we naar Seattle en stuitten op dokter Grey.

Die episode ken je. Maar wat ik je nooit heb verteld, omdat ik vond dat het er niets toe deed, is dat ik op het laatst toch nog een keer heb geprobeerd contact op te nemen met onze moeder. Dat was een tijdje nadat we in therapie waren gegaan bij dokter Grey. Die therapie was geweldig, en op een gegeven ogenblik bespeurde ik iets wat je een vlaag van optimisme zou kunnen noemen – of een perverse drang om de boel eens goed te verpesten, wie zal het zeggen? Ik bedacht dat ik nog een keer wilde proberen in contact te komen met onze moeder om haar te laten weten dat we nog leefden, en om uit te vissen of ze ons miste. Of ze bereid was alsnog van ons te gaan houden.'

'O jee,' zei ik.

'Ja,' zei mijn vader. 'Dokter Grey vond dat ook geen briljant idee. Maar mevrouw Winslow moedigde me wél aan. Ik bedacht dat ik beter kon schrijven dan bellen – ik was nog steeds bang dat de stiefvader ons zou weten te vinden –, en mevrouw Winslow had een idee hoe ik het flink moeilijk kon maken om te achterhalen waar de brief vandaan kwam. Ik huurde een postbus in Seattle, want op weg naar Poulsbo kon ik daar gemakkelijk langsgaan om er even in te kijken, en ik schreef onze moeder met als afzender die postbus. Mevrouw Winslow beloofde me dat, mocht de stiefvader er op de een of andere manier toch achter komen waar we woonden, dat zíj dan wel korte metten met hem zou maken.' Hij glimlachte. 'Ik had er een lief sommetje voor overgehad om dat te zien. Hij was een geduchte kerel, maar mevrouw Winslow had hem wel aangekund.'

'Maar hij ís toch niet opgedoken, hè?'

'Nee. Hij was toen al dood. Maar onze moeder schreef ook niet terug. Ik heb een paar maanden afgewacht, en schreef toen nog eens, en daarna nog eens... vijf keer in totaal. De laatste keer zette ik niet eens meer die postbus op de envelop, ik vermeldde gewoon ons adres en telefoonnummer in Autumn Creek in die brief.' Hij schudde zijn hoofd. 'Stom... maar ze reageerde nog steeds niet.

Maar in januari 1995, vlak nadat dokter Grey in het ziekenhuis was opgenomen, kreeg ik een telefoontje van commissaris Bradley in Seven Lakes. Ik herinnerde me hem nog wel uit de tijd dat we nog klein waren, toen hij nog gewoon agent Bradley was – hij was bevriend geweest met onze vader, onze échte vader, en soms kwam hij bij ons langs om te kijken hoe onze moeder het maakte.'

'Had je het hem ooit verteld, van de stiefvader?'

'Ik heb het geprobeerd,' zei mijn vader. 'Eén keer. Maar ik was toen zo bang dat ik er niks van heb gebakken – hij had geen idee waar ik het over had – en naderhand wíst de stiefvader het op de een of andere manier, hij wíst dat ik iets ergs had uitgehaald... En van toen af, geloof dat maar, liet ik het wel uit mijn hoofd om ooit nog een poging te wagen om een boekje over hem open te doen.

Afijn, commissaris Bradley belde toen dus om me te vertellen dat onze moeder was overleden. Hij zei dat het hem speet dat hij niet eerder contact met me had opgenomen – de begrafenis was al achter de rug –, maar hij had nu pas onze laatste brief aan haar gevonden.'

'Die hééft ze dus ontvangen,' zei ik. 'En ze heeft hem bewaard.'

'Volgens mij was ze gewoon vergeten hem weg te gooien,' antwoordde mijn vader. 'In de loop van dat gesprek kwam aan het licht dat de stiefvader ook dood was, vier jaar al. Víér jaar – en dat gaf me echt een doodsklap. Ik bedoel, sorry, hij was iemand met geweldig veel gezag, dat weet ik wel, maar ergens in die periode had ze zich daar toch zeker wel aan kunnen ontworstelen?

En toen kwam de druppel die de emmer deed overlopen: Bradley zei dat er nog een reden was dat hij ons belde, behalve om ons te laten weten dat ze was gestorven: in haar testament had onze moeder alles nagelaten aan haar zuster. Alleen was gebleken dat die ook al dood was, en geen erfgenamen had. En daarom meende Bradley dat het niet meer dan billijk was dat wij het huis kregen, met alles erop en eraan. "Ik weet zeker dat je moeder het zo zou hebben gewild," zei hij.

Maar dat was niet waar.' Mijn vader keek me aan. 'Dat was niet waar, en ik kon niet langer de schijn ophouden voor mezelf. Ik weet niet wat we hebben misdaan, wat er aan ons mankeerde, maar ze hield niet van ons. Ze heeft nooit van ons gehouden.

En dát is de reden waarom ik jou toen naar buiten heb geroepen,' besloot hij. 'Wat dokter Grey toen overkwam, dat was vreselijk, maar daar was ik nog wel overheen gekomen. Maar onze moeder... het idee dat onze moeder...' De tranen sprongen hem weer in de ogen.

'Hoe is de stiefvader aan zijn eind gekomen?' vroeg ik.

'Hij heeft iets van een ongeluk gehad.'

'Een ongeluk?'

'Zo heeft Bradley het me verteld. Hij is verder niet in details getreden, en het kon me niet genoeg schelen om ernaar te vragen.'

'Nou, dat is dan niet het antwoord waarop ik had gehoopt,' zei ik.

'Het lijkt me toch echt niet dat wij daar iets mee te maken kunnen hebben gehad, Andrew,' zei mijn vader.

'Dat jij niet gelooft dat jíj hem had kunnen vermoorden wil nog niet zeggen...'

'Dat geldt niet alleen voor mij. Volgens mij had niemand van ons die hem kende dat gekund. Ook Gideon niet. Bovendien heeft Gideon nooit naar de liefde van onze moeder gesnakt. De enige liefde waar Gideon ooit behoefte aan heeft gehad, was die van Gideon.'

'Er bestaan nog wel meer redenen om iemand te vermoorden.'

'Wraakzucht, bijvoorbeeld?' Mijn vader schudde zijn hoofd. 'Of het nu om haat gaat of om liefde, met allebei heeft Gideon een probleem – je kunt er alleen zulke intense gevoelens voor anderen op na houden als je gedachten naar ze uitgaan, en Gideon denkt nu eenmaal alleen aan zichzelf.'

'Hij heeft er anders blijkbaar geen moeite mee om jou te haten.'

'Dat komt alleen doordat hij me niet kan negeren. Als wij niet samen opgesloten zaten in een en hetzelfde hoofd...'

'Speelt geld misschien een rol?' vroeg ik. 'Xavier heeft Penny verteld dat hij naar Michigan ging om een erfenis in ontvangst te nemen.'

'Nou ja,' gaf mijn vader toe, 'het is wel waar dat Gideon wilde hebben dat ik het huis in Seven Lakes nam. Dat was de aanleiding tot dat laatste gevecht tussen ons.' Hij keek naar het litteken op zijn hand. 'Ik had gedacht dat Gideon tot rust was gekomen, dat hij zover was dat hij zijn plaatsje in het geheel accepteerde, maar toen kwam dat telefoontje. Toen Gideon erachter kwam dat ik tegen Bradley had gezegd dat ik het huis van onze moeder niet wilde hebben, was hij razend. Hij zei dat het huis hem rechtens toekwam, en dat het nergens op sloeg dat ik het weigerde.'

'En op dat ogenblik deed hij een greep naar de macht?' Mijn vader knikte. 'En voor die tijd dan?' vroeg ik. 'Is het mogelijk dat Gideon ooit, toen de stiefvader nog leefde, bij hem heeft aangeklopt om te proberen... ik weet niet... een soort voorschot op zijn erfenis los te krijgen?'

'... en dat hij hem heeft vermoord toen de stiefvader nee zei?' Mijn vader reageerde sceptisch. 'Dat kan ik me haast niet voorstellen. Ik zei je al...'

'Misschien heeft hij het niet persoonlijk gedaan. Misschien dat hij iemand naar buiten heeft geroepen, een nieuweling, om dat voor hem op te knappen. Wie weet diende Xavier dáár wel voor.'

'Dat weet ik niet. Ik weet niets van ene Xavier af en ik vind dat gênant, maar...'

'Weet jij waar we waren op de dag dat de stiefvader dat ongeluk kreeg? Ik bedoel, bestaat er een klien kansje dat wij die dag in Seven Lakes waren?'

'Ik weet niet eens op welke datum hij precies is gestorven. Daar heb ik gewoon niet naar gevraagd.'

'Vader!'

'Wat kon mij dat schelen, Andrew? Ik was blij te horen dat hij er niet meer was, maar alle vragen die ik Bradley toen heb gesteld, hadden betrekking op onze moeder.'

'Weet je dan ongevéér wanneer...'

'Aan het eind van het voorjaar van 1991. Wij maakten toen een redelijk chaotische periode door. In die tijd heb ik ook die vreselijke trammelant gehad met dokter Kroft.'

'Dokter Kroft... Dus de kans bestaat dat we achter slot en grendel zaten in Ann Arbor toen de stiefvader zijn ongeluk kreeg?'

Hij knikte. 'Het hangt af van de datum. In april van dat jaar was de toestand meestal aardig stabiel; ik ben toen weleens een stukje tijd kwijtgeraakt, een paar uur hier en daar, maar nooit echt enorme brokken. Eind april heb ik... de 29ste, meen ik... een sessie gehad bij dokter Kroft waarop we hebben geprobeerd een fusie te forceren, en daar zijn vijf dagen op gevolgd waar ik geen weet van heb gehad. Maar de laatste drie van die dagen hebben we op een gesloten afdeling gezeten van het psychiatrisch centrum. Op 6 mei lieten ze ons lopen, en de dag daarop ging ik terug naar het centrum vanwege weer een afspraak met dokter Kroft – de laatste, zo bleek. Tijdens die sessie heb ik een woedeaanval gekregen, en vervolgens hebben we zo'n beetje twee weken weer op de gesloten afdeling gezeten.'

'Zo'n beetje twee weken?'

'Van de laatste twee weken van mei stond me naderhand niets meer bij,' zei hij. 'Toen ik op de 18de een black-out kreeg – het kan ook de 19de zijn geweest – zat ik nog op de afdeling. Toen ik op 2 juni weer bij zinnen kwam, zat ik in een Greyhound-bus op weg naar Seattle.'

Dit was een versie van onze voorgeschiedenis die ik nooit eerder had gehoord. 'Je bent bij zinnen gekomen in een bus? Maar ik dacht... Je hebt me altijd verteld dat je had beslóten uit Michigan weg te gaan.'

'Nou, dat ís ook een besluit geweest,' zei mijn vader. 'Ik bedoel, ik had in Chicago kunnen uitstappen en terugreizen. Maar toen ik in mijn portefeuille keek, vond ik daar een bankcheque ter waarde van mijn hele spaartegoed, daar zag het tenminste naar uit, en ook een nummer dat ik moest bellen om al mijn bezittingen opgestuurd te krijgen... Dus toen kreeg ik zo'n idee dat als ik terugging naar Ann Arbor, er me daar geen flatje meer zou wachten, of een bankrekening – en ik wist zeker dat ik geen werk meer had. En bovendien, voor mijn gevoel had ik gewoon ook geen enkele reden om terug te gaan. Ik had het helemaal gehad met dokter Kroft, en met dat hoofdstuk in mijn leven; het was tijd om aan iets nieuws te beginnen. Dus besloot ik – ík besloot dat, hè – om in die bus te blijven zitten en verder te reizen.'

'Maar...' Ik legde mezelf het zwijgen op. Dit was beslist een kwestie die ik naderhand nog verder wilde uitpluizen, maar op dat ogenblik vormde het een zijspoor. 'Dus er ontbreken twee volle weken. Van 18 of 19 mei tot 2 juni.'

'Klopt.'

'En dat is niet best.'

'Tja, het hangt ervan af op welke dag de stiefvader is overleden... Je zou dat kunnen nagaan door op zijn grafsteen te kijken, lijkt me. De begraafplaats ligt vlak buiten Muskegon, dus het is min of meer op je route.'

'Weet je ongeveer waar de stiefvader begraven ligt?'

'Ik weet wel waar onze moeder ligt. En ze zijn naast elkaar gelegd.' Hij staarde naar de mist boven het meer. 'Mocht je daar langsgaan...'

'Wil je werkelijk afscheid van haar nemen?'

'Ze was onze moeder,' zei hij.

We bleven nog een poosje praten en daarna zaten we nog een hele tijd zwijgend naast elkaar. Op het laatst stond mijn vader op en zei dat hij een ommetje ging maken in het bos. Ik bood aan hem het begrafenisprogramma terug te geven, maar hij wilde het niet hebben. 'Hou het zelf maar,' zei hij. 'En anders gooi je het maar in het meer.'

'Waar moet ik het dan bewaren? Ik kan het niet zomaar laten slingeren, en begraven wil ik het ook niet...'

'Als je het echt wilt houden,' zei mijn vader vermoeid, 'leg het dan maar in mijn kamer.'

Hij draaide zich om en verdween. Ik ging het huis in. Toen ik de trap op klom naar de eerste verdieping, viel me op hoe stil het was. Meestal zitten er op zijn minst een stuk of vier, vijf zielen in de gemeenschappelijke ruimte, of op de galerij. Vandaag was er niemand. Het huis leek wel uitgestorven, maar ik kon me niet voorstellen dat iedereen buiten was; waarschijnlijk hield een groot gedeelte zich schuil in zijn kamer.

De kamer van een ziel is een heel persoonlijk gebied – net zo persoonlijk, kun je wel stellen, als de hele geest van iemand die uit één enkele ziel bestaat, en doorgaans is toestemming om daar naar binnen te gaan, en al helemaal als de bewoner er niet is, een teken van enorm vertrouwen. In dit geval echter was mijn vader gewoon te moe om zich er druk over te maken dat ik daar zou gaan rondscharrelen. Niet dat er zoveel was om in rond te scharrelen. Mijn vaders kamer is een op en top Spartaans verschijnsel: vier wanden en een bed, dat is het wel zo'n beetje.

En juist door die extreem sobere inrichting kwam het dat ik, zonder dat ik dat van plan was geweest, ging rondneuzen. Ik moest een plekje zoeken voor het begrafenisprogramma. Het was zonneklaar dat mijn vader er niet voortdurend tegenaan zou willen kijken, dus ik kon het niet gewoon op de grond of op het bed gooien. Als hij nu een boekenkast had gehad, of koffers of een archiefkast, dan had ik het ding daarin gestopt, maar hij bezat niets van dat alles, en zodoende bleef er maar één plekje over: onder het bed. Toen ik mijn arm eronder stak, bleek daar echter al iets te liggen. Ik pakte het beet, enkel en alleen met de bedoeling het een eindje opzij te schuiven – dat zweer ik –, maar het draaide erop uit dat ik het naar voren trok om het te bekijken.

Het iets was een schilderij. Olie op doek, zo werkte tante Sam ook, maar dit had een heel andere stijl dan haar werk. Het doek vertoonde een afbeelding van een vrouw die een klein meisje tegen zich aan drukte. Er was geen sprake van een achtergrond, geen zweem van een herkenbare locatie; enkel en alleen die twee figuren. Het gezicht van het meisje, tegen de borst van de vrouw gedrukt, was niet te zien, maar het gezicht van de vrouw – het meest gedetailleerde gedeelte van het portret – straalde van liefde, en ook als ik haar niet herkend zou hebben van het fotootje in mijn portefeuille, was het niet moeilijk te raden geweest wie ze was.

Ik schoof het schilderij terug onder het bed, met het programma erop. Ik gaf niet toe aan de verleiding om de ruimte onder het bed nog wat verder te verkennen, stond op... en op dat ogenblik zag ik de Getuige die vanaf de galerij naar me stond te staren. Ze behoorde tot de iets oudere Getuigen, ze was een jaar of elf, twaalf.

'Wat wil je?' vroeg ik haar bruusk, in verlegenheid gebracht doordat ik als nieuwsgierig Aagje was ontmaskerd.

Ze gaf geen antwoord, draaide zich om en wandelde mijn gezichtsveld uit. Vlug liep ik naar de deuropening, maar inmiddels was ze al aan de andere kant van de galerij. Ze verdween in de kinderkamer.

Ik deed geen poging haar te volgen, maar ging naar beneden en probeerde de mysterieuze deur nog eens. Hij wilde nog steeds niet open. In een impuls klopte ik; ook dat leverde niets op, en de nagalm van mijn geklop in de gemeenschappelijke ruimte joeg me zo'n angst aan dat ik er schielijk mee ophield. Op het laatst liet ik me, omdat ik die luchtstroom weer voelde, op handen en knieën neer en legde mijn oor tegen de spleet onder de deur. Ik hoorde een zwak, onregelmatig gezucht, maar het konden evengoed gesmoorde snurkgeluidjes zijn.

Ik kwam overeind en voelde nogmaals een paar ogen prikken: de Getuige was terug op de galerij en stond me gade te slaan. Deze keer vroeg ik niet wat ze wilde; ik ging het huis uit. 'Sam!' riep ik, in de richting van de zuil van licht rennend. 'Het is tijd, Sam.'

We waren al in Indiana; tante Sam en Maledicta waren flink opgeschoten. Ze hadden zich ook keurig gedragen, afgezien dan van een toetjesorgie voor twintig dollar waar ik nog net het staartje van meekreeg. Maar daar deed ik niet moeilijk over; het was intussen halverwege de middag en ik wilde graag nog voor donker bij het graf van

Horace Rollins zijn om te zien of hij zo attent was geweest om in april, begin mei of in juni de laatste adem uit te blazen.

Niet dus, helaas. De sterfdatum op de grafsteen was 24 mei, en dat viel midden in die black-out van twee weken. We gingen dus nog niet vrijuit.

Het liep tegen zessen toen we de begraafplaats de rug toekeerden. We konden nog voor donker in Seven Lakes zijn, maar hoewel ik geen angstige of aarzelende houding tentoon wilde spreiden, wilde ik de zaak ook weer niet overhaasten; als we de volgende morgen arriveerden, was dat nog vroeg genoeg, vond ik.

We reden terug naar Muskegon en zochten een motel. Om een herhaling van de toestanden van de nacht tevoren te voorkomen, vroeg ik om twee ver van elkaar gelegen kamers. Maar toen we ieder onze sleutel hadden gekregen en het ogenblik aanbrak om elk ons weegs te gaan, was Penny daar opeens niet zo happig op. 'Wacht even,' zei ze.

'Wat is er?' vroeg ik, onmiddellijk op mijn hoede.

'Ik ben het nog steeds, hoor,' verzekerde ze. 'Niet... niet Loins. Maar ik voel er niets voor om vanavond Loins te worden, of iemand anders, dus wat denk je: zou je bij me kunnen blijven zitten tot ik in slaap val?'

'Ah... Penny...'

'Toe, alsjeblieft. Ik weet wel dat het een penibele toestand is, na... maar ik heb geen zin om morgenochtend wakker te worden in de kamer van een wildvreemde. Of wéér met een kater.'

'Je weet toch dat áls het tot een identiteitswisseling komt, ik daar misschien wel niets aan kan doen?'

'Ja, weet ik. Maar... zou je alsjeblieft nog wat willen blijven?'

We gingen naar haar kamer. Penny vlijde zich op het bed en ik liet me in een stoel neer.

'Hoe ver is het nog van hier naar Seven Lakes?' vroeg Penny. 'Ik weet dat we al dicht in de buurt zitten...'

'Heel dichtbij. Nog geen uur.'

'Wat ga je doen als we er zijn?'

'Dan gaan we eerst naar het huis, dunkt me, kijken of... of daar iets te zien is. En dan misschien naar de openbare bibliotheek.' Ze wierp me een vragende blik toe. 'Oude kranten,' zei ik.

'Ah.'

'Hopelijk is er ergens een artikel te vinden over zijn... hoe hij is doodgegaan. Met voldoende details, zodat ik daar de politie niet lastig over hoef te vallen. En de politie is dan het derde punt op ons programma, denk ik. Er is een commissaris Bradley die ons missschien een handje kan helpen.'

'Ik heb bewondering voor je moed,' zei Penny.

'Ik voel me anders niet moedig. Dit is gewoon iets wat ik moet doen.'

'Weet je,' zei ze, 'dat ik nog nooit zo dicht bij mijn geboorteplaats in de buurt ben geweest sinds mijn moeders dood?'

'O ja,' zei ik. 'Ohio. Heb je zin om daarheen te gaan, na...'

'Nee!' zei Penny vastberaden. 'Er is niks in Willow Grove waar ik m'n licht over hoef op te steken. En dat zal altijd zo blijven.'

'Ook niks in verband met je vader?'

'Ik weet alles over hem wat ik wil weten.' Er verscheen even een lachje op haar gezicht. 'Mijn grootmoeder heeft me destijds een hoop verhalen verteld.'

'Dat moet wel fijn zijn,' zei ik. 'Om tenminste één goeie ouder te hebben gehad. Ook al is hij al dood.'

'En jouw biologische vader dan?' vroeg Penny. 'Was hij een slecht mens?'

'Dat weet ik niet. Ik weet niet veel van hem. Ik weet dat hij in dienst is geweest, en dat hij een paar maanden voor de geboorte van Andy Gage verdronken is, maar wat voor iemand hij was... Als daar al verhalen over bestaan, dan heb ik die nooit gehoord.'

'Nou, misschien hoor je er morgen wel een paar. Wie weet komen we daar wel iemand tegen die hem heeft gekend.'

'Ik weet het niet, Penny. Als het niet hoeft, praat ik maar liever met geen mens in Seven Lakes. Wat ik het liefst zou willen, is dat plaatsje in gaan om de paar feiten over de stiefvader aan de weet te komen die ik nodig heb, en dan naar huis teruggaan.'

Dat deed me ergens aan denken: ik greep naar de telefoon en probeerde mevrouw Winslow weer te bellen. 'Nog steeds geen gehoor?' vroeg Penny toen ik hem een stuk of twintig keer had laten overgaan.

'Nee.' Ik hing op. 'Ik snap het niet. Waar kan ze toch zitten?'

'Je moet wel bedenken dat het daar nog vroeger is. Wie weet is ze nog niet thuis omdat ze... Tja...'

'Nog op zoek is naar mij,' maakte ik haar zin af. Ik greep nog eens naar de telefoon en draaide het nummer van Eddington. Zijn antwoordapparaat meldde zich en ik sprak weer een bericht in; ik bleef praten totdat het apparaat me afbrak.

Ik legde de hoorn weer op de haak en wilde al op het bed gaan zitten. 'Sorry,' zei ik, nog net op tijd. 'Dan moest ik nu maar eens naar mijn kamer gaan.'

'Het hóéft niet echt, hoor,' zei Penny met een bedremmeld gezicht. 'Ik bedoel... als je hier wilt blijven, dan zal ik je niet...'

Het was waarschijnlijk een slecht idee, en als ik ook maar een zweem van een lachje op haar gezicht had bespeurd, had ik onmiddellijk mijn hielen gelicht. Maar dit was geen kokette Loins; dit was Penny, nog steeds bang voor wat ze zou kunnen uithalen als ze alleen bleef. En als ik eraan dacht dat ik zelf alleen zou blijven, met alles waar ik me zorgen over moest maken of schuldig over moest voelen...

Toen ik ging liggen, bleef ik zorgvuldig zo dicht bij de rand van het bed als ik maar kon zonder eruit te vallen; en ook Penny schoof zo ver mogelijk op naar haar kant. Zo bleven we zachtjes liggen praten, totdat ik op een gegeven ogenblik, al half en half onder zeil, een arm uitstak; Penny deed hetzelfde, en we pakten vanuit de verte elkaars hand en vielen zo in slaap.

De volgende ochtend glipte ik zachtjes de kamer uit terwijl Penny nog lag te snurken en ging naar mijn eigen kamer om daar te douchen. Toen ik in de cel stapte, bracht Adam me in verbazing door op het gerepareerde spreekgestoelte te verschijnen en om zijn gebruikelijke twee minuten te vragen. 'Wat is er aan de hand?' zei hij. 'Het is pas een paar dagen geleden. Ga me nou niet vertellen dat je bent vergeten hoe het is om stemmen te horen.'

'Daar zeg je zowat. Ik was al aardig gewend geraakt aan al die rust en stilte,' antwoordde ik. 'En ik vraag me af of jij het wel verdient om ook maar een paar minuten buiten te komen, na wat je in South Dakota hebt uitgevreten.'

'Het enige wat ik in South Dakota heb gedaan, was de tv aanzetten – Sam was degene die naar het café ging. En toch heb je haar gisteren een halve dag in het lichaam gegeven... Maar goed, daar zal ik niet over zeuren.'

Ik gaf hem zijn twee minuten, die uiteindelijk eerder iets van tien werden. Toen hij klaar was, probeerde ik erachter te komen of er nog anderen waren die hun vaste ochtendogenblikken wilden, maar tante Sam en Jake reageerden niet eens toen ik hen riep. 'Ze houden zich schuil in hun kamer,' liet Adam me weten. 'En een hoop andere zielen ook. Ze maken zich bang. Ze weten waar we vandaag heen gaan.'

Seferis was echter niet bang. Na onze douchepartij werkte hij een reeks oefeningen af, speciaal aangepast aan de handen en de ene arm van het lichaam die nog pijn deden. Toen hij klaar was, ging ik me nog eens afspoelen onder de douche. En toen dat alles achter de rug was, was Penny inmiddels ook wakker. Ik had me net aangekleed toen ze bij me op de deur klopte.

We ontbeten vlug en vertrokken. Het was een rit van niet meer dan zestig kilometer, maar het leek wel of er geen eind aan kwam; ik verdreef de tijd door mijn vingers in de bekleding van mijn stoel te boren. 'We kunnen altijd nog rechtsomkeert maken,' zei Penny toen ze zag hoe wit mijn knokkels waren.

'Nee.' Ik schudde mijn hoofd. 'Ik móét het doen.'

Seven Lakes ligt vlak aan de rand van het Manistee National Forest. De meren waar het naar is genoemd, zijn eerder groot uitgevallen vijvers, en volgens mijn vader varieert het aantal van jaar tot jaar, afhankelijk van de hoeveelheid regen die er valt. Een ogenblik later zagen we het eerste al: een plasje in de vorm van een bruine boon dat tegen een bocht in de weg aan kabbelde. Zo te zien was het amper groot genoeg voor een paar symbolische visjes, maar toch stond er middenin een man in lieslaarzen op zijn dooie gemak een lijn uit te werpen. De man keek om toen we voorbijreden, maar doordat hij een grote strooien hoed tot vlak boven zijn ogen had gedrukt en de zon op het water stond te blikkeren, kon ik zijn gezicht niet onderscheiden.

Zo'n honderd meter voorbij dit 'meer' kwam er weer een bocht in de weg, waar een bord stond met WELKOM IN SEVEN LAKES. Meteen daarna bevonden we ons in de hoofdstraat van Andy Gage' geboorteplaats.

Mijn vader en Adam stonden vanaf Muskegon al op het spreekgestoelte; nu kwamen er ondanks hun zenuwen – sommige waren zelfs doodsbang – nog meer zielen opdagen. Een heel stel verscheen net lang genoeg op het spreekgestoelte om snel een blik om zich heen te werpen voordat ze weer het huis in stoven; het zachte gestommel van hun komen en gaan vormde een soort constante ruis in mijn achterhoofd.

Penny ging heel langzaam rijden, en ik nam ieder gebouw en elke winkelpui waar we langs kwamen nauwkeurig op, in afwachting van een sprankje herkenning, maar dat bleef uit. Er was een brandweerkazerne bij met één brandweerauto, waarvoor een slome buldog lag te suffen; een Exxon-benzinestation; een bakker; een tweedehands cd-, platen- en boekenzaak; een piepklein postkantoortje; een kapper; een kledingzaak, een winkeltje waar je kleren kon laten verstellen en een wasserij, op een rij naast elkaar in één gebouw; het politiebureau van Seven Lakes; een videoverhuurzaak; een levensmiddelenwinkel; een ijzerwarenzaak; een schoonheidssalon; een paar armetierige antiekzaakjes; en verder een dichtgetimmerd, gedeeltelijk leeggehaald fastfoodrestaurant dat, te oordelen naar de voorgevel en de kleuren binnenin, ooit een Kentucky Fried Chicken was geweest. Dat alles lag aan de hoofdstraat. In de verschillende zijstraten zag ik ook een stel kerken, een café, een school en iets wat óf een bibliotheek was, óf het gemeentehuis.

Ik herkende helemaal niets. Er was natuurlijk ook geen enkele reden waarom dat wel zo zou zijn, maar toch had ik iets verwacht, een vagelijk bekend iets. Ik had het gevoel dat ik dit plaatsje hoorde te kennen, ook al was ik er nog nooit geweest. Maar de enige herinneringen eraan die ik bezat kwamen uit de tweede hand, uit het spreekgestoelte, waar tussen het zachte gestommel van de zielen door af en toe gefluister en een uitroep klonk over dit of dat vertrouwde punt.

'En waar nu heen?' vroeg Penny toen we langs de leegstaande Kentucky Fried Chicken waren gereden.

'Even denken,' zei ik. 'Zullen we... Wacht! Stop eens!'

Abrupt hield de Buick stil voor iets wat eruitzag als een woonhuis. Aan de dakrand boven de veranda hing een houten stuk gevelbekleding waarop stond: MR. OSCAR REYES, ADVOCAAT.

'Advocaat?' zei ik tegen mijn vader. 'Ik dacht dat je had verteld dat hij ongedierte bestreed.'

'Hij deed aan allebei,' antwoordde mijn vader. 'Een heleboel mensen in Seven Lakes hebben meer dan één baan. Maar dat kantoor van hem heeft zich blijkbaar flink uitgebreid. Dat huis is nieuw.'

Ik wendde me tot Penny: 'Kun je hier parkeren en ga je dan met me mee naar binnen?'

'Wil je een advocaat in de arm nemen?'

'Nee,' zei ik. 'Nog niet, tenminste. Het klinkt misschien wel een beetje raar, maar ik zou graag eens kijken of die man je aan Xavier doet denken.'

'Oké...'

Toen we op de veranda stonden, bleek er echter een briefje op de voordeur te hangen met de mededeling dat Reyes met vakantie was naar Canada en vanaf 1 juni terug zou zijn. In mijn teleurstelling probeerde ik door de ramen naar binnen te kijken – wat ik daar hoopte te zien was me niet duidelijk –, maar de gordijnen waren dicht.

Toen Penny en ik terugliepen naar de auto, merkte ik dat een paar voorbijgangers vanaf de overkant een blik in onze richting wierpen. Eerst nam ik aan dat ze nieuwsgierig waren doordat ze ons bij het huis van Reyes hadden zien rondsnuffelen; toen besefte ik dat het ook kon zijn omdat ze dachten dat ze mij kenden. Dat idee was me te veel, en daarom stapte ik haastig in en vroeg mijn vader hoe we bij het huis van de Gages moesten komen.

Ik gaf zijn aanwijzingen door aan Penny: 'Nog zo'n vijf kilometer op deze weg blijven. Dan linksaf een onverhard weggetje in, en iets van een kilometer verderop in het bos is het.' Het eerste gedeelte ging alles van een leien dakje, maar toen we bij het zijweggetje arriveerden, was dat verbreed en geasfalteerd, en Penny reed er straal voorbij. Toen mijn vader de vergissing in de gaten kreeg en we waren gekeerd, ontdekten we dat hele gedeelten van het bos waren gekapt om ruimte te maken voor nieuwe huizen. 'Zo,' zei ik. Aangezien ik nooit had gezien hoe de toestand vroeger was geweest, kon ik niet weten in hoeverre alles was veranderd, maar mijn vaders reactie gaf me wel enig idee. 'Niet zo afgelegen meer, hè.'

De laatste kilometer van het weggetje was nog onverhard, en daar kwam ook aan beide kanten het bos weer terug. Het volgende ogenblik waren we er: zonder trompetgeschal reden we de voortuin in van het huis waar Andy Gage had gewoond en waar hij was gestorven. Penny zette de Buick op de handrem en schakelde de motor uit. In de plotselinge stilte – ook op het spreekgestoelte was het doodstil geworden – zaten we naar het huis te staren alsof het het geraamte van een draak was, of een andere mythische verschijningsvorm.

Het was kleiner dan ik had verwacht. Niet dat ik er zo uitvoerig bij stil had gestaan, maar ik denk dat ik me, vanwege de twee huizen waarmee ik het meest vertrouwd was – het huis in Andy Gage' hoofd en dat van mevrouw Winslow – steeds iets behoorlijk groots had voorgesteld, met een of twee verdiepingen en een flink aantal kamers. Maar nee, het huis van de Gages was iets wat door een makelaar optimistisch omschreven zou worden als 'knus': een eenvoudig huisje zonder verdieping, plus iets van een vliering, weggestopt onder een laag schuin dak.

De buitenmuren van het huisje waren wit, en zo te zien hadden ze na het overlijden van Andy Gage' moeder nog een likje verf gekregen. Het was weliswaar onmiddellijk duidelijk – en wel vanwege iets waar ik zometeen nog op terugkom – dat het huisje op dat ogenblik niet bewoond werd, maar er waren nog meer tekenen die erop wezen dat er op z'n minst af en toe wat onderhoud aan werd uitgevoerd: de voortuin was kort tevoren nog gemaaid, en in de smalle perkjes aan weerskanten van de voordeur waren kort tevoren bloeiende planten gepoot.

'Wil je naar binnen?' vroeg Penny.

'Nou, nee,' zei ik, waarmee ik bedoelde: nee, maar het zal wel moeten.

'Het is misschien wel gevaarlijk,' opperde Penny.

'Ja,' beaamde ik.

Er was namelijk nog iets met het huisje aan de hand wat in het oog sprong: het stond scheef. De grond onder het fundament was aan één kant zo door erosie aangetast dat het huis zichtbaar uit het lood hing, als een schip dat op het punt stond te kapseizen. Iemand – waarschijnlijk dezelfde iemand die het andere onderhoudswerk op zich had genomen – had de zaak gestut met een stel lange houten planken en een omgezaagde telefoonpaal. Zo te zien had die noodmaatregel het beoogde effect, voorlopig tenminste, maar het was niet meer dan een tijdelijke oplossing: de meeste planken bogen door onder het gewicht en in de telefoonpaal was in het middelste gedeelte een spiraalvormige barst ontstaan. Niet dat ik er iets op tegen had dat het huisje instortte, maar dat mocht niet gebeuren als Penny en ik erin rondliepen.

Goed, dan moest het ook maar zo snel mogelijk wezen: ik liep naar de voordeur om te controleren of de man die het onderhoud uitvoerde die van het slot had gelaten. Nee. Maar op advies van Adam speurde ik even in de buurt van de drempel en vond daar een losse tegel.

Doordat het huisje overhelde was de deurpost van de voordeur kromgetrokken, niet zo erg dat de deur volslagen geblokkeerd was, maar wel zo dat hij klemde. Nadat ik met veel moeite de sleutel had omgedraaid, moest ik nog heel wat kracht zetten om naar binnen te komen. De deur kwam uit op een kleine vestibule. Daarachter lag een huiskamer vol schimmen.

Geen concrete schimmen. En ook geen emotionele schimmen – ik herkende nog steeds niets van wat ik te zien kreeg. De schimmen in de huiskamer bestonden uit meubelstukken: een tweezitsbankje, een schommelstoel, een salontafel, een hoog, broodmager iets dat een staande klok bleek te zijn, en dat alles met witte lakens eroverheen, als een stelletje stoffige, spookje-spelende kinderen. Via een doorgang in de wand tegenover me zag ik een keuken, waar nog meer schimmen samenschoolden.

'Vind je het er veilig genoeg uitzien om hier rond te lopen?' vroeg Penny, die achter me aan was gekomen.

'Ja, ik geloof het wel,' zei ik. Ik maakte al aanstalten om de huiskamer binnen te gaan, maar toen hoorde ik buiten een andere auto de voortuin in rijden. 'Wie is dat...?'

Toen ik de politiewagen zag stilhouden naast Penny's Buick, was mijn eerste gedachte dat ik in een val was gelopen. Het wás zo: ik had de stiefvader vermoord, de politie van Seven Lakes wist dat, en al die tijd hadden ze het huis in de gaten gehouden, gewoon het ogenblik afgewacht dat ik terug zou komen...

'Niet meteen in paniek raken,' zei Adam. 'We zijn die gast op de hoofdweg gepasseerd, vlak nadat we hadden gekeerd. Hij heeft ons natuurlijk dat weggetje zien inslaan en is toen nieuwsgierig geworden.'

De bestuurder was uit de patrouillewagen tevoorschijn gekomen en liep onze kant op. Hij had dik blond haar en een smal snorretje; ik schatte hem van dezelfde leeftijd als ikzelf. 'Hallo, mensen,' groette hij ons. 'U hebt hier iets te zoeken, op dit terrein?'

'Niets officieels,' zei ik. 'Maar ik heb hier vroeger gewoond.'

Ik weet niet waardoor het kwam – vanwege wat ik zei of doordat hij nu zo dichtbij was dat hij me eens goed kon opnemen –, maar de ogen van de agent herkenden iets en gingen plotseling wijd open. 'Wie is die man?' vroeg ik gejaagd. 'Kennen we hem?'

'Ja,' zei mijn vader vanaf het spreekgestoelte. 'Dit wordt wel een gênante toestand. Hij is...'

De bestuurder van de patrouillewagen kwam steeds dichterbij. Toen hij zo dicht was genaderd dat we een gesprek hadden kunnen voeren, zag ik op het naamplaatje op zijn uniform AGENT CAHILL staan. Zijn voornaam luidde James, maar zijn vrienden – en vriendinnetjes – kenden hem als Jimmy.

'Hé, hallo Sam,' zei hij.

26

Agent Cahill snapt er niets van.

'Sam...' zegt hij op een gewonde en tegelijkertijd vleiende toon.

'Ik ben Sam niet,' zegt Andrew, al voor de derde keer.

'Hoor eens, ik snap wel dat je woedend...'

'Ik ben niet woedend. Ik ben alleen maar niet wie u denkt dat ik ben. Ik heet niet Sam, ik heet Andrew...'

'Sam... Andrea... toe nou. Ik begrijp best dat je me niet meer ziet staan na die streek die ik je heb geleverd, maar...'

'U begrijpt er helemaal niets van,' zegt Andrew, en vanuit de ingang van de grot doet Maledicta ook een duit in het zakje: 'Nou, godverklote, dat is wel duidelijk, zeg.' Andrew vervolgt: 'Ik loop niet te doen alsof ik u niet ken omdat ik u het een of ander betaald wil zetten dat u Sam blijkbaar hebt aangedaan; ik ken u écht niet. Ik ben niet degene die u denkt dat u voor u hebt.'

'Maar ik ben ook dezelfde niet meer, Sam,' antwoordt de agent. 'Als ik nu terugdenk aan dat egoïstische joch dat jou destijds zomaar liet stikken...'

'Agent Cahill...'

'Sam...'

'Zit Gordon Bradley nog in Seven Lakes?'

Agent Cahill zwijgt even, door die vraag van zijn à propos gebracht. 'Commissaris Bradley? Ja, die is hier nog.'

'Ik moet hem spreken.'

En dan begint hij weer: 'Sam...'

'Ik moet hem spreken,' valt Andrew hem in de rede, 'want ik denk dat ik misschien iemand heb vermoord.'

Weer een stilte, deze keer wat langer. 'Wát is er?'

'Ik denk dat ik misschien iemand heb vermoord. Ik weet het niet zeker, en ik hoop van niet, maar dat is iets waar ik Bradley over moet spreken.'

'En wie was dat dan?' vraagt Cahill ongelovig.

'Agent...'

'Sam, als je op de een of andere manier in de knoei zit...'

'Ik bén Sam niet,' zegt Andrew, die nu zijn geduld verliest. 'Misschien dat Sam straks wel met u wil praten, maar eerst moet ík commissaris Bradley spreken. Dus kunt u ons naar hem toe brengen? Wilt u zo vriendelijk zijn?'

'Nou goed,' zegt Cahill, nog steeds met een ongelovig gezicht. 'Willen jullie met me meerijden in de patrouillewagen?'

'Nee,' zegt Andrew. 'We rijden wel achter u aan.'

'Ook goed...' Hij loopt al weg, blijft staan, draait zich om, zegt: 'Sam...' En geeft het op. Voorlopig.

Met zijn hoofd iets schuin zegt Andrew intussen boos tegen iemand in zijn hoofd: 'Wat had je dan gewild dat ik tegen hem zei? Ik zal daar nu eenmaal over moeten praten als ik erachter wil komen... Hou jíj je mond!'

'Je tante Sam,' zegt Muis even later in de auto. 'Hebben agent Cahill en zij... een relatie gehad?'

'Dat weet ik eigenlijk niet,' zegt Andrew. 'Tante Sam heeft het altijd over een "aanbidder" gehad, en ik denk dat dat deze vent wel zal zijn. Maar ik weet niets af van die geschiedenis, en Sam zegt op het ogenblik geen boe of bah.'

'Hij noemde je ook Andrea.'

'Andrea Samantha Gage. Zo heet ik officieel.'

'Heeft je moeder je Andrea genoemd?'

'Ja,' zegt Andrew stuurs. 'Het lichaam is vrouwelijk.' Hij kijkt haar afwachtend aan, maar Muis weet geen andere reactie te bedenken dan: 'O... Oké.'

'Oké?' zegt Andrew. 'Dus je bent niet volslagen ondersteboven?'

Muis schudt haar hoofd. 'Ik ben... verbaasd, geloof ik. Maar volslagen ondersteboven? Nee.' Ze maakt een weids armgebaar, waarmee ze alles probeert te omvatten wat haar is overkomen sinds ze drie weken geleden bij de Werkelijkheidsfabriek is aangetreden. 'Weet je, zo langzamerhand...'

'Precies!' zegt Andrew, alsof hij al die tijd in afwachting heeft verkeerd van het ogenblik dat iemand de toestand zo zou zien. 'Precies, zo is het, zoveel heeft dat niet om het lijf. Heb ík ook nooit gedacht. Maar Julie...' Hij zwijgt en maakt een stotend gebaar met zijn handen, alsof hij iets wegduwt. 'Nee... daar ga ik niet meer over zaniken.'

De inrichting van het politiebureau van Seven Lakes doet eerder denken aan die van een makelaarskantoor dan aan een bastion van de sterke arm. De voordeur geeft toegang tot een met schrootjes betimmerde ruimte met een balie; aan een van de wanden hangt een enorme detailkaart van het plaatsje, waarop alle percelen staan aangegeven. Achter in de ruimte, voorbij een paar rommelige schrijftafels, wordt de traliedeur van de grootste cel opengehouden en deels aan het oog onttrokken door een grote varen in een pot; de cel zelf wordt gebruikt als opslagplaats voor stapels bruin-met-witte dozen met dossiermappen. Muis concludeert dat ze niet veel boeven te zien krijgen in deze contreien; ze vraagt zich af of ze daar een goed of een slecht voorteken in moet zien voor Andrews geval.

'Zeg Mortimer,' zegt Cahill tegen een man achter een van de schrijftafels. 'Is de baas in de buurt?'

Mortimer schudt zijn hoofd. 'Maar hij kan elk ogenblik terug zijn. Daarstraks meldde hij per portofoon dat hij even een stuk taart ging scoren bij Winchell's.'

'Oké,' zegt Cahill. 'Als hij komt, zeg dan tegen hem dat ik hem moet spreken.' Hij kijkt om naar Andrew en Muis. 'We wachten wel op hem in de kantine. Deze kant maar op.'

Agent Cahill gaat hun voor naar een keukentje ergens in het achterhuis. Hij doet de deur dicht en begint Andrew weer te belagen: 'Oké, Sam, wat is er toch aan de hand?'

'Ik bén...'

'Hoor eens, Sam: jij vindt het blijkbaar leuk om te doen alsof je me niet kent, maar ik geef nog steeds om je, en als dat verhaal over een moord die je zou hebben gepleegd niet uit de lucht gegrepen is, dan zit je straks te springen om iemand die om je geeft. Dus voordat de baas terugkomt en de zaak al te ver heen is, zou ik maar vlug voor de draad komen met wat er gebeurd is. Hebben jij en' – hij werpt een achterdochtige blik in Muis' richting – 'je vriendin hier soms iets uitgespookt op weg hierheen?'

'Nee.' Andrew schudt zijn hoofd. 'Penny heeft er niets mee te maken gehad. Het gaat om een moord in het verleden, áls het een moord was, tenminste. Op de stiefvader – mijn stiefvader.'

'Horace?'

'Ja, Horace Rollins. Is hij...'

'Horace is niet vermoord, Sam,' zegt Cahill beduusd. 'Hij heeft zelfmoord gepleegd.'

'Echt waar?'

'Nou ja, het was een ongeluk... Maar iedereen weet dat het zijn eigen stomme schuld was.'

'Wat voor ongeluk dan?'

'Weet je dat echt niet?' zegt de agent met een schouderophalen. 'Hij was dronken. Hij is gestruikeld en boven op een soort glazen tafeltje gevallen. En daar heeft hij toen vreselijke snijwonden bij opgelopen... Wist je dat dan niet?'

Andrew gaat niet op die vraag in. 'Weet u zeker dat hij gestruikeld is?'

'Of ik dat...'

'U zegt dat iedereen weet dat het zijn schuld was. Maar hebt u persoonlijk onderzoek gedaan naar dat ongeluk?'

'Nee, dat niet,' zegt Cahill. 'Nee, toen was ik nog niet bij de politie... Ik zat toen in West Virginia.' Zijn stem klinkt diep beschaamd bij die bekentenis, alsof wonen in West Virginia gelijkstaat aan een zondige levenswandel.

'Hoezo?' vraagt Andrew.

'Ik was getrouwd,' gooit de agent eruit. 'Tot vorig jaar... Nadat ik ontslag had genomen uit het leger, ben ik getrouwd.' En hij kijkt Andrew nu net zo afwachtend aan als Andrew Muis daarnet in de auto.

Andrews reactie is identiek aan die van Muis: het zal hem worst wezen. 'O,' zegt hij. 'Oké.'

Het volgende ogenblik schuift het vertrekje opeens in elkaar: Maledicta sleurt Muis de ingang van de grot in en stormt zelf naar buiten. 'Klóótzak!' barst ze uit. 'Dus eerst maak je Sam wijs, godverklote, dat je d'r niks voor voelt om je te binden, en dan tróúw je, christeneziele? Hoe lang was dat nadat je haar had gedumpt, gore teringlul, twee dagen of zo?'

Cahill trekt wit weg – hij had zich schrap gezet voor een schrobbering, maar niet voor eentje van die kant. Hij begint zich te verweren, en daarbij richt hij zich tot Andrew, terwijl hij Muis angstvallig in het vizier houdt: 'Nee, zo is het niet gegaan, Sam.Wat ik je toen schreef, in die laatste brief, dat is niet goed te praten, maar het was wel oprecht gemeend.'

'Sorry, agent,' zegt Andrew, 'maar dat interesseert me allemaal echt niet. Ik...'

'Nou Sám interesseert dat allemaal anders wel, godverklote,' valt Maledicta hem in de rede. 'Laat haar maar even naar buiten, dan wed ik dat ze die etterbak toch een dreun voor z'n hersens verkoopt...'

'Maledicta!' zegt Andrew. 'Hier schieten we niets mee op.' Maledicta let niet op hem en doet haar mond al open om nog iets te berde te brengen, maar op dat ogenblik pakt Muis haar met geweld het lichaam af en laat zich zelf weer gelden.

'Sorry,' verontschuldigt Muis zich. 'Dat zijn dingen die mij natuurlijk niets aangaan.'

Cahill staat er met stomheid geslagen bij.

'Maar om terug te komen op de stiefvader,' zegt Andrew. 'Weet u wel zeker dat zijn dood door een ongeluk is veroorzaakt, of is het mogelijk dat iemand anders...'

'Verdikkeme, Sam,' sputtert de agent, 'ik heb echt geen idee wat hier allemaal aan de hand is, maar...'

De deur gaat open en er komt nog een politieman binnen, een ouder iemand met grijzende slapen. Hij heeft een vishengel in de hand en een strooien hoed met een brede rand onder de arm. Op zijn rode gezicht ligt een chagrijnige uitdrukking. 'Wat ís dit allemaal?' wenst hij te weten, met zo'n harde stem dat Muis even verstijft van schrik.

'Baas!' roept Cahill uit. 'Eh... dit is' – hij wijst naar Andrew – 'dit is...'

'Andrea, de dochter van Althea Gage,' zegt commissaris Bradley. 'Ja, dat weet ik.' Hij werpt een blik in Muis' richting. 'U ken ik niet.' Muis vraagt zich af of dit louter een constatering van een feit is, of een aansporing aan haar adres om zich voor te stellen. Maar voordat ze iets kan zeggen, kijkt Bradley Cahill alweer aan. 'Waarom zijn die twee hier?'

'Sam – Andrea – heeft, eh... een paar vragen over de dood van haar stiefvader.'

'O.' Bradley perst zijn lippen op elkaar. Dan zegt hij tegen Cahill: 'Ik zag zonet dat Dave Brierson weer eens de brandkraan voor zijn winkel blokkeert met zijn vrachtwagen. Ga hem daar eens op wijzen, wil je – en zeg maar dat als ik hem nog eens moet waarschuwen, ik beslag leg op het voertuig.'

'Ja, goed, ik ga wel,' zegt Cahill. 'Maar als u er niets op tegen hebt, zou ik graag eerst nog even hier blijven nu Andrea...'

'Dit is anders hét ogenblik om daar werk van te maken,' valt de commissaris hem in de rede. 'Voordat Dave dat ding uit eigen beweging verplaatst en dan probeert te beweren dat ik spoken zie.'

'Goed,' zegt Cahill. 'Goed. Nou, dan...' Hij kijkt Andrew aan. 'Tot ziens dan, hoop ik, Sam...'

Bradley wacht tot hij weg is en zegt dan: 'Laten we naar mijn kamer gaan.'

Muis denkt dat die uitnodiging zich niet tot haar uitstrekt, maar Andrew pakt haar bij de hand en trekt haar mee. Als ze in Bradleys kamer zijn gearriveerd, bergt de commissaris eerst op zijn gemak de vishengel weg en hangt zijn strohoed en jas op.

'Zo, Andrea,' zegt hij ten slotte, 'ik had niet verwacht dat ik je hier ooit nog terug zou zien, na dat laatste gesprek van ons. Ik dacht dat je Seven Lakes voorgoed de rug had toegekeerd.'

'Ja, dat dacht ik ook,' zegt Andrew. 'Maar het punt is, commissaris,' vervolgt hij haperend, want hij zit erover in dat Bradley er wel net zo weinig van zal snappen als Cahill, 'het is een ingewikkelde toestand, maar degene met wie u dat telefoongesprek hebt gehad nadat mijn moeder was gestorven, dat was ík eigenlijk niet. Of ik bedoel, dat was ik ook weer wel, maar dan...'

'Ah,' zegt Bradley. 'Dit heeft zeker met je meervoudigepersoonlijkheidssyndroom te maken?'

Andrew zet grote ogen op. 'Wéét u dat dan? Heeft mijn vader – of heb ik – u dat verteld, toen... Nee, dat is niet zo.'

'Je dokter heeft het me verteld.'

'Heeft dokter Eddington u gebeld?' vraagt Andrew opgewonden. 'En mevrouw Winslow dan? Weet ze soms dat ik...'

'Kalm aan, Andrea.' Bradley houdt een hand in de hoogte. 'Ik ken geen mevrouw Winslow. En de dokter die ik heb gesproken heette Kroft, niet Eddington.'

'Kroft... Maar waarom zou dié nu gebeld hebben? Die kon onmogelijk weten dat ik op weg was hierheen. Met hem hebben we al geen contact meer sinds...'

'Dit is al zes jaar geleden, hè,' legt Bradley uit. 'In mei '91 kreeg ik een telefoontje van een zekere Kroft, die zei dat Andrea Gage ontsnapt was uit een psychiatrische inrichting in Ann Arbor, en dat het mogelijk was dat ze terug zou gaan om hier stennis te schoppen. Hij zei ook dat je dan waarschijnlijk als man gekleed zou gaan en dat je je de naam Aaron had aangemeten, of anders Gideon... en dat was nog niet eens het gekste wat hij zei. Ik zal je eerlijk zeggen dat ik eerst dacht dat die man geschift was, dat hij zelf een psychiatrisch patiënt was, of een grappenmaker die een grief tegen jou koesterde. Maar ik heb mijn voelhoorns eens uitgestoken, en zo kwam ik erachter dat híj tenminste niet gek was. Bij de politie van Ann Arbor hadden ze een rapport over jouw ontsnapping uit het psychiatrisch centrum daar.

Dus toen heb ik die arts teruggebeld, en we hebben het nog eens over jou gehad – en aan het eind van dat gesprek had ik nog steeds de indruk dat hij met een levensgrote grief zat. Ik was eigenlijk wel blij toen je niet kwam opdagen; ik maakte me wel zorgen over je toestand, natuurlijk, maar dat was nu juist een reden waarom ik er niets voor had gevoeld om je opnieuw aan de behandeling van die arts uit te leveren.'

'Met andere woorden, ik ben hier nooit terug geweest?' vraagt Andrew.

'O, gaat het dáár allemaal om?' vraagt Bradley. 'Ben je bang dat jíj Horace hebt omgebracht?'

'Ja... Ik weet wel dat iedereen denkt dat hij een ongeluk heeft gehad, maar...'

'Ik dénk dat niet alleen, ik weet het. Ik was erbij toen het gebeurde.'

'U hebt het gezien?'

Bradley knikt. 'Tijdens dat tweede gesprek dat ik met Kroft had, liet hij een paar... aantijgingen vallen met betrekking tot je stiefvader.' Zijn ogen schieten vlug even Muis' kant op en keren dan terug naar Andrew. 'Ik neem aan dat ik niet in bijzonderheden hoef te treden over de inhoud?'

'Nee,' zegt Andrew. 'Penny weet er ook al van. Nee, u hoeft dat niet te zeggen.'

'Oké... De dokter kwam dus met die aantijgingen op de proppen, en mijn eerste gedachte was: nóg meer waanzin... Maar nadat ik had opgehangen, schoot er me nog een merkwaardig gesprek te binnen dat ik ooit met jou heb gehad, toen je een jaar of tien, elf was. Jij probeerde me toen iets te vertellen over Horace, maar je hield het zo in het vage dat ik destijds geen idee had waar je op doelde. Maar in het licht van wat die dokter had gezegd, werd me opeens duidelijk waar dat gesprek toen over was gegaan.

En vervolgens kwamen er nog een paar dingen bij me boven. Herinner je je nog een meisje dat Kristin Williams heette?'

Andrew schudt zijn hoofd al, houdt op, denkt diep na en zegt dan: 'Ze heeft een paar keer een avond op me gepast toen ik nog op de lagere school zat.'

'Ik heb haar op haar zestiende verjaardag aangehouden, omdat ze in kennelijke staat achter het stuur zat,' zegt Bradley. 'Ze was toen met haar vaders Plymouth in Greenwater Lake beland. Toen ik aan de kant van het meer een verklaring uit haar probeerde te krijgen, maakte ze giftige opmerkingen over Horace.'

'Wat dan? Zei ze dat hij iets met haar had uitgespookt?'

'Er viel geen touw aan vast te knopen; ze was nogal ver heen. En toen ze weer nuchter was, weigerde ze zich nader te verklaren, dus heb ik die uitlating maar afgedaan als dronken geraaskal... totdat ik dus dat gesprek had met jouw dokter.

Ik heb een dagje lopen prakkiseren over al die dingen, en toen bedacht ik dat het maar het beste zou zijn om de boel eens aan te kaarten bij Horace. Je moeder was toen niet thuis, die was naar haar zuster, dus dat kwam wel goed uit. Maar toen ik bij hem op de stoep stond, was Horace dronken. Hij vertikte het om met me te praten – en toen ik er bij hem op aandrong dat hij me binnenliet en hem uitlegde waar het me om ging, raakte hij in alle staten. Hij begon van hot naar her te banjeren, en toen is hem dat ongeluk overkomen. In de huiskamer liep hij van de ene kant naar de andere, en daarbij struikelde hij over die glazen salontafel van je moeder.' Bradley wijst naar het litteken boven Andrews oog. 'Het tafeltje waar jij dát aan te danken hebt, weet ik nog... alleen liep het in Horace' geval iets anders, want hij was een vent van over de honderd kilo en hij viel er vierkant bovenop, dus het glas vloog aan stukken en hij sneed zich op minstens tien plaatsen.

Ik heb eraan gedaan wat ik kon, maar toen de ziekenwagen arriveerde was hij al doodgebloed.'

Aan het eind van Bradleys relaas zakken Andrews schouders van pure opluchting omlaag. 'Dus ik heb er niets mee te maken?' zegt hij.

'Nee,' bevestigt Bradley. 'En daar heb je al die tijd over lopen tobben?' Andrew knikt. 'Nou,' zegt de commissaris, 'dan ben ik blij dat ik je eindelijk zielenrust kan verschaffen.'

Tijdens het gesprek zijn ze steeds blijven staan. Nu zet Bradley zich achter zijn bureau en met een gebaar geeft hij Andrew en Muis te kennen dat ze elk een van de klapstoelen moeten nemen die tegen de wand staan. Maar Andrew maakt geen aanstalten om te gaan zitten en Muis, die zich hier nog steeds een buitenstaander voelt, al evenmin.

Nadat hij een ogenblik zijn gedachten heeft laten gaan over alles wat hij zojuist te horen heeft gekregen, zegt Andrew: 'Waarom hebt u daar helemaal niets over gezegd toen we u twee jaar geleden aan de telefoon hadden?'

'Nou, toen héb ik je proberen te vertellen wat er met Horace was gebeurd, maar jij was er nogal op gebrand om dat onderwerp te vermijden.'

'Ja, ik weet wel dat we niet over hem wilden praten,' zegt Andrew, 'maar... dat van dokter Kroft, en dat wij uit het psychiatrisch centrum waren ontsnapt, dat hebt u toen helemaal niet ter sprake gebracht.' Hij zwijgt even. 'Is dat... Wil dat zeggen dat ik voortvluchtig ben?'

'Nou ja,' zegt Bradley. 'Ik raad je niet aan om je in Ann Arbor door de verkeerspolitie te laten aanhouden – en ook elders in Michigan maar liever niet. Maar er is niemand actief naar je op zoek, en ik heb geen plannen om wie dan ook te bellen. Ik heb trouwens twee jaar geleden wél contact opgenomen met de staatspolitie van Washington, om te horen of je daarginds verder nog rare streken had uitgehaald. Maar dat was niet zo, en aan de telefoon klonk je volkomen normaal, dus toen vond ik dat ik de zaak verder wel kon laten rusten. Je had al genoeg aan je hoofd, dacht ik, nu je moeder was overleden. En wat die zogenaamde meervoudigepersoonlijkheidsstoornis aangaat: ik peins er niet over om te doen alsof ik daarin geloof, maar als jij je geroepen voelt om te spelen dat je iemand anders bent, dan is dat heel begrijpelijk, lijkt me.' Zijn gezicht neemt een ernstige uitdrukking aan. 'Zie je, het spijt me verschrikkelijk dat ik niet veel en veel eerder iets in de gaten heb gekregen van Horace' ware aard. Dat ik niet op tijd heb gezien wat er aan de hand was, zodat ik je had kunnen beschermen – dat is een van de ergste steken die ik ooit heb laten valen. Ik kan je gewoon niet zeggen hoe vreselijk ik dat vind.' Die uitvoerige verontschuldiging klinkt oprecht, maar op de een of andere manier treffen de woorden Muis ook als ietwat plichtmatig. Misschien komt dat doordat de commissaris, als hij zijn verhaal heeft afgestoken, met gezwinde spoed op een ander onderwerp overgaat: 'En... ben je al naar je oude huis geweest?'

'Ja,' zegt Andrew. 'Heel even.'

'Dat is trouwens nog iets waarvoor ik me moet verontschuldigen. Sinds de dood van je moeder heb ik mijn best gedaan het niet te veel te laten vervallen, want het zat er toch in dat jij nog van gedachten zou veranderen en het wél zou willen, maar er waren gewoon grenzen aan wat ik kon doen. Aan de fundering mankeerde al jaren van alles, en vorig najaar, toen hier enorme hoeveelheden regen zijn gevallen...'

'U had het zaakje gewoon moeten laten omkieperen.'

'Zo moet je niet praten,' zegt Bradley gepikeerd. 'Je moeder was erg aan dat huis gehecht.'

'Nou, ik ben er níét aan gehecht,' antwoordt Andrew. 'Ik waardeer het ontzettend dat u uw best hebt gedaan om het te onderhouden, maar ik wil het nog steeds niet. En dat zal altijd zo blijven.'

'Nou, dat is best, Andrea, maar in dat geval moet je het verkopen, de boel niet gewoon laten wegrotten...' Andrew schudt zijn hoofd, maar dan voegt de commissaris er nog aan toe: 'Zeg, ík zou het wel willen kopen als de prijs me aanstond.'

'Waarom zou u een huis willen kopen dat op instorten staat?'

'Sommige gedeelten zijn nog prima te gebruiken. En de grond is ook wel iets waard.' Bradley haalt zijn schouders op, alsof het hem allemaal niet zoveel kan schelen, maar Muis heeft zo'n idee dat het hem bijzonder veel kan schelen, en dat hij wil voorkomen dat Andrew de prijs opdrijft. 'Goed, misschien moet je er maar eens over nadenken,' zegt hij. 'En wat ben je van plan, nu je het antwoord hebt op je vragen? Blijf je hier nog een poosje?'

'Ik weet het niet,' zegt Andrew. 'Ik heb eigenlijk geen vaste plannen.'

'Constance McCloy heeft net een pension geopend aan Two Seasons Lake. Ze vraagt heel redelijke prijzen.'

Andrew schudt zijn hoofd. 'Mochten we hier blijven, dan ga ik niet in Seven Lakes overnachten. Muskegon ligt dicht genoeg in de buurt.'

'Zoals je wilt, zegt de commissaris. 'Misschien kun je... eens bij me komen eten, als je zin hebt. Dan zouden we het over een verkoopprijs voor het huis kunnen hebben. Herinner je je Oscar Reyes nog?'

'Ik... weet wie dat is.'

'Hij is nu met vakantie, maar hij staat nog bij me in het krijt vanwege een paar dingetjes die ik voor hem heb gedaan. Hij kan dan de officiële kant regelen.'

'Ik zal erover denken,' zegt Andrew. 'En ik geloof dat ik wel weet waar ik u kan bereiken.'

Voor de eerste keer tijdens het hele gesprek lacht Bradley even. 'Ja, dit werk biedt bepaalde voordelen.' Hij staat op en steekt zijn hand uit. Andrew drukt hem. De commissaris neemt niet de moeite afscheid te nemen van Muis.

'Ik mocht hem niet zo,' zegt Muis als ze weer in de auto zitten.

'O, ik weet niet,' zegt Andrew. 'Hij leek me wel aardig.'

'Hij had meer hartzeer van de toestand van het huis dan van wat je stiefvader jou heeft aangedaan.'

'Misschien vindt hij het eng om daar al te erg onder gebukt te gaan. Als hij zichzelf eerlijk toegeeft hoe vreselijk dat wel niet is geweest, dan drukt het idee dat hij er geen eind aan heeft gemaakt nog zwaarder op hem.'

'Misschien,' zegt Muis. 'En toch vond ik het onbeleefd van hem, zoals hij je vroeg of hij het huis kon kopen. En zoals hij komedie speelde, net alsof hij er niet echt in geïnteresseerd was. Kan het zijn dat dat huis een bepaalde waarde heeft waar jij geen idee van hebt?'

'Bedoel je een goudader in de achtertuin of zo?' Andrew spreidt een beleefd sceptische houding tentoon. 'Dat lijkt me toch niet, Penny.'

'Ga je het hem verkopen?'

'Misschien wel. Ik wil het beslist niet houden.'

'Nou, maar geef het dan niet gewoon weg, hè?' betoogt Muis. 'Vraag er geen al te lage prijs voor.'

'Ik ga het nog even helemaal niet verkopen... en wat ik nu graag zou doen, als jij daar ook voor voelt, is teruggaan naar het huis en nog eens rondkijken, want ik was nog niet klaar.'

'Zit je nog met vragen?'

'Nee, niks speciaals,' zegt Andrew. 'Wat de dood van de stiefvader betreft ga ik vrijuit, en daar was het me in de eerste plaats om begonnen, maar... ik heb het gevoel dat er nog iets recht moet worden gezet. Ik heb geen idee wat dat is, maar ik wil het uitpluizen en er iets aan doen, zodat ik van m'n levensdagen niet meer terug hoef naar Seven Lakes.'

'Snap ik wel,' zegt Muis en start de motor.

27

De salontafel die Andy Gage' moeder had gekocht na de dood van de stiefvader had een houten in plaats van een glazen blad. Dat is niet al te verbazingwekkend, denk ik, maar toen ik het laken oplichtte dat eroverheen lag, verwachtte ik half en half niet zomaar een of ander glazen tafeltje te vinden, maar dé glazen salontafel: nauwgezet weer stukje voor stukje in elkaar gezet, of anders weer heel getoverd. Zelfs toen ik had vastgesteld dat het tafeltje nieuw was, moest ik er toch nog een hand overheen halen om te voelen of er nog barsten in zaten en of er bloed aan kleefde. Natuurlijk stuitte ik nergens op, en het kleed waar het tafeltje op stond vertoonde ook geen enkele ongerechtigheid; ik verzette me tegen de drang om de plankenvloer aan een onderzoek te onderwerpen.

'Nou...' zei ik en legde het laken weer terug. 'Laten we eens gaan rondkijken.'

De huiskamer nam iets van een kwart van het woonoppervlak in beslag, en de hoek aan de binnenkant werd beheerst door een grote gemetselde open haard. Zoals ik al zei, zat er in de wand tegenover de vestibule een doorgang naar de keuken. Als je vanuit de vestibule linksaf ging, kwam je een andere deur tegen, eentje die dichtzat doordat het huis overhelde naar links.

'Dat was hun slaapkamer,' vertelde mijn vader. Hij zei dat op een toon die niet bepaald het verlangen bij me wekte om er een kijkje te nemen, maar ik was nog steeds vast van plan om dapper te zijn, of me althans dapper te gedragen, en dus liep ik vlug naar de deur en deed hem open voordat ik de kans kreeg om bang te worden.

Er hing een bedompte schimmellucht in de slaapkamer, al was

het minder erg dan ik zou hebben verwacht na tweeënhalf jaar. Ik vroeg me af of Bradley het huis in zijn strijd tegen het verval ook af en toe had gelucht. Het bed was van een gewoon formaat, en om de een of andere reden zat dat me niet lekker; wie weet lag dat aan de gedachte dat iemand, zelfs een slechte moeder, gedwongen was geweest zo dicht naast een monster als de stiefvader te liggen. Verder bevatte de kamer nog een ladekast, een kleine toilettafel, een nachtkastje waar een lamp op stond met een geblutste kap, en een televisie op een wiebelige rieten stander. Onder de lakens die overal overheen lagen, kon ik de contouren onderscheiden van ingelijste foto's en andere spullen die op de ladekast en de toilettafel stonden; waarschijnlijk moest ik daar naderhand nog eens mijn licht over laten schijnen, maar nu liep ik eerst naar links, naar nog twee andere deuren. De ene was die van een muurkast, de andere die van een badkamer. De badkamer was krap bemeten, maar desondanks pasten er net een wc en een badkuip in.

'Is dit...? begon ik, en mijn vader maakte de vraag af: 'De enige badkamer in het huis? Ja.'

Dus iedere keer als Andy Gage een bad had willen nemen of naar de wc had gewild, had hij door de slaapkamer van Horace Rollins gemoeten. En bovendien, stelde ik vast, zat er geen slot op de deur. Opeens was het me volmaakt duidelijk waarom Adam en tante Sam zo fanatiek vasthielden aan hun doucheprivileges, en waarom mijn vader het zo heerlijk vond om door niemand gestoord te kunnen kakken in zijn eigen badkamer.

'Andrew?' riep Penny. Ze had zich niet meer dan een paar stappen de slaapkamer in gewaagd. 'Wat is er?'

'O, ik stuit net op nog een reden waarom ik dit huis niet zie zitten.'

We gingen terug naar de huiskamer en liepen door naar de keuken. Dit was het lichtste en officieel het fleurigste vertrek van het huis, al vond ik het een kille bedoening. Het was een eetkeuken met een ronde tafel en vier stoelen. Over de tafel en drie van de stoelen lag een laken, maar de vierde stoel was midden in het vertrek geschoven en daar lag niets overheen. Ietwat nieuwsgierig liet ik een vinger over de zitting glijden. Die was schoon, niet stoffig.

Ik liep naar de achterdeur en nam de achtertuin in ogenschouw. Net als aan de voorkant was er gras gemaaid. Er lagen ook nog diverse bedden, zo'n beetje onregelmatig omgeven door stapstenen, maar in tegenstelling tot de perkjes aan de voorkant was daar niets geplant, er groeide alleen onkruid.

Mijn vader vestigde mijn aandacht op een rij doornstruiken die om de hele tuin heen liep en een natuurlijke barrière vormde tegen het bos. 'Meest braamstruiken,' zei hij. 'Er zijn ook rozen geweest, langs de zijgevel van het huis, maar dat is nooit veel geworden.' De barrière vormde een ononderbroken geheel, behalve op één plaats, waar via een hekje een voetpad het bos in liep. Vlak tegen de bramenhaag stond rechts van het hekje een schuurtje. Waarschijnlijk was dat gebruikt om er tuingereedschap in te bewaren, maar door de afmetingen en de plaats waar het stond riep het de gedachte op aan een tolhuisje.

'Waar gaat dat heen?' vroeg ik mijn vader.

'Naar Quarry Lake,' zei mijn vader, en ik werd bekropen door het gevoel dat daar een verhaal aan vastzat, of wie weet een heel stel verhalen. 'Het is nog geen kilometer als je via het pad gaat. En wat verder als je voor niemand zichtbaar dwars door het bos gaat.'

Ik merkte dat Penny ook naar het pad stond te kijken. 'Wat is er?'

Penny schudde alleen haar hoofd, maar toen sprong Maledicta tevoorschijn. 'Dat kloteschuurtje, hè. Dat klotewijf van een Verna zou daar verzot op zijn geweest – dat is er geknipt voor om iemand die erlangs komt boven op zijn nek te springen. En godverklote zeg, ook nog eens een bós om in rond te sluipen als de grote boze wolf...'

Ze keerde de tuin de rug toe en ging het voorraadkamertje inspecteren, dat aan de keuken vastzat. Het diende tegelijkertijd als wasruimte; in een nis stonden een wasmachine en een droger. Maledicta nam alles in ogenschouw, ook de rekken met levensmiddelen. Er stonden nog hele voorraden met spinrag overdekte blikken en potten. 'Duizend jaar geleden ingemaakte spullen, godverklote,' zei ze. 'Mmm.' Ze ging terug naar de keuken, beklopte zichzelf op zoek naar sigaretten, werd chagrijnig en liet Penny weer in het lichaam.

'Zeg Andrew,' wilde Penny weten, 'waar sliep je eigenlijk? Als er maar één slaapkamer is...'

Zelf had ik me dat ook al afgevraagd, maar het antwoord bevond zich vlak voor onze neus: tussen de achterdeur en het voorraadkamertje was nog één andere deur, die toegang gaf tot een smalle trap naar boven.

'God,' zei Penny. Zo te zien was die zoldertrap al verraderlijk genoeg geweest toen het huis nog keurig recht stond. Maar nu de stootborden naar achteren helden, was het ding echt levensgevaarlijk.

'Wacht jij hier?' zei ik tegen Penny. 'Ik ga echt maar heel even rondkijken.'

'Nee,' zei Penny ongelukkig. 'Ik ga met je mee.'

Ik ging voorop en hield me stevig vast aan de leuning – een reeks onbewerkte ronde balkjes die met metalen haken aan de binnenmuur waren bevestigd. Halverwege maakte de trap een draai naar rechts en daarna nog eens, waarna hij uitkwam onder een laag dak.

Toen ik bijna boven was, hoorde ik Penny achter me struikelen; Maledicta uitte een verwensing. 'Pijn gedaan?' vroeg ik. Ik keek om. In de laatste bocht van de trap was Penny op één knie neergekomen. Ik dacht aan de stiefvader, die stomdronken deze zelfde trap op en af was gestommeld, en nu begreep ik dat mijn vader het bij het rechte eind had gehad: we waren blijkbaar zo angstig geweest dat we hem niet durfden om te brengen, anders was hij nooit zo lang in leven gebleven.

'Ik heb niks, hoor,' zei Penny en stond weer op.

De zolder deed me denken aan die van de Werkelijkheidsfabriek. Het was natuurlijk een kleinere ruimte, maar hij bestond uit één flink vertrek onder een twijfelachtig dak, met middenin een brokkelige, gemetselde zuil – de schoorsteen voor de open haard – bij wijze van steunpilaar. Er was niet al te veel licht; de zolder had aan twee kanten ramen, alleen waren die niet groot en het glas was vuil. Blijkbaar had Bradley tijdens zijn onderhoudswerkzaamheden dit gedeelte van het huis over het hoofd gezien. En hij was niet de enige die het had verwaarloosd – toen ik een eindje de zolder op liep, woelden mijn voeten grote wolken stof op, dat daar al jaren moest hebben gelegen. Althea Gage had hier ook niet al te vaak schoongemaakt sinds haar enige kind de deur uit was gegaan. Maar waarom zou ze ook, dacht ik bitter. Je kon haar toch moeilijk nostalgische gevoelens toeschrijven.

De zolderhelft naast de trap was Andy Gage' slaapkamer geweest. De spullen die daar stonden kende ik niet, maar de opstelling had iets wat me bekend voorkwam; ik kon me wel voorstellen hoe mijn vader, Adam, tante Sam en de anderen telkens onder eindeloos gekibbel, zoals dat gaat bij kamergenoten, met alles hadden geschoven. Bij het raam stond de stretcher – geen echt bed – waarop ze hadden geslapen, en vanwaar ze misschien elke nacht naar de achtertuin hadden gekeken terwijl ze indommelden; bij de schoorsteen stond een bureautje, uit voorzorg zo opgesteld dat degene die erachter zat het trapgat in het oog kon houden. Hier en daar langs de zijkanten van het vertrek, waar het dak schuin afliep naar de vloer, stond een stellage van planken en B2-blokken met boeken en speelgoed en alle mogelijke rommel erop. Ik stond er verbaasd van hoeveel er was achtergelaten, maar aan de andere kant: mijn vader had natuurlijk niet eindeloos veel spullen kunnen meenemen toen hij ging studeren. Vooral de laatste paar dagen voor zijn vertrek moesten chaotisch zijn verlopen, toen alle zielen met enig bewustzijn hun best hadden gedaan om een stukje tijd te bemachtigen, zodat ze ervoor konden zorgen dat hun lievelingsspullen werden ingepakt.

De andere helft van de zolder, aan de andere kant van de schoorsteen, diende als opslagruimte. Niet dat de scheidslijn nu zo duidelijk was; naarmate mijn ogen meer gewend raakten aan het schemerige licht, realiseerde ik me dat die 'opgeslagen' spullen enkel uit nog meer vage rommel bestonden. Zo te zien hadden we altijd al met ruimtegebrek gekampt.

Ik hurkte neer bij een van de planken en veegde het stof en de dode motten van een rij boeken. Ik herkende niet alle titels, maar ook hier kreeg ik zo'n gevoel dat dit me enigszins bekend voorkwam: die boeken waren het eigendom geweest van iemand – van een verzameling iemanden – met voorkeuren die ik kende. Vooral één boek trof me: *Griekse heldensagen* door William Seferis. Ik haalde het ertussenuit; op het omslag kroop een angstige prinses weg achter de rug van Heracles, die zich opmaakte om een dreigende hydra de koppen af te hakken.

Ik draaide me om, want ik wilde Penny het boek laten zien, en merkte dat ze weer ergens naar stond te kijken; dit keer naar de stapels troep in het opslaggedeelte van de zolder.

'Al te veel duistere schimmen, hè?' zei ik.

'Godzijdank had ons huis in Willow Grove geen zolder,' antwoordde Penny. 'Mijn moeder... Ik zou stapelgek zijn geworden in zo'n ruimte.'

De kwinkslag dat ik inderdaad stapelgek was geworden in die

ruimte, lag me al op de lippen, maar ik bedacht dat mijn vader daar misschien de humor niet van zou inzien. Daarom zei ik: 'Denk je echt dat je moeder jou op een zolderkamer had ondergebracht als ze er eentje had gehad? Ik bedoel, op grond van je verhalen over haar zou ik zeggen dat dat haar te veel had geriekt naar...'

'Armeluistoestanden?' Penny haalde haar schouders op. 'Misschien wel, ja.' En bij wijze van grapje: 'Ze had in ieder geval beslist een betere trap gewild.'

'Laat ik eens raden: eentje met marmeren treden?'

Penny knikte. 'En met een gouden leuning. En een fluwelen loper, zodat je haar niet had kunnen horen aankomen.' Ze lachte even, maar eerder om haar eigen lef dan om het grapje zelf, denk ik. Ik lachte ook, en toen bezorgde het stof in mijn neus, dat daar al kriebelde sinds we boven waren, me een niesbui. In het halfdonker aan de andere kant van de schoorsteen sprong iets weg; van een van de stapels viel een doos met een klap op de vloer. Penny slaakte een doodsbang gilletje.

'Niks aan de hand,' zei ik, me verzettend tegen nog een niesbui. 'Geen paniek hoor, het is te klein voor een geest...' Ik zag een paar glinsterende oogjes en een pluimstaart die verontwaardigd heen en weer zwiepte. 'Het is een eekhoorn! Niks aan de hand, Penny, het is maar een eekhoorn...' De eekhoorn kwetterde tegen me, en zijn onderkaak bewoog als die van een oud mannetje met een afgezakt kunstgebit; toen vloog het beest ervandoor via een gat waardoor het blijkbaar ook naar binnen was gekomen.

Ik liep naar de doos die de eekhoorn had omgegooid. Die zat vol wekkers. Ik haalde er eentje uit en hield het ding in de hoogte om het te bekijken. 'Waren die van jou?' begon ik al tegen mijn vader, maar voordat ik mijn vraag kon afmaken zag ik in het glas het gezicht weerkaatst van iemand die achter me stond en om me heen gluurde. Niet Penny; het was een klein meisje.

Een Getuige. Dé Getuige, moet ik zeggen: dezelfde die achter me aan was gekomen in het huis toen ik onder het bed in mijn vaders kamer had gesnuffeld.

Natuurlijk gluurde ze niet echt om me heen. Het spiegelbeeld was maar een zinsbegoocheling, die zienderogen vervaagde – maar zelfs toen er niets meer van over was, voelde ik nog steeds de aanwezigheid van de Getuige.

Er kwam een merkwaardig idee bij me op.

'Zeg Penny,' zei ik, 'doe eens een paar stappen opzij, wil je?'

'W-wat?' zei Penny, nog steeds van slag door de eekhoorn.

'Ga even een eindje opzij.' Ik maakte een gebaar met mijn andere hand. 'Ik wil even iets uitproberen.'

Penny ging een eindje opzij en ik gooide de wekker met een onderhandse worp in het trapgat. Het ding verdween uit het zicht en stuiterde bonkend van tree tot tree naar beneden, hier en daar tegen de wand op botsend, totdat het in de keuken belandde en daar uit elkaar viel. We hoorden het glas breken en alle mogelijke radertjes en veertjes over het linoleum rollen.

Het was heel duidelijk hoorbaar. Dat kwam niet alleen doordat de deur onder aan de trap openstond; het geluid drong moeiteloos door de zoldervloer zelf heen. Als ik iemand anders een wekker kapot zou laten gooien in de huiskamer of de slaapkamer, dacht ik, dan zou dat geluid bijna net zo duidelijk tot hier doordringen.

'Wat denk jij, Penny? Als een klein kind hier boven om hulp gilde, zou je dat dan beneden kunnen horen?'

Penny knipperde zenuwachtig met haar ogen, alsof ze zich afvroeg ik nog steeds mezelf was. 'Dat lijkt me wel,' zei ze.

'Lijkt mij ook,' beaamde ik, en daar voelde ik de Getuige weer: als een geestverschijning die me aan mijn mouw trok om mijn aandacht te vragen.

Ik liep naar de stretcher. Er lagen een paar jurken in mijn maat op uitgespreid, alsof iemand ze met elkaar had willen vergelijken en ze daarna gewoon had laten liggen, zodat ze nu onder het stof zaten. Er waren hele gaten geknaagd in de stof, en toen ik ze wegtrok, zag ik dat er ook was huisgehouden in de deken, de lakens en de tijk van de matras. En alles was smerig. Het frame van het kampeerbed maakte echter nog een solide indruk. Eerst probeerde ik het uit met mijn handen en toen ging ik voorzichtig zitten.

'Zeg Penny,' zei ik, 'zou je me een plezier willen doen?'

'O god... wil je weer naar binnen? Hier?'

'Ik heb het idee dat iemand me iets wil laten zien. Ik zal mijn best doen om niet lang weg te blijven.'

Penny's trekkende onderkaak gaf een lang niet gekke imitatie weg van die van de eekhoorn, maar in tegenstelling tot de eekhoorn sloeg ze niet op de vlucht. 'Nou, goed dan,' zei ze. 'Maar schiet wel op, wil je? Het bevalt me niks, hier boven.' De Getuige wachtte me al op toen ik op de top van de heuvel verscheen, naast de zuil van licht. Ze begroette me niet en stak ook geen hand op; haar enige reactie op mijn komst bestond uit de blik die ze me toewierp.

Mijn vader, die er ook stond, gaf iets meer uitdrukking aan zijn gevoelens.

'Jezus, Andrew, wat doe je hier?'

Het was een retorische vraag, maar ik gaf er toch antwoord op, en daar klonk een zweem van ironie in door die ik niet helemaal zo had bedoeld: 'Ik kom iets leren.'

'Dat moet je niet híér doen,' zei mijn vader. 'Niet in dit huis. In Seattle, daar misschien, onder toezicht van Eddington...'

'Nou ja, helaas zitten we op dit ogenblik niet in Seattle, hè?' zei ik. Nu nam mijn sarcasme een opzettelijke vorm aan. 'Misschien dat dat wel zo was geweest als jij je wat eerlijker tegen mij had opgesteld.'

'Het spijt me, Andrew, dat ik dingen voor je verzwegen heb. Dat was niet goed bekeken van me. Nu zie ik dat in. Maar dit,' – hij gebaarde naar de Getuige – 'dit is gevaarlijk.'

'Ze wil me iets laten zien.'

'Je zult niets horen wat je niet al weet. En het zal je alleen maar meer verdriet bezorgen.'

Ik had het gevoel dat het waar was wat hij zei, of dat hij dat zelf tenminste geloofde, maar het deed er niet toe; ik kon er niet meer onderuit. 'Ga jij nu terug naar het spreekgestoelte, vader,' zei ik, 'en hou het lichaam in de gaten.'

'Andrew...'

'Ga nou naar het spreekgestoelte. Als het echt zo gevaarlijk wordt als jij zegt, en Gideon daarvan probeert te profiteren... Ik wil niet dat Penny nog een keer met hem te maken krijgt, zie je. We hebben haar al genoeg narigheid bezorgd.'

Hij aarzelde; eigenlijk wilde hij me verbieden om mijn plan uit te voeren. Maar het machtsevenwicht tussen ons tweeën was verschoven, en uiteindelijk kreeg mijn wil de overhand. Mijn vader ging terug naar het spreekgestoelte.

Ik wendde me tot de Getuige, die nog geduldig naast me stond. 'Goed,' zei ik.

Wanneer Getuigen je hun geheimen onthullen, wordt je hoofd door hen opgeslokt. Ik had dat nog nooit meegemaakt, maar ik wist zo'n beetje wat het inhield. Vandaar dat ik de Getuige opnam met dezelfde blik waarmee een leeuwentemmer, zo stel ik me voor, de leeuw opneemt waarvan hij zometeen de muil opentrekt.

Ik knelde naast haar neer en bracht mijn oor op gelijke hoogte met haar mond, alsof zij me iets zou toefluisteren. En eerst leek het net alsof ze dat ook ging doen: met haar ene hand greep ze stevig mijn schouder beet, de andere vormde ze tot een toetertje voor haar lippen en ze boog zich dicht naar me over. Ik hoorde haar mond opengaan en voelde haar adem mijn oor kietelen. Wat er vervolgens van haar tong rolde, waren echter geen woorden, maar een veel meer omvattende verzameling geluiden: achtergrondruis die bij een andere omgeving en een andere tijd hoorde. Haar adem werd steeds krachtiger – ik werd opeens bang en probeerde me te verweren, maar de hand op mijn schouder hield die onverbiddelijk in bedwang – en haar mond sperde zich nog wijder open, onmogelijk wijd, en was nu niet meer zozeer de mond van een mens als wel de opening van een zak of van een kap die over mijn hoofd zakte – nee, stróómde, tot over mijn ogen. Er volgde een moment van verstikkende duisternis, die me verschrikkelijk beklemde – de schedel van mijn ziel in een bankschroef – en toen – versmelting – de Getuige en ik waren één, we zijn één, we ben –

– ik sta aan de oever van een meer en kijk naar een steentje dat over het wateroppervlak huppelt. Mijn gewicht rust op mijn linkervoet en mijn linkerarm houd ik gestrekt voor me; ik bespeur een bepaalde spanning in mijn pols en schouder, en verder voel ik de langzaam wegtrekkende gewaarwording van een hard, plat voorwerp dat ik tot voor een ogenblik in mijn geheven hand heb gehouden.

Heel even wankel ik omdat ik mijn evenwicht kwijt ben. De steen huppelt maar door, maar eindelijk zinkt hij weg, net een paar sprongetjes voor een enorme berg zand en grind die midden in het meer een eilandje vormt. Ik weet mijn evenwicht te hervinden en zie hoe er zich kringen uitbreiden vanaf de punten waar het weggekeilde steentje even is neergekomen, zodat er een keten van steeds grotere concentrische cirkels ontstaat.

Dit zijn een paar van de dingen die ik weet: de plas hier voor me heet Quarry Lake. Het meer krijgt zijn water van drie beekjes die ontspringen op Mount Idyll, een heuvel ten noordoosten ervan. Aan de andere kant komt er een groter riviertje, Hansen's Brook, uit tevoorschijn dat naar het westen stroomt en een paar kilometer verder uitmondt in Two Seasons Lake. De berg zand en grind heeft geen officiële naam, maar voor mezelf noem ik die Duivelseiland. Op dit ogenblik, bij helder zonlicht, ziet het er niet erg duivels uit – enkel leeg en kaal –, maar ik weet dat dat bij maanlicht of in de ochtendmist heel anders ligt. Ook weet ik dat het, hoewel het niet zo ver lijkt om erheen te zwemmen, in werkelijkheid lang niet meevalt om naar het eiland te komen, of weer terug: het water van Quarry Lake is dieper dan je zou denken, en bovendien afgrijselijk koud, zelfs in de zomer.

Behalve dit soort details, die verband houden met het meer en het gebied eromheen, weet ik ook dat ik elf jaar ben, dat ik Andrea Gage heet en dat ik in een huisje woon in het bos achter me. Ik weet dat ik daar diepongelukkig ben, en ik weet ook waarom.

En dan een aantal dingen die ik niet weet: wat voor dag het is. Hoe laat het is. Waar ik twee minuten geleden mee bezig was. Wat ik gisteren heb gedaan, of eergisteren.

Waarom ik zo bang ben.

Of nee, ik weet wél waarom ik bang ben: omdat er zo meteen iets vreselijks gaat gebeuren. Maar de precieze aard van dat iets, hoe ik me ervan bewust ben geworden, en wat ik op mijn kerfstok heb dat ik dat verdien – dat zijn allemaal dingen die ik niet weet.

Ik speur de oever en de bomen eromheen af, op zoek naar een teken van datgene wat me boven het hoofd hangt. Er is niets bijzonders te zien, maar wanneer mijn ogen een groepje hoog opschietende, bloeiende heesters tegenkomen – de heesters aan het begin van het pad naar het huis waar ik woon – spelen al mijn zenuwen op. Ik staar almaar naar die heesters, op zoek naar iemand die zich ertussen verstopt heeft, naar een gezicht dat tussen een paar uiteengebogen takken door gluurt. Ik zie niets. Maar nu weet ik waar ik bang voor ben.

En op het ogenblik dat ik mijn ogen afwend en mijn blik weer langs de bomen laat glijden, komt de roep, een zangerige kreet die over het meer galmt:

'Joeoe-hoeoe...'

Mijn ogen schieten terug naar de heesters en ik zie nog net een tak bewegen. Hém zie ik niet, maar ik weet zeker dat hij daar nu staat. Half verlamd van angst blijf ik staan wachten tot hij tevoorschijn komt. Dat doet hij niet, en de kreet wordt niet herhaald.

De tijd verstrijkt. Ik voel dat hij me in de gaten houdt, afwacht tot ik een beweging maak. Ik ben nu al kwaad, want ik vind het verschrikkelijk dat er zo met me gespeeld wordt, maar mijn boosheid raakt verdrongen door het besef van mijn eigen weerloosheid. Vervolgens beginnen mijn knieën te knikken; ik zou me het liefst laten vallen en hem smeken tevoorschijn te komen om de zaak in godsnaam maar snel af te werken, dat iets wat hij toch gaat doen. Ook dat gevoel gaat weer over, al duurt het iets langer. Wat uiteindelijk rest is een soort koppige zekerheid, een vaag idee dat ik moet proberen te ontsnappen, ook al schiet ik daar niets mee op.

Ik weet dat er drie vluchtroutes zijn: het pad naar mijn huis, het pad tegen Mount Idyll op en aan de andere kant er weer af, en het pad langs Hansen's Brook naar Two Seasons Lake. Van die drie is het pad over Mount Idyll de beste ontsnappingsroute. Het is steil en moeilijk begaanbaar, en beweeglijke onderdeurtjes hebben het daar veel gemakkelijker dan forse kerels die geen vaart kunnen maken. Bovendien splitst het zich voortdurend en kronkelt het alle kanten op, zodat het heel wat gelegenheden biedt om een achtervolger zand in de ogen te strooien en hem te snel af te zijn. Als ik de eerste splitsing weet te halen, is het een fluitje van een cent om mezelf onvindbaar te maken. Goed, ik kan niet eeuwig onvindbaar blijven, maar zo'n uitstel van executie is altijd beter dan niets. Misschien gaat hij zich wel vervelen als hij zo lang moet wachten tot ik terugkom, en bedenkt hij dan dat hij geen zin meer heeft om het te doen. Of misschien wordt dit wel een van die zeldzame avonden dat we gasten krijgen en iedereen zijn beste beentje voor zet; misschien drinkt hij dan wel te veel bij het eten en valt hij meteen erna in slaap.

Er is alleen één probleem met dat bergpad: om het te bereiken zal ik langs de oostkant van het meer moeten, zodat ik vlak langs de plek kom waar hij zich schuilhoudt. Het is haast onmogelijk om via de andere kant langs het meer te komen, en al was het wél mogelijk, dan zou hij, als ik door het begin van Hansen's Brook was gewaad en me met geweld een weg had gebaand door het dichte kreupelhout dat het grootste gedeelte van de noordoever van Quarry Lake onbegaanbaar maakt, intussen allang naar het punt zijn gekuierd waar je weer uitkomt op het pad en daar voor me op de loer liggen, lachend om mijn knullige poging aan hem te ontkomen.

Ik staar naar de heesters en probeer te berekenen hoeveel kans ik heb om erlangs te rennen zonder bij mijn kladden te worden gegrepen.

Ik kom tot de slotsom dat ik dat nooit zal halen. Nee, het bergpad valt af; ik zal het via het pad langs de beek moeten proberen – dat is bijna overal vlak, en lange benen zijn daar in het voordeel.

Ik loop achteruit, langzaam, alsof ik door het niet op een rennen te zetten mijn plan verborgen kan houden. Ik weet wel dat hij zich daar heus niet door om de tuin laat leiden, maar met een beetje geluk speelt hij het spelletje mee en gunt hij me tenminste een beetje voorsprong voordat hij achter me aan komt. En als het me dan écht meezit, is hij al uitgeput voordat hij korte metten kan maken met mijn voorsprong. Ik loop dus achteruit – een stap; nog een stap – totdat er opeens een heel nieuw geluid klinkt, een lichaamloze grinnik die rijzend en dalend over het water schalt. Met een luide plons valt er naast me iets in het water.

Ik spurt ervandoor. De zoom van mijn jurk fladdert tussen mijn knieën, zodat mijn benen erin verward dreigen te raken en ik onderuitga. Ik stoot mijn grote teen tegen een steen, struikel en stuif verder. Ik volg de oever van het meer tot waar Hansen's Brook begint. Daar sla ik linksaf, het pad in naar Two Seasons Lake.

... en houd abrupt stil, want de weg wordt versperd door doorntakken.

In mijn verwarring denk ik eerst aan Doornroosje, dat verhaal waarin de boze fee een woud van rozenstruiken om het paleis tovert, zodat de prins er niet bij kan komen. Maar deze rozenbossen zijn dood: dode, verdroogde doornstruiken, met de ranken bij elkaar gebonden hiernaartoe gesleept en samen met oude boomtakken op een grote, stekelige hoop gegooid. Onwillekeurig sta ik verbaasd van de inspanning die het moet hebben gekost om zo'n stapel op te werpen, van het werk dat daarin is gestoken.

Het pad wordt er helemaal door geblokkeerd. Eroverheen klimmen is uitgesloten, en eromheen lopen... Als ik naar de rotsachtige bedding van de beek rechts van me kijk, zie ik van alles glinsteren tussen de gladde, modderige stenen: schitterend, scherp spul –glasscherven. Kapotgegooide drankflessen.

Vluchten kan niet meer. Die gedachte dient zich zo helder en duidelijk aan dat het wel lijkt alsof hij hardop is uitgesproken. Ik verwacht die grinnik weer, ik verwacht zijn hand in mijn nek. Maar ze blijven uit. Natuurlijk, denk ik. Hij weet wel dat hij me niet achterna hoeft te zitten. Hij hoeft alleen maar af te wachten, af te wachten totdat ik begrijp dat ik geen kant op kan, af te wachten tot ik het opgeef en terugkom. Zelfs deze stapel dood hout en takken – hoe lang heeft hij daar wel niet aan gewerkt? Uren? Dagen? – is niet écht nodig. Ook al zou ik hem te vlug af zijn, wat dan nog? Wat zou het als ik Two Seasons Lake haalde zonder dat hij me te pakken kreeg? Hoe hard ik ook loop, hoe ver ik ook kom, uiteindelijk zal ik toch naar huis moeten.

Vluchten kan niet meer. Nou, oké, laat dan maar. Ik geef me over. Als ik weer uitkom op de oever van het meer, verbaast het me enigszins dat hij me daar niet open en bloot staat op te wachten. Niet dat het iets uitmaakt: ik weet wel waar hij zit. Met gebogen hoofd loop ik in de richting van de plek waar hij zich schuilhoudt, en ik zet me al schrap voor het ogenblik dat hij tevoorschijn springt en me beetgrijpt.

Het komt niet. Nu ben ik er, ik ben bij de heesters, en nog steeds is hij me niet op mijn nek gesprongen. Verward hef ik mijn hoofd op: waar zit hij?

Ik weet dat hij hier heeft gezeten – die kreet, die grinnik, ik heb ze gehóórd –, maar om de een of andere reden is hij nu weg. Koortsachtig probeer ik een verklaring te bedenken: is het mogelijk dat hij vergeten was dat hij die stapel dood hout daar had opgetast? Dat hij zag hoe hard ik wegrende, besefte dat hij me toch niet te pakken zou krijgen en de achtervolging maar heeft opgegeven?

Het is een absurd idee, maar voordat ik het de kop kan indrukken, word ik overspoeld door een irrationele, hoopvolle gedachte. Het bergpad, denk ik: nu kan ik daar komen. Ik kan mezelf daar onvindbaar maken, en misschien kom ik dan écht niet meer terug, misschien blijf ik wel voor eeuwig in het bos zitten.

Snel, denk ik, snel, voordat hij zijn vergissing in de gaten krijgt en terugkomt...

Nee. Wacht.

Het bergpad – natuurlijk. Hij heeft het niet opgegeven. Hij is niet weggegaan. Hij speelt nog steeds met me, hij laat me dénken dat hij het heeft opgegeven, hij laat me nog een eindje doorrennen voordat hij toeslaat. Het bergpad: dáár heeft hij zich verstopt.

Zou het? Onzeker kijk ik die kant op.

Tussen de bomen in de verte zie ik een schaduw bewegen. Dat is hem!

Wacht. Wacht. Is dat hem?

Mijn hoofd verkeert nog in twijfel, maar mijn voeten hebben de knoop al doorgehakt: tussen de struiken door loop ik het paadje in naar mijn huis. Ik zet het op een rennen en het bos schiet als een vage streep voorbij. Mijn grote teen bonkt weer tegen een steen en deze keer ga ik wél van de sokken, maar het geeft niet, binnen een seconde sta ik weer overeind en nu is het nog maar een kippeneindje naar huis; ik zie het hekje van de achtertuin al, het staat uitnodigend open.

Ik vlieg erdoor naar binnen – stóm – en dat is het ogenblik dat hij me grijpt. Hij stapt tevoorschijn vanachter het schuurtje en schept me achteloos in zijn armen. Ik slaak een kreet, half van ontgoocheling, half van angst – stom, stóm – en sla en trappel hulpeloos om me heen. Lachend houdt hij me moeiteloos in bedwang – zijn ene hand ligt met de vingers gespreid op mijn borst, de andere is onder mijn rok gekropen en is al tussen mijn benen in de weer – en laat me naar hartenlust tegenspartelen.

De overgave laat niet lang op zich wachten. Ik kan op geen stukken na tegen hem op, en dat weten we allebei. Ik houd op met mijn getrappel en mijn armen vallen slap neer. Hij trekt me dichter tegen zich aan in een innige omhelzing; zijn handen worden steeds opdringeriger en ik voel zijn lippen in mijn nek en in het kuiltje van mijn hals. Ik probeer mezelf vanbinnen te verdoven. Als ik kon, zou ik mijn lichaam verlaten, maar dat gaat niet; het is mijn lot om dit te ondergaan, en dus probeer ik me dood te houden, het over me heen te laten komen zonder dat ik er iets bij voel. In een van de bedden in de achtertuin groeien een heleboel pompoenen; ik stel me voor dat ik daartussen begraven lig, onder een laag zachte aarde.

De zon verdwijnt achter een wolk. Het licht in de tuin verandert.

En plotseling kom ik weer tot leven. Nu het zonlicht minder fel is, zie ik een gezicht achter het keukenraam. Het is mijn moeder. Ze kijkt niet naar buiten – zo te zien staat ze de afwas te doen, haar ogen zijn op de gootsteen gericht –, maar als ze haar hoofd even één tel opricht, ziet ze me. Dan ziet ze óns.'

En weer raak ik van hoop vervuld, voordat ik er een stokje voor kan steken. Het is ijdele hoop – diep in mijn hart weet ik dat heel goed –, maar toch word ik er helemaal warm van, leef ik op. Ik moet haar zover krijgen dat ze opkijkt, ik móét dat voor elkaar krijgen: dan ziet ze dit, dan schiet ze me te hulp, dan maakt ze hier een eind aan!

Ik doe mijn mond open. Ik geef een schreeuw.

En misschien is het een heel harde schreeuw, hard genoeg om het keukenraam te laten rammelen in de sponningen.

En misschien is het een geluidloze schreeuw, in de kiem gesmoord door mijn eigen doodsangst, door de onbehouwen hand op mijn borst.

Maar oorverdovend of geluidloos, mijn moeder hoort hem. Ze kijkt op. Ze ziet ons. Haar ogen worden groot. De vreugde die ik op dat ogenblik voel is onbeschrijflijk. Nu komt ze me redden. Nu komt ze me redden. Nog heel even, en dan stormt ze via de achterdeur naar buiten, haar handen nog druipend van het afwaswater, en dan gaat ze tekeer tegen hem, gilt ze dat hij moet ophouden, dan schreeuwt ze tegen hem en beukt ze op hem in om hem te dwingen me los te laten. Vol verlangen naar haar reddingsactie strek ik mijn armen al uit.

En dan verschijnen er rimpels in haar voorhoofd. Haar gezicht krijgt een chagrijnige uitdrukking – niet verontwaardigd, maar geergerd. Ze haalt diep adem en slaakt een – getergde? zucht. Haar handen komen in zicht: met bruuske, ongeduldige bewegingen droogt ze ze af aan de theedoek.. Ten slotte mikt ze de doek aan de kant.

Ze draait zich om.

Ze draait zich om, en ik zie haar achterhoofd wegdeinen van het raam, dieper het huis in. Ik begrijp het niet, en dan snap ik het opeens wél: ze gaat naar haar slaapkamer, naar hún slaapkamer. Haar ogen sluiten en een dutje doen. Dat doet ze vaak. Dat weet ik.

Ze is weg.

Ze is weg, en dan zijn hij en ik helemaal alleen, de stiefvader en ik. Hij pakt me nu anders beet. Met zijn ene arm houdt hij me vast, terwijl de andere achter hem grijpt. Ik hoor de deur van het schuurtje piepend opengaan. Hij zwiert me de andere kant op, draagt me naar binnen –

– 'Andrew!' –

– en de deur valt met een klap achter ons dicht –

– mijn voet komt met geweld neer, trapt dwars door de plank heen.

'Hou op, Andrew! Andrew, tóé nou, hou op, zo meteen trap je alles nog' –

– en hij zet me op de grond, vlak voor de achterwand van het schuurtje. Zijn handen graaien nu overal, maar het kan me niets meer schelen. Ik hoef mijn gevoelens niet meer te verdoven; ik ben toch al dood, ik –

– 'wou je jezelf soms naar de bliksem helpen, godverklote nog aan toe, achterlijke kankerlul? Lááт dat!' –

– en als hij met zijn volle gewicht van achteren tegen me op rijdt, wordt mijn gezicht tegen de wand van het schuurtje gedrukt, maar wat ik voor me zie, is niet die wand, maar het keukenraam, en mijn moeder die zich omdraait, telkens weer mijn moeder die zich omdraait. En dan klinkt het geluid van splijtend hout, en de muur begeeft het onder mijn handen, buigt om –

– en mijn armen waren om de telefoonpaal geslagen, en met al mijn spieren gespannen rukte ik eraan. Maledicta krijste nog eens: 'Lááт dat!', en toen werd ik van achteren overmeesterd door Malefica. Ze gaf me een stomp tegen mijn achterhoofd, rukte mijn armen los van de paal en werkte me met geweld tegen de grond. Ze trapte me in de ribben: één keer om me uit te schakelen, een tweede keer om het zekere voor het onzekere te nemen en nog een derde keer omdat ze zich kwaad maakte. Die trappen kwamen hard aan, maar ik gaf geen kik en deed geen enkele poging om mezelf te verdedigen, ik bleef als een zoutzak liggen waar ik lag.

Mijn versmelting met de Getuige was maar van tijdelijke aard geweest. Ik had echter zo'n idee dat de Getuige op een permanente toestand had gehoopt: ergens binnenin, aan de oever van het meer of in het bos, hoorde ik haar jammeren en weeklagen over haar eigen bestaan, waar maar geen eind aan kwam. In andere omstandigheden zou ik met haar te doen hebben gehad, maar nu werd ik te veel in beslag genomen door mijn vreugde, mijn blijdschap dat dat tafereel nu verbleekte, dat alle levensechtheid eruit week, en dat die herinnering, die heel even de mijne was geweest, nu weer in die van iemand anders overging en voor mij louter een herinnering werd aan een herinnering, een gruwelgeschiedenis die ik gehoord had, maar niet zelf had beleefd.

Mijn hoofd deed pijn. Mijn hart deed nog veel meer pijn. Maar jij had het bij het verkeerde eind, vader, dacht ik. Ik heb wel degelijk iets opgestoken.

'Ik heb wel degelijk iets opgestoken,' zei ik. En binnenin zei ik het nog eens, maar er kwam geen antwoord uit het spreekgestoelte.

Ik ging rechtop zitten – maar langzaam, zodat Malefica me niet nog een trap zou verkopen. We waren buiten, naast het huis, en ik zag dat alle stutplanken omver waren getrokken of vernield. Het leek wel alsof iemand ze met een moker te lijf was gegaan, maar een hele verzameling pijnlijke plekken op Andy Gage' voeten, benen, handen en armen vertelde een ander verhaal: mijn knokkels zaten onder het bloed en vol splinters.

'Wat is er gebeurd?' vroeg ik.

'Wat er gebéúrd is?' Maledicta was witheet. 'Wat dácht je godverklote dat er gebeurd was, stomme eikel?'

'Heb ik soms geprobeerd het huis te laten instorten?'

'Nou en of je dat geprobeerd hebt, godverklote! Terwijl wíj d'r nog in zaten!'

'Terwijl jullie... Nee. Nee, Maledicta, zoiets zou ik nooit...' Ik zweeg, want ik ontdekte een blauwe plek op haar wang en bloeddruppels in haar ene neusgat. 'Wat is er met je gezicht aan de hand?'

Bij wijze van reactie haalde ze al uit met een voet om me nog een trap in mijn zij te verkopen – maar nee, ze hield zich in, draaide zich abrupt om en banjerde weg, de achtertuin in. Een ogenblik later hoorde ik een ritmisch gebonk – Malefica die speelde dat het schuurtje mijn ribbenkast was. Met dat gebonk in mijn oren staarde ik naar de telefoonpaal, de enige stut die nog intact was, en ik besefte dat een deel van me nog brandde van verlangen om ook die onderuit te halen. Ik kruiste mijn armen voor mijn borst en duwde mijn handen in mijn oksels, zonder acht te slaan op de splinters die me schramden. Ik had het vreselijk koud.

BOEK TIEN

De tranen van commissaris Bradley

28

'Mijn vader zat ernaast,' zegt Andrew. 'Volgens hem zou ik niets opsteken wat ik niet al wist, en zou het me alleen maar meer verdriet bezorgen. Maar dat ik die kwelling zélf heb doorgemaakt, daar heb ik juist wel degelijk iets van opgestoken.'

Ze zitten aan een tafel tussen twee schotten bij Winchell's; tussen hen in staan twee onaangeroerde koppen koffie koud te worden. Muis houdt een in een servetje gewikkeld blokje ijs tegen haar zere wang.

'Zij heeft ons meer kwaad gedaan dan hij,' zegt Andrew. 'Niet als je naar de concrete omvang van de aangerichte vernielingen kijkt – de stiefvader is en blijft degene die Andy Gage' ziel heeft vermorzeld, de enige die dat op zijn geweten heeft, volgens mij. Als je de zaak... kwantitatief bekijkt, is hij verreweg de ergste boosdoener. Maar de manier waarop zij ons kwaad heeft gedaan... Die had iets, die was van een intensiteit waarbij alles wat de stiefvader heeft uitgehaald, in het niet valt, zelfs bij die keer dat hij...'

Zij heeft ons meer kwaad gedaan dan hij. Andrew doet al een poosje zijn best dit standpunt uit te dragen, en op een puur verstandelijk niveau begrijpt Muis prima wat hij zegt, maar in gevoelsmatig opzicht kan ze er niets mee. Andrews verhaal over het kat-en-muisspelltje dat de stiefvader met hem speelde in de buurt van Quarry Lake – daar kan ze zich prima in verplaatsen. Het is hetzelfde soort vermaak waar haar moeder patent op had. Maar als Andrew betoogt dat zijn moeder meer kwaad heeft aangericht met haar totale gebrek aan bereidheid om hem in bescherming te nemen dan de stiefvader met zijn gruweldaden... tja, Muis snapt het wel een beetje, maar niet echt ten volle. Onwillekeurig komt de gedachte bij haar op dat zij destijds zonder aarzelen álles had willen geven voor een moeder van wie de ergste misstap erin bestond dat ze niets deed.

'Het voelde gewoon aan als een vreselijke vorm van geweld,' zegt Andrew.

'Geweld? Maar de stiefvader was toch degene die...'

'Ik heb het niet over fysiek geweld. Ik heb het over geweld tegen... tegen elke natuurlijke órde... De stiefvader, die is altijd een monster geweest, een monster en anders niks. Hij is nooit een echte vader voor ons geweest; hij was alleen maar een afschuwelijke engerd die in ons huis woonde. Kijk, als een wild beest je bijt, dan doet dat pijn, het slaat wonden, maar je staat er niet echt verbaasd van. Wilde beesten bijten, dat doen ze nu eenmaal; het is geen prettige eigenschap, maar je weet dat je dat kunt verwachten.

Maar het gevoel dat er door ons heen ging toen onze moeder ons de rug toekeerde en wegliep – dat was... dat was alsof je water omhoog zag stromen. En weet je, ik weet dat ze dat voortdurend moet hebben gedaan, ons de rug toekeren, en daarom snap ik niet goed hoe het komt dat wij een andere houding van haar verwachtten, en toch weet ik – ik heb dat gevoeld – dat we almaar iets van haar bleven verwachten. We werden toen overvallen door een ongelooflijk gevoel van teleurstelling, van in de steek gelaten worden, en zo moet het elke keer zijn gegaan, elke keer dat ze geen vinger uitstak en hem gewoon zijn gang liet gaan...

En weet je waar ik dus helemaal niks van snap,' zegt hij en haalt diep adem, 'dat is hoe het kan dat ik daar zo lang niks van in de gaten heb gehad. Ik bedoel, weet je nog: eergisteravond vroeg je naar mijn moeder en toen kon ik je niet eens zeggen of ze onze geboorte had overleefd. En zelfs nadat mijn vader me de waarheid had verteld, zelfs nadat ik hem had zien huilen om haar, hem nota bene had zien instorten, zelfs toen... zou ik nooit op dat idee zijn gekomen. Altijd als mijn vader, Adam of een van de anderen het over het misbruik hadden waarvan ze te lijden hadden gehad, altijd, mijn leven lang, was het dan de stiefvader over wie ze het hadden – zíjn verdorven praktijken, wat híj hun had aangedaan. Nooit kwam zíj ter sprake.'

Andrew kijkt Muis aan alsof hij van haar de oplossing verwacht van dit raadsel, maar de enige reactie die ze kan opbrengen is een schouderophalen, een gebaar dat haar pijn doet aan haar gezicht.

‘Hoe gaat het met je wang?’ vraagt Andrew als hij haar ineen ziet krimpen.

‘Het doet daar pijn.’

‘O.’

En dat is natuurlijk nog een oorzaak waardoor het haar zo’n moeite kost om met hem mee te voelen: ze is nog ontredderd door die gebeurtenissen in het huis in het bos.

Andrew had roerloos op het stoffige bed gelegen terwijl Muis, die de wacht hield, ’m steeds meer begon te knijpen vanwege een steels soort gescharrel in het donker achter in de zolder. Vanuit de ingang van de grot riep Maledicta Muis keer op keer toe dat ze een kutwijf van een zenuwkikker was en dat die geluiden enkel weer van die klote-eekhoorn kwamen – maar Maledicta klonk alsof ze ’m zelf ook kneep, en het enige wat haar ordinaire vermaningen uitrichtten, was dat Muis nog zenuwachtiger werd. Ze schuifelde steeds dichter naar het bed, totdat ze op het laatst vlak naast Andrew stond, en met haar ene knie gaf ze telkens een duwtje tegen de zijkant van de smerige matras. De duwtjes werden steeds krachtiger en volgden elkaar steeds sneller op, totdat het hele bed schudde, maar Andrew bleef gewoon liggen. En toen was er een of ander iets in galop door het achterste gedeelte van de zolder gevlogen, en Muis was rechtstreeks aan Andrew gaan sjorren en had geroepen: ‘Wakker worden! Wakker worden!’

Waarop Andrew zijn ogen had geopend en schreeuwend overeind was gesprongen. Muis was met geweld opzijgeduwd, voorover op de zoldervloer gegooid. Ze was even half verdoofd geweest van de klap en toen ze weer enigszins bijkwam, had ze ontdekt dat Andrew ervandoor was: via de trap en de achterdeur was hij naar de zijkant van het huis gestormd. Toen Muis overeind krabbelde, hoorde ze ergens beneden planken doormidden kraken. Haar eerste gedachte was dat Andrew probeerde het huis te slopen; toen herinnerde ze zich de planken die als stut dienden, en ze besefte dat hij daar inderdaad mee bezig was.

En dat is de episode die haar nog steeds koude rillingen bezorgt. Dat Andrew haar in een moment van paniek tegen de grond sloeg is niet wereldschokkend – dat is iets wat Muis zich ook best van zichzelf kan voorstellen, iets wat ze trouwens weleens met zichzélf heeft uitgehaald. Maar dat Andrew op een haar na een huis heeft laten instorten met haar erin, dat is een heel ander verhaal. Niet dat zijn geweld tegen haar gericht was – hij, of wie hij ook maar was, dacht op dat ogenblik waarschijnlijk niet eens aan haar, maar toch... Als ze iets anders was neergekomen, haar hoofd iets harder had gestoten, dan was het best mogelijk geweest dat ze bewusteloos op zolder was blijven liggen tot het huis was omgevallen. Ze had nu gemakkelijk dood kunnen zijn. Maar dat geldt ook voor Andrew: toen Muis naar beneden was gerend om hem te beletten de boel kort en klein te slaan, had hij niet direct de indruk gewekt dat hij zich om zijn eigen veiligheid bekommerde.

'Ik geloof,' zegt Muis, 'dat ik zo langzamerhand wel weer terug wil naar Seattle. Ik weet wel dat jij nog van alles moet uitpluizen, en ik wil je ook best een handje helpen, maar... ik wil nooit meer naar dat huisje, of naar andere oorden waar jij zulk gedrag gaat vertonen.' Ze kijkt hem aan. 'Kunnen we er niet een punt achter zetten? Alsjeblieft?'

Voordat Andrew antwoord heeft kunnen geven, gaat het belletje boven de deur over en er klinkt een hijgend uitgebrachte kreet: 'Sam!'

O god. Muis, die met haar rug naar de deur zit, draait zich om en ziet agent Cahill met grote passen hun kant op komen. Zijn gezicht ziet rood van inspanning, en Muis heeft zo'n vermoeden dat het geen toeval is dat hij hier binnenvalt; hij heeft natuurlijk de Buick gezien die anderhalve straat verderop geparkeerd staat en heeft het toen op een rennen gezet, waarbij hij door elk raam naar binnen heeft gekeken totdat hij hen signaleerde.

Muis zet zich al schrap voor nog een rondje persoonsverwisselingen, maar als haar blik weer op Andrew valt, is zijn houding veranderd; hij straalt nu iets kordaats en vrouwelijks uit. Blijkbaar heeft tante Sam met succes een tijdje in het lichaam bedongen, óf – en dat lijkt Muis waarschijnlijker – ze heeft gebruikgemaakt van Andrews ontregelde geestestoestand om haar slag te slaan.

'Sam...' Als Cahill bij hun tafel komt staan, is duidelijk te zien dat hij zich vermant, dat hij aanstalten maakt om een verhaal af te steken. Maar Sam snijdt hem de pas af; ze glimlacht poeslief en zegt: 'Hallo, Jimmy? Hoe gaat het?'

Cahill zet grote ogen op, hij staat verbijsterd van die hartelijke begroeting. Dan glimlacht hij ook. 'Sam,' zegt hij vol genegenheid. 'Mag ik... Is het goed als ik er even bij kom zitten?' Zonder een antwoord af te wachten wil hij al aanschuiven op de bank aan Muis' kant. Muis beseft dat hij zo meteen boven op haar gaat zitten, schikt haastig een eindje op en raakt de zeggenschap over het lichaam kwijt aan Malefica, die vlug een theelepeltje van tafel grist en zich opmaakt om er Cahill mee in de billen te porren.

'Wacht even, Jimmy,' zegt Sam, en Cahill, half op de bank en half ernaast, laat zich gehoorzaam stuiten in zijn vaart. 'Zou je, voordat je gaat zitten, een stuk taart voor me willen halen?'

'Taart?' Eén moment staat hij met zijn oren te klapperen, alsof hij dat woord nooit eerder heeft gehoord. Dan lacht hij weer. 'Ja, hoor. Wat voor taart?'

'Kersen, graag.' Sam kijkt hem ook lachend aan, met schitterende ogen. 'Met slagroom. Extra veel slagroom.'

'Kersentaart met extra veel slagroom. Krijg je.' Hij haast zich naar de vitrine.

'Sam?' vraagt Maledicta.

'M'n beste.' Nog steeds met een lachje, maar dat heeft nu iets droevigs gekregen. 'Heb je een sigaret voor me?' Haar handen trillen.

'Nee. Sorry.' 'Wat moest dat voorstellen, Sam, godverklote? Je gaat toch niet gezellig koffieleuten met die kankerlul, hè?'

Sam geeft geen antwoord en staart maar op haar handen neer. Als Cahill zometeen terugkomt met dat stuk taart, mogen ze niet meer trillen.

'Kijk eens, Sam...' Hij legt een vork en een schoon servetje voor haar neer en wil dan het bordje neerzetten, maar ze pakt hem bij de pols. 'Sam?'

'Jimmy...' Ze houdt haar hoofd een beetje schuin, alsof ze hem iets wil toefluisteren. Hij buigt zich naar haar over en Sam schuift haar andere hand onder het bordje taart en duwt hem het hele zaakje, extra slagroom en al, in het gezicht. Cahill slaakt een gesmoorde kreet en doet proestend een stap achteruit. Sam staat op en rent de eettent uit; in haar haast brengt ze de stand van die dag voor de categorie mensen omverlopen bijna op twee van de twee.

'Jippie, Sam!' brult Maledicta, en ze bonkt zo hard op de tafel dat de twee kopjes koffie omvergaan. Ze schuift van haar bank en pakt ook haar biezen; bij de deur roept ze een verschrikte serveerster nog toe: 'Maak je maar geen zorgen over de rekening, hoor! Dat stuk kankerlul van een rokkenjager dokt wel.'

In het gedeelte straat waar ze de auto hebben geparkeerd, haalt ze

Sam in. Sam staat wezenloos bij een wasserette naar binnen te kijken. Maledicta loopt op haar af en geeft haar een lekker stevige klap op de schouder.

'Godverklote, Sam, schitterend werk was dat!' Ze gebaart naar een zijstraat vlakbij, waarvan ze zich herinnert dat ze er een café heeft gezien. 'Kom mee, laten we wat gaan drinken. Ik trakteer, godverklote.'

'Nee, dank je. Drank kan ik op dit ogenblik missen als kiespijn.'

Andrew. Maledicta's glunderende gezicht krijgt ineens een zure uitdrukking. 'Hè, kut!'

'Sorry dat ik je teleur moet stellen,' zegt Andrew.

'Och wat, krijg toch de pestpokken, teringlul. Haal Sam eens naar buiten.'

'Sam is naar haar kamer. Die komt vandaag niet meer tevoorschijn.' Hij werpt een blik in de richting van de eettent. 'Dat was echt... vervelend, wat daar zonet gebeurd is.'

'"Vervelend"?' zegt Maledicta honend. 'Dat was prachtig, godverklote!'

'Nou, het doet me deugd dat jij het een mooi gezicht vond, Maledicta. Maar ik heb zo'n idee dat we nu maar beter kunnen maken dat we hier wegkomen. Wil je zo vriendelijk zijn Penny te roepen?'

'Nee, zo vriendelijk wil ik níét zijn, godverklote. En ik ga hier godverklote niet weg voordat ik een glaasje drank naar binnen heb gegoten.'

'Maledicta... mag ik je erop wijzen dat ik zojuist geweld heb gebruikt tegen een politieagent?'

'Ach wat, lul toch niet! Dat was helemaal geen agent, dat was een klootzak van een ex-vriendje die zijn verdiende kutloon heeft gekregen.'

'Nou, best, maar toch denk ik dat we ervandoor moeten. Ik hoef hier verder ook niets meer, tenminste voorl...'

'Nou, maar ik hoef hier godverklote nog wel iets. Ik wil drank en daarmee uit, godverklote.' En met een giftige blik: 'Ik heb iets nodig voor m'n zenuwen, die in de puinpoeier liggen doordat een zekere teringlijer bijna een huis in elkaar heeft laten donderen, boven op mijn kop.'

'Maledicta, dat spijt me echt verschrikkelijk, maar...'

Genoeg geluld. 'Kom je nou, godverklote, ja of nee?' vraagt ze, en ze loopt vast weg.

'Maledicta...'

Ze kijkt niet eens om, steekt alleen achter haar rug haar middelvinger op en loopt gewoon door.

'Maledicta!'

'Maledicta!' riep ik, maar ze maakte alleen een onbeschoft gebaar en liep gewoon door. Ik bleef een ogenblik besluiteloos staan en riep toen, in de hoop dat ze even zou schrikken van die naam en zich dan terugtrok: 'Penny!'

Maar nee. Maledicta liep naar de hoek van de straat en stak daar over, onderweg een automobilist stijf vloekend die had aangenomen dat een groen licht hem het recht gaf om door te rijden. Getergd, en omdat ik niet wist wat ik anders moest dan maar achter haar aan lopen, stapte ik zelf ook schuin die straat op, met mijn rug naar het verkeer aan mijn kant.

Een luid getoeter joeg me terug op de stoep. Toen ik me omdraaide, stopte er een politieauto naast me. Ik dacht dat het Cahill weer was, maar het gezicht dat zich vanachter het stuur mijn kant op boog, was dat van Gordon Bradley.

'Goeie manier om je te laten overrijden, Andrea,' zei hij vermanend.

'Commissaris Bradley. Sorry. Ik...' Ik wilde al naar Maledicta wijzen, maar liet mijn arm weer zakken. 'Ik lette niet op.'

'Ja, zo gaat dat meestal. Heeft Jimmy je nog gevonden?'

'Agent Cahill? Eh...'

'Ik had hem erop uitgestuurd om je te zoeken. We hebben net een telefoontje gekregen van die vrouw naar wie je vroeg.'

'Welke vrouw?'

'Je hospita. Mevrouw Winslow, als ik het goed heb?'

'Heeft mevrouw Winslow gebeld? Hoe is het met haar? Hebt u gezegd dat met mij alles in orde is?'

'Ja,' zei Bradley, 'maar dat wilde ze per se zelf komen vaststellen. Op dit moment is ze onderweg naar het vliegveld.'

'O, mijn god.' Ik wist niet of ik me opgewonden moest voelen of gegeneerd. 'Dus ze neemt het vliegtuig helemaal vanuit Seattle?'

'Vanuit Rapid City. Geloof ik.'

'Rapid City? Waarom zou ze daar... O nee.'

'Ze zei dat ze belde vanuit een motel in de South Dakota Badlands. Kennelijk had ze van een of andere dokter gehoord dat jij daar was geweest – dat gedeelte van het verhaal heb ik niet al te best begrepen. Maar in ieder geval weet ze dat je nu hier zit, en ze vroeg me ervoor te zorgen dat je hier zou blijven totdat ze aankwam. Goed, ik ga je niet officieel aanhouden, maar...'

'Dat zit wel goed,' zei ik. 'Ik ga nergens heen.'

'Oké dan...' Bradley keek achterom en zag een sliert auto's achter hem staan. 'Zeg, ik kan de boel hier niet eindeloos blijven blokkeren, maar zou je ervoor voelen om met me mee naar huis te gaan om daar een hapje te eten? Dan zouden we het er nog eens over kunnen hebben of ik dat huis niet van je kan kopen.'

'Eh... eigenlijk...' Ik keek de straat af in de richting waarin Maledicta was weggelopen. Ze was nergens meer te bekennen. Toen keek ik de andere kant op, en zag Cahill de eettent uit komen. Hij had een handvol servetjes bij zich en veegde nog steeds slagroom van zijn gezicht.

'... eigenlijk wel, ja,' zei ik.

De stoel naast de bestuurder werd al in beslag genomen door een grote kist visgerei, en dus stapte ik achterin, waar ik me zo ver onderuit liet zakken als ik maar kon. Bradley zag het nieuwsgierig aan, maar zei niets. Hij reed verder en sloeg bij de volgende hoek linksaf. Deze route voerde ons langs het café waar Maledicta naartoe was gegaan, en even dacht ik erover Bradley te vragen om te stoppen, zodat ik kon proberen haar over te halen met ons mee te gaan. Maar ik vroeg me af of ik haar ooit zover zou krijgen, en bovendien leek het me bij nader inzien toch niet zo'n goed idee om haar mee te nemen naar Bradleys huis. Penny – ja, die wel, maar Maledicta – nou nee.

Ook op de volgende hoek sloegen we linksaf, toen nog eens en op het laatst rechtsaf, zodat we weer uitkwamen in Main Street, in de straat van Winchell's. Ik duimde dat Bradley niet zou stoppen om Cahill te vertellen dat hij me had gevonden. Maar dat deed hij niet, en toen ik op het laatst rechtop ging zitten en om me heen keek, zag ik dat we de brandweerkazerne al voorbij waren en de stad uit reden.

'Eh... commissaris Bradley,' zei ik, 'waar is uw huis eigenlijk? Woont u niet in Seven Lakes?'

'Vlak buiten de gemeentegrens. Ik heb een hectare land naast Sportsman's Lake.' Dat zou wel die bruineboonvormige vijver zijn waarin hij die ochtend had staan vissen, dacht ik.

Nu schoot Maledicta me weer te binnen, en ik besefte dat ik haar op z'n minst even had moeten laten weten waar ik heen ging. 'O trouwens, daar bedenk ik net iets: mijn vriendin loopt daar nog rond. Ze, eh... doet een paar boodschappen, en als ze klaar is en me niet kan vinden, dan maakt ze zich misschien wel ongerust.'

'We blijven niet lang weg, hoor,' zei Bradley. 'En ik kan altijd per portofoon aan Jimmy vragen om je vriendin te zeggen waar we zijn.'

'Nou, om heel eerlijk te zijn, commissaris, wil ik liever niet dat agent Cahill weet waar ik zit.'

Via het achteruitkijkspiegeltje keek hij me aan. 'Hebben Jimmy en jij iets van een probleem?'

'Zoiets, ja,' beaamde ik.

'Hij heeft nog steeds een oogje op je, hè?' Bradley schudde zijn hoofd en zei: 'Ach, mannen', alsof hij er zelf geen was. 'Mannen zijn idioten als ze verliefd zijn, Andrea...'

Bradleys huis had een verhoogd terras met uitzicht op Sportsman's Lake; het huis stond echter een heel eind van het water. Bradley begon daar zelf over toen we de oprijlaan insloegen. 'Ik had op de oever willen bouwen, maar het probleem met die verrekte vijver is dat hij de gewoonte heeft om groter en kleiner te worden. Al die regen die de fundering van je moeders huis heeft ondermijnd, hè? Die heeft mij hier bijna weggespoeld. Dat is een van de redenen waarom ik op zoek ben naar een nieuw huis.'

'Nou, maar dat is dan toch niet erg praktisch?' merkte ik op. 'Als diezelfde regen op een haar na mijn moeders huis heeft weggevaagd, dan zou u toch alleen maar het ene probleemgeval inruilen voor het andere?'

Hij grinnikte, alsof ik hem klem had geredeneerd. 'Daar zeg je zoiets, Andrea. Ik ben niet zo'n praktisch man, denk ik.'

Hij parkeerde, stapte uit en liep naar mijn kant om het portier voor me te openen. Ik pakte de hand die hij me toestak, maar in plaats van dat hij een stap achteruit deed en me hielp uitstappen, bleef hij domweg staan en staarde op mijn hand neer alsof hij er zometeen een kus op zou drukken.

'Commissaris?'

'Goeie hemel, Andrea,' zei hij. 'Hoe kom je dááraan?'

O. Hij keek naar mijn knokkels. In de wc-ruimte bij Winchell's had ik de meeste splinters eruit gepulkt en mijn handen onder de koude kraan gehouden totdat ze niet meer bloedden, maar ik had nog geen kans gezien ze te verbinden – het verband lag in Penny's auto.

''t Is niet erg, hoor,' zei ik. Ik was niet van plan hem aan zijn neus te hangen dat ik mijn best gedaan had om het huis te slopen dat hij van me wilde overnemen. 'Echt, niks aan de hand – het ziet er gewoon veel erger uit dan het is.'

'Je moet dat behandelen met een desinfecterend middel, Andrea. Je wilt toch niet...'

'Niks aan de hand,' herhaalde ik. 'En mag ik nu... zou ik nu mogen uitstappen?'

'Natuurlijk.' Hij deed een paar passen naar achteren en ik stapte uit. 'Zo,' zei Bradley terwijl hij zacht het portier achter me sloot, 'heb je honger?'

Nee, helemaal niet, en opeens wenste ik vurig dat ik hier niet was. Ik wenste dat ik terug kon rennen naar de stad en samen met Penny Seven Lakes zo ver mogelijk achter me kon laten. Maar ik kon nog niet weg: mevrouw Winslow kwam immers.

'O, ja,' zei ik en dwong mezelf tot een lachje. 'Nou en of. Een hapje eten zou me goeddoen.'

Maledicta heeft net haar tweede glaasje wodka op als Cahill het café in komt. Eerst denkt ze dat de nieuwkomer Andrew is – waar zou hij godverklote anders heen kunnen, als hij niemand heeft om hem ergens naartoe te rijden? –, maar dan ziet ze wie het is en ze zet weer een knorrig gezicht.

Kut. Daar heb je díé klootzak weer. Maledicta speelt even met de gedachte zich te verstoppen, maar dat wordt toch niks: het is maar een klein café en op dit ogenblik is het er bijna leeg. Behalve Maledicta en de barkeeper zit er alleen een handjevol grijsharige zuipschuiten, klonen van die ouwe knar in de Pink Mammoth. Ze zou de dames-wc in kunnen duiken, maar nee, dat is de moeite niet waard.

De barkeeper en de klonen van de ouwe knar steken allemaal hun hand op: hier wordt typisch een stamgast begroet. Hij heeft al een klap tegen verscheidene handpalmen gegeven, als hij Maledicta signaleert en prompt nog eens beter haar kant op kijkt. Daar leidt Maledicta uit af dat de agent hier niet binnen is gekomen omdat hij achter haar aan zat; hij heeft op eigen initiatief het café opgezocht om zijn zielenleed te verdrinken. Dat is de ellende met zo'n miezerig kutplaatsje: te weinig kroegen om je lam te hijsen. En wat wil je? Die diender was dan wel niet op zoek naar Maledicta, maar nu hij haar hier heeft gevonden, moet hij natuurlijk zo nodig haar paar gelukzalige ogenblikken verstoren. Zul je altijd zien.

En jawel, hoor, daar komt hij al aan. 'Is Sam hier ook?' vraagt hij, op een toon die autoritair en smekend tegelijk klinkt.

Het is gevaarlijk om iemand van de politie de huid vol te schelden – zelfs Maledicta snapt dat –, maar ze ergert zich gewoon wezenloos aan dat stuk vreten. 'Krijg toch de tering,' zegt ze.

Hij zet al zijn stekels overeind. 'Hoor eens,' zegt hij, en hij buigt zich naar haar over, 'ik weet niet wie u bent, maar...'

'Zo is het maar net,' valt Maledicta hem in de rede. 'Jij hebt godverklote geen idéé wie ik ben.' Op haar barkruk recht ze haar rug, totdat haar gezicht zich op dezelfde hoogte bevindt als het zijne, zodat ze hem vlak in de ogen kijkt. 'Dat jij niet weet wie ik ben, dat komt doordat je me godverklote de hele dag al negeert. Je doet godverklote net of ik onzichtbaar ben. Een kwartiertje geleden ging je godverklote bijna boven óp me zitten. Dus nee, jij weet niet wie ik ben, maar weet je wie ik níét ben? Ik ben niet degene die die rottigheid tussen Sam en jou op d'r geweten heeft. Die heb jíj op je gore klotegeweten, achterlijke kankerlul, en zet het maar uit die rotkop van je dat je dat míj nu gaat inpeperen!'

Hierop volgt een doodse stilte in het café. De barkeeper en de klonen van de ouwe knar spelen voor standbeelden, al worden de oren van echte standbeelden nooit knalrood. Cahills kleurenschema beweegt zich juist de andere kant op: naarmate het bloed wegtrekt uit zijn oren, wangen en voorhoofd, nemen ze de tint aan van kaasdoek.

Voldaan draait Maledicta zich weer om naar de toog en geeft er met haar glaasje een roffel op om de barkeeper tot leven te wekken. Hij schenkt haar nog een wodka in, en intussen doet Cahill verwoede pogingen om de bloedsomloop te herstellen in het gebied van zijn hersenen waar het spraakvermogen zetelt. 'Hoor eens,' hakkelt hij, 'het was niet mijn bedoeling om... Het spijt me als ik...' Hij raakt verstrikt in zijn eigen woorden, zwijgt, doet zijn ogen even dicht, zucht en gaat verder: 'Maar kun je me misschien zeggen waar Sam ís?'

Maledicta houdt haar glaasje vlak onder haar neus, zodat de haartjes in haar neusgaten genietend omkrullen van de opstijgende geur. 'Sam is naar huis,' zegt ze.

'Naar huis? Bedoel je terug naar het huisje in het bos, of...'

'Echt naar huis,' zegt Maledicta. In een plotselinge vlaag van inspiratie vertoont ze een brede grijs. 'Terug naar New Mexico.'

'New Mexico?'

Maledicta legt haar hoofd in haar nek en slaat de wodka achterover. 'Ja-a,' brengt ze hijgend uit. 'Jawel, New Mexico. Santa Fe. Daar wonen we, godverklote. Sam en ik, wij hebben daar een dijk van een eigen galerie.'

'Dus jullie zijn allebei... kunstenaar.'

'Nou ja, ik niet. Ik bedoel, ik rotzooi maar wat aan – ik doe aan performancekunst, dat soort gedonderjaag – maar Sam, die is degene van ons tweeën met het echte talent. Ik doe meer aan de zakelijke kant. Zij schildert, en ik ga over de poen, weet je wel, zeiksnor?'

'En jullie wonen samen?'

'Ja,' zegt ze, maar dan dringt het tot haar door wat hij bedoelt. 'Christus zeg, nee, niet zó! We zijn godverklote geen pótten!'

'Oké, hoor,' zegt Cahill, op een toon alsof zijn vraag op iets heel anders betrekking had.

'We zijn bevriend, godverklote,' benadrukt Maledicta. 'Goed bevriend, prima bevriend, maar niet...'

'Oké, oké...' Hij is zichtbaar opgelucht, al doet hij zijn best om dat te verdoezelen. 'Dus Sam heeft op het ogenblik niks, met een ander?'

In de ingang van de grot schreeuwt Muis, die zich vreselijk opwindt, dat dit nergens op slaat, dat Maledicta moet ophouden met die praatjes. Maar Maledicta is dankzij de drank in een opperbeste stemming en gaat gewoon door. 'Of ze niks heeft? O, maar dát heb ik niet gezegd... Het is namelijk zo, ze is getrouwd...'

Die úítdrukking op zijn smoel als hij dat hoort – godverklote zeg, geweldig! 'Getrouwd...' En het bloed trekt weer weg uit zijn wangen. 'Maar je zei toch dat julie samenwonen... dus Sams man woont ook bij jullie?'

'Tja, jezus, het is een ingewikkelde toestand...' Op dat ogenblik slaat de inspiratie weer toe. Ze houdt hem haar glaasje voor. 'Regel me nog eens een wodka.'

Met zijn ogen knipperend staart hij ernaar.

'Wees maar niet bang, ik ga hem je heus niet in je gezicht smijten,' zegt Maledicta. 'Maar ik ben hierheen gekomen om zonder gezeur aan m'n kop rustig achter een glaasje te hangen, en als jij zo nodig antwoord moet hebben op alle mogelijke zeikvragen, dan zul je d'r iets voor over moeten hebben, godverklote.'

Cahill aarzelt. Hij is niet op zijn achterhoofd gevallen, en diep in zijn binnenste moet hij toch vermoeden dat hij nu wordt genaaid. Maar uiteindelijk legt zijn onbeantwoorde liefde toch meer gewicht in de schaal dan zijn gezonde verstand: hij laat zich neer op de kruk aan Maledicta's rechterhand en gebaart naar de barkeeper: 'Nog twee wodka, graag.'

'En sigaretten,' voegt Maledicta eraan toe. 'Godverklote, wat ben ik toe aan een potje paffen.'

'Heb je je chili graag heet?' vroeg Bradley.

'Dat zou ik niet weten,' zei ik. 'Ik geloof niet dat ik ooit eerder chili heb gegeten.'

'O nee, nog nooit?'

'Niet dat ik weet, nee.'

'Goed, dan niet te heet maar,' zei Bradley, en daar begon het gerammel met potten en pannen weer. Het had een simpele, snelle hap zullen worden, maar te oordelen naar het kabaal dat eraan te pas kwam, beloofde dit een grootscheepse keukenoperatie te worden.

Het voorste gedeelte van Bradleys huis had een open indeling. Als je vanaf het terras via de glazen schuifdeuren binnenkwam, stond je in een U-vormige ruimte met een hoog plafond. De linkerpoot van de U was de keuken, de rechterpoot de woonkamer, en het gedeelte ertussenin was een eetkamer met uitzicht. Eerst was ik aan de eettafel gaan zitten, en vandaar had ik mijn blik via het terras op de vijver in de verte gericht, maar omdat Bradley almaar met zijn pannen in de weer bleef en het duidelijk werd dat de werkzaamheden nog wel een tijdje zouden duren, stond ik op en drentelde de woonkamer in.

Het vertrek maakte een lege en aan de andere kant juist volgestouwde indruk: er stond niet veel meubilair, maar de muren waren van boven tot onder behangen met van alles en nog wat. Er was veel kunst bij – voor het grootste gedeelte van de zigeunerinnetjescategorie, maar ook borduurwerk – en verder een aantal planken met sporttrofeeën; en ook hingen er ik weet niet hoeveel foto's. Vooral één wand ging schuil achter de foto's, alsof de inhoud van wel twee of drie albums hier was opgehangen om er gemakkelijk naar te kunnen kijken. Op het eerste gezicht deed de indeling volkomen chaotisch aan, maar toen ik wat nauwlettender keek, zag ik dat er toch iets van constellaties of clusters aan te wijzen waren die een bepaald onderwerp vertoonden.

In één zo'n constellatie kwamen een jonge Gordon Bradley en een vriend van hem voor, die – iets wat maar langzaam tot me doordrong – de biologische vader van Andy Gage moest zijn: Silas Gage. Dat ik er zo lang over deed om hem te herkennen, kwam doordat ik in al die tijd maar één foto van hem had gezien – een trouwfoto die mijn eigen vader had weten te bewaren – en op heel wat van deze kiekjes was hij nog een tiener: nu eens poseerde hij met Bradley voor een oude auto die veel weg had van Julie Siviks Cadillac, dan weer maakten ze deel uit van een schoolbandje (Bradley met een trombone, Silas Gage met een saxofoon); weer ergens anders stonden ze onder de modder op een voetbalveld; ook stonden ze, inmiddels iets ouder, samen met een stuk of tien andere jongemannen in de houding, allemaal in uniform; op nog weer een andere foto waren ze, ook weer in uniform, aan het lol-trappen: Bradley hield zijn oren dicht terwijl Silas Gage een grote hamer zogenaamd liet neersuizen op de neus van een artilleriegranaat.

Verder zag je ze ook op een bruiloft, waar ze naast een vrouw in een bruidsjurk stonden van wie ik het gezicht wél goed kende: Althea Gage. Dat was het laatste kiekje waar Silas Gage op voorkwam, maar van Althea hingen er nog meer: eentje van haar en Bradley op een feestje, en ook een waarop ze voor het huisje in het bos – dat toen nog niet scheef hing – poseerde, en er zichtbaar trots naar wees. Bij de aanblik van die foto werd ik bekropen door het verlangen om de artilleriegranaat van die dienstfoto even te lenen.

'Zo, de chili staat te pruttelen,' zei Bradley, die nu bij me kwam staan. 'Zin in iets te drinken? Ik weet dat het nog wat vroeg is, maar...' Hij hield een flesje bier in de hoogte.

'Nee, dank u wel,' zei ik. Ik knikte naar de foto's: 'Ik wist niet dat... mijn vader en u zulke dikke maatjes waren geweest.'

'We waren net broers, vanaf de dag dat we elkaar leerden kennen. Nou ja... vanaf de tweede dag dan.'

Ik begreep niet wat hij bedoelde en schudde mijn hoofd.

'Ik kom oorspronkelijk uit Peoria,' legde Bradley uit. 'Maar mijn moeder is ervandoor gegaan toen ik dertien was, en mijn vader zag het niet zitten om mij in zijn eentje op te voeden, dus die heeft me toen naar het noorden gestuurd, naar zijn zus en haar man, die hier woonden.' Hij wees naar een ouder echtpaar, waarvan ik had aangenomen dat het zijn ouders waren. 'Toen ik hier kwam, was ik dus de nieuweling op een kleine school, en meteen de eerste dag zette jouw vader zijn zinnen op een fikse ruzie met me – en doordat ik op dat ogenblik vol woede zat vanwege van alles en nog wat, was ik maar al te graag bereid om hem zijn zin te geven...' Hij stak een vinger in zijn ene mondhoek en trok zijn lip op, zodat er een open plek tussen zijn kiezen zichtbaar werd.

'Heeft mijn vader er een kies bij u uit geslagen?' vroeg ik.

'Nee hoor,' antwoordde hij en liet zijn lip weer los. 'Ik heb hém een tand uitgeslagen. Eentje van mij heeft wel zo'n dreun gekregen dat hij los is komen te zitten, maar die is er pas later uit gevallen.' Hij grinnikte. 'Toen we de volgende dag op school kwamen, vroegen we ons allebei af of er een herhalingswedstrijd zou komen, maar hij keek mij eens aan en ik keek hem eens aan, en allebei zagen we toen... ik weet niet, iets.' Met een ietwat verlegen gezicht haalde hij zijn schouders op. 'Vanaf dat ogenblik zijn we dikke vrienden geweest.'

'Ha,' zei ik, want ik begreep niet hoe een vechtpartij een dikke vriendschap kon opleveren. Ik keek weer naar de foto's en wees naar weer een ander stel, waarop Bradley te zien was met een knappe, maar telkens strak kijkende blonde vrouw. 'Is dat uw vrouw?'

'Dat was ze, ja.' Ik kon daar niet uit opmaken of hij weduwnaar was geworden of gescheiden was, maar toen voegde hij eraan toe: 'Ze heeft me aan de kant gezet.'

'O. Wat vreselijk voor u.'

'Nee hoor. Ellen was een best mens, maar dat wij tweeën in het huwelijksbootje zijn gestapt, was een vergissing. Niet het huwelijk dat ik me had voorgesteld.' Hij nam een grote slok bier. 'En hoe zit het met jou?'

'Met mij?'

'Jij bent een aantrekkelijke jongedame. Ben je getrouwd?'

Ik was er inmiddels aan gewend geraakt dat hij me 'Andrea' noemde, maar om aangeduid te worden als 'aantrekkelijke jongedame', dat vond ik verwarrend – vooral ook omdat hij dat niet puur uit vriendelijkheid zei, maar het zo te zien echt meende.

'Ik... ik... Nee,' zei ik. 'Ik ben niet getrouwd.'

Hij glimlachte. 'Maar je hebt vast plannen in die richting.'

'Nee, zelfs dat niet. Ik bedoel, er is één iemand geweest die ik... maar z... die iemand voelde niet hetzelfde voor mij.'

'Ja, dat komt soms hard aan,' zei Bradley. Hij wierp een vlugge blik op de verzameling foto's en vroeg: 'Heb je eigenlijk ooit dat programma ontvangen dat ik je heb gestuurd?'

'Wat voor programma?'

'Van je moeders begrafenis. Ik weet wel dat je zei dat je het niet wilde, maar ik vond dat je het hoorde te krijgen.'

'O,' zei ik. 'Kwam dat van u? Ik bedoel, ja, dat hebben we gekregen.' Ik wilde er al een plichtmatig 'dank u wel' aan toevoegen, maar op dat ogenblik werd mijn mond kurkdroog. Zonder erbij na te denken bracht ik het flesje – het flesje dat opeens zomaar in mijn hand was beland – naar mijn lippen en nam een teug bier.

'Ik vind het alleen wel jammer dat je er niet bij hebt kunnen zijn,' zei Bradley. 'Het was een droevige plechtigheid, maar het was prachtig... Ze was een geweldige vrouw, je moeder...'

'Wat u zegt,' mompelde ik. Ik nam nog een slok bier, en nog een. Het flesje was al bijna leeg toen ik in de gaten kreeg wat ik deed – en op dat ogenblik was het al te laat.

'... dus de twee koters wonen nu bij haar man, in Seattle,' zegt Maledicta. 'Voordat we hier kwamen zijn we bij ze langs geweest.'

'Dus Sam en haar man,' zegt Cahill, 'haar man...'

'Dennis,' zegt Maledicta, en ze moet zich in de binnenkant van haar pols knijpen om niet in lachen uit te barsten. Zo langzamerhand zit ze bijna aan één stuk door te knijpen, maar het effect wordt steeds minder – hoe meer ze drinkt, hoe minder ze voelt van dat geknijp. Ze is inmiddels aan haar zevende wodka begonnen.

'Dennis, zo... Dus ze zijn uit elkaar?'

'Niet officieel. En maak je nou niet blij met een dooie mus, hè. Dit is maar een tijdelijke toestand – je zult zien dat die rukker binnen de kortste keren z'n verstand terugkrijgt en dan weer bij haar komt wonen, in Santa Fe. Kun je donder op zeggen.'

Cahill neemt zulke kleine teugjes van zijn wodka dat je zou denken dat het levertraan is, of een ander smerig drankje. Toch is dit zijn derde glaasje al, en zodoende weet Maledicta zeker dat hij haar verhaal gelooft. De agent is in functie, en eigenlijk hoort hij niet meer dan één glas te nuttigen – zoiets heeft hij zelf gezegd –, maar toen Maledicta hem vertelde dat Sam kinderen had (een tweeling!), werd dat voorschrift in één keer overboord geflikkerd.

'Maar als het allemaal nog niet verkeken is tussen haar man en haar,' wil hij vervolgens weten, 'wat deed Sam hier dan in Seven Lakes? En wat was dat verdorie dan vanmorgen, toen Sam zei dat ze dacht dat ze Horace misschien had omgebracht?'

'O, dat.' Maledicta maakt een wegwerpgebaar en slingert prompt even op haar barkruk. 'Nou kijk, een hoop van Sams problemen, ook die toestand met dat portret waar ze mee getrouwd is en zo, dat komt allemaal door wat die klootzak van een stiefvader van haar met haar heeft uitgehaald. Je weet wel.'

'Nee, ik weet van niets. Wat...'

'Jezus, doe nou even normaal, man. Jij bent godverklote de ex, de gast waarmee ze d'rvandoor zou gaan, nota bene. Maak me nou goddorie niet wijs dat jij van niks wist.'

'Ik weet wel dat Sam en Horace niet zo goed met elkaar konden opschieten...'

Fronsend: 'Niet zo goed.'

'Oké, Sam haatte hem. Maar...'

'Ze haatte hem omdat hij haar néúkte, klootzak!' Een van de ouweknarklonen aan het andere uiteinde van de toog krimpt ineen en even voelt Maledicta een golfje van gêne. Ze had hier alleen maar een hoop leugens willen opdissen, en nu heeft ze zomaar haar mond voorbijgepraat.

Maar ach, wat zou het godverklote ook?

'Wát deed hij?' vraagt Cahill. 'Pardon?'

'Je hebt toch geen stront in je oren?' Maledicta roffelt met haar glaasje op de toog om aan te geven dat ze aan een nieuwe dosis toe is, maar de agent pakt haar bij de arm. 'Zeg, hé!' protesteert Maledicta. 'Wat moet dat, godverklote!'

'Is dat een geintje of zo?' vraagt Cahill. 'Zit je dat nu allemaal te verzinnen om mij, weet ik veel...'

'Nee, dat is godverklote géén geintje! Krijg toch de pestpokken, jij! Als je 't niet wilt geloven, vraag het dan maar aan je baas, christeneziele.'

'Dus commissaris Bradley weet ervan?'

'Ja, nou en of hij ervan weet. Beetje aan de late kant, maar goed...' Ze rukt haar arm los en schuift een eindje bij hem vandaan, nijdig maar ook nieuwsgierig. 'Wist je dat dan echt niet? Heeft Sam je dat nooit verteld?'

'Nee! Nee, Sam heeft daar nooit een woord...' Opeens zwijgt hij, en Maledicta kan haast horen hoe een bepaalde herinnering op zijn plaats valt, met zo'n klap gaat dat gepaard.

'Aha,' zegt Maledicta. 'Dus ze heeft het je godverklote wel degelijk verteld – alleen heb jij dat niet in de gaten gehad. Zo gaat dat godverklote nou altijd, hè.'

'O god. O, Sam...'

'Alsjeblieft, zeg. Bespaar me je krokodillentranen.' Maledicta schudt een sigaret uit het pakje en steekt hem op.

'Dus commissaris Bradley wist ervan?' vraagt Cahill. 'Hij heeft erover gehoord?'

'Ja, alleen wel iets te laat om er een eind aan te maken.'

'God. Dat moet hem een doodsklap hebben gegeven.'

'Ja hoor,' zegt Maledicta. 'Hij ging hartstikke dood toen we dat gesprek met hem hadden.'

De agent schenkt haar een ijzige blik. 'Ik weet zeker dat commissaris Bradley het ontzettend vond toen hij dat hoorde. God, en niet alleen voor Sam – ook vanwege zichzelf.'

'Hoezo? Omdat hij het er zo godvergeten treurig bij heeft laten zitten?'

'Omdat hij er geen eind aan had gemaakt, ja. En ook...'

'Nou?'

'Nee, niets.'

'Niet lullen. Wat voor reden had hij nog meer om dat zo beroerd te vinden?'

Nu is Cahill degene die gegeneerd kijkt, alsof híj op het punt staat om uit de school te klappen. Maar Maledicta staart hem net zo lang aan tot hij het vertelt.

'Nou ja, gewoon,' zegt hij. 'Het moet al vreselijk zijn om het af te leggen tegen een man die deugt, dus laat staan tegen een vent die... er zulke praktijken op na hield.'

'Wat bedoel je daarmee, met "het afleggen"? Op wat voor gebied dan?' Dan gaat er haar een lichtje op: 'O, kut zeg.'

'Sams moeder,' zegt Cahill. 'De commissaris en Sams vader – haar echte vader, Silas – hebben destijds allebei dezelfde vrouw het hof gemaakt. Silas heeft het gewonnen: hij is met haar getrouwd. Maar niet lang daarna is hij overleden, en commissaris Bradley...'

'Nou, geweldig toch, godverklote?' zegt Maledicta. 'Toen heeft hij haar zeker meteen op de begrafenis om d'r hand gevraagd?'

De agent onthaalt haar nogmaals op een ijskoude blik. 'Ik weet wel zeker dat het anders is gegaan. Maar Althea mocht hem heel graag, en zij had toen net een baby gekregen, dus daar moest ze ook aan denken, en ik neem aan dat ze heeft laten doorschemeren dat ze misschien wel in hem geïnteresseerd was – maar voordat er echt iets van was gekomen, ging ze om en legde het aan met Horace.'

'En hoe weet jij dat allemaal zo goed, hè? Jij was in die tijd toch zeker ook nog een baby?'

'Dat heb ik van commissaris Bradley.' Cahill tikt even met een vinger tegen de rand van zijn glaasje. 'Op een keer, een jaar geleden of zo, zaten we wat te drinken in dat huisje in het bos...'

'Godverklote, is dat nu jullie privéclubhuis of zo?'

'Nee, maar... Mijn baas, hè, die probeert het zaakje zo'n beetje bij te houden sinds Althea is overleden. Op een avond vond ik hem daar in de keuken; hij voerde niks uit, hij zat maar wat te zitten met een fles erbij. Ik ben toen bij hem gaan zitten, en hij begon een heel verhaal, over dat hij al die jaren verliefd was geweest...

Dus dat was op zich al erg genoeg,' besluit de agent. 'Zulke gevoelens voor een ander, en om dan te worden afgewezen, tot twee keer toe maar liefst. Maar om dan ook nog eens te horen te krijgen dat je het hebt moeten afleggen tegen een... een pedofiel... Dat is onvoorstelbaar.' Haastig voegt hij eraan toe: 'Niet dat dat ook maar in de verste verte vergelijkbaar is met wat Sam heeft moeten doorstaan, natuurlijk...'

Maledicta's handen jeuken om Cahill een dreun te verkopen, maar ze houdt zich in, kijkt de barkeeper aan – de man, die al een tijdje boven op hen staat, doet net alsof hij niet voor luistervink speelt – en houdt haar lege glaasje in de hoogte. 'Nog eentje om het af te leren.'

'Dacht je niet dat je wel genoeg had gehad?' zegt Cahill.

'Dacht je niet dat jij je met je eigen klotezaken moest bemoeien?' bijt Maledicta van zich af.

Agent Cahill zucht. 'Oké,' zegt hij, 'het is jouw lever – het komt op míjn rekening, maar het is jouw lever.' Hij haalt zijn portefeuille tevoorschijn en controleert even of hij genoeg geld bij zich heeft voor al die glaasjes. 'Zeg me alleen nog één ding. Daarnet zei je dat Sam al naar Santa Fe was vertrokken, maar dat was niet waar, hè? Ze zit hier nog, in Seven Lakes.'

'Ja, totdat ik zo meteen op handen en voeten terugkruip naar de auto, godverklote,' zegt Maledicta. 'Maar...' – haar glaasje is weer vol en ze slaat het achterover – 'A-a-a-ah! ... Pas op dat je haar niet meer lastigvalt, etterbak. En haal het zeker niet in je hoofd om haar te vertellen wat ik jou zonet heb verteld over die klootzak van een stiefvader van haar.'

'Nee, natuurlijk doe ik dat niet... Tenminste niet als zij niet... Maar ik zou wel heel graag nog één keer met haar praten voordat jullie vertrekken. Niet om haar lastig te vallen, alleen om... Hé, voel je je wel goed?'

'Ik voel me kiplekker, godverklote,' zegt Maledicta, maar dat is niet waar. Die laatste dosis wodka heeft haar een dreun bezorgd – ze laat het glaasje vallen en moet zich aan de rand van de toog vasthouden om niet om te tuimelen.

'Je ziet er anders niet kiplekker uit,' merkt Cahill op. 'Je ziet groen.'

Maledicta geeft geen antwoord; haar maag komt in opstand.

'... tienduizend dollar,' zei Bradley. Zijn stem klonk ietwat gesmoord doordat de deur tussen ons dicht was. 'Ik weet wel dat dat aan de lage kant klinkt, maar het huisje is vrijwel zeker een verliespost, weet je wel. Ik zou het dolgraag laten staan als ik kon, als ik een methode wist om iets aan de fundering te doen, maar ik heb zo'n idee dat ik de hele zaak zal moeten afbreken en iets nieuws neerzetten. En dan alle onderhoudswerkzaamheden die ik de laatste twee jaar heb uitgevoerd – ik weet wel dat je daar niet om hebt gevraagd, maar ik heb het allemaal uit mijn eigen zak betaald, en volgens mij kun je dat toch niet helemaal uitvlakken... Dus wat vind jij, Andrea?'

'Dat vind ik... wel redelijk klinken.' Ik hield mijn hoofd rechtop, zodat hij me kon verstaan. 'Alleen, ik ben eigenlijk nog niet zover dat ik een beslissing kan nemen.'

'O, ik wil je niet opjagen, hoor,' zei Bradley, maar uit een paar opmerkingen van je meende ik op te maken dat je er niet al te veel voor voelt om in Seven Lakes te blijven.'

'Dat is ook zo. Maar...'

'Zie je wel? En ik kan me ook niet voorstellen dat je nog vaak terugkomt om hier deze of gene op te zoeken...'

'Dat klopt ook, ja.'

'Juist! Dus ja, is het dan niet zonde om zo'n goed perceel onbewoond te laten, als je geen plannen hebt om er zelf gebruik van te maken? En weet je...'

Maar de rest van zijn woorden ontging me, want ik werd weer overspoeld door een golf van misselijkheid en boog me over de wc-pot.

Ik had mijn ellendige toestand graag toegeschreven aan Bradleys chili con carne: een nogal tamme stoofschotel met gehakt en hier en daar een stukje allejezus hete Spaanse peper. Maar ik had er maar heel weinig van gegeten – dat zag ik aan wat er in de wc-pot lag –, hooguit vijf of zes lepels.

Nee, waarschijnlijk was dat bier de boosdoener. Ik had geen idee hoeveel ik had gedronken. Ik had pas in de gaten gekregen dát ik dronk toen we op het punt stonden om aan tafel te gaan en Bradley met een gebaar naar het flesje in mijn hand had gevraagd of ik er nog eentje wilde. Verschrikt zei ik van nee, maar toen ik een ogenblikje later snel een hap chili wilde wegspoelen, merkte ik dat ik bezig was een nieuw flesje, nog koud van de ijskast, aan te breken. En toen er een poosje daarna een sliertje jalapeño in mijn keel bleef steken en daar een potje begon te puntlassen, greep ik hoestend naar mijn glas water, dat dacht ik tenminste, maar nee: ik proefde nog meer bier.

Op dat ogenblik was ik me beroerd gaan voelen. Dat stukje groene Spaanse peper was weliswaar veilig geblust, maar het liet een indruk in mijn keel achter alsof mijn kokhalsreflex telkens door een vinger werd geprikkeld. Het gevoel werd in sneltreintempo erger, en ik stond op en vroeg waar het toilet was. Ik haalde het maar net.

Gelukkig was Bradley blijkbaar niet gepikeerd dat ik zijn maaltijd eruit had gegooid. Het leek er zelfs op dat hij het amper had gemerkt.

'... en als je, voordat je de knoop doorhakt, liever eerst eens je licht opsteekt over de huizenprijzen in deze omgeving, dan begrijp ik dat natuurlijk best. Ik zou niet graag willen dat je er een vervelende nasmaak aan overhield, Andrea. Maar weet je, ik denk dat je wel zult merken dat het...'

Mijn aanval van misselijkheid was geloof ik uitgewoed. Ik wachtte nog een poosje om het zekere voor het onzekere te nemen en stond toen op om gebruik te maken van de wastafel. Ik voelde me duizelig omdat ik zo lang voorover had gehangen, dus nadat ik mijn mond had gespoeld, liet ik de wastafel vollopen. Toen ik mijn wangen en voorhoofd natmaakte, hoorde ik scharnieren piepen en ik voelde dat er van achteren iemand op me toe liep. 'Ik ben weer helemaal in orde, commissaris,' zei ik, maar toen ik in de spiegel keek was de deur van de badkamer nog dicht, en het gezicht dat me aanstaarde was niet dat van Bradley.

'Hallo, kindje schim, daar was ik weer,' zei Gideon.

In een plastic bekertje op de achterrand van de wastafel stonden een tandenborstel en een flosdraadhouder met een stalen punt eraan. Ik graaide naar de houder, maar mijn linkerhand was er het eerst bij en stootte het bekertje om. Toen sloot die hand zich om mijn keel, en terwijl ik uit het lichaam werd gesleurd, gingen de wanden van de badkamer over in de openlucht. Ik keek omlaag en zag het meer ergens helemaal in de diepte, een massa donker water die om een grijs stipje heen kolkte: Coventry.

'Andrea?' riep Bradley. Zijn stem klonk als een verre echo. 'Wat viel daar? ... Andrea, gaat het?'

'Ik voel me kiplekker, hoor,' antwoordde Gideon. 'Ik kom eraan.'

Voor de supermarkt aan Main Street staat een frisdrankautomaat. Muis hoopt dat die ook flesjes mineraalwater in het assortiment heeft – want daar snakt ze nu naar, naar fris water –, maar dit is Seven Lakes, niet Seattle, en de automaat heeft alleen fris te bieden. Ze zou de winkel in kunnen gaan om water te kopen, maar ze moet er niet aan denken dat ze dan misschien in een lange rij voor de kassa moet staan wachten en haar best doen om niet van schaamte van haar stokje te gaan als de caissière en de andere klanten een vleugje opvangen van haar kegel.

Dan maar fris. Ze stopt een paar munten in het ding en drukt op de knop voor gemberbier. Het blikje rolt er lauw uit en het spul smaakt alsof het een middeltje is om een kunstgebit mee schoon te maken, maar Muis dwingt zichzelf om het toch op te drinken. Ze heeft dat vocht nodig. Ze kijkt naar de Buick, die aan de overkant geparkeerd staat. Andrew is nog niet weer komen opdagen. Muis houdt zichzelf voor dat ze het hem onmogelijk kwalijk kan nemen dat hij weg is gekuierd, maar eigenlijk neemt ze het hem wel kwalijk. Hij had moeten wachten. Hij had achter haar aan moeten komen. Nou goed, nee, hij had niet achter haar aan hoeven komen – Maledicta heeft zich weer eens beestachtig gedragen, en als hij ook naar dat café was gegaan, dan waren ze van de regen in de drup geraakt –, maar hij had wél moeten wachten.

Muis leunt met haar rug tegen de automaat en laat zich omlaagglijden totdat ze op het trottoir zit met haar kin op haar opgetrokken knieën. Ze drinkt van haar lauwe gemberbier en voelt zich ellendig. De mensen die de supermarkt in en uit gaan, werpen een scheve blik op haar, alsof ze een dakloze zwerfster is.

Zo voelt ze zich ook. Ze heeft geen motelkamer, geen enkel veilig plekje hier in Seven Lakes waar ze een paar uurtjes kan gaan slapen. En ze kan ook nergens anders naartoe, want ook al zou ze er niet mee zitten om Andrew in de steek te laten – net zoals hij háár in de steek heeft gelaten, denkt ze bokkig –, ze kan nu niet rijden. Een groot gedeelte van de wodka die Maledicta heeft verzwolgen is achtergebleven in het café, maar er zit nog zoveel in Muis' lijf dat ze niet achter het stuur durft te kruipen.

Het enige lichtpuntje aan deze toestand is dat ze er redelijk zeker van kan zijn dat die Cahill haar verder niet meer aan haar hoofd komt bezeuren. Toen Muis het café uit rende was hij nog in de heren-wc bezig zich enigszins schoon te poetsen, maar dat was enkel een provisorische maatregel – hij zal naar huis moeten om zich te verkleden, en waarschijnlijk ook om langdurig een hete douche te nemen. Muis weet best dat ze daar niet mee in haar nopjes hoort te zijn – ze zou zichzelf walgelijk moeten vinden en zich kwaad moeten maken op Maledicta, en ze wórdt ook geteisterd door dat soort gevoelens –, maar op dit ogenblik is ze blij met alles wat het aantal obstakels vermindert die haar beletten met stille trom uit dit oord te vertrekken.

'Toe nou, Andrew,' zegt ze. 'Kom terug. Laten we hier opkrassen.'

Maar het duurt nog wel even voordat Andrew komt opdagen. Het geluid van zijn stem roept Muis wakker uit een dronken dutje; verward komt ze bij haar positieven, snakkend naar een fikse slok lauw gemberbier – de prik is er nu ook nog uit, brr –, om te kunnen bedenken waar ze ook alweer is.

Andrew staat aan de overkant, waar hij commissaris Bradley een hand geeft door het raampje van de patrouillewagen. 'Vanavond om halfacht,' hoort Muis Andrew zeggen; dan doet hij een stap achteruit en Bradley rijdt weg.

Muis staat op. 'Andrew!' roept ze.

Volkomen overrompeld kijkt hij haar kant op; hij is zo verbaasd dat hij haast vijandig overkomt... maar dan lacht hij. 'Ha, Penny!' begroet hij haar. 'Hoe gaat het?'

Muis wacht tot er nog een auto voorbij is en steekt over. 'Andrew,' roept ze als ze op hem toe loopt. 'Waar zat je nou?'

'Bij Bradley thuis.' Nu pas dringt er iets van haar stemming tot hem door. 'Goh, Penny, hopelijk heb je je niet ongerust gemaakt.'

'Nou en of,' zegt Muis. 'Maar dat hebben we gehad. Kun je nu weg?'

'Nou, kijk,' zegt hij, 'dat kwam ik je nu net vertellen: ik kan nog niet vertrekken.'

'Wát?'

'Ik heb besloten dat ik het huis aan Bradley verkoop,' legt Andrew uit. 'Het kan natuurlijk pas officieel worden als ik heb laten vastleggen dat het mijn eigendom is, maar we zijn het samen eens geworden, en hij doet me straks zelfs een aanbetaling. Ik ga vanavond weer naar zijn huis om het geld in ontvangst te nemen.'

'Vanavond? Dus dan moeten we hier nog blijven?' Alsjeblieft, zeg.

'Wé hoeven niet te blijven,' zegt Andrew. 'Ik wel, maar er is geen enkele reden waarom jij hier nog langer zou blijven plakken. Mocht je zin hebben om in je eentje te beginnen aan de terugtocht naar Seattle...'

'Nee,' zegt Muis. 'Dat kan niet.'

'Natuurlijk wel. Maak je niet druk om mij, ik...'

'Nee, ik bedoel dat hét niet kan. Maledicta heeft zoveel gehesen dat we zat zijn geworden, of ík dan. Ik kan niet rijden.'

'O.' Hij buigt zich iets voorover en snuffelt. 'Nou! Allemachtig, Penny...'

'Dus zul jij achter het stuur moeten kruipen.' Muis duwt hem de autosleutels in de hand voordat hij kan weigeren. 'Breng me alsjeblieft ergens heen, geeft niet waar, als ik er maar een tukje kan doen. En als jij vanavond dan de auto wilt lenen om bij Bradley langs te gaan, mij best, ik wacht dan gewoon op je.'

Andrew gooit de sleutels een paar keer een eindje in de hoogte en kijkt nadenkend. 'Hmm, oké, dat is denk ik wel een goed idee...'

'Maar laten we nu dan gaan,' dringt Muis aan. 'Ik kan gewoon niet meer op mijn benen staan.'

'Goed.' Hij lacht alweer. 'Ga jij maar achterin liggen. Laat alles verder maar aan mij over.'

Voordat ze zich uitstrekt op de achterbank, draait Muis de raampjes nog open in de hoop dat de frisse lucht korte metten maakt met elke nog nasmeulende neiging om over te geven. En het werkt: haar maag speelt heel even op als Andrew de auto achteruit manoeuvreert, maar wanneer ze eenmaal rijden, doet de koele luchtstroom haar erg goed. 'O, één ding nog...' zegt ze terwijl haar ogen al dichtvallen.

'Hmm? Wat dan?'

'Ik ben toch zo aan water toe. Zou je even ergens naar binnen kunnen hollen om me...'

'Natuurlijk, Muis,' zegt hij. 'Rustig maar, ik ga zo.'

'Dank je...' Ze zeilt weg, in slaap gewiegd door de regelmatige vaart van de auto, en –

– er kriebelt iets aan haar ooglid. Er komt nog steeds iets van een luchtstroom door de open raampjes, maar minder gestaag; de auto staat stil. Muis brengt een hand naar haar gezicht en haalt slaperig uit naar het iets wat haar kriebelt. Een blaadje.

Ze gaat rechtop zitten en knippert de slaap uit haar ogen. Ze probeert Andrews naam te roepen, maar haar mond en keel zijn kurkdroog. Ze werpt een blik op de plaats achter het stuur en ontdekt dat die leeg is.

Muis neemt aan dat ze op een parkeerplaats ergens langs de snelweg staan. Waarschijnlijk is Andrew water voor haar gaan halen. Ze gaapt eens uitgebreid en constateert verbaasd dat ze zich veel beter voelt: ze vergaat van de dorst en ze heeft hoofdpijn, maar ze is een stuk nuchterder, en als ze niet beter wist, zou ze haast denken dat ze de hele middag heeft liggen slapen.

Hé. Dat is raar. Volgens het klokje op het dashboard hééft Muis ook de hele middag geslapen. En nu ze eens beter naar buiten kijkt, is dit wel een heel merkwaardige parkeergelegenheid: alles is met gras begroeid, en er zijn geen benzinepompen of fastfoodrestaurants te zien, enkel iets van een huisje, een wit geval dat naar één kant overhelt...

O god.

Muis draait zich helemaal om en kijkt nu door het achterraam in de hoop dat dit tafereel een luchtspiegeling blijkt. Maar achter de auto is ook al niets te bekennen wat op een parkeerterrein lijkt: alleen maar een onverhard weggetje dat haar langzamerhand maar al te bekend voorkomt.

Waarom zou Andrew weer terug zijn gegaan?

Maar wat zou het eigenlijk ook? Het kan Muis niets schelen. Ze wil hier alleen maar weg. Ze buigt zich over de rugleuning voor zich en drukt op de claxon. Eerst een paar korte stootjes, en dan een lang aangehouden loeitoon die de vogels in de bomen in de buurt op de vlucht jaagt. Maar Andrew komt niet aanrennen.

Verrek. Als de sleutel in het contact zat zou Muis er veel voor voelen om weg te rijden – ze is nu wel ontnuchterd –, maar er zit daar niets, en ze weet trouwens ook best dat ze er verkeerd aan zou doen om zomaar weg te rijden. Wat er hier ook aan de hand mag zijn, het is op z'n minst voor een deel haar schuld. Als zij niet te laveloos was geweest om te rijden...

Muis stapt uit en loopt naar het huisje. Er komt geen reactie als ze op de voordeur klopt, en ze kan zich niet herinneren onder welke steen de sleutel ligt. Ze loopt een eindje om het huis heen. Aan de zijkant valt haar iets op wat misschien het antwoord vormt op de vraag waarom Andrew terug is gegaan: de kapotte planken zijn allemaal weggeruimd, en de onbeschadigde exemplaren zijn met regelmatige tussenruimtes weer schuin tegen de muur gezet, om zo te verdoezelen dat het er minder zijn. Bradley zal het waarschijnlijk toch wel merken, maar nu die stukken hout niet meer rondslingeren, zal het hem moeite kosten om uit te vogelen wat er is gebeurd.

Muis loopt door naar de achterdeur, die niet op slot zit. Binnen is het doodstil – een zwaarwegend, indirect bewijs dat er hier niemand is. Toch neemt ze poolshoogte. Andrew is niet in de keuken, het voorraadkamertje, de woonkamer of de benedenslaapkamer, voor zover dat valt vast te stellen vanuit de deuropening. Vervolgens loopt Muis naar de zolderdeur. Ze steekt haar hoofd om de hoek en spitst haar oren, maar er is absoluut niets te horen, zelfs niet het gepiep van een eekhoorn. Het zou nog kunnen dat Andrew daar boven weer op het bed ligt, volslagen van de wereld, maar zo ja, dan is hij alleen; en zelfs als haar daar boven water in het vooruitzicht zou worden gesteld, zou Muis zich niet laten overhalen om in haar eentje die trap op te gaan.

Water. De keukengootsteen is vlak achter haar; ze draait beide kranen open, maar er komt geen druppel uit. Ze onderwerpt het voorraadkamertje nog eens aan een inspectie, deze keer om te zien of er iets te drinken is. Heel wat glazen potten bevatten ingemaakte groenten of vruchten op sap, maar Muis is niet zo wanhopig dat ze bereid is om azijn te drinken, of zware siroop. Er staan ook blikken, en aan de inhoud is duidelijk te zien dat Andrews moeder vaak allerlei soorten soep maakte: op een van de planken staat niets anders dan runder- en kippenbouillon en geconcentreerde mosselsoep.

Ze gaat terug naar het aanrecht en tuurt de achtertuin in, want je weet maar nooit: misschien is er in die twee minuten wel iemand langs geweest die daar een fontein heeft geïnstalleerd. Niemand is zo vriendelijk geweest, maar er is wel iets veranderd: het hekje aan het eind van de tuin staat open.

Dat hekje was dicht toen Andrew en zij hier vanochtend waren. Muis probeert zich te herinneren of het nog dicht was toen ze daarnet om het huisje heen liep, maar dat staat haar niet meer bij.

Muis staart naar het pad en stelt zich het meer aan de andere kant voor. Ongeveer een kilometer, zei Andrew. Ze voelt er niet echt voor om erheen te lopen, maar ze heeft niet al te veel keus. Naar Seven Lakes is het nog veel verder lopen, en bovendien vindt ze Andrew en haar autosleutels daar toch niet.

In het dichte bos aan de andere kant van het tuinhekje is het schemerig. Muis zet er de sokken in. Algauw vangt ze tussen de bomen door een glimp op van het meer. Zelfs van een afstand ziet het water er uitnodigend uit; Muis zet het op een sukkeldrafje en gaat bijna onderuit als het pad aan het eind onverwacht scherp daalt.

Quarry Lake klopt aardig met de beschrijving die Andrew er uit zijn hoofd – of uit het hoofd van de Getuige – van heeft gegeven. Een paar details zijn anders: aan het eind van het pad staan geen hoge heesters, en het 'eilandje' midden in het meer is nog kleiner dan het in Andrews verhaal klonk; het is eigenlijk niet meer dan het topje van een hoop steenslag dat boven het water uitsteekt.

Het meer zelf is wel degelijk diep, en ook koud – en het water is zalig. Muis maakt een kommetje van haar handen en slurpt telkens een mondvol naar binnen, totdat haar maag in protest samenkrampt. Dan houdt ze hijgend op, en vanuit haar ooghoeken wordt ze nu een gestalte gewaar die een eindje verderop staat.

'Hallo Penny,' zegt Andrew.

Muis' stem is nu weer terug; ze slaakt een kerngezond gilletje en rolt omver.

'Penny...' zegt Andrew. Hij maakt al een geruststellend gebaar met beide handen...

... en verandert halverwege van gedachten: wat zou hij zich druk maken?

'Laat ook maar,' zegt hij. 'Alsof jij er ook maar iets toe doet.'

Muis kijkt knipperend naar hem op. 'Andrew?' zegt ze.

Hij neemt niet eens de moeite haar te verbeteren. Hij kijkt haar alleen zo lang verachtelijk aan dat er haar op het laatst een licht opgaat.

'Nee, hè?' zegt Muis. Langzaam komt ze overeind. 'Jij toch niet? Je mag er toch niet...?'

'Wát mag ik niet?' zegt Gideon. 'Ik mag er niet uit? En waarom dan wel niet? Omdat Andrew zo'n brave, trouwe borst is? Omdat hij niet wegloopt voor zijn plichten?' Hij lacht. 'Andrew is niet eens echt, Múís.'

'Dat is hij wel!' protesteert Muis. 'Hij is... Hij is iemand met moed.'

'Ja, vergeleken bij jou misschien. Maar het maakt niet uit hoe moedig hij optreedt; hij is geboren uit angst en zwakheid, en uiteindelijk is hij niets anders: een mengeling van angst en zwakheid. Aarons angst.' Gideon staat te oreren met een grijns waarin zijn tanden opblikkeren, maar tegelijkertijd trillen zijn handen van onderdrukte woede. 'Aaron! Alsof het nog niet erg genoeg is dat hij me mijn leven afpikt, mijn huis weggeeft en me goddorie opgesloten probeert te houden als een geest in een fles! Maar om dan ook nog eens pats-boem zomaar... overal afstand van te doen, alsof hij dat allemaal niet eens voor zichzelf wilde... Ah!' Heel even is hij zo razend van woede dat hij geen woord kan uitbrengen. 'Je hebt geen idee hoe hemeltergend... maar goed, eens zwak, altijd zwak. Ik hoefde alleen maar mijn tijd te beiden, het goeie moment af te wachten.'

Muis brengt niets te berde, maar plotseling kijkt Gideon haar giftig aan, net alsof ze hem heeft tegengesproken. 'Ik weet wel wat jij denkt,' zegt hij. 'Je denkt dat ik al eens eerder ontsnapt ben en dat ik het toen niet heb gered. Jij denkt dat ik het lichaam misschien een dag, of wie weet zelfs een week kan vasthouden, maar dat Andrew uiteindelijk de kracht verzamelt om terug te slaan.'

'Dat denk ik helemaal...'

'Ach, krijg toch de tering, Muis!' Hij bukt zich en raapt een steen op. Muis krimpt ineen, maar ze krijgt hem niet naar haar hoofd: hij keilt hem over het meer. Het is geen geweldige worp, want de steen maakt maar een paar sprongetjes voordat hij zinkt. Gideon, die dat kennelijk eerder met voldoening dan met misnoegen aanziet, blijft naar de concentrische rimpelingen turen die zich op het wateroppervlak verbreiden totdat ze weer geleidelijk verdwijnen. Dan zegt hij: 'Andrew komt niet terug. De vorige keer was ik eigenlijk nog niet zover. Maar deze keer heb ik hem radicaal een kopje kleiner gemaakt.'

'Dus wat... wat gaat er nu gebeuren?' vraagt Muis.

'Dat heb ik je al gezegd, wat er nu gaat gebeuren: ik verkoop het huis aan Bradley. En als ik eenmaal het geld in handen heb – de volle mep –, dan maak ik als de bliksem dat ik hier wegkom. Dan trek ik naar heel nieuwe contreien en dan begin ik eindelijk aan het leven dat me toekomt.'

'Je begrijpt zeker wel dat ik je daar niet bij ga helpen.'

Gideon lacht haar uit. 'Dacht je dat ik jouw hulp nodig had? Hier...' Hij vist haar autosleutels uit zijn zak en smijt ze haar voor de voeten. 'Ga je gang, donder maar op, terug naar Seattle. En ga maar fijn in therapie. Ha!'

Beduusd raapt Muis de sleutels op.

'Wat denk je eigenlijk?' zegt Gideon. 'Verwachtte je soms dat ik je gevangen zou houden of zo?'

Ja, eigenlijk wel.

'Waarom zou ik dat willen?' zegt hij. 'Ik ben niet bang voor je, hoor, als je dat soms denkt. Je kunt me toch op geen enkele manier tegenhouden.'

Daar is Muis minder zeker van dan hij – ze meent zich te herinneren dat ze Gideon de vorige keer dat hij ontsnapt was aardig goed heeft weten aan te pakken –, maar als hij haar sceptische blik ziet schiet hij weer in de lach.

'Nou?' zegt hij tartend. 'Wat denk je dan te kunnen doen, hè? Me aangeven bij de politie, omdat ik Andrews lichaam heb gestolen? Daar zou ik dolgraag bij willen zijn, als jij dat die Jimmy Cahill aan zijn verstand probeert te peuteren. Of Bradley – zeg vooral tegen hem dat hij het huis bij nader inzien niet kan krijgen, omdat hij met de verkeerde Andy Gage heeft onderhandeld. Ook al zou je hem zover krijgen dat hij dat geloofde, denk je dan echt dat hem dat iets kan schelen?'

Muis omklemt de autosleutels. 'Je hebt anders nog wel een lift nodig naar Bradleys huis, vanavond.'

'O, nee hoor. Als het moet ga ik wel lopend – vroeger maakte ik hier zo vaak grote voettochten. Maar ik hoef niet te lopen. Jij brengt me wel.'

'Nee, dat doe ik niet.'

'Ik denk het wel. Je gelooft me toch niet als ik zeg dat Andrew niet meer terugkomt. Jij denkt dat hij wél terugkomt, en zolang je dat denkt, wil je bij me in de buurt blijven. En dat betekent dat als het straks mijn tijd wordt om naar Bradleys huis te gaan, je me met de auto zult moeten brengen, of met de auto achter me aan moet sukkelen met vijf kilometer per uur – als ik tenminste zo aardig ben om via de weg te gaan.' Hij haalt zijn schouders op. 'En dus geef je me wel een lift, denk ik zo.'

Muis zou nu het liefst weglopen om te laten zien dat hij het mis heeft. Maar helaas heeft hij het niet mis.

'O, nog niet weg?' zegt Gideon op een zelfgenoegzaam toontje, en hij speurt om zich heen naar nog een steentje om over het water te laten springen.

Muis vindt het tijd om van onderwerp te veranderen. 'Vertel me eens iets over Xavier,' zegt ze.

Gideon glimlacht, alsof hij ook dat al had verwacht. 'Hoezo?'

'De eerste keer toen ik je naar Xavier vroeg, zei je dat hij een werktuig was. Maar je hebt nooit gezegd waar hij dan toe diende.'

'Je wilt zeker weten of ik hem naar buiten heb geroepen om hem de stiefvader te laten ombrengen?' Hij lacht. '"Xavier de Ongediertever-delger" – zie je hem soms zo?'

'Nee, dat niet,' zegt Muis. 'Maar ik zie hem ook niet echt als advocaat.'

'Dat ís hij ook niet. Heuse advocaten kosten geld, en ik had geen cent te makken. Daar ging het juist om.'

'Je wilde geld van de stiefvader.'

'Ik wilde geld,' zegt Gideon. 'En de stiefvader leek me iemand die ik dat gemakkelijk kon aftroggelen.'

'Dus toen heb je een advocaat in het leven geroepen die hem met een proces moest dreigen. Die hem moest chanteren.'

'Xavier had hem zullen laten kiezen uit een paar dingen. Mij betalen was één daarvan.'

'Alleen was Xavier er te laat bij. Bradley was er al.'

'Ja, maar daar kon ík niets aan doen,' zegt Gideon korzelig. 'Als die waardeloze figuur niet verdwaald was in het bos, waren wij er het eerst bij geweest.'

'Dus dan is het waar. Het was diezelfde nacht. Wat Xavier zei over het bloed op de vloer van de huiskamer, dat was dat ongeluk. Hij heeft het gezien.'

'Het was die nacht dat de stiefvader is doodgegaan, ja. Wat een rotogenblik om dat te presteren. Alleen weet ik niets van een óngeluk.'

'Wat bedoel je?'

Gideon smijt nog een steen in het meer, deze keer zonder zelfs maar enige poging om hem over het water te laten huppelen. 'Kijk,' zegt hij, 'ik ben daar strikt genomen niet bij geweest. Xavier is degene die naar het huis liep; ik keek niet mee toen hij door het raam keek. Maar ik heb wel een paar dingetjes opgevangen voordat hij in paniek wegrende. Wat is het officiële verhaal? Dat de stiefvader over een glazen tafeltje struikelde?'

'... en zich overal sneed.' Muis zet grote ogen op. 'Is het dan níét zo gegaan?'

'Tja, dat weet ik niet,' zegt Gideon, die van haar reactie geniet. 'Misschien ijlde hij alleen maar door al dat bloedverlies. Maar het is toch wel raar om een glazen tafeltje om genade te smeken, vind je niet?'

Ik was dood.

Op zich zat ik daar niet mee. Ik was nooit bang geweest voor de dood. Bang om te sterven – ja, dat wel; voor een einde met veel pijn, of een voortijdig einde – terwijl allerlei zaken van belang nog niet in kannen en kruiken waren –, absoluut. Maar de gedachte dood te zíjn vond ik niet speciaal angstaanjagend. Ik herinnerde me het ogenblik van mijn geboorte, en aangezien ik uit het donker was gekomen, leek het me niet meer dan logisch dat ik er uiteindelijk in zou terugkeren. De enge kanten waren verbonden met de aanloop naar die toestand.

Met dood-zijn had ik dus geen moeite. Waar ik wel moeite mee had, was dát ik er geen moeite mee had. In het land van de vergetelheid horen toch geen emoties te bestaan; de tijd dat je onaangedaan naar je dood kijkt gaat daaraan vooraf, die komt niet daarna. Hoe was het mogelijk dat ik er nog steeds gevoelens op na hield over die kwestie?

En nu ik me toch het een en ander afvroeg: hoe kwam het dat ik nog kon zien? In het donker is er per definitie niets om naar te kijken. Maar hier – waar dat hier ook mocht zijn – was er wél iets: al viel het niet mee om vast te stellen wat dat iets dan precies was.

Een labyrint misschien: een symmetrische doolhof van wild slingerende richels, in tweeën gedeeld door een heel diepe geul. De hele zaak was grijs, en dat deed me denken aan Coventry, maar daarvoor was deze omgeving veel te kronkelig, tenzij Gideon weer eens zijn best deed eventueel bezoek af te schrikken.

Ik hing erboven en keek erop neer, niet bij machte me te bewegen. Dat laatste klopte tenminste, vond ik: als je dood bent, hoor je je niet te kunnen bewegen. Maar verder...

Ik liet mijn gedachten nog eens over mijn dood gaan: zo wilde ik proberen uit te knobbelen hoe en waar er iets verkeerd was gelopen in dat proces. Gideon had me vanaf grote hoogte in het meer gegooid, en ik was met een enorme klap in het water beland – ik kon alleen maar hopen dat het huis niet was weggevaagd door de tsunami die daarop moest zijn gevolgd. Alleen die klap was al bijna mijn dood geweest; ik was al een heel eind in de diepte gezonken toen ik bij mijn positieven kwam, en vervolgens zat er niets anders meer voor me op dan te verdrinken. Mijn ziel wervelde als een verbogen propeller rond in de koude watermassa en zakte in een spiraal steeds verder omlaag.

Het lag niet aan lichamelijke of metafysische kwetsuren dat ik geen kans zag mezelf in veiligheid te brengen (al bedacht ik dat ik me nu aardig goed kon voorstellen hoe het zou voelen als ik van een brug sprong en mijn rug brak). Het lag aan mijn wanhoop: het zekere besef dat ik had gefaald. Niet alleen deze laatste keer, bij die verrassingsaanval die ik had moeten zien aankomen. Nee, al die keren dat ik had gefaald in mijn korte leven, dat ik het erbij had laten zitten, het verkeerd had aangepakt, de boel had verpest – dat alles was uitgemond in één enkele openbaring, die als een molensteen om mijn nek hing. 'Daar kom je nog wel achter,' had mijn vader altijd gezegd, en dat was nu gebeurd, het was mijn laatste les: ik was een waardeloos prul. Een prul.

En dus verdronk ik. Het was een opluchting toen ik eindelijk de bodem van het meer bereikte, toen ik dwars door de planten heen in de modder zakte die geen modder is, toen het laatste sprankje licht uitdoofde naarmate mijn ziel verder de oorspronkelijke leegte in werd getrokken om daar uiteen te vallen. Het was gedaan, het was voorbij. Verdwijnen, dat was het enige nog.

Wacht. Wacht.

Jawel, dat was het: dat was het ogenblik dat die sterfscène een andere wending had genomen: precies op het moment dat ík een andere wending had genomen. Want het was niet zo dat mijn ziel gelijkmatig oploste in het niets; hij viel uiteen in verschillende stadia, allerlei identiteitslagen lieten los, en dat pelproces rukte steeds verder op in de richting van het eindpunt, de non-existentie. Maar zover kwam het niet, want het gedeelte van Andrew dat medelijden had met zichzelf, dat verlangend uitzag naar het niets, was een van de eerste lagen die wegdreven. En toen die geestesverwarring was afgestoten, was de Andrew die overbleef – de essentiële Andrew, die nog steeds doorging met denken – niet langer bereid de strijd zo willoos op te geven. Hij kón die niet opgeven: omdat zijn taak nog niet volbracht was. Díé Andrew bleef zich hardnekkig vastklampen aan zijn Levensdoel en hield het restje van zijn ziel bijeen, ook toen die almaar verder zonk, steeds dieper in de richting van...

O.

O, natuurlijk.

Het grijze labyrint: ik keek daar niet van bovenaf op neer. Ik keek er van onderaf naar op. Het was een bepaald gebied, het bekende gebied zelfs, maar dan van de andere kant gezien. Ik was niet verdronken op de bodem van het meer; ik was er alleen doorheen gezakt en uitgekomen...

'Bij de tegenvoeters,' zei een stem.

'Tegenvoeters, juist, zo heette dat natuurlijk; alleen had ik, net zomin als die strata in de Badlands, ooit eerder tegenvoeters gezien. Tenminste niet het soort wezens dat ik me bij dat woord voorstelde. Zouden ze op hun handen lopen, vroeg ik me af.

'Ik moet mijn tijd niet verdoen aan zulke domme gedachten.'

Wie zei daar iets? Ik probeerde me in de richting van die stem te wenden, maar ik kon me nog steeds niet bewegen, en dat was een akelig gevoel nu ik wist dat ik niet dood was. Met het idee dat het misschien zou helpen als ik me wat breder maakte, haalde ik een paar lagen terug die ik onderweg had afgeworpen – en jawel: toen die zich opnieuw aan mijn ziel hadden gehecht, kon ik me weer bewegen. Maar daarmee keerde ook dat besef van nietswaardigheid terug, en dat dreigde me weer volkomen te verlammen.

Gelukkig was daar een oplossing voor: ik reikte naar het gebied boven mijn hoofd en veegde een gedeelte op een van de grijze richels dat onder de aanslag zat helemaal schoon. Alsof er een schakelaar lager was gedraaid die het emotievolume regelde, nam het akelige gevoel af tot een peil dat ik kon behappen.

Maar het was er nog wel. Ik had toch echt een paar stomme streken uitgehaald en diverse onbesuisde beslissingen genomen, en dat wist ik. Het zou een stuk prettiger zijn om dat níét te weten. Als ik die grijze richel nu eens radicaal lostrok?

'Dat kan ik beter niet doen,' zei de stem. 'Dat is nu op en top het soort idee waardoor ik me al deze rottigheid op de hals heb gehaald.'

Nu kon ik me omdraaien, en dat deed ik. Maar er was niemand anders.

Tegen mezelf gepraat dus. Typisch.

'Typisch, ja,' beaamde de stem welgemoed toen ik mijn blik weer op het gebied boven me richtte. 'En nu?'

'Dat is duidelijk,' zei ik. 'Ik moet weer boven zien te komen.'

'En hoe pak ik dat aan? Dat is niet zo simpel als even om het huis heen lopen, of zelfs als een poging om te ontsnappen van Coventry. Om uit déze contreien weg te komen heb ik iemand nodig die me naar buiten roept.'

'Mijn vader...'

'... die denkt waarschijnlijk dat ik er voorgoed ben geweest. Als kapitein Marco zijn best heeft gedaan om mijn ziel op te dreggen uit het meer en niets heeft kunnen vinden...'

'Nou, dan zal ik het gewoon zelf moeten doen.'

Sceptisch: 'Mezelf naar buiten roepen? Kán dat dan?'

'Dat weet ik niet,' gaf ik toe. Maar als er niemand anders is die dat voor me kan doen...' Ik reikte weer omhoog, en terwijl ik het hele gebied beetgreep om meer druk uit te oefenen, zei ik: 'Mijn naam is Andrew Gage.'

– en er volgde een koude, ijskoude schok op het ogenblik dat ik me nogmaals losmaakte van de bodem van het meer en mezelf met geweld dwars door de planten en het donkere water heen naar boven stuwde.

Toen ik doorstootte naar het oppervlak van het meer, woedde daar een hevige storm. De mist was helemaal verdwenen, weggeblazen door dezelfde wind die nu het water tot een kolkende massa geselde. De lucht zag zwart van de wolken en het regende en onweerde. Ik begon water te trappen en hield me drijvende tussen de schuimkoppen totdat een bliksemflits me het dichtstbijzijnde stuk oever onthulde. Het leek nog een heel eind weg, maar ik wist dat dat gezichtsbedrog was: ik was al flink opgeschoten. Ik zette het op een zwemmen.

Deze keer stond er niemand op de oever op me te wachten. De aanlegsteiger en de pompoenenakker lagen er verlaten bij. Kapitein Marco's veerbootje danste met niemand erin op en neer op zijn aanlegplaats, en de schop van Stille Joe stond zwijgend tegen het hek van de pompoenenakker. Op het eerste gezicht leek het alsof het huis ook verlaten was: het spreekgestoelte was leeg en voor alle ramen die uitzagen op het meer waren de rolluiken neergelaten. Maar toen ik nog eens beter keek, zag ik licht onder de voordeur door schijnen. Ik beende het tuinpad op en zonder eerst te kloppen stapte ik naar binnen.

Het was niet leeg in huis. Het was er vol. Er was een vergadering belegd: de lange tafel was opgesteld in de gemeenschappelijke ruimte en alle stoelen behalve de mijne waren bezet. Boven, op de galerij, stonden de voltallige gelederen van de Getuigen langs de leuning.

Alle hoofden wendden zich mijn kant op toen ik binnenkwam. Adam begroette mijn komst met zijn gebruikelijke onhebbelijke grijnsje, maar alle andere zielen om de tafel waren geloof ik verbijsterd toen ze me zagen. 'Andrew!' riep mijn vader, en hij sprong overeind.

Ik had iets moeten zeggen – op z'n minst iets als 'Hoi' –, maar ik werd nu gedreven door het besef dat ik een taak te volbrengen had, en ik stevende linea recta af op de deur onder de trap. De deurkruk rammelde een beetje in mijn hand, maar gaf niet mee.

Dat nam ik niet.

'Deze deur zit niet op slot,' zei ik.

De kruk gaf mee. De deur ging naar binnen open en ik stapte een klein overloopje op. Het overloopje en de trap die vandaar naar beneden liep, zaten onder de guirlandes van spinrag, en er lag net zo'n dikke laag stof als op de zolder van het huisje in het bos. In het stof tekenden zich duidelijk twee afzonderlijke reeksen voetstappen af.

In de ruimte beneden was het pikdonker.

Ook dat nam ik niet.

'Licht!' riep ik, en boven de trap verscheen een rij gloeilampjes. In het souterrain begon een geflikker van helderwitte tl-buizen die aansprongen.

Ik liep naar beneden en liet ook een reeks voetafdrukken in het stof achter.

Stel je de kelder voor van een museum voor beeldende kunst dat met ruimtegebrek kampt, en je krijgt een redelijk goed beeld van wat ik daar aantrof. Het souterrain was vierkant van vorm, ongeveer net zo groot als de gemeenschappelijke ruimte erboven, en had een betonnen vloer en wanden van sintelblokken. Hier waren, in een net niet chaotisch patroon dat me deed denken aan de fotowand bij commissaris Bradley, tientallen kunstwerken in allerlei uiteenlopende stijlen opgehangen en neergezet.

Het aantal materialen was indrukwekkend, maar voor zover ik kon zien was het thema van alle werken hetzelfde, een thema dat overeenkwam met dat van het schilderij dat ik in mijn vaders kamer onder zijn bed had gevonden: een vrouw – een moeder – die haar dochtertje omarmde.

'Andrew?' zei mijn vader. Hij was achter me aan de trap af gekomen, en keek met stomheid geslagen naar de verzameling kunstwerken om zich heen, de vele gezichten van Althea. 'Wat is dit?'

Bij wijze van antwoord gebaarde ik naar een stuk muur waar een gat in was gebroken. Aan de andere kant begon een uitgehakte tunnel die schuin omlaag uit het zicht verdween. Het tochtte gestaag vanuit de diepte, en er kwam een lucht van water mee.

'Dit is Gideons ontsnappingsroute,' zei ik. 'Die tunnel loopt dus helemaal door naar Coventry. Ik heb zo'n idee dat hij die al een hele tijd gebruikt om af en toe een stukje tijd te stelen, maar hij moest eerst op een crisis wachten om hem te kunnen benutten voor zijn grote plan.'

'Maar...' Nadat hij een vluchtige blik in de tunnel had geworpen, ging mijn vader weer naar de olieverfschilderijen en aquarellen staan kijken, naar de schetsen in houtskool en de met snelle vegen vervaardige waskrijtportretjes, naar de objecten van marmer, brons en papier-maché. 'Wat ís dit?'

'Een opslagruimte. Dit is de plaats waar jij alle gevoelens die met onze moeder te maken hadden hebt weggestopt omdat ze je te veel waren. Die iederéén van je te veel waren – behalve Gideon, want hem liet het allemaal koud. Dit is je blinde vlek, vader.'

'Nee.' Hij schudde zijn hoofd. 'Ik heb deze ruimte niet aangelegd.'

'Ja, dat heb je wel. Je hebt hem steeds verborgen gehouden, ook voor jezelf, maar je hebt deze ruimte zelf gebouwd. Het verbaast me dat dokter Grey dat nooit heeft ontdekt. Maar goed, waarschijnlijk zou ze het uiteindelijk wel boven water hebben gekregen. Alleen, toen ze die beroerte had gehad, toen kon jij dat geheim voor je houden... het voor iedereen verbergen, behalve voor Gideon.'

'Gideon,' zei mijn vader somber.

'Trek het je nu maar niet al te erg aan dat hij is ontsnapt. In zekere zin heeft hij ons een dienst bewezen. En je kunt niet zeggen dat hij in emotioneel opzicht sterker is dan jij. Alleen is hij, zoals je al zei, zo egocentrisch dat hij de liefde van onze moeder gewoon nooit nodig heeft gehad. Dat is ook een methode, hè, om je staande te houden als je geen liefde krijgt.'

'Nou, ik ga Gideon ergens op trakteren waar hij zich niet zo makkelijk tegen staande kan houden. Als ik hem te pakken krijg...'

'Nee, vader.'

'Wat nee?'

'Gideon is jouw afdeling niet meer. Voortaan bemoei ik me met hem.'

'Dat heb je mis, Andrew – toezicht houden op de huisregels is mijn taak.'

'Dat wás jouw taak,' zei ik. 'Maar dat is een van de dingen die zullen moeten veranderen. Als we echt een ordelijke toestand willen die niet elk ogenblik doorkruist kan worden, dan kunnen we het lichaam en het huis niet blijven behandelen alsof ze los van elkaar staan. Wat wij nodig hebben is één ziel die over allebei gaat. En die ziel, dat zal ik moeten zijn.'

'Andrew...'

'Jij kunt die rol niet aan, vader. Je hebt een hoop gepresteerd: je hebt ons uit de donkere ruimte gehaald, je hebt het huis gebouwd. Maar jij bent nu moe. En Gideon kan geen leidinggeven, hoe graag hij dat ook wil. Hij is gewoon té egoïstisch, hij zou dan proberen ons allemaal te ontkennen. Dat wordt niets.

Dus wie blijft er over? Ik. En volgens mij ben ik nu zover dat ik de touwtjes in handen kan nemen. Al die gevoelens die jij hier hebt weggestopt, die kan ik denk ik nu wel aan. Ik ben geen Gideon; het kan mij wél heel veel schelen. Ik vind het vreselijk dat onze moeder niet van ons heeft gehouden, maar niet zo vreselijk dat ik er niet mee kan leren leven. Ik kan daarmee leven, vader, met onze voorgeschiedenis – met al die dingen. En dat je me naar buiten hebt geroepen, dat was toch uiteindelijk dáárvoor?'

'Ik...' zei mijn vader, en toen zweeg hij. Opeens zag hij er heel oud uit. Hij ging op de trap zitten. Op het overloopje hoorde ik geschuifel: de andere zielen, die langzamerhand nieuwsgierig werden.

'Het zal je niet meevallen om Gideon het lichaam weer af te pakken,' zei mijn vader. 'Hij heeft zich heilig voorgenomen om zich deze keer niet te laten verjagen.'

'We zullen wel zien. Maar eerst...' Langzaam liep ik door de ruimte, ergens naar op zoek.

'Wat is er, Andrew?'

'Het schiet me net te binnen dat er twéé voetsporen op de trap te zien waren... en Gideon was niet de enige die ontbrak op de vergadering. Aha!' Tussen twee beeldhouwwerken ontdekte ik een zielvormige bult met een stoflaken eroverheen. Ik bukte me en trok de doek weg.

Xavier Reyes deed zijn ogen open en ging rechtop zitten. 'Hallo,' zei hij. 'Is er weer werk aan de winkel?'

'Vandaag niet,' zei ik. 'Maar ik zit wel met een paar vragen...'

'Pas op voor de graten, hè,' zegt Bradley, en hij zet een dampende schaal op tafel.

De commissaris heeft alles uit de kast gehaald: er is eigengemaakt maïsbrood, zo uit de oven, langkorrelige en wilde rijst, een schaal asperges, en als hoofdgerecht een soort karpers die door paneermeel zijn gehaald en gebakken. Het ziet er allemaal opmerkelijk onappetijtelijk uit. Nou ja, misschien ook weer niet álles – de rijst ziet er wel lekker uit. Maar de rest: de asperges zijn doodgekookt, uit de bovenkant van het maïsbrood bubbelt spekvet, terwijl de onderkant zwartgeblakerd is, en die vis is zo te zien... wat ál te krokant.

Muis heeft honger, maar als ze in ogenschouw heeft genomen wat de pot schaft, neemt ze zich voor om te doen alsof ze geen trek heeft. Misschien dat ze kan spelen dat haar maag van streek is – zoveel moeite zal dat niet kosten, na wat er vanmiddag gebeurd is.

Maar Gideon is haar voor: 'Weet u,' zegt hij met een bedachtzame blik op de schaal met vis, 'mijn ingewanden zijn nog steeds behoorlijk in de war van die chili...'

'O, de vis is niet heet, hoor,' verzekert Bradley hem. 'Alleen wat peper in het paneermeel, dat is alles.'

'Ja, maar toch,' zegt Gideon, 'denk ik dat ik maar liever alleen rijst neem...'

Maledicta, die vanuit de grot toekijkt, plaatst een opmerking. Muis luistert aandachtig en zegt dan hardop: 'Nee, Andrea, dat kun je niet maken!'

Gideon schenkt haar even een stekelige blik. 'Pardon?'

'Je... Je kunt niet alleen maar rijst nemen,' zegt Muis. Ze zingt al een toontje lager. 'Commissaris Bradley heeft zich zo enorm voor ons uitgesloofd, hij heeft die vis speciaal gevangen...'

Bradley grinnikt. 'Om heel eerlijk te zijn heb ik die gevangen op de markt in Main Street,' zegt hij. 'Ik geloof niet dat ik mijn gasten ooit vis uit Sportsman's Lake zou voorzetten.'

'Nou, dit ziet er zalig uit!' zegt Muis. Ze pakt de visspaan en legt twee moten op haar bord. Ze wil Gideon ook opscheppen, maar hij houdt haar arm tegen.

'Nee, dank je,' zegt hij.

'Toe, Andrea,' zegt Muis. 'Je wilt je toch niet onbeleefd gedragen...?' Ze maakt een snelle beweging met de visspaan, maar hij grijpt haar pols. Hij knijpt zo hard dat ze zich gedwongen ziet haar arm terug te trekken, en dan draait hij haar pols om totdat de vis op de schaal terugvalt.

'Echt,' zegt Gideon, en voordat hij haar pols loslaat neemt hij die nog even in een bankschroef. 'Ik wil geen vis.'

'Geen mens die je dwingt, hoor, om ervan te eten,' zegt Bradley gepikeerd. En dan, met een glimlach: 'Dan is er des te meer voor ons, waar of niet... Penny, hè?'

'O,' zegt Gideon. 'Ze wil graag Muis genoemd worden.'

'Muis dan... Neem er toch ook wat asperges bij.'

Bradley vergewist zich ervan dat Muis zich kwistig bedient van de asperges en het maïsbrood, en schept zich dan zelf flink wat op. Gideon pikt de twee soorten rijst in; hij laadt zulke bergen op zijn bord dat er geen ruimte overblijft voor iets anders.

Muis neemt een hap vis. Dat is iets afschuwelijks – rubber met zand eroverheen plus een vleugje tabasco –, maar in plaats van dat ze het spul vlug doorslikt, laat ze het op haar tong liggen alsof ze er extra van wil genieten.

'O jee!' roept ze plotseling. Ze trekt een lang, dun iets uit haar mond. 'Dus u maakte ons niet maar iets wijs toen u het over de graten had.' Ze houdt hem in de hoogte, zodat Gideon hem goed kan zien. 'Net een kleine speer.'

'Ja, je moet oppassen dat je die niet mee inslikt.'

'Ik zou niet graag willen dat er eentje in m'n keel bleef steken,' zegt Muis. Ze legt de graat zo op de rand van haar bord dat hij er iets overheen steekt en naar Gideon wijst.

'En wat doe jij voor de kost, Muis?' vraag Bradley.

'Ik ben computerprogrammeur,' antwoordt Muis. Ze zwijgt even om nog een graat uit haar mond te halen, en voegt er dan aan toe: 'Andrea is conciërge bij hetzelfde bedrijf.'

'Conciërge?' zegt Bradley. 'Ik dacht dat je zei dat je bureauchef was, Andrea.'

'Dat ben ik ook,' zegt Gideon. 'Dat wil zeggen, dat ben ik geweest, maar binnenkort word ik het weer.' Met een giftige blik in Muis' richting: 'Die baan als conciërge was maar iets tijdelijks. Die heb ik al opgezegd. Ik ga niet meer terug.'

'Dat is anders heus niet iets om je voor te schamen, hoor,' zegt Bradley. 'Mijn tante is jarenlang werkster geweest.'

'Ik schaam me er ook niet voor,' zegt Gideon. 'Het is alleen niet iets wat ík mijn godganse leven zou willen blijven doen.'

Muis neemt weer een hap vis en legt nog een paar graten op de rand van haar bord. De peper in het korstje van de vis bezorgt haar een branderige mond, ze moet iets drinken. Bradley heeft iedereen water en witte wijn ingeschonken. Maledicta beveelt de wijn aan, maar nog meer alcohol is wel het laatste waar Muis op dat ogenblik op zit te wachten, en ze neemt zich voor om alleen water te drinken. Het valt haar op dat Gideon ook alleen water neemt.

'Laten we ergens op drinken,' zegt ze, en ze pakt toch maar haar glas wijn. 'Op de verkoop van het huis, goed?'

'Daar doe ik graag aan mee,' zegt Bradley. Hij heft zijn glas en Gideon moet nu wel hetzelfde doen. Ze klinken en drinken.

Tenminste: Bradley drinkt. Muis doet maar alsof, en Gideon neemt alleen een plichtmatig teugje... aanvankelijk dan. Als Gideon aanstalten maakt om zijn glas weer neer te zetten, brengt hij het echter op de valreep van zijn linker- in zijn rechterhand over, houdt het opnieuw aan zijn lippen en slaat het in één keer achterover. Dan pas zet hij het glas neer, pakt zijn lepel in zijn linkerhand en eet weer verder van zijn rijst – zo te zien zonder enig besef van wat er net is gebeurd.

Muis slaat dit alles vanuit haar ooghoeken gade en bespeurt een golf van opgetogen verwachting. Ze overweegt een tweede dronk voor te stellen, maar bedenkt dat dat toch te veel in de gaten zou lopen. Dan komt Maledicta met een ander idee op de proppen.

'En, commissaris,' zegt Muis, 'wat gaat u doen met het huis? Ik denk dat u het zult moeten afbreken.'

'Waarschijnlijk wel, ja,' zegt Bradley. 'Zoals ik tussen de middag al tegen Andrea zei: als ik een methode wist om de fundering te repareren zonder het huis te slopen, dan zou ik dat doen, maar...'

'Is het niet iets om het huis stap voor stap af te breken? Zoiets kan toch, hè? Het uit elkaar halen en het daarna weer in elkaar zetten op een nieuwe fundering?'

'Daar heb ik ook al aan gedacht,' zegt de commissaris knikkend. 'Maar ik denk dat dat een moeizaam karwei zou zijn, en ook duur... Maar ja, een heel nieuw huis bouwen is ook duur. En ik zou het echt heel fijn vinden als het huis in deze vorm bewaard kon blijven, want er zijn voor mij heel wat gevoelens aan verbonden...'

'Maar als u dat zou doen,' zegt Muis, 'dan zou u er natuurlijk wel snel bij moeten zijn, voordat het huis vanzelf omtuimelt.'

'Nou, hopelijk duurt het nog even voordat het zover is.'

'Tja, ik weet niet.' Muis raakt even de blauwe plek op haar wang aan. 'Toen Andrea en ik daar vanmorgen waren, dacht ik echt dat de hele zaak boven op ons zou storten.'

Er klinkt wat gekletter: Gideon laat zijn lepel vallen.

'Wat bedoel je?' vraagt Bradley. 'Wat is er dan gebeurd?'

'Nou...' begint Muis.

'Er is niets gebeurd,' valt Gideon haar plompverloren in de rede. 'Muis zit maar wat te overdrijven.' Zijn stem klinkt beheerst en plezierig, maar zijn ogen flikkeren even dreigend. De moed zakt Muis al bijna in de schoenen, maar dan ziet ze dat, nu Gideons aandacht helemaal op haar is gericht, zijn rechterhand op eigen houtje naar de fles wijn reikt.

'Wat valt er dan te overdrijven?' wil de commissaris weten. 'Hoe komt het dat je je bezeerd hebt, Muis?'

'Penny,' verbetert Muis. Haar zelfvertrouwen heeft zich hersteld. 'Nee, eigenlijk wil ik liever Penny genoemd worden.'

'Penny dan... Hoe komt het dat je je bezeerd hebt? Wat is er gebeurd?'

'We waren naar de zolder gegaan. Andrea was bezig... wat rond te snuffelen in die ouwe spullen daar, toen ik opeens tegen de grond werd gekwakt. Ik dacht dat het hele huis ter plekke in elkaar zou storten.'

'Zijn jullie zijn naar de zolder geweest? Andrea, ben je niet goed bij je hoofd?'

'Ik had haar gezegd dat dat gevaarlijk was,' zegt Muis, 'maar ze wilde met alle geweld haar oude kamer nog eens zien.'

'Je zei dat je tegen de grond werd gekwakt,' zegt Bradley. 'Bedoel je dat de vloer bewoog?'

'Dat zou ik eigenlijk niet weten – het ging zo snel in zijn werk.' Muis wendt zich tot Gideon, die uit zijn volgeschonken wijnglas zit te drinken. 'Wat herinner jij je daar nog van, Andrea? Heeft de vloer bewogen?'

Gideon schenkt haar een kwaadaardige glimlach. 'Ach weet je, Múís,' zegt hij, 'ik kan me dat niet eens herinneren, dat je van de sokken bent gegaan – waarschijnlijk zat ik op dat ogenblik in mijn hoofd. Maar denk je niet dat je gewoon een of andere onhandige schuiver hebt gemaakt? Je weet best dat je vaak onbesuisde dingen uithaalt.'

'Ja, misschien was het wel pure onhandigheid,' zegt Muis met een glimlach die niet onderdoet voor de zijne, 'maar vergeet niet dat je die stutplanken...'

'Hoe komt het dat jij je handen zo hebt bezeerd, Andrea?' valt Bradley haar in de rede.

'Mijn handen?' zegt Gideon. 'Ik...' Hij valt stil; op het ogenblik dat hij even naar zijn met korsten overdekte knokkels kijkt, merkt hij het wijnglas op. 'Mijn hánden,' herhaalt hij, en uit de blik die hij Muis toewerpt spreekt een haast onwillekeurige bewondering. 'Tja...' zegt hij, 'blijkbaar ben ik ook onbesuisd bezig geweest...' En hij staart neer op zijn verraderlijke rechterhand totdat die het wijnglas neerzet.

'Andrea?' zegt Bradley weer.

Gideon heft zijn rechterhand weer op en buigt en strekt de vingers om te proberen of hij er nog wel controle over heeft. Ingenomen met zijn bevindingen richt hij zijn aandacht weer op Bradley: 'Sorry, commissaris, het is nogal een emotionele dag geweest. Dat zult ú toch begrijpen: al die herinneringen aan wat mijn stiefvader met me heeft uitgehaald...'

'Ja, natuurlijk,' zegt Bradley, terwijl zijn wangen een rode kleur krijgen.

'En natuurlijk hebt u gelijk; het wás ook stom van ons om naar de zolder te gaan,' vervolgt Gideon. 'Ik snap niet wat me bezield heeft, dat ik zo'n idiote streek heb uitgehaald. Maar goed, Muis kan zoveel beweren, ik geloof echt niet dat er iets onherstelbaars is gebeurd. Bovendien,' voegt hij eraan toe, 'meen ik me te herinneren dat u, toen we over de prijs sjacherden, wel een paar keer hebt gezegd dat u verwachtte dat het huis helemaal tegen de vlakte zou moeten.'

'Nou ja, dat is wel waar, Andrea, maar als ik het in deze vorm kan laten staan, dan komt dat me wel beter uit, dat spreekt vanzelf.'

'Nou, het stáát er nog, hoor – tenminste, toen ik het vanmorgen zag. En ik heb geen plannen om er nog eens naartoe te gaan, dus wat er verder mee gebeurt, dat is uw zaak... Hebt u het geld losgekregen?'

'Voor de aanbetaling?' Bradley knikt. 'Ja, dat was geen probleem.'

'In contanten?'

'Ja. Ik wilde het je na het eten geven, als...'

'Waarom zou u het me nu niet geven?' zegt Gideon. 'Ik zou het prettig vinden om het zakelijke gedeelte achter de rug te hebben, dan kunnen we daarna... in alle rust genieten van de rest van het maal.'

'Best,' zegt Bradley. Hij schuift zijn stoel naar achteren. 'Kom maar even mee.'

Hij staat op en stevent via de huiskamer in de richting van het achterste gedeelte van het huis. Gideon loopt achter hem aan, maar eerst fluistert hij Muis nog in het oor: 'Als mocht blijken dat jij deze transactie voor me hebt verkloot, dan ben je nog niet jarig.'

Bij de deur naar de gang haalt Gideon de commissaris in, en Muis hoort Bradley vragen: 'Wat was dat, wat ze daar zei over de stutplanken?'

Ze blijven een paar minuten weg. Als ze weer terugkomen, heeft Muis haar vis op, en haar asperges en maïsbrood liggen weer op de respectievelijke schalen.

'Dus u denkt dat de kogel eind juni wel door de kerk zou kunnen zijn?'

'Dat zou heel goed kunnen,' antwoordt Bradley. 'We zullen moeten afwachten wat Oscar straks zegt als hij terug is van zijn vakantie. Hij heeft redelijk goede connecties in deze omgeving, en ik heb hem al wel eerder korte metten zien maken met alle mogelijke bureaucratische rompslomp, dus ik heb zo'n idee dat de hele zaak best snel in kannen en kruiken kan zijn.'

'Prima,' zegt Gideon. 'Met het geld dat u me nu hebt gegeven, plus de spaarcentjes die ik nog moet hebben, moet ik het wel kunnen uitzingen tot eind juli. En jíj,' – hij kijkt Muis aan – 'ga jij nu maar terug naar Seattle. Doe iedereen daar de groeten van me.' Hij pakt zijn lepel en neemt een flinke hap rijst.

'Je moet alleen wel begrijpen, Andrea,' zegt Bradley, 'dat ik je niet kan garanderen dat het zo snel gaat. Ik ben er net zo op gebrand als jij dat de zaak snel afgehandeld wordt, maar zolang we Oscar niet hebben gesproken... Andrea?'

Gideons onderkaak is halverwege zijn hap blijven haperen. Heel even kijkt hij alleen maar verward voor zich uit, maar dan bollen zijn wangen op en schieten zijn ogen verschrikt alle kanten op.

'Wat is er, Andrea?' vraagt Muis. 'Is er iets met je eten?'

Hij kijkt haar aan, richt zijn blik op de rand van haar bord, en ten slotte op zijn eigen bord. Zijn ogen sperren zich wijd open als hij wel iets van tien graten tussen zijn rijst ziet zitten.

Kokhalzend doet Gideon zijn mond open en laat de nog maar half gekauwde massa rijst eruit vallen. Hij grijpt naar zijn waterglas, maar ziet ook daar een graat in ronddrijven.

'Klotewijf!' zegt hij, speeksel en rijst in het rond sproeiend. 'Klotewijf dat je bent!' Hij draait zich een kwartslag om en buigt zijn arm al om Muis het glas water in haar gezicht te smijten, maar voordat hij zijn voornemen kan uitvoeren, blijft er iets steken in zijn luchtpijp. Hij hapt naar adem en slaakt een doodsbange kreet; het glas glijdt onverrichter zake uit zijn vingers en zijn hand grijpt naar zijn keel.

'Jezuschristus,' zegt Bradley, 'ze stikt,' en hij komt al overeind. Maar Gideon gromt: 'Nee!', en de commissaris, die denkt dat dat voor hem bedoeld is, blijft half zitten, half staan.

'Nee... gaat niet door... niet doen!' zegt Gideon. De aderen in zijn hals zwellen op en zijn gezicht wordt knalrood; zijn linkerhand ligt nog steeds om zijn keel, maar zijn rechterhand pleegt weer verraad en reikt over zijn bord heen. 'Néé!' sist Gideon, maar de van inspanning trillende hand reikt steeds iets verder, totdat de vingers zich nogmaals om het wijnglas sluiten. Deze keer doet de hand echter geen poging om het glas op te pakken; hij omklemt het alleen.

'O god,' zegt Muis. Ze heeft al zo'n idee wat er nu komt. Het glas begeeft het met het geluid van een takje dat doormidden knapt en valt in scherven; de hand blijft knijpen en verandert in een bloederige vuist.

Gideon gilt het uit. Maar al gillend blijft hij zich verzetten en weigeren het lichaam prijs te geven, totdat die verrader van een hand zich vlak voor zijn gezicht posteert, zich opent en een binnenkant vol glassplinters laat zien. Die aanblik is hem te veel. In een poging aan zijn eigen hand te ontsnappen deinst hij achteruit en prompt kantelt zijn stoel achterover.

'Jezuschristus...' In zijn haast om Andrea te hulp te snellen gooit Bradley zijn stoel om. 'Andrea!' roept hij, en buigt zich over het lichaam, dat nu wild kronkelend en met snel trillende oogleden op de grond ligt. 'Andrea, hoor je me?' Als hij geen enkele reactie krijgt, vraagt hij Muis: 'Wat is dit? Lijdt ze aan epilepsie?' Muis, die er met gebalde vuisten bij zit en probeert haar knokkels weg te knagen, geeft geen antwoord. 'Allemachtig,' zegt Bradley, 'ze heeft een aanval of zoiets... Ik ga een ziekenauto bellen, maar dan moet jij hier bij haar komen zitten en opletten dat ze niet stikt. Gaat dat? ... Hé, kind! Gaat dat?' Muis maakt een hoofdbeweging waar Bradley een knikje in wil zien; hij richt zich op en rent de kamer uit.

Het lichaam van Andy Gage ligt nog steeds te kronkelen, maar Muis knielt niet neer om Bradley af te lossen. Ze blijft zitten en denkt aan de beroerte die haar moeder destijds in het vliegtuig heeft gehad: dat moet er net zo hebben uitgezien. Dat was Muis' schuld geweest, die beroerte, en nu heeft ze er wéér een op haar geweten. Ze dacht dat ze zo slim bezig was, dat ze Gideon tuk had, en nu heeft ze hem een vreselijke aanval bezorgd, en waarschijnlijk gaat hij dood, en...

Maar terwijl Muis zich nog de vreselijkste dingen in het hoofd haalt, ebt de 'aanval' weg en de onbewuste trekkingen van de oogleden gaan over in rustig geknipper. Andy Gage tilt zijn hoofd op en kijkt naar Muis. Dan neemt hij zijn bebloede rechterhand in ogenschouw en vermoeid zegt hij: 'Was hij maar bang voor het donker geweest.'

'Andrew?'

'De conciërge, ja,' bevestigt Andrew.

'O, godzijdank...' Eindelijk komt Muis overeind van haar stoel en prompt valt ze zowat boven op hem: haar ene knie boort zich in zijn dij. 'O, sorry,' zegt ze, 'sorry, hoor...'

'Het is wel goed,' gromt Andrew. Muis wentelt zich van hem af en langzaam gaat hij rechtop zitten. 'Dat was een goed idee, om die graten te gebruiken...'

'Maledicta heeft dat bedacht. Maar ik dacht dat je écht lag te stikken.'

'Ja,' zegt hij, niet zonder een zweem van trots, 'dat dacht Gideon ook. Maar toch peinsde hij er niet over om het lichaam af te staan, dus toen moest ik wel drastischer stappen nemen.' Hij kijkt weer naar zijn hand. 'Ik hoop maar dat dit de laatste ronde was, want langzamerhand heb ik geen ruimte meer voor nog meer littekens.' Hij richt zijn hoofd op en kijkt nieuwsgierig om zich heen. 'Waar is Bradley gebleven? Is hij een ambulance gaan bellen?'

'Ja,' zegt Muis. Met gedempte stem voegt ze eraan toe: 'Zeg, hoor eens, Andrew, we zullen goed moeten uitkijken. Gideon zei tegen me dat hij dacht dat Bradley je stiefvader heeft vermoord.'

'Weet ik,' zegt Andrew. 'Ik heb binnen met Xavier gepraat. Hij zei dat de stiefvader helemaal niet is gestruikeld over dat glazen tafeltje, maar dat Bradley hem in elkaar heeft geslagen en hem toen heeft laten doodbloeden.'

'O, god. Dan moeten we maken dat we hier wegkomen. We moeten...'

'Ha, commissaris,' zegt Andrew, met een blik over Muis' schouder.

'Andrea,' zegt Bradley op een onaangedane toon. 'Zo, het gaat weer beter, zie ik.'

'Ja,' zegt Andrew. Muis staat verbaasd van zijn kalme stem. 'Wel beter, maar nog niet helemaal in orde.' Hij houdt zijn gewonde hand in de hoogte, en langs de binnenkant van zijn onderarm sijpelt wat bloed omlaag. 'Is de ziekenwagen al onderweg?'

'Nee,' zegt Bradley. 'Helaas niet. Ik heb de Eerste Hulp gebeld van het medisch centrum in Seven Lakes, en daar zeiden ze dat de ziekenauto al naar een ander geval onderweg was. Ze gaan proberen een ander paramedisch team hiernaartoe te sturen, maar nu je er toch beter aan toe bent, denk ik dat ik je zelf maar naar het centrum breng.'

'Dat hoeft niet, hoor. Veel te veel gedoe voor u. Penny brengt me wel.'

'Nee, ik breng je. Ik breng jullie allebei. Wacht heel even...'

Hij beent weer weg via de huiskamer. Hij is nog niet uit het zicht verdwenen of Muis krabbelt vlug overeind; ze helpt Andrew ook op de been en samen lopen ze in de richting van de schuifdeuren. Maar voordat ze naar buiten kunnen stappen, komt Bradley alweer aanzetten, deze keer vanuit de keuken, en hij snijdt hun de pas af. Het valt Muis op dat hij nu zijn koppelriem met pistoolholster om heeft.

'Wikkel dit maar om je hand,' zegt Bradley nors, en hij pakt een theedoek van het aanrecht en werpt die Andrew toe. Dan doet hij een paar stappen achteruit: zo geeft hij te kennen dat ze voor hem uit moeten lopen. 'Daar gaan we dan.'

En ze lopen het terras op en vandaar naar beneden, naar het gedeelte waar de auto's staan. Muis, die het gevoel heeft dat ze zweeft, drentelt al in de richting van haar Buick, maar Bradley roept bars: 'Nee!' Muis blijft staan en draait zich om. De commissaris loopt naar de achterkant van zijn patrouillewagen, doet het portier open en geeft Andrew en Muis met een gebaar te kennen dat ze moeten instappen.

Andrew maakt al aanstalten om gehoor te geven aan zijn wenk, maar Muis stribbelt tegen. 'Nee,' zegt ze amper hoorbaar. 'Nee, ik neem mijn eigen auto wel...'

De commissaris brengt daar niets tegen in; hij gaat er alleen anders bij staan, zodat ze het pistool op zijn heup beter kan zien. In zijn angst voor wat er wel niet kan gebeuren als Muis ervandoor probeert te gaan, zegt Andrew: 'Toe nou maar, Penny. We gaan wel met de commissaris mee.'

'Andrew...'

'Kom nou maar,' zegt hij en pakt haar hand. 'Het komt wel goed.'

Muis schudt haar hoofd: o nee, dat had je gedacht. Met een glimlach – hoe speelt hij het klaar om zo kalm te blijven? – buigt Andrew zich naar haar over en fluistert: 'Wees maar niet bang. Wij zijn met meer dan hij.'

Nadat hij ons achter in zijn patrouillewagen had gestopt, pakte Bradley een portofoon van zijn stoel voorin en ging daar buiten de auto in staan praten. Ik kon niet horen wat hij zei, maar ik kon het wel raden: hij belde weer naar die ambulancedienst om te zeggen dat zijn eerdere telefoontje loos alarm was geweest, en waarschijnlijk zei hij tegen degene die op het politiebureau de telefoon bemande dat die hem voorlopig niet moest proberen te bereiken, dat hij wat privébesognes moest afhandelen.

Ik wachtte maar onbewogen af waar die besognes uit zouden bestaan. Penny maakte zich doodsbang, en dat was begrijpelijk: zij was niet, zoals ik, net teruggekeerd uit het dodenrijk, en dus had zij niet het gevoel van onkwetsbaarheid dat zo'n ervaring met zich meebrengt. Dat ze bovendien niet zoveel wijn bij het eten had gedronken als ik, dat ze niet bloedde en dat ze onze situatie weleens beter kon inschatten dan ik – dat kwam niet bij me op.

Bradley was uitgepraat. Hij stapte in zijn auto, wierp zonder iets te zeggen via de achteruitkijkspiegel een blik op ons en startte de motor. Hij reed naar Seven Lakes. Toen we in Main Street uitkwamen, zag ik verderop nog een politieauto, die voor het bureau stond. Ik vroeg me af of dat Cahill was en of Bradley iets tegen hem zou zeggen.

Maar Bradley ging die kant niet op. Hij sloeg vrijwel meteen linksaf, vlak voorbij de brandweerkazerne. Drie straten verderop lag het medisch centrum van Seven Lakes. Het was een klein, maar helder verlicht gebouwtje met een oplichtend rood kruis op het grasveld ervoor. Bradley minderde vaart toen we vlak bij de ingang van het parkeerterrein waren, en ik keek verbaasd op: ik dacht al dat ik hem blijkbaar toch verkeerd had beoordeeld. Maar toen gaf hij weer gas. Penny zag het rode kruis voorbijschieten en slaakte een vruchteloos protestkreetje.

'Had u niet moeten afslaan, commissaris?' zei ik.

Hij reed gewoon door. Bij de T-splitsing aan het eind van de straat sloeg Bradley rechts af, een weg in die met een flauwe boog de oever volgde van nog weer een ander meer. Tussen de bungalows en houten optrekjes die overal langs de oever stonden, zag ik donker water dat rood oplichtte in de laatste paar ogenblikken voordat de zon onder zou gaan. Blijkbaar wilde Bradley ergens met ons naartoe. Naarmate we verder reden langs de oever kwamen er steeds minder huisjes, totdat er helemaal niets meer stond; de weg werd nu slechter en even laat leek het alsof hij doodliep. Maar Bradley sloeg nog eens af en nam een overwoekerd pad, dat regelrecht naar het meer liep, tot vlak aan de rand. Bij wijze van waarschuwing aan het adres van iedereen die niet in een amfibievoertuig zat, was er een paar meter voor het water een ketting over het pad gespannen met een stopbord eraan dat van reflectors was voorzien.

De patrouillewagen verkoos het stopteken te negeren. Een eindje voor de ketting haalde Bradley zijn voet van het gaspedaal, maar de auto hobbelde door. De commissaris liet de auto begaan, alsof hij zich afvroeg hoe ver hij nog door zou rollen; ook het stuur liet hij los. Het zag ernaar uit dat we zouden gaan zwemmen, maar op het laatste moment trok Bradley de handrem aan. Hotsend en botsend kwam de politiewagen tot stilstand. Bradley zette de motor uit, maar liet de koplampen branden. De lichtbundels schenen over het donkere water. Bijna had ik de commissaris gevraagd waarom hij hier met ons naartoe was gereden, niet omdat ik het antwoord niet wist, maar omdat ik hoopte dat hij zich als hij die vraag hoorde zou gaan schamen, dat hij van gedachten zou veranderen. Maar toen puntje bij paaltje kwam leek het me toch beter af te wachten tot *hij* iets zei. Een paar keer leek het alsof hij op het punt stond iets te zeggen, maar vervolgens slaakte hij alleen een zucht, alsof de woorden hem op het laatste ogenblik waren ontschoten.

'Weet je,' zei hij ten slotte, 'dit is de plek waar je vader verdronken is.' Penny hapte even naar adem toen hij het woord 'verdrinken' zo plompverloren liet vallen, terwijl ik me heel even afvroeg over welke vader hij het had. 'Niet híér, hè,' voegde Bradley eraan toe. 'Daarginds, in het diepe gedeelte. Vroeger lag hier een houten vlot, waar je af kon duiken. Jonge mensen kwamen hier weleens voor een nachtelijke zwempartij; soms waren ze dan dronken, en af en toe gebeurde er een ongeluk.'

'Heeft Silas niet ook...' vroeg ik. De rest van de vraag – '... een ongeluk gehad?' – slikte ik nog net in.

'Dat is heel anders in zijn werk gegaan.' Hij draaide zich om en keek me aan via het vlechtwerk tussen de voor- en de achterbank, en tot mijn verbazing meende ik tranen te zien opwellen in zijn ogen. 'Hoe kun je ook maar denken...' Zijn stem stierf weg en hij keek weer voor zich. Maar meteen draaide hij zich weer om en vroeg: 'Wat denk jij eigenlijk, Andrea? Wat wil je van mij? Toen ik vanochtend op het bureau kwam en jou daar in gesprek vond met Jimmy, toen dacht ik... En dan dat krankzinnige verhaal waar je mee kwam aanzetten, dat je erover inzat dat jíj Horace misschien wel had omgebracht...' Hij schudde zijn hoofd. 'Waar ben je op uit? Wou je me afpersen of zo? Ik heb je al gezegd dat ik je geld geef voor het huis, en mocht je nog meer willen... Of wil je me alleen maar afstraffen, om de een of andere reden? Als dat zo is, dan ben je er te laat bij. Ik bén al afgestraft – door het leven.'

'Maar ik ben er niet op uit om u af te straffen.' Ik liet mijn vingers langs het stalen vlechtwerk glijden en vroeg me af hoe lang Seferis erover zou doen om erdoorheen te breken. 'Vertelt u me eens wat Silas Gage hier is overkomen.'

'Ik heb jouw vader niet verdronken, Andrea. Dat is zijn eigen werk geweest.'

'U was anders wel jaloers op hem.'

Bradley zuchtte. 'Dat heb je zeker van Jimmy?'

'Nee,' zei ik, 'van uzelf. Want u bent zo enorm gebrand op mijn moeders huis, en daarvoor hebt u mijn moeders begrafenisplechtigheid georganiseerd... en haar dat graf bezorgd. Dat bent u toch zeker geweest, hè, die haar ergens anders heeft laten leggen?'

'Dat vond ik niet meer dan fatsoenlijk. Ik kon haar niet tot in alle eeuwigheid naast die man laten liggen.'

'En ook niet onder zijn naam. Op de steen stond Althea Gage, niet Althea Rollins.'

Hij grinnikte bitter. 'Je hebt een scherp oog, Andrea.'

'En ik heb ook het grafschrift gezien. Dus ja, het leek me wel duidelijk dat u verliefd op haar was geweest.'

'Ja,' zei Bradley. 'Ja, dat was ik ook, idioot die ik ben... maar ik was ook erg op je vader gesteld. Ik had je moeders meisjesnaam op die steen kunnen zetten, als ik had gewild – of mijn eigen naam. Daar zou geen haan naar hebben gekraaid. Ik was de laatste, de enige die nog om haar gaf aan het eind van haar leven. Ook al had ze nooit...

Ja, ik was geloof ik jaloers op je vader,' vervolgde hij. 'Maar in de allereerste plaats ben ik erg in hem teleurgesteld geraakt. Ik weet niet of jij dat kunt navoelen, Andrea, maar als er één ding erger is dan iets wat je dolgraag wilt je neus voorbij te zien gaan, dan is het wel dat je moet aanzien hoe dat iets een ander in de schoot valt, iemand die er veel minder prijs op stelt dan jij. Toen wij Althea het hof maakten, sloofde Silas zich enorm uit om haar in te palmen, maar toen hij haar eenmaal had, en vooral toen ze eenmaal getrouwd waren, was het net alsof hij vond dat hij toen zijn best niet meer hoefde te doen. Ik zou haar op handen hebben gedragen... en ook al had ik dat niet gedaan, ook al was ze niets bijzonders geweest, geen vrouw die het wáárd was op handen gedragen te worden, dan nog... Als een man trouwt, een gezin sticht, dan hoort hij te veranderen. Volwassen te worden, goddorie! Zo gaat dat toch? Maar Silas vertikte dat. Hij hield veel van haar, en ik geloof dat hij haar trouw was, maar in andere opzichten betoonde hij haar niet het respect dat een vrouw – en vooral zíj – van haar man mocht verwachten. En wie zal het zeggen?' Hij haalde zijn schouders op. 'Ach jezus, wie zal het zeggen? Misschien vond ze dat juist fijn. Misschien trok dat haar juist aan in hem, misschien vond ze het heerlijk om zo achteloos te worden behandeld. Maar mij maakte het woedend.

De avond dat hij is omgekomen had ik dienst; ik reed rond in de surveillancewagen en toen kwam ik je vader tegen in zijn auto. Het was halfelf op een doordeweekse avond, en daar reed hij rond met een sixpack bier op de stoel naast zich – en hij was níét op weg naar huis.

Ik vroeg hem waar hij heen ging. Hij vertelde dat hij ruzie had gehad met Althea en dat zij nu eerst een tijdje moest afkoelen, dat hij daarom maar even zijn hielen had gelicht om zich een beetje te amuseren. "Jij gaat je amuseren?" zei ik. "Ze is vijf maanden zwanger en jij zegt ijskoud dat je haar alleen hebt laten zitten? En als er nu iets gebeurt?" Hij zei dat ze heus niets zou krijgen – ze zou zich nog een tijdje kwaad maken, maar als hij straks terugkwam, zou zij allang slapen. Hij vroeg of ik zin had om ook te komen zwemmen. Ik ontplofte; ik zei ronduit dat hij zich eens als een volwassen mens moest gaan gedragen; ik zei dat als ze mijn vrouw was... En hij lachte. "Maar ze ís jouw vrouw niet, hè?" zei hij. "Ze heeft voor mij gekozen, weet je nog wel? Nou ja, wees maar blij – als ze van me wil scheiden omdat ze door mij verwaarloosd wordt, dan sla je toch fijn je slag?"

Het had niet veel gescheeld of ik had hem bij zijn haren de auto uit gesleurd. Als ik dat had gedaan, dan had ik hem finaal verrot geslagen, want dat verdiende hij... Maar ik heb het niet gedaan. Ik zei dat hij beter kon maken dat hij wegkwam, voordat ik hem arresteerde. Ik zei... Ik zei: "Hopelijk verdrink je, stomme idioot..."

Wat er toen is gebeurd,' vervolgde Bradley, 'wat we uiteindelijk hebben gereconstrueerd, is dat Silas het grootste gedeelte van zijn blikjes hier heeft zitten opdrinken, in zijn auto, en dat hij met het laatste naar het vlot is gezwommen. Hij heeft daar toen een ongelukkige duik genomen, waarbij hij zijn hoofd heeft gestoten, en is bewusteloos geraakt. De volgende ochtend bleek zijn lijk naar de westkant van het meer te zijn gedreven. Om een uur of negen kreeg ik het telefoontje.'

'Dus het is een ongeluk geweest,' zei ik. 'En toen, wat hebben mijn moeder en u toen...'

'Zíj is naar míj toe gekomen, Andrea. Ik heb geen idee wat voor voorstelling je van mij hebt, maar ik zag de dood van je vader – de dood van mijn beste vriend – niet als de kans van mijn leven. Wat hij die avond ook mag hebben gezegd, Silas. Maar ze klopte bij me aan. Ze vroeg of ik haar wilde helpen. En hoe had ik toen nee kunnen zeggen?

Weet je dat ik erbij ben geweest, die dag dat jij bent geboren? Echt waar: ik heb haar met de auto naar het medisch centrum gebracht en ben bij haar blijven zitten. En met het huis heb ik haar ook geholpen. Silas' pensioentje stelde niet veel voor, maar ik sprong af en toe bij, ik heb met deze en gene gemarchandeerd om haar voordeeltjes te bezorgen, zodat jij niet zou hoeven opgroeien in een stacaravan...'

'Maar dat alles,' zei ik, 'hebt u volstrekt niet uit eigenbelang gedaan.'

Zijn schouders gingen even op en neer. 'Natuurlijk was ik nog steeds gek op haar. Een mens heeft zijn dromen, hè... en ik had het idee dat ze mij ook wel zag zitten, een tijdlang. Maar ja, ik zal het wel mis hebben gehad. Maar je moet één ding goed begrijpen, Andrea: wat er gebeurd is, dat was niet enkel en alleen omdat ik zo graag... Dat was omdat ik iets récht wilde zetten.

Ik heb me verschrikkelijk schuldig gevoeld vanwege je vaders dood. Nee, dat hij is verdronken, dat lag niet aan mij, maar ik werd almaar achtervolgd door de gedachte dat ik het heel gemakkelijk had kunnen voorkomen. Als ik hem die avond had tegengehouden, of als ik gewoon met hem was meegegaan... Tijdenlang heb ik daarover gedroomd, heb ik van die nachtmerries gehad waarin ik wél met hem was meegegaan, waarin ik op dat vlot stond toen hij zijn hoofd stootte, maar geen vinger uitstak terwijl hij verdronk.

Dus toen Althea bij me aanklopte, toen ze mij nodig had, toen zag ik dat niet alleen maar als een tweede kans om de vrouw te krijgen van wie ik hield. Voor mij was dat een kans om er toch nog íéts positiefs uit te slepen, uit dat ongeluk van Silas. Als een man domweg doodgaat, dan is dat enkel en alleen een tragedie, en verder niks. Maar als een vrouw – een geweldige vrouw en haar dochtertje – als gevolg van zijn dood onder de vleugels belandt van een andere man, die niet per se beter hoeft te zijn dan de eerste, maar wel beter in die situatie, dan krijgt zo'n tragedie toch nog een bepaalde betekenis, dan heb je het idee dat alles niet zomaar gebeurt, hoe vreselijk zoiets ook mag zijn...

Ja, ik wéét wel dat dat geen belangeloze redenatie is,' zei hij met een blik in de achteruitkijkspiegel, alsof hij een tegenwerping van me verwachtte. 'Dat weet ik best, en daar heb ik voor geboet. Maar destijds geloofde ik oprecht in dat idee. En juist doordat ik daarin geloofde ben ik zo lelijk op de koffie gekomen, ben ik in mijn eigen logica getuind toen die tweede man, die zogenaamd betere man, iemand anders bleek te zijn dan ik.'

'Hoe is de stiefvader eigenlijk ten tonele verschenen?' vroeg ik. 'Was hij ook een vriend van u?'

'Welnee!' zei Bradley, ontzet bij dat idee. 'Nee, hij was een volslagen vreemde eend in de bijt. Ze heeft hem ontmoet bij haar zuster... Ik had haar gevraagd of ze met me wilde trouwen. Dat was te vroeg, dat wist ik wel, maar intussen had ik voor mezelf een sluitende theorie opgesteld dat ze door het lot voor mij beschikt was, dat wij bij elkaar hoorden. Goed, ik vroeg haar dus ten huwelijk, en Althea vroeg om wat bedenktijd. Ze ging bij haar zuster in Mount Pleasant logeren, en ze zei dat ze me haar antwoord zou geven als ze terugkwam. Dat vond ik natuurlijk best – op dat ogenblik dacht ik dat dat louter een formaliteit was. Elf dagen is ze toen weggebleven. Ze zou maar drie dagen gaan, maar het werden er elf, en toen ze terugkwam had ze een verlovingsring aan haar vinger die ze niet van mij had gekregen.

Ik werd toen natuurlijk boos op haar. Ik wierp haar voor de voeten dat ze maar een spelletje met me had gespeeld, en nog wel ergere dingen ook. Nee, ik heb daar toen niet luchtig of plezierig op gereageerd. En ik heb Horace nooit gemogen, zelfs niet toen ik hem wat beter kende – toen ik dacht dat ik hem wat beter kende. Maar toen Althea zonder omwegen tegen me zei dat hij de man was die ze werkelijk nodig had, wat kon ik daar toen tegen inbrengen?

Ik was in mijn eigen zogenaamde logica getuind. Het moest allemaal een bepaalde betekenis krijgen, maar dat wilde nog niet zeggen dat die betekenis me ook zou aanstaan. En na verloop van tijd – maar pas nadat ik me als een volslagen idioot had gedragen tegenover Althea – heb ik het wel moeten accepteren: Horace was beter voor haar dan ik. Ik snapte dan wel niet hoe dat kon, maar zo was het nu eenmaal. Het was niet meer dan redelijk om dat in te zien.

Meer dan vijfentwintig jaar heb ik dat geloofd. En toen ben ik er op een dag achter gekomen, dankzij dat ene telefoontje, dat dat niet zo was. Dat dat onmogelijk zo kon zijn. Als hij alleen maar een zuiplap was geweest, of iemand met losse handjes, of zelfs een gevoelloze schurk, dan had hij theoretisch, in een of ander ondoorgrondelijk opzicht, altijd nog een betere echtgenoot kunnen zijn dan... Maar zó'n man... Nee, daar kwam geen enkele diepere betekenis aan te pas. Geen enkele, godverdomme. Het was net alsof er een gruwelijke streek met me was uitgehaald.'

'Dus toen hebt u hem omgebracht,' zei ik.

'Het was een ongeluk,' zei Bradley. 'Ik werd toch wel zo woedend toen hij alles ontkende. Ik zag gewoon dat hij loog. En toen ik bedacht dat hij al die jaren tegen haar had gelogen, over zijn ware aard...'

'Ze kende zijn ware aard, hoor.'

'Het had niet veel gescheeld of ik had haar niets over hem verteld,' vervolgde de commissaris, die me niet had gehoord. 'Ik had dat niet moeten doen. Maar Althea bleef zo lang treuren nadat Horace was overleden dat het me op het laatst te machtig werd – ik móést haar gewoon vertellen om wat voor monster ze eigenlijk treurde. Maar ze wilde me natuurlijk niet geloven. Ze zei dat ik het had verzonnen, dat jíj dat had verzonnen. Ze zei dat ik haar nooit meer onder ogen hoefde te komen. En ze heeft me dat nooit... van haar levensdagen niet, vergeven.'

'Commissaris,' zei ik.

Hij keek in de spiegel, met vochtige ogen. 'Wat is er, Andrea?'

'Mijn moeder heeft tegen u gelogen. Ze wist er alles van, wat de stiefvader uithaalde. Dat ze tegen u deed alsof ze u niet geloofde, was alleen om ervoor te zorgen dat niemand háár er verantwoordelijk voor zou houden. Maar ze wist het.'

'Nee.' Hij schudde zijn hoofd, eerst langzaam, toen krachtiger. 'Nee, dat moet je mis hebben, Andrea. Je moeder zou dat nooit door de vingers hebben gezien.'

'Dat heeft ze wél gedaan.'

'Nee. Ik begrijp dat je verbitterd gestemd bent, maar als je iemand wilt verwijten dat jij niet in bescherming bent genomen, verwijt dat míj dan. Als ik die keer beter naar je had geluisterd...'

'Die vlieger gaat niet op, commissaris, dat weet u best. U kunt niet zeggen dat u per ongeluk de dood van de stiefvader hebt veroorzaakt en u er dan het volgende ogenblik voor verontschuldigen dat u hem niet eerder hebt vermoord. Bovendien hebt u dat niet omwille van mij gedaan – of omwille van haar.'

'Nee, misschien niet,' zei de commissaris, op zijn teentjes getrapt. 'Misschien niet. Maar...'

'En dan nog iets. Ik kan onmogelijk beweren dat ik meer van mijn moeders drijfveren begrijp dan u indertijd, maar als me één ding duidelijk is geworden over haar, dan is het wel dat ze haar liefde juist níét schonk aan degenen die die nodig hadden. Dus ook al had u de stiefvader jaren eerder uit de weg geruimd, dan had u toch niet gekregen wat u wilde. Ze zou nooit haar keus op u hebben laten vallen. Ook al had u honderd stiefvaders vermoord.'

'Tja...' zei Bradley. 'Maar dat is nu een puur theoretische kwestie, hè?'

'Zo is het,' beaamde ik. 'En dus is er geen enkele reden meer om erover te praten. Ik waardeer het dat u mij dat verhaal hebt verteld, maar mijn hand doet pijn, en ik zou nu graag naar de Eerste Hulp willen.'

'Andrea...'

'U kunt twee dingen doen: ons daarheen brengen als u wilt, of gewoon de portieren hier van het slot doen. Ik weet wel zeker dat Penny het niet erg zou vinden om te lopen.'

Met twee handen om het stuur geklemd zat hij naar het meer te staren. 'Je hebt nog steeds geen antwoord gegeven op mijn vraag, Andrea,' zei hij. 'Namelijk waarom je terug bent gekomen.'

'Dat was niet om u een hak te zetten, of om u problemen te bezorgen,' zei ik. 'Maar het is niet aan mij om goed te praten wat u hebt gedaan. Kijk, als u uw verhaal misschien kwijt wilt aan een rechter, dan...'

'Aan een rechter?' Hij lachte, een hoog, naargeestig geluid. 'Een rechter... Dus je bent wel degelijk teruggekomen om mij te grazen te nemen.'

'Nee, commissaris.'

'Je snapt wel dat niemand jou zou geloven, als je alles vertelde. Een getroebleerd meisje dat een tijdje in een inrichting heeft gezeten.' Hij schudde zijn hoofd. 'Waarschijnlijk verzin jij alle mogelijke verhalen... maar niemand zou het geloven als je het niet kunt bewijzen.'

'Nou goed, dan hoeft u dus nergens bang voor te zijn. Dan kunt u ons wel laten lopen.'

Er viel een langdurige stilte. Toen hij weer begon te praten, klonk hij treurig, maar ook vastbesloten, en hoewel hij me bij mijn naam noemde, hoorde ik wel dat hij het eigenlijk tegen zichzelf had. 'Het spijt me, Andrea. Het is nooit mijn bedoeling geweest iemand kwaad te doen. Ik heb altijd alleen maar een goed en rechtvaardig mens willen zijn...'

'Dat kan nog steeds, commissaris.'

'... maar ik heb zo'n beetje overal een puinhoop van gemaakt. Ik ben mijn beste vriend kwijtgeraakt, en de vrouw van wie ik hield... en zelfs de vrouw van wie ik niet hield. Mijn naam en mijn reputatie hier in Seven Lakes, dat is alles wat ik nog heb, en als ik die ook nog kwijt zou raken, dan zou dat mijn einde zijn. Dat kan ik niet riskeren. Het spijt me. Het spijt me erg, maar dat kan niet.' Zijn linkerhand liet het stuur los en verdween ergens in de diepte. Vanaf het spreekgestoelte liet Adam een dringende alarmkreet horen, maar dat was niet nodig.

'Het spijt mij ook, commissaris,' zei ik. En vervolgens maakte ik me op: 'Seferis. Help ons hier eens uit.'

Als het ogenblik daar is, staat Muis op het punt om in een black-out te vluchten. Sinds Bradley zonder te stoppen het medisch centrum voorbij is gereden, stelt ze telkens vruchteloze pogingen in het werk om op te lossen en dwars door de bodem van de auto te ontsnappen. Maar omdat ze niet bij machte is de natuurwetten naar haar hand te zetten, heeft ze zich gedwongen gezien met stijgende angst de dialoog tussen de commissaris en Andrew aan te horen. Iedere uitspraak van Bradleys kant, ook die waarin zijn zelfbeklag huizenhoog opklinkt, is geladen met dreiging, maar van Andrews bijdrage aan de conversatie krijgt ze het helemaal op de zenuwen. In plaats van op zijn woorden te passen, iets wat je toch maar beter kunt doen als je aan iemands genade bent overgeleverd, neemt Andrew geen blad voor zijn mond, en af en toe lijkt het haast alsof hij het erop toelegt Bradley op stang te jagen. Hou je mond nou, zou Muis hem het liefst toegillen, hou je mónd, en Maledicta in de grot laat het niet bij de gedachte aan een gilpartij.

Ten slotte breekt er een cruciaal stadium aan: de dialoog gaat over in een monoloog, en Bradley maakt zich op voor een bijzonder laaghartige daad. In de grot staat Maledicta nu te scanderen: 'O kut, o kut, o kút', en Muis voelt haar greep op de tijd verzwakken. Het zwarte niets doemt al op, en dat komt haar goed uit, want ze wil er niet bij zijn als ze wordt vermoord.

En dan zegt Andrew: 'Het spijt mij ook, commissaris', maar met zo'n krachtige, heldere stem dat ze haar hoofd zijn kant op draait. Ze ziet hem een gedaanteverwisseling ondergaan; zijn hele houding verandert zo dat het wel lijkt alsof hij veel groter en massiever wordt, alsof hij fysiek uitdijt. Hij heft zijn rechterarm op en zet zijn elleboog tegen het raam aan zijn kant; er vaart een trekking door zijn arm en het glas begeeft het en valt naar buiten. Voordat Muis' mond zelfs maar open kan vallen van dit wapenfeit, is hij al door de opening gedoken.

'Andrea!' brult Bradley. Muis hoort dreunende voetstappen om de auto heen, die de kant van de bestuurder precies op het ogenblik bereiken dat de commissaris zijn portier opent en uitstapt. Er volgt gehijg en gegrom, en de geluiden van een schermutseling. Met een doffe klap belandt er iets zwaars op de motorkap.

Dan wordt het portier aan Muis' kant opengerukt en Andrew steekt zijn hoofd naar binnen. 'Kom mee, Penny,' zegt hij –

– en ze staan buiten. Andrew trekt Muis bij haar arm mee; ze moet opschieten, maar zij aarzelt, want ze ziet Bradley halfverdoofd rondwankelen in het felle licht van de koplampen. Zo te zien struikelt hij, zodat hij ergens onder de lichtbundels uit het zicht verdwijnt, maar bliksemsnel veert hij weer overeind, de hand aan zijn pistool. Andrew trekt Muis weer mee –

– en met veel lawaai werken ze zich in het donker door het dichte kreupelhout. Onzichtbare takken geven Muis herhaaldelijk een pets in haar gezcht, maar de arm die Andrew om haar middel heeft geslagen ondersteunt haar en stuwt haar voort.

'Andrea!' roept Bradley, die niet al te ver achter hen door het struikgewas strompelt. 'Andrea, blijf staan! Andrea, ik zie je wel –'

– en er klinkt een doffe dreun, alsof er een grote tak naar beneden komt –

– en Muis en Andrew staan met hun rug tegen de stam van een boom. Andrews hand ligt over Muis' mond, zodat ze geen kik kan geven, en dat is maar goed ook, want Bradley staat vlak voor hen, zo dichtbij dat ze hem bijna kunnen aanraken. Met zijn rug naar hen toe staat hij gespannen te luisteren; voor Muis' gevoel produceert de adem die haar neusgaten in en uit komt evenveel lawaai als de motoren van een straalvliegtuig.

Bradley speurt naar links, naar rechts, weer naar links. Inmiddels is het pikdonker, maar hij staat zo pal boven op hen dat als hij zich nu zou omdraaien, hij hen onmogelijk over het hoofd zou kunnen zien.

Maar hij draait zich niet om. Hij doet een stap achteruit. Nu is hij nog maar een armlengte bij hen vandaan, en Muis voelt dat Andrew een tot het uiterste gespannen houding aanneemt, dat hij zich schrap zet om haar uit de weg te duwen en de commissaris van achteren op zijn nek te springen.

Dan beweegt er ergens in het donker iets anders, een of ander beest. Bradley spitst zich van top tot teen op dat geluid en loopt die kant op. Het onbestemde beest hoort hem komen en gaat er met sprongen vandoor; Bradley rent het achterna. Hij verdwijnt in de duisternis.

Andrew wordt weer rustiger. Hij haalt zijn hand van Muis' mond.

Muis zakt door haar knieën –

– en zit op haar hurken tussen bossen hoog opschietend onkruid langs een paadje dat net zo'n beetje zichtbaar is in het maanlicht. Ergens vlakbij hoort ze water; het meer misschien, al klinkt het eerder als het gekabbel van een riviertje of beek. Ergens verder weg, de andere kant op, klinkt weer luid gekraak in de ondergroei. De commissaris, neemt Muis aan, nog steeds op jacht naar wild; hij maakt een hoop herrie, maar zo te horen komt hij niet dichterbij.

Maar waar is Andrew? Bijna onhoorbaar fluistert Muis zijn naam. Een schim aan de andere kant van het paadje antwoordt met een zacht 'Sst...'

Andrew sluipt naar haar toe. Hij vouwt twee handen om haar oor en vraagt zachtjes: 'Je bent toch niet geraakt, hè?'

'Nee, dat geloof ik niet,' fluistert ze terug.

'Prima,' zegt Andrew en heft een ogenblik zijn hoofd op. 'Volgens mij is Bradley nu wel ver genoeg weg. We nemen dit pad – blijf gebukt lopen totdat het vlak naast de beek afslaat, kom dan overeind en zet het op een rennen.'

'Waar gaat dit pad heen?' begint Muis nog, maar Andrew legt een vinger tegen haar lippen. Opeens is het gekraak in het kreupelhout weer veel luidruchtiger geworden.

'Lopen!' fluistert Andrew, en –

– Muis vliegt.

Heel even beet het gemeen toen ik mijn hand in Hansen's Brook stak. Toen deed het koude water zijn werk; het spoelde de snijwonden schoon en verdoofde ze. Ik zat op mijn knieën vlak naast de beek en hield me met mijn andere hand aan een tak vast om er niet in te tuimelen.

We hadden het pad zo'n anderhalve kilometer gevolgd. Waarschijnlijk was het niet zo slim om daar stil te houden, maar Penny was buiten adem en ik voelde me langzamerhand griezelig licht in het hoofd; mijn hand klopte op de maat van mijn hartslag, en angstig vroeg ik me af of ik niet te veel bloed dreigde te verliezen. Voordat ik bij de beek was neergeknield had ik een poosje mijn oren gespitst om eventuele tekenen op te vangen die erop wezen dat we achtervolgd werden, en omdat zijn gehoor beter is dan het mijne, had ik Seferis nog eens naar buiten geroepen om hem ook te laten luisteren. Geen van beiden hadden we ook maar iets opgevangen.

Na een tijdje haalde ik mijn hand uit het water. Ik probeerde hem te bekijken, maar het was zo donker dat ik er bijna niets aan kon onderscheiden; bij het licht van de sterren hebben bloed en schaduw dezelfde tint. Rillend wikkelde ik de theedoek weer strak om mijn hand.

Penny stond ook te rillen. Ze had haar armen om zichzelf heen geslagen en danste heen en weer in een poging enigszins warm te blijven.

'Hé,' zei ik zachtjes, 'hoe gaat het?'

'Koud,' kwam haar antwoord. 'Doodsbang.'

'Ik ook,' zei ik. 'Maar ik denk dat alles wel op zijn pootjes terechtkomt...'

'O já?' zei Penny, en ze moest haar uiterste best doen om haar stem gedempt te houden. 'Andrew, de commissaris van politie zit achter ons aan. Je hebt hem een dreun gegeven – en daar ben ik blij om, maar als hij ons niet gewoon overhoopschiet, dan stopt hij ons waarschijnlijk achter de tralies.'

'Welnee,' wierp ik tegen. 'Zo gaat het heus niet. Hij is degene die een misdaad heeft begaan, wij niet!'

'Dat maakt niets uit. Hij is de commissaris. Als hij wil, dan kan hij rustig misdaden begaan.'

'Hij heeft het bekend. Tegenover ons allebei! Als wij dat verder vertellen...'

'Dan geloven ze ons niet. Het is waar wat hij zei: jij bent officieel krankzinnig, hier in Michigan, en ik, ik heb me bij je aangesloten. Ook al verklaren we allebei hetzelfde, dat legt geen enkel gewicht in de schaal tegenover zijn verhaal.'

'Cahill zal ons wél geloven. Of tenminste, hij gunt me beslist het voordeel van de twijfel. En als mevrouw Winslow hier is...'

'Mevrouw Winslow?'

'Ja,' zei ik, 'ze is op weg hierheen. Bradley heeft haar vanochtend gesproken. Ze zou er al kunnen zijn.'

'Nou ja, ook al zouden we daar iets mee opschieten,' zei Penny, 'hoe moet ze ons ooit vinden?'

'Tja...' Daar moest ik even over nadenken. 'Nou, dit pad loopt helemaal door tot aan Quarry Lake, en vandaar kunnen we naar het huis komen, en dan...'

'O god,' zei Penny. Dat was wel het laatste oord waar ze naartoe wilde, zoveel was duidelijk.

'Oké,' zei ik, 'ik sta ook niet te trappelen om daarheen te gaan, maar... wat kunnen we anders? Ik bedoel, je hebt gelijk: als we hier blijven, vindt mevrouw Winslow ons nooit. Wat wij nu moeten doen, is in het geniep in Seven Lakes zien te komen, en vanaf het huis zijn er volgens mij verschillende routes waar we uit kunnen kiezen.'

'Maar vindt Bradley ons dan niet, als we naar het huis gaan? Hij weet toch zeker waar dit pad heen gaat?' En terwijl die gedachte vat op haar kreeg, tuurde ze angstig het pad af in de richting van Quarry Lake, alsof ze verwachtte dat de commissaris daar al in hinderlaag lag.

Ze had niet helemaal ongelijk: Bradley kende natuurlijk alle paadjes in dit gebied, en zeker het pad dat achterlangs naar het huis liep waar hij zijn zinnen op had gezet. Maar Adam, die zich er nu ook mee bemoeide, betoogde vanaf het spreekgestoelte dat de commissaris niet per se hoefde te weten dat wij deze kant op waren gegaan, en dat hij, ook al vermoedde hij zoiets, die gedachte zo lang mogelijk zou verwerpen. 'Hij *wíl* ons graag bij het meer vinden,' zei Adam, 'dus ook al heeft hij zo'n idee dat we daar niet meer zijn, dan zal hij daar toch nog een tijdje blijven lopen zoeken, omdat hij hoopt dat hij het mis heeft.'

'Maar waarom...?'

'Bradley wil ons liever niet overhoopschieten. Hij wil dat we een ongeluk krijgen – iets waar zelfs hij een ongeluk in kan zien. En er is geen zwembad bij het huis.'

'Quarry Lake,' merkte ik op.

'Hij kan zijn auto niet in het meer duwen... Hoor eens, ik wil niet beweren dat hij beslist niet naar het huis zal gaan, maar *áls* hij gaat, dan hebben we waarschijnlijk nog even tijd. Dus maak daar nou gebruik van.'

Penny, die haar eigen inwendige discussie had gevoerd, was tot dezelfde conclusie gekomen. 'O god, dan moet het maar,' zei ze en liep verder.

Ik dacht aan Xavier, die zes jaar eerder ditzelfde pad had gevolgd. Gideon had hem een plattegrond gegeven met een waslijst van instructies erbij: hij moest het huis ongezien van achteren benaderen, omstreeks zonsondergang door het hekje aan de achterkant glippen en als hij er zeker van was dat de familie geen bezoek had op de deur bonzen. De rest van het plan, namelijk dat Xavier Horace Rollins zou ontmakeren als pedofiel, tenzij hij een cheque uitschreef ter waarde van tienduizend dollar, kwam me op een aantal punten ietwat absurd voor, maar het was de stiefvader niet beschoren geweest Xavier in zijn gezicht uit te lachen. Xavier was bij het invallen van de schemering bij Quarry Lake aangeland, maar vervolgens had hij het paadje naar het huis over het hoofd gezien en de route naar Mount Idyll genomen. Toen hij zijn vergissing op het laatst in de gaten had gekregen – en Gideon hem rechtsomkeert had laten maken –, was de zon al helemaal onder, en als het die avond niet bijna volle maan was geweest, had hij misschien wel nooit het paadje gevonden dat hij moest hebben. Maar het was al te laat: toen hij eindelijk door het hekje kwam, hoorde hij geschreeuw in het huis...

Opeens bleef ik staan; het pad langs de beek was abrupt opgehouden en vlak voor ons lag Quarry Lake. Verbaasd keek ik achterom.

'Wat is er?' fluisterde Penny, die mijn beweging verkeerd begreep. 'Hoor je iets?'

'Nee,' fluisterde ik. 'Ik dacht alleen...' Was er hier niet een woud van doornstruiken geweest, die ochtend nog? Nee, dacht ik, dat was twintig jaar geleden zo geweest... en de boze tovenaar was nu dood; die had de verkeerde prins op zijn dak gekregen. 'Ach nee, niks,' zei ik en schudde mijn hoofd. 'Ik zie spoken.'

'Kom mee dan,' zei Penny. Ze pakte mijn hand en loodste me langs de oever van het meer mee tot de plek waar het paadje naar het huis begon. Toen drukten we ons dicht tegen elkaar aan en stapten het bos in.

Het is aardedonker onder de bomen. Langzaam lopen ze omhoog en telkens houden ze even stil om te controleren of ze niet van het pad af zijn geraakt. Ze spitsen hun oren om verdachte geluiden op te vangen, en het bos is zo vriendelijk hen op allerlei geritsel en gekraak te onthalen: op een gegeven ogenblik horen ze een griezelig geschraap, dat Muis doet denken aan een putdeksel dat weg wordt getrokken. Ze wachten of het geluid nog eens komt, maar nee, en ze lopen weer verder.

Het terrein wordt nu weer vlak, en het donker verandert, het wordt minder ondoordringbaar. Ergens voor zich ziet Muis een onregelmatige donkere lijn, onderbroken door een hekje.

Het hekje is dicht: het wenkt hen niet naar binnen. Muis vindt dat een goed teken. Maar ze gaan niet overhaast de tuin in. Vlak ervoor blijven ze eerst staan, speurend naar monsters. Na het donker in het bos doet het zwakke maanlicht in de achtertuin aan als één groot zoeklicht; Muis ziet geen commissaris of iets wat eruitziet alsof het elk ogenblik in de commissaris kan veranderen. In het huis zelf is het doodstil, en weliswaar kunnen ze hiervandaan de voortuin niet zien, maar als er op dit ogenblik een auto zou voorrijden, zou dat tot hen doordringen.

Muis, die zelfs niet durft te fluisteren, trekt even zachtjes aan Andrews hand om te kijken of hij eraan toe is om verder te gaan. Maar dat is hij niet; Muis neemt aan dat hij iets heeft gezien wat haar is ontgaan en speurt nog eens de hele achtertuin af.

'Het is dat kloteschuurtje,' merkt Maledicta op vanuit de grot. 'Daar is hij als de dood voor.'

Het schuurtje: ja, het zou kunnen zijn dat Bradley zich erachter verstopt heeft, of erin, maar dat gelooft Muis niet; ze staat er zo dicht bovenop en luistert zo scherp dat ze meent dat ze hem in dat geval zou horen. Maar goed, Andrew heeft meer ervaring wat dat betreft. Zonder zijn hand los te laten, wijst ze opzij: wil hij de achtertuin misschien liever links laten liggen, er met een boog omheen trekken?

Hij aarzelt zo lang dat ze begrijpt dat hij het een aanlokkelijk idee vindt, maar uiteindelijk schudt hij zijn hoofd. Als ze dat doen, lopen ze vast tegen doornstruiken op en dat geeft gerucht. Andrew zet zich schrap, licht de klink op en trekt het hekje open.

De klink rinkelt. De scharnieren van het hekje knerpen.

Er springt hun niets op de nek.

'Oké,' fluistert Andrew, 'nu hier rechtdoor, op je tenen om het huis heen, en zodra we zien dat er niemand in de voortuin is, zetten we het op een rennen. Volgens Adam komt er een kleine tweehonderd meter verderop aan de weg nog een pad, dat bijna helemaal doorloopt tot naar Seven Lakes.'

Ze gaan door het hekje de tuin in, Andrew met zijwaartse sprongetjes om zo ver mogelijk uit de buurt van het schuurtje te blijven, en telkens op één voet zwenkend om het in het oog te houden. Bradley houdt zich er niet achter schuil en hij komt er ook niet uit stormen. Zonder toestanden lopen ze naar de andere kant van de achtertuin.

Als ze de achterkant van het huis bereiken en aan de tocht langs de zijkant beginnen, voelt Muis opeens nattigheid. Ze heeft vaag het gevoel dat er iets niet klopt, dat er hier iets ontbreekt, maar ze heeft geen idee wat dat kan zijn. Totdat haar voet tegen iets hards stoot; dan is het haar opeens duidelijk.

De stutplanken: ze zijn allemaal weer weggehaald. De telefoonpaal staat nog waar hij stond, maar de stutplanken zijn verwijderd en plat op de grond gelegd. Muis struikelt erover.

Ze gaat onderuit en er springt een zaklamp aan, die Andrew en haar in zijn lichtbundel vangt. Muis kijkt schuin omhoog in het licht en wordt erdoor verblind.

Achter de felle straal klinkt Bradleys stem: 'Blijf staan daar, Andrea.'

En Andrews stem antwoordt, ook nu weer doodkalm: 'Hallo, commissaris.'

Nu verschijnt Bradleys rechterhand in de lichtstraal: met een pistool dat hij op hen richt. 'Blijf staan waar je staat, Andrea,' zegt hij. 'Luister goed. Jij en je vriendin draaien je zometeen om en jullie lopen langzaam naar de achterdeur. En dan gaan we alle drie naar binnen.'

'Waarom?' vraagt Andrew. 'Krijgen wij daar dan soms ook een ongeluk?'

'Andrea...'

'Het verbaast me dat u bereid bent het huis op te offeren. Maar ja, Adam had dat dus goed gezien: er is hier geen zwembad.'

'Andrea, ik méén het.' Bradleys duim spant de haan van het pistool. Muis hoort het klikje, slaakt een schrille kreet en kruipt achteruit. De loop van het pistool verandert van richting en Bradley zegt: 'Niet doen.'

Andrew doet een stap opzij, zodat hij tussen Muis en het pistool komt te staan. 'Denkt u dat mijn moeder hier bewondering voor zou hebben gehad?' zegt hij. 'Denkt u dat ze, als ze dit had gezien, verliefd op u was geworden?'

'Andrea, godverdomme...'

'U bent nu bijzonder egoïstisch bezig, commissaris,' zegt Andrew. 'Ik vind het triest dat u niet hebt gekregen wat u wilde, en verder vind ik het ook triest dat u de consequenties niet onder ogen durft te zien van de dingen die u hebt gedaan. Maar als u dat pistool laat zakken, dan kunt u zich, wat er verder ook mag gebeuren, troosten met het besef dat u tenminste één keer de juiste beslissing hebt genomen...'

'Andrea...' Uit de toon waarop hij dat zegt valt niets op te maken. Misschien verkeert hij in twijfel, maar het kan ook best zijn dat hij popelt om de trekker over te halen.

'Maar als u dat pistool niet laat zakken,' vervolgt Andrew, 'als u ons nu niet laat lopen, dan ga ik u toch echt niet in de kaart spelen door net te doen alsof u niet op het punt staat een ontzettend laaghartige streek uit te halen. U zult mij dood moeten schieten, en als u dat doet, ga ik mijn moeders naam schreeuwen, zodat u zich de rest van uw leven, elke keer als u aan haar denkt, weer dit ogenblik herinnert, zich herinnert dat u toen willens en wetens een daad hebt gepleegd waarvan u wist dat die uit den boze was...'

'Andrea... Andrea, godverdomme...'

'Althea,' zegt Andrew. 'Althea. Innig geliefde Althea...'

'Godverdómme...' De stem van de commissaris begeeft het en in afwachting van het schot slaat Muis beide handen over haar oren, maar op hetzelfde ogenblik dat ze haar gezicht in het gras drukt, ziet ze het licht bewegen.

Bradley heeft zijn armen laten zakken. Het pistool en de zaklamp wijzen naar naar de grond, en de schouders van de commissaris schokken. Hij staat te snikken: Muis ziet Bradleys tranen blinken op zijn wangen.

Ze blinken... maar het komt niet door de maan of de sterren, of door het weerkaatste licht van de zaklamp dat zijn tranen zo glanzen. De hele omgeving baadt in een nieuw schijnsel, dat bovendien vergezeld gaat van een nieuw geluid: het geronk van een motor.

Er komt een auto aan. Bradley beseft het op hetzelfde ogenblik als Muis. Hij draait zich om naar de voortuin, en op dat moment nemen de koplampen de laatste bocht in de weg.

Er weerklinkt gegier van remmen: de auto heeft te veel vaart, de bestuurder had het huis pas later verwacht. Het licht wordt zwakker en dooft dan helemaal, want de nieuwkomer vliegt met een klap tegen de achterkant van Bradleys patrouillewagen op. De politiewagen schiet vooruit en bonkt tegen de voorgevel van het huis.

Het hele huis siddert van de enorme dreun. Balken kreunen en ruiten vallen aan diggelen; hout geeft snerpend de geest.

En Muis, die zich nu opricht, voelt Andrews hand op haar schouder. Hij trekt haar naar achteren, de gevarenzone uit. Ook Bradley probeert weg te komen, maar zijn ene hak blijft vastzitten achter een plank, en aangezien er niemand is die hem vasthoudt, tuimelt hij achterover.

'O god,' zegt de commissaris, en hij slaat zijn armen voor zijn gezicht.

Het huis stort in en bedelft hem.

III

ORDE

LAATSTE BOEK

Epiloog

29

Later op de avond had de reddingsploeg hem onder het puin uit gegraven en commissaris Bradley had alles bekend.

Hij was niet al te erg gewond geraakt, maar dat was niet meteen duidelijk geweest. Hij had een arm en een paar ribben gebroken, en een tien centimeter lange splinter had de schouder van zijn gebroken arm doorboord; hij zat onder de blauwe plekken en had een shock. De arts die hem onderzocht in het medisch centrum van Seven Lakes vond geen tekenen die op hoofdletsel wezen, of op beschadigingen aan inwendige organen, maar voor alle zekerheid besloot men hem over te brengen naar het ziekenhuis in Muskegon. Jimmy Cahill ging ook mee in de ambulance, en onderweg vroeg hij Bradley naar een aantal verontrustende kwesties die wij de agent hadden verteld. Als gevolg van de pijnstillers (en wie weet ook van de angst dat hij zou komen te sterven met een slecht geweten) biechtte Bradley alles op: wat hij met Horace Rollins had uitgehaald, en welke plannen hij met ons had gehad.

Maar de volgende dag, toen de invloed van de pijnstillers verflauwde en het duidelijk werd dat hij niet zou sterven aan zijn gebroken arm, herriep hij zijn bekentenis. Tegen de rechercheurs die in het ziekenhuis met hem kwamen praten, zei hij dat hij de avond tevoren in de war was geweest en dat agent Cahill zijn woorden had verdraaid. Hij zei dat hij het slachtoffer was van een samenzwering, op touw gezet door een geestelijk gestoorde jonge vrouw die zich om de een of andere reden in het hoofd had gezet dat híj het dodelijke ongeluk van haar stiefvader op zijn geweten had. En verder opperde hij dat die geestelijk gestoorde jonge vrouw agent Cahills genegenheid voor haar gebruikte om hem te manipuleren.

Het had er lelijk kunnen uitzien, maar op dat ogenblik greep mevrouw Winslow in. Hinkend op een paar krukken – ze had een voet gebroken toen haar huurauto de achterkant van Bradleys patrouillewagen ramde – verscheen ze aan het ziekbed van de commissaris. Hun gesprek onder vier ogen duurde meer dan een uur. Wat ze met elkaar bespraken zal tot in lengte van dagen hun geheim blijven, maar toen ze uitgepraat waren, riep Bradley de rechercheurs weer bij zich en verklaarde dat hij had gelogen en dat hij zijn oorspronkelijke bekentenis wél wenste te laten gelden.

Daarmee was de kous nog niet af. Er werd een officieel onderzoek ingesteld en zolang dat nog liep, moesten we in Michigan blijven. We namen onze intrek in een motel in Muskegon en hoopten maar dat dokter Kroft niet zou komen opdagen met een paar mannetjes in witte jassen in zijn kielzog. Maar nee, hij verscheen niet, er lieten zich ook geen andere vertegenwoordigers zien van de psychiatrische dienst van de staat, en op het laatst werd ons meegedeeld dat het ons vrijstond naar huis terug te keren.

Op de dag dat de moord op Horace Rollins commissaris Bradley officieel ten laste zou worden gelegd, ondernamen we nog een laatste tocht naar Seven Lakes. Agent Cahill, die tot waarnemend commissaris was benoemd, stond ons op het terrein van de Gages op te wachten met een slooploegje.

Het huis was slechts gedeeltelijk ingestort, en dat was een van de oorzaken waardoor Bradley niet erger gewond was geraakt. Eén muur had het helemaal begeven, en ongeveer de helft van het dak, maar het grootste gedeelte, waarvan het skelet nog door de telefoonpaal werd gestut, was intact gebleven. Het zaakje was waarschijnlijk toch niet veel langer overeind blijven staan, maar Cahill had besloten het tot een gevaar voor de openbare veiligheid uit te roepen en het met de grond gelijk te maken. Hij had ons uitgenodigd om te komen kijken.

'Wil iemand misschien nog iets zeggen?' vroeg Cahill toen we allemaal in de voortuin stonden. Hij keek naar Andrew, die zo te zien in gedachten verzonken was, en Andrew rukte zich los uit zijn overpeinzingen en zei: 'Nee, ik wil niets zeggen, maar... mag ik nog heel even?' Cahill knikte en Andrew keek naar het huis, waarbij zijn gezichtsuitdrukking een hele reeks veranderingen doorliep: er kwamen stoeten zielen voorbij om er een laatste blik op te werpen. Sommige herkende ik – Aaron, Jake, Samantha, Seferis –, maar er waren erbij die ik volgens mij nooit eerder had ontmoet.

Toen kwam Andrew weer terug, en hij zei tegen Cahill: 'Ga je gang maar.' Cahill gaf de man in de bulldozer een teken.

Het huis lag binnen een paar minuten tegen de vlakte, maar Cahill liet de bestuurder nog even heen en weer rijden om de brokstukken helemaal plat te walsen. Op het laatst wendde Cahill zich nog eens tot Andrew met de vraag: 'Zo genoeg?' Andrew knikte.

Cahill gaf nog een seintje en de bulldozer hobbelde weg, de achtertuin in. Intussen had Andrews gezicht een kwajongensachtige uitdrukking aangenomen: Adam. Hij liep naar de plaats waar de voordeur was geweest en haalde een zoutvaatje uit zijn zak dat hij die ochtend had meegejat bij Winchell's. Hij schroefde het dopje eraf, schudde het zout in zijn hand en strooide het over de restanten van het huis.

Na gedane arbeid mikte Adam het vaatje weg en gaf het lichaam aan tante Sam. Tante Sam liep naar Cahill en verraste hem met een dikke zoen op zijn wang, waarop ze hem nogmaals verraste met de woorden: 'Je bent nog steeds een etterbak, Jimmy, maar welbedankt voor dit karwei.' Vervolgens maakte Sam plaats voor Andrew, die met een rood gezicht een stap achteruit deed en zei: 'Sorry.'

'Het is goed, hoor,' zei Cahill. 'Ik begrijp het wel. Of eigenlijk niet, maar... ik kan ermee leven.'

Er weerklonk nog een flinke dreun: de bulldozer had het schuurtje omvergeduwd. De bestuurder boog zich uit zijn cabine en riep tegen Cahill: 'Anders nog iets?'

'Nee,' zei de agent. 'Nee, zo is het prima!'

En daarop keek een vermoeid uitziende Andrew mij aan en vroeg: 'Wat denk je, Penny? Ben je eraan toe om naar huis te gaan?'

'Ja,' zei ik. 'Dat ben ik zeker. Laten we gaan.'

30

Verbaasd?

Ik kon het niet nalaten dit er nog aan toe te voegen, maar aan de andere kant wil ik ook weer niet dat de lezer een verkeerd idee krijgt. Penny is toch echt niet op een wonderbaarlijke manier veranderd als gevolg van onze avonturen. Er ging bijna een jaar lang wekelijkse therapie bij Eddington overheen voordat ze zichzelf oprecht als Penny zag en niet meer als Muis, en toen nog eens anderhalf jaar voordat de behandeling definitief afgesloten kon worden. Penny's therapie hield uiteindelijk ook in dat ze de elektronische dagboeken van Draad las – de dagboeken waaruit ik heb geput om haar kant van deze geschiedenis weer te geven – en gedeelten herschreef in de eerste persoon, maar dat kwam pas in een heel late fase van de behandeling. Al veel eerder betekende het feit dat ze inmiddels regelrecht contact onderhield met haar andere ikken een enorme doorbraak, al was dat pas de eerste stap van een langdurig proces.

En zo gingen we terug naar Washington en pakten daar de draad weer op, een terugkeer naar een geregeld leven die veel soepeler verliep dan ik ook maar in de verste verte zou hebben verwacht. Niet alleen waren we onze baan bij de Werkelijkheidsfabriek niet kwijt, maar bovendien stond Julie er ook nog op ons het volle pond te betalen voor de tijd dat we weg waren geweest, een ongelooflijk gul gebaar. 'Ziekteverlof,' zei ze. 'Alle fatsoenlijke bedrijven betalen dan door.'

Julie. Een van de eerste dingen die ik deed toen ik terug was in Autumn Creek, was Julie een lange brief schrijven, die ik persoonlijk bij haar afleverde. Nadat ze die had gelezen, gingen we samen uit eten (zonder dat we er een woord aan vuilmaakten, kozen we eensgezind voor een restaurant zonder drankvergunning) en bij die gelegenheid hebben we tijdenlang openhartig met elkaar gepraat. Ik zal niet beweren dat we al onze problemen uit de wereld hebben geholpen, maar aan het eind van die avond had ik het gevoel dat we de averij die onze vriendschap had opgelopen grotendeels hadden gerepareerd.

Maar ja, Julie was nu eenmaal Julie (en laten we eerlijk zijn: ik was nu eenmaal ik), dus staken er eeuwig en altijd weer nieuwe toestanden de kop op. In de tweede week dat ik terug was, begon ik aan mijn psychotherapie bij Eddington. Vrijdagsmiddags om vier uur moest ik naar hem toe. Penny bracht me dan met de auto; om een uur of drie vertrokken we bij de Werkelijkheidsfabriek en reden dan naar de stad. Terug nam ik weleens de bus, maar meestal bracht Penny me ook weer naar huis – of Maledicta reed met tante Sam, als ze zich allebei netjes hadden gedragen. Penny moest op woensdagmiddag naar Eddington, en vaak ging ik dan ook mee; terwijl Penny bij de dokter zat liet ik Adam, Jake en de anderen Fremont verkennen, en afhankelijk van Penny's stemming pikten we na afloop een bioscoopje, of we maakten een wandeling langs Lake Union, en als de sessie heel vreselijk was geweest gingen we gewoon op een bankje in Gas Works Park zitten praten.

Dat was allemaal goed en fijn, maar het betekende wel dat we allebei twee keer per week al vroeg ophielden met het werk. Eerst vond Julie dat prima – ze had er alles voor over om te voorkomen dat we weer de benen namen naar Michigan –, maar ergens in juni begon ze te kankeren over al die arbeidsuren die verloren gingen en heette het dat 'de productiviteit werd aangetast'. Ik geloof er niets van dat de productiviteit werd aangetast; volgens mij was Julie gewoon jaloers omdat wij zoveel met elkaar optrokken. Penny wist haar afspraken te verzetten naar de vrijdag, meteen na die van mij, zodat we niet meer zoveel werktijd verloren, maar Julie mekkerde vrolijk door, en ik stond verbaasd van mezelf, want ik trok me daar niet al te veel van aan.

De dagen van de Werkelijkheidsfabriek waren echter geteld, zo bleek. In september ging een fors krediet dat Julie al maandenlang in de wacht probeerde te slepen opeens niet door. Ze belegde een vergadering en deelde ons mee dat als ze geen nieuwe financieringsbron kon aanboren, de Fabriek over niet al te lange tijd op de fles zou gaan. Daarop lanceerde ook Dennis een schokkend nieuwtje: of de boel nu al dan niet op de fles ging, zei hij, hij had besloten weer terug te gaan naar Alaska.

'Wat zeg je nou?' zei Julie. 'Je kunt toch niet zomaar je biezen pakken! Hoe krijgen we het project ooit afgerond als jij niet...'

'Toe nou, Hotemetootje,' zei Dennis, terwijl hij zichzelf koelte toewapperde met de voorpanden van zijn losgeknoopte overhemd. 'Jij weet net zo goed als ik dat de zaak nooit af komt. Ik ben er doodziek van.'

Penny en ik knepen ertussenuit tijdens het daaropvolgende bloedbad. Irwin kwam vlak achter ons aan. 'Ik ga zéker niet terug naar Alaska,' verkondigde hij fel en zette het op een binnenvetten, totdat Julie ons kwam vertellen dat het allemaal voorbij was: de Fabriek sloot haar poorten.

Half oktober was Dennis al weg. Irwin hield zich aan zijn woord; tot zijn broers verbazing wenste hij in Washington te blijven, al ging hij weg uit Autumn Creek. Hij verhuisde naar Renton en kreeg een baan op het hoofdkwartier van een bedrijf dat fantasykaarten vervaardigde. Jake was behoorlijk jaloers toen hij dat hoorde.

Penny en ik sleepten allebei een baan in de wacht bij groothandel Bit. Jawel, diezelfde club. Ik begrijp wat u denkt, lezer, maar het bleek dat Adams grapje de spijker op de kop had geslagen: er was zoveel tijd overheen gegaan dat ze mijn 'drugsprobleem' waren vergeten. Als gevolg van een hoog personeelsverloop had het management namelijk prompt last gekregen van selectief geheugenverlies. Weeks was er allang niet meer, en de meeste van mijn vaders collega's van destijds ook niet. Maar mijn vaders overwegend positieve werkbeoordeling zat nog in de computer, vandaar dat het me haast geen moeite kostte om weer een baan los te peuteren: deze keer niet als vakkenvuller, maar achter de kassa. Penny kreeg werk bij de technische dienst, waar ze computers moest repareren en upgraden.

Wat Julie uitvoerde in de maanden nadat de Werkelijkheidsfabriek dicht was gegaan, is me niet helemaal duidelijk. Ze kluste wat voor haar oom, dat weet ik wel, en ze zat voortdurend in Seattle, waarschijnlijk als uitzendkracht. Maar daar liet ze zich liever niet over uit. Een groot gedeelte van haar tijd ging op aan een proces: toen ze onder het huurcontract van de Fabriek probeerde uit te komen, sleepte de eigenaar haar voor de rechter wegens achterstallige huur en ook omdat ze niet aan de verplichting had voldaan om alle overeengekomen verbeteringen aan het perceel uit te voeren. Uiteindelijk werd de zaak in der minne geschikt. Julie betaalde de eigenaar een paar duizend dollar (vraag me niet waar ze die vandaan haalde) en liet hem alle spullen houden die in de loods stonden, of althans het gedeelte dat niet al in beslag was genomen door de andere geldschieters. De computers met toebehoren werden verkocht en ik hoop dat de Doos eruit gehaald is en verbrand, maar voor zover ik weet staan de tenten er nog te verstoffen en te verschimmelen in afwachting van de volgende ondernemer.

Op een dag tegen het eind van de zomer daarop vroeg Julie me mee uit lunchen en kondigde aan dat zij ook uit Autumn Creek zou vertrekken. 'En je raadt van je levensdagen niet waar ik heen ga: naar Alaska.'

'Naar Alaska?' vroeg ik. 'Wat, ben je soms van plan om Dennis op te sporen, heb je nog een appeltje met hem te schillen of zo?'

'Welnee, die hele Dennis ben ik al lang en breed vergeten... Ik bedoel, oké, mocht ik hem in het vizier krijgen, en mocht hij dan toevallig net met zijn rug naar me toe op de rand van een rots aan zee staan, wie weet – maar nee, ik heb niet echt plannen om hem een kopje kleiner te maken.' Wat ze wel van plan was, zei ze, was aan het werk zien te komen bij een visverwerkend bedrijf, zo'n grote varende fabriek die maanden achter elkaar op zee blijft en dan duizenden kilo's kabeljauw en schelvis vangt en ter plekke verwerkt tot diepvriesfilet en vissticks. Als je Julies beschrijving zo hoorde, moest dat het vreselijkste werk van de wereld zijn – ploegendiensten van zestien uur, gevaarlijke arbeidsomstandigheden, ploegen die merendeels uit exbajesklanten bestonden enzovoort, enzovoort –, maar Julie hield bij hoog en bij laag vol dat als ze het overleefde, het dubbel en dwars de moeite waard zou zijn: 'Ze betalen je een percentage uit van de opbrengst, en als ze veel vangen, dan kan dat oplopen tot een enorm bedrag.'

'En als de vangst nu niet zo geweldig uitvalt?'

'Nou, daarom moet je dus precies het goeie schip weten te kiezen... Maar maak je geen zorgen, dat komt wel goed. Ik ga gewoon een paar maanden in de hel zitten, verdien een fortuin en kom weer terug, en dan zetten we hier een nieuw bedrijf op poten.'

Ze had een paar afscheidscadeautjes voor me bij zich, hoewel zij degene was die vertrok. Het eerste was haar Cadillac. 'Ik kan hem niet meenemen,' zei ze. 'Hij zou het niet halen, dat eind naar het noorden, en als hij het wel haalde, dan zou een verblijf van drie maanden in een parkeergarage in Anchorage hem zeker noodlottig worden.'

'Nou, ik wil er met alle plezier op passen, Julie, maar je weet het, hè? Ik heb nog steeds geen rijbewijs.'

'Dat haal je nog wel,' zei Julie. 'Pénny zei tegen me dat jij echt goed kunt rijen...'

En daarmee landden we aan bij haar tweede afscheidscadeau. De huur van Julies appartement liep tot eind februari, en na al dat gedoe vanwege dat huurcontract van de Werkelijkheidsfabriek voelde ze er nu niet voor om nog eens contractbreuk te plegen. Vandaar dat ze met Penny had geregeld dat die haar appartement zou onderhuren; de flat in Queen Anne waar Penny op dat ogenblik nog in zat, kon elke maand opgezegd worden. 'Je raakt een buurvrouw kwijt, maar je krijgt er een nieuwe voor terug,' zei Julie. 'Zo weet ik tenminste dat je geen last krijgt van eenzaamheid.'

Daar had ik niets op tegen – het leek me geweldig als Penny in Autumn Creek kwam wonen –, maar ik zei wel: 'En toch komt het niet zover, Julie.'

'Wat komt niet zover?'

'Dat weet je donders goed. Je zit weer te koppelen. Maar Penny en ik zijn enkel goeie maatjes.'

'Koppelen? Ik?' Ze glimlachte, alsof ze van de prins geen kwaad wist, de glimlach die ik zo goed kende. 'Jij bent een fantast, Andrew. En toch, hè... jullie tweeën zouden een leuk stel zijn...'

In september vertrok ze naar Alaska. In december kreeg ik een brief van haar dat het niets was geworden met dat werken in een varende visfabriek en dat ze nu in een stalletje in de dierentuin van Anchorage stond. 'Een giller, zeg. We zijn alleen bij daglicht open – van tien tot vier in deze tijd van het jaar – en de helft van de dierentuinbevolking houdt op het ogenblik winterslaap. Maar goed, een mens kan ervan leven. P.S. Verkoop mijn auto, wil je, en stuur me het geld.'

Ik verkocht de Cadillac, voor een veel lager bedrag dan Julie destijds had gehoopt, en stuurde haar een cheque, nog wat aangedikt met een deel van mijn eigen spaarcentjes. Sindsdien heb ik af en toe een brief of een mailtje van haar gekregen, waarin ze me een vluchtige indruk gaf van haar leven in uiteenlopende grote en kleine steden in Alaska – het lijkt erop dat ze steeds verder oprukt naar de Noordpool. Haar laatste kaartje luidde: 'Trouwplannen afgeblazen. Zit nu in Fairbanks, neem vlieglessen, haal in voorjaar waarschijnlijk m'n brevet als bushpiloot. xxx, Julie.'

Dat is nu zeven maanden geleden. Sindsdien heb ik niets meer van haar gehoord, maar ik durf te wedden dat Julie het uiteindelijk toch niet tot bushpiloot heeft gebracht. Maar goed, daar valt geen zinnig woord over te zeggen. Ik hoop maar dat ze tevreden is, wat ze ook uitvoert. Ik hou natuurlijk nog steeds van haar, al leg ik me er nu bij neer dat het nooit iets heeft kunnen worden tussen ons, en ik zal haar altijd het beste blijven toewensen.

O ja, ik heb geen idee over wat voor trouwplannen ze het had.

Als dit een verzonnen verhaal was geweest, zouden Julies koppelpogingen uiteindelijk succes hebben gehad: Penny en ik waren dan verliefd op elkaar geworden en hadden nog lang en gelukkig geleefd. De werkelijkheid steekt daar (tot dusver) ietwat bleekjes bij af, zij het ook weer niet zo bleek als ik ooit zou hebben voorspeld.

Tijdenlang nadat we uit Michigan waren teruggekeerd waren we inderdaad alleen maar goeie maatjes, en bovendien bestond er een heel aantal banden tussen ons: ik was bevriend met Penny, en tante Sam met Maledicta; Adam was dik met Malefica (die speelden samen poker); en wie had dat ooit gedacht: Jake was bevriend met Loins, die opeens een zwak bleek te hebben voor *De kleine zeemeermin* en andere Disney-video's. Er doken nog wel meer raakvlakken op tussen onze huishoudens, maar er zaten niet genoeg uren in een dag om die allemaal te koesteren.

Nadat Julie uit Autumn Creek was vertrokken en Penny in haar appartement was getrokken, werd(en) onze vriendschap(pen) natuurlijk hechter. Penny bracht me al elke dag met haar auto naar mijn werk en naar huis. Van nu af aan ontbeten we ook samen (soms kwam ze naar het huis van mevrouw Winslow en soms gingen we naar de Harvest Moon), en verder zaten we ook heel wat avonden en weekends bij elkaar – ik bedoel, nóg veel meer.

Eerst dacht ik dat het maar raar zou voelen, om met Penny in Julies oude flat te zitten. Maar Penny richtte zich radicaal opnieuw in: ze gooide alle meubels eruit die Julie had achtergelaten, gaf de kamers een nieuw verfje en peuterde bij de eigenaar toestemming los om in de badkamer nieuwe tegels te leggen en in de keuken nieuw linoleum. Ze legde verlichting aan langs de buitentrap en ten slotte voorzag ze de deur beneden van een nieuwe kruk. Toen ze klaar was, deed de zaak aan als een compleet nieuw huis. Af en toe werd ik nog besprongen door déjà vu-flitsen, vooral als ik de trap op en af liep, maar lang zo erg niet als ik had verwacht.

Het zat 'm natuurlijk niet alleen in de nieuwe verf en de nieuwe spullen dat alles zo anders aandeed; het lag vooral aan Penny zelf. Onze vriendschap maakte weleens moeizame ogenblikken door, maar Penny stelde me nooit voor zulke enorme raadsels als Julie. Als ik iets aan haar doen of laten niet begreep, kon ik haar vragen hoe dat zat, en haar uitleg klonk me dan plausibel in de oren. Als zij kwaad op mij werd, had ze daar meestal alle reden toe; een verontschuldiging betekende dan dat een ruzie voorbij was, en niet dat er een nieuwe fase van onenigheid was ingeluid. En vooral: nooit had ik last van het gevoel dat me zo vaak had bekropen in mijn omgang met Julie, namelijk dat ik met iemand te maken had met een kijk op de werkelijkheid die haaks stond op de mijne. Soms kwamen Penny en ik tot heel verschillende conclusies, maar we zagen wel dezelfde dingen. We hadden elkaar.

'Dit is allemaal zo vreselijk tam,' klaagde Adam op een keer toen Penny en ik zonder enige rancune hadden vastgesteld dat we ergens over van mening verschilden. 'Waar blijft het passief-agressieve gedrag? Waar blijven de gemengde signalen en de verborgen boodschappen? Waar blijven de gekwetste gevoelens?'

'Die mag je van mij allemaal houden,' zei ik. 'Hier ben ik blij mee.'

Voor Penny gold dat kennelijk ook, en daarom was het denk ik niet zo verwonderlijk dat we ons uiteindelijk afvroegen of onze vertrouwelijke omgang er misschien op duidde dat die meer was dan louter vriendschap. Het begon op een avond in februari 1999, toen we ter ere van mijn verjaardag naar een concert van Lyle Lovett in de stad gingen. Het sneeuwde toen het afgelopen was, en Penny en ik bedachten dat het leuk zou zijn om een ritje met de monorail te maken om naar de vallende sneeuw te kijken. Op een gegeven ogenblik zaten we met elkaar te zoenen. Dat was alles wat we die avond deden: zoenen, maar daarna werd alles anders tussen ons, en later – niet zóveel later – kwam van het een het ander.

Van het een kwam van het ander, en we leefden ons uit, maar dat leidde ook tot problemen met de andere zielen in onze huishoudens; sommige moesten niets hebben van die nieuwe gang van zaken. En erger nog: sommige van die meer intieme dingen rakelden bij Penny herinneringen op aan haar moeder, bijzonder duistere herinneringen die Penny tot dan toe steeds met succes uit de weg was gegaan. In maart kreeg ze weer last van black-outs, voor het eerst sinds meer dan een jaar. In april verdween ze drie dagen achter elkaar, waarna ze bij haar positieven kwam in de garage onder het Charter Hotel in Spokane. Na dat voorval kwamen we tot de conclusie dat we het maar beter bij vriendschap konden houden – tenminste, totdat Penny een paar problemen had uitgespit.

Voortaan ging ze twee keer per week naar haar therapie, en vervolgens drie keer. Ik zag haar minder vaak, en dat viel niet mee; maar als ik haar wél zag, kon ik haar nog altijd van alles vragen, zodat ik steeds wist waar ik met haar aan toe was. En het ging beter met haar: het leek wel alsof er een laatste obstakel was opgeruimd, want haar therapie schoot nu snel op, en in de zomer kreeg ze het over een definitieve oplossing.

Maar voordat ze een punt kon zetten achter haar therapie, moest Penny nog een bepaald besluit nemen; en toen ze haar keus had bepaald, stond ik perplex.

'Re-integratie?' zei ik, want ik vroeg me af of ik het wel goed had verstaan.. 'Maar Penny, dat is...'

'... een enorme schok, dat weet ik wel,' zei ze.

Krankzinnig, had me op de lippen gelegen. Zoiets als besluiten tot lobotomie. Ik probeerde het wat tactvoller te zeggen: 'Re-integratie is iets onmogelijks, Penny. Echt waar, en als het wel kon, dan zou het net zijn alsof je was doodgegaan. Je zou dan een heel ander iemand worden.'

Ze beet op haar lip. Het zat haar niet lekker dat ik zo reageerde. 'Volgens Eddington is het een mogelijkheid,' zei ze. 'Volgens hem...'

'Hij heeft het mis,' viel ik haar in de rede. 'Als Grey er nog was...'

'Grey heeft nooit gezegd dat re-integratie onmogelijk was, Andrew. Ik heb haar boek gelezen: ze zei dat re-integratie iets was waar je voor kon kiezen, niet iets onmogelijks.'

'Het is een slechte keus,' hield ik voet bij stuk. 'En de anderen dan? Die zijn het er vast niet allemaal mee eens.'

'Dat zijn ze wél,' zei Penny. 'Of tenminste, niemand is erop tegen. Ik heb geen zin om altijd zo door te gaan, alsof mijn leven maar een gedeelte van de tijd van mezelf is. Ik wil één enkel iemand worden. Dat kun je toch wel begrijpen?'

Dat kon ik best begrijpen. Ik kon het alleen niet accepteren. Ik bleef argumenten aanvoeren tegen het idee, en de eerstvolgende keer dat ik weer bij Eddington kwam, heb ik eens goed mijn gal gespuwd.

'Je weet wel dat ik Penny's therapie niet met jou kan gaan zitten bespreken, Andrew,' zei hij, 'maar als dit vragen bij je oproept ten aanzien van je eigen therapie...'

'Mijn therapie? Dit heeft niets te maken met mij. Ik ga nóóit aan re-integratie beginnen.'

'En ik geloof dat dat de juiste beslissing is – voor jou. Maar jij bent Penny niet.' Hij zuchtte. 'Kijk eens, Andrew... ik weet wel dat je denkt dat Penny en jij een hoop gemeen hebben, maar er bestaan een paar levensgrote verschillen tussen jullie gevallen. De gedissocieerde identiteit waar Penny mee kampt lijkt wel heel diepgaand van aard, maar is eigenlijk niet zo ernstig: de oorspronkelijke Penny Driver bestaat nog en wíl ook nog bestaan. Nu is dat geen garantie' – hij hield een vinger in de hoogte – 'dat re-integratie ergens toe leidt, maar dat betekent wel dat daar kans op is. En aangezien het iets is wat Penny graag wil, hoop ik dat jij haar, als goede vriend, zo veel mogelijk tot steun zult zijn.'

Ik heb heus geprobeerd om haar tot steun te zijn, maar desondanks vlogen Penny en ik elkaar geregeld in de haren vanwege haar besluit om te re-integreren. Mijn vader, doorgaans toch een uitstekende vredestichter, bracht ook al geen uitkomst – hij was nog feller tegen Penny's besluit gekant dan ik. Maar wat we ook zeiden of deden, ze wilde er niet op terugkomen.

In augustus ging Penny naar Port Townsend voor een retraite van een maand in het Orpheus Centre, een soort rehabilitatiecentrum voor meervoudige persoonlijkheden dat gespecialiseerd was in re-integratie. Ze vertrok zonder afscheid te nemen (we hadden de avond tevoren overhoopgelegen), al liet ze wel een briefje voor me achter, plus de sleutel van haar appartement. De volgende vier weken haalde ik plichtsgetrouw de post uit haar brievenbus, en al die tijd vroeg ik me af of degene voor wie ik dat deed straks in september nog steeds zou bestaan.

Op de dag dat ze terugkwam was ik in Fremont voor mijn wekelijkse therapiesessie. Toen mijn vijftig minuten om waren, vroeg Eddington of ik ervoor voelde om even een oude vriendin gedag te zeggen. Penny wachtte ons op in een café een paar straten verderop. Ze zat aan een tafeltje op het terras en tot mijn opluchting herkende ik haar nog op eigen kracht. Haar haar was langer geworden – ze had het de hele zomer laten groeien en nu viel het eindelijk tot op haar schouders –, maar verder zag ze eruit als de oude Penny.

Alleen: haar lichaamstaal bracht me in verwarring. Toen we op haar toe liepen zat ze een sigaret te roken, meestal een teken dat Maledicta het voor het zeggen had. Maar toen ze opkeek en ons zag aankomen, was haar reactie – de uitdrukking op haar gezicht, de ietwat aarzelende hand die ze opstak – puur Penny... Het volgende ogenblik nam ze een laatste trek van haar sigaret, waarna ze hem uitdrukte met een ongeduldig, typisch Maledicta-achtig gebaar.

De eerste paar minuten van ons samenzijn heb ik voor zoutpilaar gespeeld. Ik geloof wel dat ik een groet over mijn lippen heb gekregen, maar daarna zag Eddington zich gedwongen om in zijn eentje het ijs te breken en een simpel gesprek op gang te helpen. Hij bleef niet lang; nadat hij me op een stoel had gepoot en zich ervan had vergewist dat ik niet door een acute verlamming was getroffen, zei hij dat hij ervandoor moest, maar dat hij nog een poosje in zijn spreekkamer zou blijven zitten, mochten we hem dringend willen spreken.

In de stilte die op zijn gesprek volgde, greep Penny naar het pakje Winstons op het tafeltje. Ik keek toe hoe ze er een sigaret uit tikte en die aanstak; haar gebaren riepen weer de gedachte op aan Maledicta. Maar nadat ze haar eerste hijs had genomen, wendde ze zich af voordat ze de rook liet ontsnappen, in plaats van hem mij in het gezicht te blazen. En toen de sliertjes weer langzaam terug kwamen drijven, wapperde ze ze weg.

'Sorry,' zei ik op het laatst en sloeg mijn blik neer. 'Dat was de bedoeling niet, om zo naar je te zitten staren...'

'O, geeft niks, hoor,' zei Penny. Haar stem klonk voller, of althans krachtiger; en ook meende ik – maar waarschijnlijk lag dat aan mijn verhitte verbeelding – er een zweem van harmonie in te bespeuren. 'Ik snap best dat het allemaal een beetje eng aandoet. Dat is het voor mij ook nog steeds, en dat terwijl ik er al een tijdje aan heb kunnen wennen.'

'Hoe voelt het?' vroeg ik.

'Dat is haast niet onder woorden te brengen.' Ze lachte, een lachje dat voor mij met Loins verbonden was. 'Neem dit nou, hè...' Ze hield haar sigaret omhoog. 'Eigenlijk vind ik er niet veel aan om te roken, maar tegelijkertijd juist weer wel. Ik bedoel, ik wil ermee stoppen, maar dat doe ik niet.'

'En Maledicta en de anderen,' zei ik, 'zijn die..?'

'Of die nog leven?' Penny knikte. 'Het is heel anders dan ik me had voorgesteld – ze... we... we zijn er allemaal nog, alleen hangen we niet meer zo als los zand aan elkaar. We hoeven nu niet meer een voor een in het lichaam te kruipen; we kunnen er allemaal tegelijk in.'

'Allemaal tegelíjk? Dus je bent nog steeds meervoudig?'

'Ja en nee.' Ze lachte weer. 'Dat is helemáál moeilijk uit te leggen. Kijk, laat ik het zo zeggen: ik kijk nu naar jou, en ik zie je met Penny's ogen en ik heb allerlei gedachten van Penny over je, en tegelijkertijd zie ik je met Maledicta's ogen en heb ik alle mogelijke gedachten van Maledicta over je. En als ik wil, dan kan ik de Penny-gedachten onderscheiden van de Maledicta-gedachten, maar ik kan ze ook gewoon in elkaar laten overgaan...'

'En die van de anderen ook? Allemaal?'

'Allemaal tegelijk, dat valt niet mee. Ik kán ze wel allemaal bij elkaar halen, maar daar word ik dan wel tureluurs van.'

'En dat is... Zo is het beter, vind je, dan zoals het vroeger was?'

'Ja.' Haar sigaret was op en Penny pakte al een nieuwe, maar schudde haar hoofd en duwde hem terug. 'Ja, zo is het beter – meestal tenminste. De dokters bij Orpheus, die zeiden dat het makkelijker zou worden naarmate ik meer ervaring kreeg. Hoe meer we samen beleefden, hoe beter we op elkaar ingespeeld zouden raken. Alleen weet ik niet of dat echt zo is. Misschien vonden de dokters alleen maar dat het zo hoort te gaan. Maar daar kom ik nog wel achter.'

'Nou ja,' zei ik. 'Als je er maar over te spreken bent...'

'We zijn... wel tevreden,' zei Penny. 'Sorry dat ik het niet goed kan uitleggen. O ja, maar dat doet me ergens aan denken: ik heb iets voor je.' Ze haalde een in cadeaupapier gewikkeld pakje tevoorschijn. 'Ik had je dit willen geven voordat ik naar Orpheus ging, maar ja...'

Plotseling voelde ik me ietwat onbehaaglijk, al had ik er niet de vinger op kunnen leggen wat dat was, maar ik nam het pakje aan en maakte het open. Er zat een goudkleurige cd in waarop met viltstift genoteerd stond: 'Draad.doc.'

'Daar staan de dagboeken van Draad op,' zei Penny.

'Waarom geef je me dat?'

'Dan kun je ze lezen... als je wilt. Dan begrijp je misschien een beetje waarom ik vond dat ik dit moest doen. En verder...'

'O, Penny,' zei ik, 'je bent me echt geen tekst en uitleg verschuldigd, hoor. Het spijt me als ik...'

'Nee, Andrew, ik wil dat je het begrijpt. En dan nog iets: er staat daar ook het een en ander in over jou, vanaf de tijd dat we elkaar zijn tegengekomen... Nou ja, het is niet allemaal even vleiend, maar ik wilde graag dat je zou beseffen, dat je zwart op wit zou kunnen lezen hoe belangrijk je steeds voor me bent geweest.'

Op dat ogenblik drong het tot me door wat me dwarszat: dit was een afscheidscadeau. 'Penny,' zei ik. 'Je komt toch terug, hè, naar Autumn Creek?'

Ze beet op haar lip. 'Nog een tijdje, ja,' zei ze.

'Een tijdje,' zei ik. 'En dan? Ga je hier weg? Toch niet... Toch niet vanwege mijn houding tegenover jou? Ben je niet...'

'Welnee! Nee, Andrew, dat is iets wat ik voor mezelf moet doen, de laatste stap van mijn therapie, zeg maar: ergens in een nieuwe omgeving helemaal opnieuw beginnen, als een nieuwe ik.'

'In welke nieuwe omgeving dan?'

'In Californië,' zei ze. 'Ik weet nog niet in welke stad, maar... misschien dat het San Diego wordt. Een van de anderen daar in Orpheus vertelde daar van alles over, en dat klonk me echt goed in de oren.'

San Diego: helemaal in het zuiden van Californië, meer dan vijftienhonderd kilometer van Seattle. Ik voelde me helemaal leeg. 'En wanneer denk je dan te gaan?'

'Na Thanksgiving, had ik gedacht.'

'Over drie maanden.' Mijn stem werd hees en mijn oogleden moesten iets wegknipperen. 'God... god.'

'Zeg, Andrew,' zei Penny, 'jij rooit het toch zeker wel, hè?'

Ik had graag nee gezegd, maar na alle narigheid die ik haar had bezorgd vanwege die re-integratie leek het me dat ik mijn egoïsmequota voor dat jaar wel zo'n beetje had opgebruikt. 'Het zal... me niet meevallen,' zei ik. 'Maar als je niet anders kunt...'

Ze pakte mijn hand, en dat gebaar, dat pootje dat ze me toestak, was op en top Penny. 'Het is pas over drie maanden,' zei ze. 'Voor die tijd kunnen we nog heel veel bij elkaar zijn. En daarna kom ik je af en toe opzoeken.'

'Ja, goed,' zei ik, terwijl er nu over twee wangen tranen biggelden. 'Oké, dat is goed...'

Die avond reed ik met Penny mee terug naar Autumn Creek, en tot haar vertrek zaten we zowat elk vrij ogenblik bij elkaar – maar natuurlijk was dat niet genoeg. Om drie maanden nóg sneller voorbij te laten vliegen, zou je stukken tijd moeten kwijtraken.

Wel had ik aan die periode genoeg om er meer hoogte van te krijgen in hoeverre Penny was veranderd door haar re-integratie, hoewel ik merk dat ik, als ik dat wil beschrijven, mijn toevlucht neem tot dezelfde tegenstrijdige bewoordingen als zij. Penny was anders geworden. Maar ook weer niet. Uiteindelijk raakte ik gewend aan de 'nieuwe' Penny, een Penny die de karaktertrekken van wel een stuk of tien zielen tegelijk tentoonspreidde, ook al was dat ook weer niet altijd het geval: bij tijd en wijle, meestal op ogenblikken van stress of hevige emotie, maar ook weleens op een rustig moment, leek het alsof er één enkele ziel overheerste, en dan zou ik hebben gezworen dat ik in het gezelschap verkeerde van Maledicta – de 'oude' Maledicta – of Loins of Duncan. Of van Muis. Ik zei daar niets over – als ze tevreden waren met de nieuwe toestand, dan zou ik geen roet in het eten gooien –, maar ik vond het een troostrijke gedachte dat re-integratie dus toch niet zoiets engs was. Mijn beste vriendin, die hele club, bestond nog.

En toen was het eind november. Na een laatste gezamenlijk ontbijt namen we afscheid op het parkeerterrein van de Harvest Moon. Het werd een langdurige ceremonie, want zo'n beetje iedereen moest en zou naar buiten komen om Penny een goede reis te wensen, en ik vroeg me al ongerust af of er nog wel wat aandacht zou overschieten voor mij. Maar dat viel erg mee. Een hele tijd stonden we met de armen stijf om elkaar heen, en toen stapte Penny in haar auto.

'Wel schrijven, hè?' zei ik, met mijn handen nog aan het portier. 'En ook bellen!'

'Doe ik,' beloofde Penny. Ze trok mijn hoofd omlaag en kuste me op de lippen. 'Schatje,' zei ze en knipoogde. 'Laat niet over je lopen, hoor!' En toen vertrok ze: met één hand aan het stuur en met de andere al op weg naar de sigarettenaansteker.

Een maand later bleven mevrouw Winslow en ik op om het jaar 2000 te verwelkomen. We hadden mijn tv-toestel in de keuken gezet, zodat we het vuurwerk in kleur konden zien, en om twaalf uur maakten we een fles druivensap-met-prik open. Voor het eerst sinds een paar weken was ik wat opgewekter gestemd, al ging die stemming gepaard met een weemoed die ik niet kon verbergen.

'Je mist haar, hè?' zei mevrouw Winslow.

'Elke dag, ja.' En toen, omdat ik de avond niet wilde bederven: 'Maar ik red het wel, hoor. Tenslotte heb ik u nog.'

'Aha... Merkwaardig dat je daarover begint...'

'Hoezo?' vroeg ik. 'U gaat toch niet... O mijn god, mevrouw Winslow! U bent toch niet bezig dood te gaan?'

Ze lachte. 'Nee hoor. Juist niet, hoop ik. Het zal je misschien niet opgevallen zijn, maar de laatste tijd zit ik niet meer zo vaak de post op te wachten.'

Toevallig was dat me wél opgevallen, of Adam dan. De laatste paar weken was mevrouw Winslow, nadat ze me 's morgens uitgeleide had gedaan, weer naar binnen gegaan in plaats van op wacht te gaan zitten op de veranda. 'Maar ik dacht... ik weet niet... dat u het misschien koud had, of zo...'

'O, dat die krakende ouwe botten van me niet meer waren opgewassen tegen de winter?' Ze lachte. 'Zo oud ben ik nog niet – maar ééns komt dat. Dit voorjaar is het vijftien jaar geleden dat Jacob en de jongens zijn omgekomen, en bijna tien jaar sinds het laatste briefje. Het wordt tijd dat ik eens andere oorden opzoek.'

O néé, dacht ik, u niet ook. 'Wat een geweldig idee!' zei ik. 'Wat goed van u!'

'Een beroerde leugenaar ben jij, Andrew,' zei mevrouw Winslow niet onvriendelijk. 'Ik weet wel dat het niet makkelijk voor je zal zijn, en als ik dacht dat je het niet aankon... Maar dat is niet zo. Je hebt dit jaar heel wat moeilijke toestanden beleefd, maar je hebt je er prima doorheen geslagen. Volgens mij ben je wel zover dat je verder kunt zonder mij.'

'Ja hoor,' zei ik, al vroeg ik me dat af.

'Prima. Want ik heb straks je hulp nodig.'

'Dat is best,' zei ik, nu wat zekerder van mezelf. 'Ik sta voor u klaar. Wat moet ik doen?'

'Kijk, waarschijnlijk zou ik een dikke streep moeten zetten onder het verleden, maar ik geloof niet dat ik daar sterk genoeg voor ben – nu nog niet, tenminste. Dus als ik inderdaad uit het huis trek, dan wil ik graag dat er iemand achterblijft die ik kan vertrouwen, en dat die de brievenbus in de gaten houdt. Je weet maar nooit. En dat zou dan niet voor altijd zijn. Een jaar op z'n hoogst, als ik niet meer terug zou komen. Dan ben ik wel zover dat ik het voorgoed van de hand kan doen.'

'Dat is geen probleem. Ik bedoel, dan hoef ik tenminste ook nog niet op zoek naar een nieuw appartement, dus dat komt prima uit.'

'Je hebt dan het hele huis tot je beschikking, hè,' zei mevrouw Winslow. 'En natuurlijk hoef je dan geen huur meer te betalen.'

'O nee, mevrouw Winslow, dat gaat te ver.'

'Welnee, Andrew. Ik zou veel liever hebben dat je dat geld op een spaarrekening zet en eens gaat nadenken wat jíj verder wilt. Zoals ik al zei: die regeling is niet voor eeuwig – over een jaar, of hooguit twee, wil ik dit huis verkopen.'

'Nou, goed dan,' zei ik. 'Ik zal erop passen totdat u zover bent dat u het weg kunt doen.'

Net als Julie liet ook mevrouw Winslow me haar auto na, maar in haar geval was het een echt cadeau, niet eentje die ik een poosje mocht lenen. Ook stond ze erop dat ik mijn rijbewijs haalde, dus toen ze op 1 mei vertrok, kon ik haar naar het vliegveld brengen. Ze ging naar Galveston, in Texas; daar had ze kennissen, oude studievrienden die haar al jaren probeerden over te halen om die kant op te komen. 'Het idee is voornamelijk dat ik érgens heen trek,' zei mevrouw Winslow. 'Als Texas me niet aanstaat, dan zijn er nog wel andere mogelijkheden.'

Toen mevrouw Winslows vliegtuig was opgestegen, stapte ik weer in de auto en ging zomaar een eind rijden langs de Puget Sound. Het was allang donker toen ik terugkeerde in Autumn Creek. Ik had bedacht dat ik linea recta naar bed zou gaan, zodat ik er niet bij stil hoefde te staan hoe leeg het was in huis, maar ik kon de slaap niet vatten. Ik ging naar de keuken, warmde melk én zette thee. De thee maakte ik zoals mevrouw Winslow hem graag had, en ik zette de beker op de plaats waar zij altijd aan tafel zat. Toen ging ik op mijn eigen stoel zitten, dronk van mijn warme melk en huilde een potje.

Maar goed, ik heb die nacht overleefd. En de volgende ochtend maakte ik zelf mijn ontbijt klaar. Adams reepje spek was wel erg krokant, en mijn roerei was te zout, maar ik wist dat ik er gaandeweg wel beter in zou worden.

Een week later kreeg ik een brief van mevrouw Winslow. Het was heel warm in Galveston, maar ze had een aardig huis gevonden, een bungalow met airconditioning vlak aan het strand van de Golf van Mexico. 'Gisteren de hele middag gezwommen,' schreef ze, 'vannacht voor het eerst sinds mensenheugenis doorgeslapen tot de vroege ochtend... Ik geloof dat ik hier wel een tijdje wil blijven.' Ze zit er nog steeds.

Nu hoef ik dus alleen nog verslag uit te brengen over mezelf.

Inmiddels is het half juni 2001. Ik ben tweeëndertig jaar – of zes, als je op een andere manier wilt tellen. Ik woon nog steeds in mevrouw Winslows huis, in Autumn Creek; sinds haar vertrek heb ik me wel wat meer ruimte toegeëigend – in de keuken is het veel voller dan zij ooit zou hebben toegestaan –, maar de kamers boven heb ik geen van alle geannexeerd. Voor mijn gevoel is dat nog steeds het territorium van mevrouw Winslow, en bovendien: heb je meer ruimte, dan kom je automatisch in de verleiding om meer spullen aan te schaffen, en ik doe mijn best om te sparen.

Elke dag sta ik nog op dezelfde tijd op, en dan werk ik nog steeds hetzelfde ochtendritueel af. Ik rij heen en weer naar groothandel Bit, en als ik 's avonds niet iets onderneem met kennissen van het werk, bedeel ik zielen die dat willen met wat tijd (mits ze zich goed hebben gedragen, natuurlijk).

Mijn therapie bij dokter Eddington is eind vorig jaar afgerond –

met succes, vinden we allebei. Ik ga nog ongeveer één keer per maand naar hem toe om mijn geestelijke gezondheid even te laten nakijken, maar die sessies zijn uiterst informeel: meestal gaan we dan ergens eten. De laatste keer hebben we de veerboot naar Bainbridge Island genomen en ons in de Streamliner, een eenvoudige eettent, te goed gedaan aan een zondagse brunch, waarna we in Poulsbo bloemen hebben gelegd op het graf van dokter Grey. Ook zijn we bij Meredith langs geweest; ze woont nu in een ander huis, met een andere partner. Ze maakt een zielstevreden indruk.

In het inwendige van Andy Gage' hoofd hebben zich natuurlijk ook enkele veranderingen voorgedaan. Ik ben tegenwoordig de baas over het huis; ik klop nog weleens bij mijn vader aan om advies, maar uiteindelijk heb ik het voor het zeggen bij alle officiële aangelegenheden. Tijdens huisvergaderingen zit ik aan het hoofd van de tafel. Ik zie erop toe dat de huisregels worden nageleefd. Het is niet altijd gemakkelijk, maar alles welbeschouwd zou ik zeggen dat die verantwoordelijke rol goed voor me is.

Het huis is minder vol dan vroeger. In de loop van mijn therapie heb ik op een handjevol na alle Getuigen geabsorbeerd, en zo ben ik veel meer over Horace Rollins en Althea Gage aan de weet gekomen dan ik ooit had gewild. Net als de leiding op me nemen over het huis was dat een zware klus, waar ik uiteindelijk echter heel wat aan te danken heb. Ik ben nu wat minder zorgeloos dan vroeger, maar daar staat tegenover dat ik volwassener ben geworden, meer naar mijn theoretische leeftijd toe ben gegroeid. En of ik het nu leuk vind of niet, ik ken mijn eigen verleden.

De verandering die waarschijnlijk de meeste verbazing zal wekken, is dat Gideon nu kan gaan en staan waar hij wil in het huis en het gebied eromheen in Andy Gage' hoofd. Na alles wat er gebeurd was in Seven Lakes wilde mijn vader hem naar de pompoenenakker sturen; een van mijn eerste daden als nieuw hoofd van het huishouden was dat ik een uitstel van executie uitvaardigde. Ik heb Gideon wel een aantal maanden lang verboden Coventry te verlaten, maar nadat ik de zaak had besproken met Eddington, besloot ik nog eens een poging te wagen om hem wat meer sociale vaardigheden bij te brengen. Ik maakte de ontsnappingstunnel tussen Coventry en het souterrain van het huis weer open, en een tijdje later, toen ik het daar beneden enigszins had uitgemest, richtte ik het souterrain in als een soort logeerkamer voor Gideon, waar hij zijn intrek mocht nemen wanneer hij maar wilde.

Dat rehabilitatieproces is geen onverdeeld succes geworden. Gideon is en blijft de grootste stoorzender in het huis. Op zijn ergste dagen ontkent hij nog steeds dat iedereen behalve hij echt bestaat; op zijn beste dagen is hij nog steeds een enorme klier, die aan één stuk door stennis maakt. Mijn vader en hij vertikken het ooit nog een woord met elkaar te wisselen, en de zeldzame keren dat Gideon een huisvergadering bijwoont, communiceren die twee uitsluitend via derden.

Soms is de toestand ontzettend lastig, maar Gideon heeft verder geen pogingen meer ondernomen om het lichaam te veroveren. Het lijkt me niet dat ik hem ooit genoeg kan vertrouwen om hem naar buiten te laten, maar dat ik hem althans een klein beetje heb 'gereintegreerd' in het huishouden, is iets waar ik best een beetje trots op ben. Bovendien is dat een ijzersterk bewijs dat het huis eindelijk op orde is.

Deze week zijn er drie brieven gekomen.

De eerste was van mevrouw Winslow, die me liet weten dat ze eindelijk zover is dat ze haar huis wil verkopen. 'Niet dat het meteen gaat gebeuren, hoor,' verduidelijkte ze in één adem. 'Ik ben van plan om zo begin september terug te komen naar Autumn Creek, het huis te inspecteren om te kijken wat voor reparaties er nodig zijn, een makelaar in de arm te nemen, de spullen die ik daar nog heb in dozen te pakken enzovoort, enzovoort. Het gaat op het ogenblik niet al te best met de economie, dus het zal wel niet zo snel van de hand gaan. Eigenlijk zou ik op dit ogenblik misschien niet eens moeten proberen om het kwijt te raken – maar dan wordt dat een excuus om er almaar niets aan te doen... In ieder geval heb je nog zeeën van tijd om te bedenken waar je naartoe wilt.'

De tweede brief was van Gordon Bradley, nu ex-commissaris van politie in Seven Lakes, Michigan. Nee, hij schreef niet vanuit de gevangenis; ondanks zijn bekentenis heeft Bradley geen dag achter de tralies gezeten vanwege die moord op Horace Rollins. Men had hem de kans gegeven te bekennen dat hij zich schuldig had gemaakt aan doodslag, en hij was tot achttien maanden voorwaardelijk veroordeeld. En wat hij met Penny en mij had proberen uit te halen was afgedaan als het gevolg van een vlaag van verstandsverbijstering en/of een reusachtig misverstand, en er was hem zelfs niets ten laste gelegd.

Ik wist dat hij op vrije voeten was, maar desondanks verbaasde het me dat ik een brief van hem kreeg. Na een overwegend onsamenhangende alinea – die, zo drong pas later tot me door, een poging moest voorstellen om zich ervoor te verontschuldigen dat hij me bijna had verdronken in Two Seasons Lake – schreef Bradley dat hij van Oscar Reyes had gehoord dat ik me uiteindelijk toch had laten registreren als officiële eigenaar van het perceel van de Gages. (Dat is namelijk zo. Een jaar geleden heb ik bij wijze van verzoeningsgebaar richting Gideon contact opgenomen met Oscar Reyes – met wie anders? – en hem gevraagd of de mogelijkheid nog bestond dat ik het perceel van Althea Gage erfde. Hij heeft dat toen voor een gering bedrag geregeld.) 'Ik heb er alle begrip voor als je er misschien niets voor voelt om zaken met mij te doen,' schreef Bradley vervolgens, 'maar ik zou dat stuk grond nog steeds graag kopen. Zou je het Oscar willen laten weten als je bereid bent kennis te nemen van mijn bod?'

Adam opperde dat ik Bradley maar moest terugschrijven dat ik die grond aan iedereen zou verkopen behalve aan hem, maar de waarheid gebiedt te zeggen dat ik, ondanks alles wat er is gebeurd, eigenlijk geen wrok voor hem koester. Ik weet niet goed wat voor gevoelens ik hem toedraag, eerlijk gezegd. Ik denk dat ik Oscar Reyes maar ga vragen om het perceel te verkopen voor de beste prijs die hij ervoor kan krijgen en me naderhand gewoon niet te vertellen door wie het is gekocht. Als Bradley werkelijk geld wil neertellen om eigenaar te worden van de restanten van mijn moeders huis, dan moet dat maar.

De derde brief die ik van de week heb gekregen, een mailtje eigenlijk, kwam van Penny in San Diego.

Onderwerp: 15 juli oké?
Datum: donderdag 21 juni 2001 8:08
Van: Penny Driver pdriver@catchpennylane.org
Aan: housekeeper@pacbell.net

Andrew,
Eindelijk een aantal vrije dagen toegezegd gekregen, dus kan komen logeren. Wat vind je van 8 dagen vanaf 15 juli? Laat even van je horen, dan kan ik een vliegticket boeken.
Liefs,
Penny

Toen kwam er een blanco ruimte van zo'n tien regels en vervolgens:

P.S. dOe Sam de groeten vamme godverklote... M

'Nou,' zei Adam vanaf het spreekgestoelte, 'dat kon nog weleens een interessant samenzijn worden.'

Zondag 24 juni 2001, pakweg vijf over halfacht 's morgens: ik zit op de schommelbank op de veranda met mijn beker ochtendkoffie. Het is niet zo dat ik op iets bepaalds wacht – er komt vandaag geen post, en Penny komt pas over drie weken , ik zit gewoon maar wat te kijken naar het begin van de dag en zo'n beetje te peinzen, puur op mijn gemak, over de vraag wat ik verder met mijn leven wil.

Ik geef me natuurlijk weleens over aan dagdromen over hoe het zal gaan als Penny hier eindelijk aankomt. Maar goed, ik ben volwassen genoeg om te beseffen dat dat maar gefantaseer is, dat ik me daar onmogelijk aan kan vastklampen. Ik kan er niet omheen dat het al meer dan anderhalf jaar geleden is dat Penny en ik oog in oog hebben gestaan, en al die tijd hebben we wel ons best gedaan om contact te houden, maar ik kan me toch niet zo goed meer voorstellen wat voor iemand ze nu is (en als dat P.S. van Maledicta niet alleen maar een geintje is, dan kon het weleens zijn dat Penny dat intussen ook niet zo precies weet). Dus ik droom er wel van dat ze me vraagt om ook in San Diego te komen wonen, maar ik reken er beslist niet op.

Afijn, wie weet kunnen we een paar leuke dingen ondernemen als ze hier is.

En als ik nog verder in de toekomst kijk, als mevrouw Winslow het huis verkocht heeft – dan ga ik denk ik eens een tijdje reizen, maar dan wel met een bepaald plan. Ik zou graag eens wat meer van het land zien, uitkijken naar oorden waar ik misschien ook wel met plezier zou kunnen wonen, wie weet ergens waar de grond zoveel goedkoper is dat ik er dan niet iets hoef te huren.

Mijn gedachten gaan vanzelf uit naar New Mexico, merk ik. Ik weet dat tante Sam daarvan droomt, dus misschien heeft ze wel op de een of andere manier kans gezien haar grote verlangen mijn onbewuste binnen te smokkelen – alleen wil tante Sam graag naar Santa Fe, en ik denk niet dat ik het me kan veroorloven om daar woonruimte te kopen. Maar ergens buiten de stad, in de woestijn of zo – wie weet kan ik daar wel iets van een halve hectare krijgen. En dan mijn eigen huis bouwen van adobe – waarom niet?

'Ja hoor,' zegt Adam, 'en als je stro verbouwt, dan kun je je eigen stenen bakken. En dan moet je Julie Sivik nog zover krijgen dat ze vanuit Alaska het vliegtuig neemt om je een handje te helpen.'

Oké, misschien is dat toch niet zo'n praktisch idee.

Toch zie ik dat huis voor me: het is maar klein – er hoeft geen verdieping op, lijkt me –, maar het heeft een flinke veranda of een terras op het oosten, waar ik in de ochtendzon kan ontbijten. Het staat op een aardig lapje grond, zodat ik een paar bomen kan planten, en er loopt een lange oprijlaan naartoe, want dan kan ik altijd zien wie er in aantocht is. Aan de achterkant ligt een tuin. En binnen wemelt het van de kasten en planken, zodat al mijn bezittingen, en alle spullen die ik me nog moet aanschaffen, hun rechtmatige plaatsje kunnen vinden. Waar ze goed opgeborgen zijn, maar niet verstopt.

Woord van dank

Zoals altijd ben ik heel wat mensen erkentelijk, maar verreweg de meeste dank ben ik verschuldigd aan mijn vrouw, Lisa Gold, die me zo constant en op zo veel manieren terzijde heeft gestaan dat ze eigenlijk een aparte bladzijde verdient. Ze heeft als muze gefungeerd, als klankbord, criticus, tekstbezorger, proeflezer, onderzoeksassistente, boezemvriendin, cheerleader, zakelijk adviseur en als algemene regelnicht van praktische zaken. Dank je, Lisa.

Verder mijn dank aan Michael B., die mij met zijn aanvechtbare oordeel over vrouwen tot deze geschiedenis heeft geïnspireerd.

Ook gaat mijn dank uit naar Melanie Jackson, mijn agent en op een na grootste aanhangster.

Dank ook aan mijn drie tekstredacteuren: Dan Conaway, die me op weg heeft geholpen; Jennifer Hershey, die ingenomen was met de richting die ik insloeg; en Alison Callahan, die zich op een geweldige manier over de laatste loodjes heeft ontfermd toen Jennifer was weggelokt door een vreemd huis.

Verder wil ik graag mijn dank betuigen aan Brenda Cavender, want zij heeft me de meest ongelooflijke woonruimte verschaft om de laatste hand te kunnen leggen aan dit boek.

Ook gaat mijn dank uit naar Josh Spin, Greg Delaney, Neal Stephenson, Ellen Lackermann, Harold en Rita Gold, Susan Weinberg, Lydia Weaver, Elliott Beard, Olga Gardner Galvin, Michael McKenzie, Andrea Schaefer, Cynthia Geno, Lee Drake, Michael Alexander, Noah Price, Karen Carr, Lisa Fogelman, Jonathan Jacobs, George Coulouris en Christodoulos Litharis. En tot slot bedank ik de bibliothecarissen, internetschrijvers en Usenet-posters die me hebben geholpen met het oplossen van de vele vragen die zich voordeden tijdens mijn onderzoek.

Bij de productie van dit boek is gebruikgemaakt van papier dat het keurmerk Forest Stewardship Council (FSC) draagt. Bij dit papier is het zeker dat de productie niet tot bosvernietiging heeft geleid. Ook is het papier 100% chloor- en zwavelvrij gebleekt.

Mixed Sources

Productgroep uit goed beheerde bossen, gecontroleerde bronnen en gerecycled materiaal.

www.fsc.org Cert no. CU-COC-802528